D1484188

ANDRÉ GIDE

OUVRAGES DU MÊME AUTEUR

LA FEMME DE PAILLE, roman. (*Férenczi*).

DÉCHÉANCES AIMABLES. (*Edit. du Sagittaire*).

EN PERSONNE. (*La Cité des Livres. Épuisé*, 1926).

L'ART CINÉMATOGRAPHIQUE. (*Alcan*).

MARCEL PROUST, augmenté de plusieurs études et de *Proust et la Jeunesse d'Aujourd'hui*. (*Édit. du Sagittaire*, 75ᵉ *mille*).

COMMENT TRAVAILLAIT PROUST. Bibliographie et études. (*Édit. des Cahiers Libres. Épuisé*, 1928).

LES DROITS DE L'ÉCRIVAIN DANS LA SOCIÉTÉ CONTEMPORAINE. (*Les Cahiers de la Quinzaine*).

LE COMTE DE LAUTRÉAMONT ET DIEU. (*Édit. des Cahiers du Sud. Épuisé*).

Introductions et Notices :

Introduction à LA VIEILLE FILLE DE BALZAC. (*Édit. Lemarget*).

Introduction et commentaires aux LETTRES DE MARCEL PROUST A RENÉ BLUM, BERNARD GRASSET ET LOUIS BRUN. (*Édit. du Sagittaire. Épuisé*).

ANTHOLOGIE DES PHILOSOPHES FRANÇAIS CONTEMPORAINS, en collaboration avec A. Dandieu. (*Édit. du Sagittaire*).

LÉON PIERRE-QUINT

ANDRÉ GIDE

L'HOMME

SA VIE — SON ŒUVRE

ENTRETIENS AVEC GIDE
ET SES CONTEMPORAINS

1952

LIBRAIRIE STOCK

DELAMAIN et BOUTELLEAU

6, rue Casimir Delavigne

PARIS

IL A ÉTÉ TIRÉ DE LA PRÉSENTE ÉDITION :
33 EXEMPLAIRES SUR PUR FIL LAFUMA NUMÉROTÉS DE I A 33.
PLUS IO EXEMPLAIRES HORS COMMERCE MARQUÉS PUR FIL
LAFUMA H. C., CONTENANT LA REPRODUCTION DE REMARQUES
MANUSCRITES D'ANDRÉ GIDE SUR SA BIOGRAPHIE. IIO EXEM-
PLAIRES SUR VÉLIN ALFAMA DES PAPETERIES DU MARAIS, NUMÉ-
ROTÉS DE 34 A 143, PLUS VINGT EXEMPLAIRES HORS COMMERCE
MARQUÉS ALFA H. C.

INTRODUCTION
1952

Il s'est agi d'abord pour moi de faire réimprimer un livre : André Gide, sa vie, son œuvre, *paru en 1933. Il forme à présent le « Livre I » du présent ouvrage. J'ai éprouvé le désir de le compléter : une étude critique nouvelle intitulée* L'Homme *paraît ici sous le « Livre II ». Enfin, dans d'anciennes notes retrouvées et mises à jour :* Entretiens avec Gide et ses contemporains *et des* Morceaux Choisis, *« Livre III », ont pris place ce qui appartient à la figure historique de Gide, à son influence sur plusieurs générations et au mouvement littéraire du demi-siècle écoulé.*

Les parties inédites du présent ouvrage sont devenues trois fois plus importantes que l'ancien texte réimprimé. On peut dire que l'ensemble de ces essais forme un ouvrage entièrement nouveau.

Le Livre II est composé de chapitres qui, la plupart, ont pour titre des expressions qui appartiennent à Gide lui-même :

« Mon livre le plus important... » traite de l'amour et de Corydon.

« Nous ne sommes pas faits pour ces questions... » traite de la position politique de Gide et de son passage dans le communisme.

« L'explication de ma vie... » *tente d'éclairer le drame de son mariage (en interprétant une certaine partie de son œuvre plutôt qu'en s'appuyant sur les révélations de* Et nunc manet in te.)

Les Entretiens *avec Gide et ses Contemporains et les* Morceaux Choisis *ajoutent à sa biographie des éléments complémentaires, des notes prises sur le vif.*

LIVRE I

SA VIE — SON ŒUVRE
1869-1933

INTRODUCTION

1933

Entre l'œuvre et la vie de Gide, les rapports sont plus étroits, plus dépendants que chez d'autres essayistes. Les propositions de Gide sont éclairées constamment par sa vie, l'auteur, par son évolution. Ses débats de conscience, par les modalités de son caractère. Réciproquement l'établissement de sa biographie, première partie de ce livre, m'a été facilité par les confessions de Gide, le centre de son œuvre n'étant qu'une continuelle confession.

La seconde partie est consacrée à l'étude des traits caractéristiques de l'art gidien. C'est-à-dire à l'examen de conscience. Comment, malgré le dédoublement du moi, les « bonnes raisons » que chacun se donne, l'inconscient, repaire du diable et tout un appareil intérieur de duperie, parvenir à voir clair, à se saisir soi-même ? Le mot « sincérité » a-t-il même un sens ?

Rien de moins systématique que l'œuvre de Gide. Néanmoins ses livres : prose lyrique, romans, soties, nouvelles et critiques proprement dites, qui sont tous des essais, tous des prises de position, ne seraient-ils qu'interrogatifs ou de refus devant certains problèmes, tracent, même brisée, une ligne de conduite, forment un enseignement. Aussi ai-je essayé de dégager au centre de cet essai, quelques aspects d'une morale.

Enfin, j'ai donné un développement relativement important à la critique sociale qui peut être tirée de cette œuvre et qui préoccupe aujourd'hui l'auteur et notre temps [1].

1. Je remercie MM. Jacques-Emile Blanche, Jean-Richard Bloch, Jacques Copeau, Henri Ghéon, Edmond Jaloux, Pierre de Lanux, Paul-Albert Laurens, Roger Martin du Gard, Eugène Montfort, Henri de Régnier, Jean Schlumberger, Paul Valéry qui ont bien voulu m'aider de leurs souvenirs pour la première partie de ce livre.

J'ajoute que tous les discours en style direct, placés dans la bouche d'un personnage quel qu'il soit, au cours de cette biographie, sont extraits d'un « Journal », d'une « Confession », d'une « Correspondance », mais que, pour ne pas alourdir exagérément de notes mon livre, je n'ai pas toujours pu indiquer les sources qui, cependant, y figurent le plus souvent.

PREMIÈRE PARTIE : *SA VIE*

CHAPITRE PREMIER

L'ENFANCE

André Gide descend par son père de paysans huguenots, par sa mère de fonctionnaires de robe ; d'un côté, les âpres Cévennes ; de l'autre, l'épaisse et verte Normandie. Ces origines géographiquement opposées seraient, selon Gide, une des causes de ses contradictions de caractère.

Cependant quand un pasteur mit en rapport ses parents : Paul Gide, professeur de droit, avec Juliette Rondeaux, riche héritière, ce mariage unissait, avant tout, des traditions religieuses à des traditions bourgeoises. C'est dans cette famille austère qu'André Gide naquit à Paris, le 22 novembre 1869.

A six ans, nous raconte l'auteur [1], il était encore un enfant sournois ; il « rapportait » aux bonnes ou piétinait les pâtés de sable de ses camarades. On peut le voir, sur une photographie, avec un visage pâle et vieillot, et affublé par sa mère d'une lourde robe à carreaux.

1. *Si le Grain ne meurt.*

A L'Ecole Alsacienne, c'était un cancre. Bientôt il fut renvoyé du collège pour mauvaise conduite : un précoce instinct sexuel s'était éveillé en lui, comme une force de révolte. Dans l'ombre qui enveloppait ses premières années, il n'est pas surprenant que ses démons aient pris naissance.

Cependant, à onze ans, quand son père meurt, il sort de son état de demi-sommeil. Mais, à partir de ce moment, l'amour de sa mère se referme sur lui et l'enveloppe d'une sollicitude à chaque instant pesante et importune.

Il grandit au milieu de trois femmes tristes, que dominait la crainte de mal agir ou de mal penser : c'est Anna Shackleton, une vieille fille recueillie par la famille ; c'est sa tante Claire, obsédée par la peur de déchoir : — Nous nous devons, répétait-elle, de ne jamais voyager qu'en première classe ; au théâtre de ne pas aller ailleurs qu'au balcon... *Nous nous devons*... Cette devise de l'esprit bourgeois devenait l'objet de perpétuelles discussions. Enfin, figure symbolique du Devoir, voici, auprès de lui, sa mère, toujours vêtue de noir. C'est une femme modeste, pleine de *bonne volonté,* timide, austère et sévère.

Entre elle et son fils pointait déjà l'incompréhension. Ayant raconté un jour qu'un de ses camarades s'est déclaré athée, le jeune André interroge : « Qu'est-ce que cela veut dire : athée ? — Cela veut dire : un vilain sot ». Les réponses de sa mère étaient définitives, sans issue, sans réplique possible. Quand les questions de l'enfant se faisaient plus pressantes : « Tu comprendras plus tard... »

Peu à peu le petit André était réduit au type familial. Son foyer lui paraissait le centre du monde. Il n'imaginait plus rien au delà, sinon un univers répétant indéfiniment des familles riches, bourgeoises et puritaines semblables à la sienne. Il admirait, comme la forme de la beauté, l'appartement qu'il habitait avec les siens, rue de Commaille, cet appartement aux lustres en girandoles de cristal, au salon alourdi d'or, aux meubles recouverts de housses. Plus tard, en face d'un camarade pauvre, il sera mal à l'aise et ne comprendra pas la misère.

Quand sa mère voulut le faire retourner au lycée, il fut pris subitement de crises nerveuses ; il tombe à terre, souffre, son corps tressaute et se contorsionne. Il est vrai que son oncle Charles Gide [1], passant un jour devant lui sans prendre garde à ses mouvements, l'enfant se relève sans difficulté, honteux et furieux. Crises simulées ? Peu importe : la simulation elle-même est déjà le début d'une névrose.

C'est ainsi qu'il échappe à l'astreignante discipline du collège. Une « vie irrégulière... désencadrée... rompue » s'ouvre dans son enfance sévère. Mme Gide le mène à Lamalou, puis à Gérardmer pour le soigner. C'est pour lui la joie de courir au milieu des falaises, des rochers, des cascades. Il devient, pour son âge, un botaniste émérite ; il collectionne des papillons, des insectes, des larves. Il observe les ébats des lapins, le vol des hirondelles, ou simplement, les petits cercles que fait la pluie en tombant dans un bassin.

Au cours de cette existence de vagabondage, ses précepteurs et ses professeurs de piano se succèdent, grotesques fantoches, ignorants et bornés. L'un lui raconte ses malheurs conjugaux ; l'autre cherche avec lui un appartement. C'est miracle, pense-t-il plus tard, que, dans ces conditions, son instruction n'ait pas été manquée.

En hiver, il est à Uzès, dans la famille de son père. Quand il va rendre visite à un de ses cousins, qui est pasteur, on ne le laisse pas partir sans le sermonner, le bénir, prier avec lui et pour lui. Dans chaque foyer, une Bible est présente. Rien ne touche le jeune André davantage que ces tableaux de famille où l'aïeul, entouré de ses enfants à genoux, plein de sublime confiance en Dieu, récite des actions de grâce « sans requêtes ».

1. Charles Gide, l'économiste, mort en mars 1932.

André Gide a seize ans. Son expression, un peu énigmatique et concentrée, fait penser à quelque Saint Jean-Baptiste
adolescent. Ses yeux fuient dans un rêve intérieur. D'épaisses
lèvres sensuelles, ombrées par un léger duvet, ajoutent à la
ferveur de son sombre visage. Il porte une cravate lavallière
noire, qui abat ses pans flottants sur un gilet fermé très haut.
De brusques et excessifs mouvements d'amitié, suivis de retraits
ombrageux, trahissent en lui le drame de l'orgueil et de la
timidité. Déjà il se livre à des examens de conscience. Il a
commencé à tenir un « journal intime ».

A l'âge de la puberté, il traverse le monde, où sévit le péché
originel, protégé par une cuirasse d'innocence. Les revendications de la chair lui sont des épouvantails. « ... Il est préférable,
dit son cousin Albert à sa mère devant lui, que ce grand garçon rentre avec vous le soir, quand vous venez dîner ici... »
Lorsqu'il apprend qu'un de ses camarades traverse, pour
regagner sa demeure, le passage du Havre, repaire de damna-
tion, il se précipite, tout secoué de sanglots, à ses genoux :
« Oh ! je t'en supplie... N'y va pas !... » Pourtant , un soir
de printemps, une de ces femmes « à voix de goule ou de
sirène » l'aborde : « Faut pas avoir peur comme ça, mon joli
garçon ! » Aussitôt, il rougit, ses tempes battent et il s'enfuit
presque en larmes, avec l'impression de l'avoir échappé belle :
« Ah ! fi ! Si c'est ça la vie qu'il faut vivre, écrit-il dans son
« journal », j'aime mieux mon rêve... mon rêve... les chi-
mères plutôt que les réalités. » Ses lectures mêmes sont sur-
veillées. Il lit à haute voix, devant sa mère, les ouvrages de la
bibliothèque paternelle. L'*Albertus* de Théophile Gautier les
fait rougir tous les deux et ils en sautent des strophes. A partir
de ce jour, d'ailleurs, la surveillance se relâche.

Alors c'est une boulimie de lectures. Les poètes, tous les
poètes, bons ou mauvais, Victor Hugo, Baudelaire, Sully-
Prudhomme, Heine, l'enivrent. Les plus grands événements
de sa vie, entre quinze et vingt ans, ce sont deux lectures bien

différentes : la *Bible* et les *Mille et Une Nuits,* qui l'enthou-
siasment également.

Le plus souvent, il partageait la joie de ses découvertes avec
sa cousine Emmanuèle R... Depuis l'âge de douze ans, il s'était
attaché à elle de toute sa tendresse passionnée. C'était une
douce et grave jeune fille, qu'il jugeait de vertu presque sur-
naturelle. Sa mère s'étant enfuie, elle avait envisagé cet événement comme une honte quasi ineffaçable, et le jeune André
lui avait alors juré de l'abriter pour toujours « contre la peur,
contre le mal, contre la vie » [1]. Déjà la ferveur religieuse se
mêlait à leur amour d'enfant. Au temple, un dimanche, en
écoutant le sermon du pasteur, il se vit, en rêve, tenant sa
cousine par la main : « vêtus tous deux de ces vêtements
blancs » dont parle l'Apocalypse, ils avançaient par le chemin
difficile de la « porte étroite » et regardaient vers le ciel, éblouissement pur... Ainsi ils grandissaient ensemble et se retrouvaient,
chaque année, aux vacances, dans les propriétés normandes de
leurs parents.

A seize ans, Gide prépare sa première communion : l'enseignement du pasteur lui paraît si sec et si rébarbatif qu'il se
demande tout à coup s'il a la vocation d'un protestant. Ne
serait-il pas un catholique qui s'ignore ? En fait, aucun dogme
ne le contente. Mais débarrassé de l'étude du catéchisme, avec
quelle joie il se tourne spontanément vers Dieu. C'est l'été suivant. Ses cours sont finis. Il mène une véritable vie d'ascète,
couche sur une planche, se plonge dès l'aube dans l'eau
glacée, se relève la nuit pour la prière. A ces pieux élans, il
mêle des travaux profanes. Il reprend sa grammaire grecque,
refait de l'algèbre, « recopie le quatrième livre » de l'Ethique,
« en négligeant les scolies, pour mieux saisir dans son ensemble... la suite des propositions [2]. » Cette sorte d'état séra-
phique se prolonge des mois durant...

1. Cf. *Les Cahiers d'André Walter, la Porte étroite* et *Si le Grain
ne meurt.*
2. Cf. *Les Cahiers d'André Walter.*

Le voici à l'entrée de la vie, libre de tout souci d'argent, disposant à son gré de ses journées, de ses années. O temps bienheureux d'avant-guerre où l'oisiveté était permise, honorable ! Quoique sa mère le maintînt toujours sous sa tutelle, elle ne décourageait pas, contrairement à tant de familles, sa vocation d'homme de lettres. Dans son cahier de comptes, elle se contentait d'inscrire, sous « frais de carrière d'André », les dépenses que nécessitait l'impression des premiers ouvrages de son fils.

Un projet de livre l'habitait maintenant, où il voulait tout mettre : c'étaient *les Cahiers d'André Walter*. L'ouvrage lui paraissait « si noble, si pathétique, si péremptoire », qu'il ne doutait pas, après sa publication, d'obtenir la main d'Emmanuèle. La vie, en effet, ne lui était « plus de rien sans elle » et il la rêvait « partout l'accompagnant »... Tel il s'engageait, confiant, dans un avenir qu'il voyait fait à sa volonté : « Je ne changerai, s'écriait-il, [mon existence], contre aucune ». Mais la vie n'avait pas encore ouvert devant lui ses faces les plus réelles, qui allaient ébranler tout son fier équilibre intérieur...

Pour écrire son livre, il s'est enfermé, seul, près d'Annecy, dans un petit chalet loué, avec un piano qu'il a fait venir. Là, de l'aube au soir, il écrit. Il a arrêté sa pendule et sa montre. Mais, lorsque, pour se délasser, il s'approche de la fenêtre — les marronniers sont en fleurs — c'en est fini de sa quiétude. Les désirs insatisfaits de sa chair qu'il a voulu négliger, avilir, surgissent dans une irrésistible poussée intérieure, et prennent tous les détours pour se rappeler à lui. S'il se promène dans le village, des visages d'enfants retiennent ses regards : c'est ici un jeune vaurien qui plonge dans la rivière. Ah ! se baigner avec lui ! Être une brute qui ne pense plus. Alors, il décide de ne plus sortir que la nuit. Mais la nuit, la crainte du péché l'épouvante davantage. Une obsession musicale le hante,

jusqu'au détraquement nerveux. Une femme affreuse, au
visage de poupée, surgit et soulève sa robe. En disparaissant,
elle ouvre une bouche noire comme un trou : « Mon Dieu,
s'écrie-t-il, préservez-moi de la folie ! [1] » Mais c'est en vain
qu'il crie à l'Eternel ! Sa foi chancelle. Ah ! ses beaux rêves
d'enfant, quand il se voyait, « en vêtements blancs », monter
avec Emmanuèle vers le bonheur. Il sait aujourd'hui ce qui
s'agite dans le cœur clos et dans la vie chaste de l'ascète. En
vain cherche-t-il à « se faire violence » [2]. Le diable est entré
avec lui dans sa retraite.

Rien dans son éducation ne lui a fait prévoir cette lutte à
mener. A peine s'est-elle installée en lui qu'elle lui semble
injustifiable. Il se demande s'il n'interprète pas mal son devoir,
ou si la morale qu'on lui a enseignée est la bonne. Dieu ne
peut pas vouloir que l'homme se déchire. Ne serait-il pas préférable de céder au désir ? « Mais que faire ?... Je ne sais
rien, je suis ridiculement ignorant de cela. Alors où ? dans la
rue, une de ces femmes errantes... » Ah ! Un conseil, un
maître, un guide ! Il pense qu'il ne peut pas être le seul sur
terre à souffrir ainsi. Il voudrait révéler ses tourments afin
qu'ils puissent servir à d'autres qui sans doute les éprouvent
comme lui. Dès cette époque, il songe à baisser le masque,
à révéler publiquement son trouble intérieur.

Mais à vingt ans, — surpris, presque épouvanté de sentir
chanceler en lui ses principes moraux, sa ferveur religieuse, ses
habitudes de vie, tout le retient encore. Il résiste à son doute. Il
résiste à ses sens. C'est le commencement de la lutte épuisante
qu'il va soutenir contre son enfance puritaine.

La lutte de l'homme contre la chair formait le sujet même
des *Cahiers d'André Walter,* mais restait enveloppée d'un
style musical, mystérieux, vague et éthéré, conforme aux tendances symbolistes de l'époque. L'ouvrage est achevé : c'est

---

1. *Les Cahiers d'André Walter.* Sans doute Gide a-t-il fait André
Walter plus tourmenté qu'il ne l'a été lui-même.
2. *L'Imitation.*

un manuscrit composé de toutes petites feuilles de papier à lettres, quadrillé, pauvre papier pelure, couvert d'une écriture serrée, presque enfantine, et sans aucune rature. Avec ce livre, Gide comptait répondre à l'inquiétude de toute sa génération.

Son impatience était grande. Les lettres qu'il recevait de la capitale lui apportaient comme des souffles d'air enfiévrés. Il voyait, là-bas, ses camarades s'entraîner, s'exciter ; c'était la ruée des ambitions : « J'arriverai trop tard, s'écriait-il, et je n'en serai plus ! » Il rentre à Paris, et sans même chercher un introuvable éditeur bénévole, fait tirer à ses frais une édition ordinaire « pour satisfaire à l'appétit du public » qu'il s'imaginait « devoir être considérable ».

L'insuccès de la vente fut total. Dépité, il mit cette édition au pilon. Seule parut une édition de luxe, tirée à 190 exemplaires [1]. S'il y en avait eu trop, il y en aurait trop peu maintenant. Il en envoya cependant quelques-uns, accompagnés de dédicaces ferventes jusqu'à l'emphase, à des auteurs dont il n'avait pourtant pas lu une ligne. Quelques réponses l'enchantèrent.

Ce « triste et merveilleux bréviaire des vierges », lui écrivait Maeterlinck, est, « ... à certains moments, éternel, comme l'*Imitation*... ». « Cela sort, écrivait Huysmans, des ... abominables vulgarités... » ; Henri de Régnier l'invitait à aller avec lui « chez M. de Heredia » ; Mallarmé l'appelait « le Rare Intellectuel » et lui demandait de venir rue de Rome « avant personne, mardi soir, dès à peine huit heures, pour mieux se parler ». C'est ainsi que, curieux, tremblant et ravi, il entra dans les « serres chaudes » du symbolisme...

1890 ! Moment émouvant pour un jeune homme qui cherchait sa voie dans les lettres ! On sentait qu'il se passait quelque chose. La littérature s'était dédoublée. Entre le « boulevard » et « l'avant-garde », l'opposition était plus vive que jamais. Les symbolistes luttaient par le dédain, avec la volonté de rester obscurs, rares, isolés. Les naturalistes les accusaient de névrose ou de mystification et leur opposaient les tirages massifs de leurs propres romans.

Les textes symbolistes paraissent, au contraire, dans de toutes petites revues, aussi rares qu'éphémères. Chaque coterie, pour s'imposer, avait la sienne. Gide s'occupa de plusieurs d'entre elles avec son premier et grand ami : Pierre Louÿs.

Les deux jeunes gens s'étaient connus à l'Ecole Alsacienne. « Tu aimes donc les vers ? » lui disait un jour Louÿs, en le voyant lire du Heine. Peu de temps après, ils étaient liés.

Enfant grandi trop vite, flexible et délicat, mais plein d'un irrésistible bouillonnement, d'une juvénilité exubérante, Louÿs se donnait à la vie, en attendant « les femmes et le génie » [1]. Il essayait en vain d'entraîner avec lui le pauvre Gide, perclus de scrupules et de réticences, mais pourtant intérieurement aussi passionné que lui.

Dès le lycée, les deux amis créèrent, avec Franc-Nohain, Michel Arnauld [2], Maurice Quillot, la *Potache-Revue,* au nom dérisoire. Puis, ce fut *la Conque,* petit tract bien modeste encore, de huit pages, au prix de 10 francs-or. Le vieux Parnasse y patronnait le symbolisme. Leconte de Lisle et Heredia voisinaient avec Henry Bérenger, le futur « commissaire aux essences » pendant la guerre, et Léon Blum. Cependant *le Centaure,* qui succéda à *la Conque,* fut enfin un recueil de luxe, avec des estampes originales en couleurs signées : Jacques-Emile Blanche, Puvis de Chavannes, Odilon Redon...

Mais Louÿs était seul directeur en nom : Gide se réservait,

1. Journal de Louys.
2. Michel Arnauld est le pseudonyme que prendra Marcel Drouin, qui deviendra le beau-frère de Gide.

car il sentait que le symbolisme n'était pas *son* mouvement.

Sans doute, pendant quatre ou cinq ans, il traversa ces milieux, dont il était devenu, très rapidement, « un des plus lumineux lévites [1] ». Ainsi entouré de Quillard, Hérold, Viélé-Griffin, Henri de Régnier, Mockel, Bernard Lazare, il se laissait porter par le mouvement des cénacles.

On discutait, sans fin, Wagner, Hegel, les lakistes et les préraphaélites. Le vers libre venait d'être introduit. Les *manifestes* se suivaient. Tous les littérateurs étaient poètes...

Au milieu de cette floraison surabondante de groupes, Gide sut déjà reconnaître quelques rares écrivains, qui devaient s'imposer plus tard. Mallarmé devint son maître vénéré : convié à ses « mardis », il écoutait religieusement, ému parfois jusqu'aux larmes, ce petit bourgeois modeste qui, devant ses disciples, poursuivait son insaisissable chimère : l'Idée pure surgie du Verbe.

C'est à la même époque qu'il découvrit, par l'intermédiaire de Louÿs, Paul Valéry : avec eux, il forma, au sein des petits clans symbolistes, un trio plus inspiré, plus tendu que les autres groupes. Valéry était un tout jeune homme, au regard extraordinaire, d'une conversation éblouissante, absorbé, lui aussi, par les problèmes d'idées les plus pures « que l'on puisse jamais se proposer » [2]. Il sera l'homme le plus important de sa génération, prédisait Gide.

Les trois amis consacraient leur temps à toutes sortes d'exercices prosodiques : acrostiches, etc. [3]. Entre Gide et Louÿs, se poursuivait une correspondance assidue, passionnée, avec des discussions byzantines infinies. On eût dit de deux théologiens traitant de l'essence divine. Les lettres de Louÿs

---

1. Rémy de Gourmont.
2. *Introduction à la Méthode de Léonard de Vinci.*
3. Parfois, ils improvisaient des sonnets, en composant chacun un vers successivement. Ou bien, sur une carte de visite, Valéry écrivait :

> *Les Trompettes des chars sonores du soleil...*
> *Vingt fois ont sonné l'ombre et clamé le sommeil*
> *Mais Louys ne répond plus depuis le seize avril.*

étaient toujours composées en caractères gothiques, et même
en « onciale », comme il disait, avec de l'encre violette à
reflets mordorés, parfois sur un magnifique vélin, comme
des enluminures moyenâgeuses. Déjà hanté par sa manie
de paléographe, Louÿs, tout en calligraphiant avec une
prestesse surprenante, passait des nuits à les confectionner.

Tout absorbé qu'il était par le « culte » de l'art, Gide ne
mena pas moins, au cours de ces années, une vie pénible de
sombre et superficielle agitation. C'était alors un grand jeune
homme mince, chaste, grave et maniéré, aux yeux pâles, aux
cheveux abondamment bouclés de poète, avec une barbe foli-
chonne et presque noire. Il parlait peu, les dents serrées, une
langue rare. Sous un vaste chapeau de feutre noir, il se drapait
déjà romantiquement de la cape brune et mystérieuse, qu'il
a toujours portée depuis. Parfois il tenait dans la main ou
enfouissait dans la poche une Bible, que, dans son enfance, il
ne quittait point, qu'il sortait à tout instant et « en présence
de gens précisément dont [il avait]... à redouter la moque-
rie ».
Dans les salons littéraires, où il se laisse entraîner, malade
de timidité, il ne fait guère que « quelques apparitions épou-
vantées... » Mais dans le « monde où l'on s'ennuie », on attire
volontiers toute figure nouvelle. Chez les Beignères, il entrevoit
le jeune et gentil Marcel Proust, qui paraissait le protégé d'Anatole France. Gide représente l'avant-garde. — Alors, c'est vrai,
lui dit-on, que vous comprenez Mallarmé ? On lui présente le
sonnet qui commence par : « *M'introduire dans ton histoire...* » et qui prête à tous les fous-rires des dames... — Expli-
quez-nous... Soudain, point de mire de tout le salon, ragaillardi
par l'ironie générale, il retrouve son courage. Mais un autre
jour, où il s'est mis au piano, il s'arrête brusquement, les pieds
sur les pédales, les mains inertes sur le clavier, incapable de
continuer, pris de panique... C'est à cette époque qu'il ren-
contra Wilde, élégant, adulé, le regard triomphant : « Je
n'aime pas vos lèvres, lui confiait Wilde, elles sont droites

comme celles de quelqu'un qui n'a jamais menti. » Puis il éclatait de rire et Gide restait tout décontenancé.

Les rapports humains lui étaient devenus malaisés. Même au milieu de ses camarades, incapable de *naturel,* il cherchait, comme un comédien, des artifices, prenait des poses ; inquiètement soucieux de ses gestes, il les avait étudiés chez lui devant la glace. Sa présence glaçait : on n'osait plus se livrer à des propos trop libres, ce qui augmentait la gêne du malheureux puritain malgré lui. Henri de Régnier avait composé cette laconique épitaphe : « Ci-Gide ». Louÿs lui envoyait, le jour anniversaire de la Saint-Barthélemy, ce télégramme : « Ils t'ont oublié... »

Pierre Louÿs, en qui se réveillaient parfois des instincts de gauloiserie, avait juré de « dégourdir » son ami. Il avait une sorte de plaisir sadique à choquer sa pudeur. Malgré son insistance, il n'était pas parvenu à ce que Gide entrât dans sa garçonnière de la rue Rembrandt. Il lui fit alors envoyer un télégramme par Mauclair lui annonçant son suicide, mais Gide, craignant quelque stratagème, se fit accompagner par Hérold pour se rendre au domicile de son ami et le fit passer le premier. Louÿs, en pyjama, ouvrit la porte et gueula :
— On ne peut donc pas me laisser faire l'amour tranquillement ! Mais la plaisanterie engendrait de graves brouilles quand Louÿs envoyait, par exemple, à deux heures du matin, les pensionnaires d'une « maison » sonner à la porte de l'appartement où Gide habitait avec sa mère.

Ainsi se prolongeait sa jeunesse inutile, sa chasteté sans issue. « Commandements de Dieu, s'écrie-t-il, jusqu'où rétrécirez-vous vos limites ? [1] »

Et voici que soudain tout cède en lui, les règles lâchent. C'est la révolte. Son passé, sa famille, jusqu'à son appartement de la rue de Commaille, tout lui apparaît d'une insupportable laideur. Ah ! s'échapper ! Partir ! Partir !

---

1. Cf. *Les Nourritures terrestres.*

Son ami Paul-Albert Laurens a décidé de s'embarquer pour
la Tunisie. Ils s'y rendront ensemble. Aussi timide et chaste
que lui (quoique dépourvu de scrupules religieux), Laurens
est également résolu à tenter l'aventure. Gide partait, intrépide
comme les chevaliers de la légende, à la conquête de sa personnalité, décidé à vaincre son ignorance, sa peur des êtres et
de l'inconnu. En même temps, il se sépara de sa Bible : ce
livre dont il s'était continuellement nourri, il ne l'emporte pas
avec lui quand il s'embarque, en octobre 1893, pour les oasis
du désert saharien.

Sur le bateau, au milieu de la mer qui l'éloigne véritablement pour la première fois de son enfance, il sent qu'il ira
désormais, sans reculer, jusqu'au bout de ses désirs, aussi difficiles, déroutants, dangereux qu'ils puissent être... « Tout
doit être manifesté, même les plus funestes choses. *Malheur à
celui par qui le scandale arrive,* mais *il faut que le scandale
arrive.* »

3

CHAPITRE II

LA RÉVÉLATION DU DÉSERT

C'est en Algérie que Gide fut pris d'un goût de la vie sans égal, d'un fiévreux besoin d'être, de jouir, d'aimer. Le soleil, la nature, l'ardeur des plantes, les jeunes créatures, *la simplicité de l'amour,* le libérèrent enfin de l'étreinte puritaine. « Nathanaël, je ne crois plus au péché ! » Non, la terre n'est pas maudite ! Gloire au corps humain ! Aucun remords ne ternit ici la beauté des enfants du désert. Dans cette âpre contrée brûlante, loin de toute civilisation, le plaisir, n'importe quel plaisir, est naturel : il se prend ; il se donne, et le soleil purifie tout. Gide a la révélation de lui-même et de la véritable nature de son désir.

Il resta deux ans d'une manière presque ininterrompue dans cet orient de *Mille et une Nuits.* Ce fut sa période de lyrisme. Et pourtant il ne fut jamais aussi malade que pendant ces deux années. Il se crut tuberculeux, et se vit mourir comme son père. Il interrompit la marche, épuisante pour lui, qu'il avait projetée vers le sud de l'Algérie, et fut contraint d'hiverner à Biskra.

C'est là que commença sa lente et merveilleuse convalescence. Biskra, oasis aux blanches terrasses, avec ses « séghias », petites rigoles d'eau si précieuses, et son « lagmi », vin de palme, sève naturelle qu'il suffit de recueillir. Rejetant la condamnation du médecin, il se cabra contre le sort. Retrouver la santé devint son premier devoir. « Vivre ! s'écria-t-il, je veux vivre ! [1]. » Il s'entoure des enfants indigènes de Biskra et le spectacle de leur santé, de leurs mouvements, de leur grâce l'aide à surmonter une maladie, qui est surtout nerveuse. Quand sa mère, de Paris, accourt pour le soigner, elle est bientôt forcée de repartir : c'est seul et sans aide qu'il veut guérir.

Il a quitté ses vêtements sombres. Il fait couper sa barbe, et dès lors, un peu effrayé, il lui semble que son visage, comme démasqué, laisse voir à nu sa résolution nouvelle.

Au cours de son second voyage en Algérie, ayant rencontré Oscar Wilde, il fut entraîné par lui à de nouveaux dérèglements. Fébrile, tendu, forcené, entouré d'une bande extraordinaire de maraudeurs, Wilde, à la veille de son procès, se laissait mener par une sorte de fatalité.

Gide se donna, comme lui, à tous les plaisirs. Un matin, après avoir serré toute la nuit dans ses bras « un parfait petit corps sauvage, ardent, lascif et ténébreux », il court, seul, comme un fou, dans la campagne, léger, flottant, délivré, laissant éclater sa formidable joie. Pourquoi toutes ses nuits désormais ne seraient-elles pas aussi belles ? Il imagine un monde redressé, sans contrainte et sans règle, une ère nouvelle dans sa vie...

C'est dans cette exaltation qu'il écrivit les *Nourritures Terrestres*. Brûlons nos livres inutiles, détruisons nos souvenirs, brisons les attaches du passé : l'âme, peu à peu vidée, communiera avec la nature entière dans un panthéisme charnel et mystique.

Gide cherchait à prolonger le plus longtemps possible son séjour en Algérie. Il avait même acheté un terrain, en vue de s'installer définitivement sur cette terre élue. Un jeune boy arabe lui servait de domestique : c'était Athman. Athman a quatorze ans, le teint très noir, il porte une chemise de soie

1. *L'Immoraliste.*

rouge pour plaire à son nouveau maître. Gide l'initie aux
mystères de la prosodie française ; ils sortent ensemble et
jouent comme deux enfants. Athman s'était tellement attaché
à lui que Gide l'aurait volontiers amené à Paris, si sa mère,
à l'annonce de ce projet, n'avait répondu par de grands cris
de protestation. Mme Gide est d'ailleurs effrayée par l'excessif
enthousiasme que trahissent les lettres de son fils. A sa mère,
à Emmanuèle, à Pierre Louÿs, il ne peut s'empêcher de faire
part de sa métamorphose. Il voudrait confier à tout l'univers le
secret qui l'habite...

Quand il rentra à Paris, sa déception fut si cruelle qu'il
songea un moment au suicide. Quoi ! Rien n'avait changé !
C'étaient les mêmes cafés, les mêmes écrivains symbolistes, per-
dus dans les mêmes châteaux forts. Autour de lui « chacun
s'affairait », comme s'il n'était pas de retour, comme s'il
n'avait pas un important message à révéler. Il échappe alors à
l'accablement en se réfugiant dans l'humour : « Moi, cela
m'est égal, parce que j'écris *Paludes !* »

Soudain il est rappelé à La Roque, où sa mère est mourante.
Agenouillé devant le corps immobile, qu'il est seul à veiller
avec une vieille servante, voici qu'il retrouve les prières et les
gestes de sa pieuse enfance. En rouvrant les livres saints, il
pleure éperdument.

C'est presque aussitôt après ce deuil qu'il épouse sa cousine, Emmanuèle R... La jeune fille avait toujours la même
foi en sa mission : elle entrevoyait pour lui une vie magnifique, austère, exemplaire, qu'elle craignait même d'entraver.
Lui, fidèle au vœu de son enfance, voulut se dévouer pour
elle, la protéger et l'entraîner vers un bonheur qu'il se figurait,
témérairement, respirable pour elle comme pour lui. Il ne se
rendait pas compte que le bonheur ne se donne pas ; il
s'échange : on ne peut rendre un être heureux que si, réciproquement, il vous rend heureux.

Mais Gide espérait alors concilier en lui tous les contraires,
la possession et le renoncement, la joie païenne et l'amour

mystique, la griserie des *Mille et une Nuits* et l'ascétisme de
la *Bible.* Dans sa jeunesse intrépide qui croyait tout possible, il
crut possible, malgré sa découverte toute fraîche du plaisir,
une extraordinaire aventure, une aventure sublime qui, tous
deux, devait les conduire, par delà le bonheur, à quelque chose
de plus... à la « sainteté » [1]. Ainsi le mariage de Gide est au
centre de sa vie ; il explique tout ; il commande tout. Pour le
comprendre, il faut imaginer le dénouement de *la Porte étroite,*
modifié : à la fin de l'ouvrage, Alissa, au lieu de fuir, épouse
Jérôme.

La cérémonie, simple et discrète, fut célébrée le 8 octobre 1895, dans le petit temple d'Etretat.

Mais à peine a-t-elle eu lieu que Gide se sent enfermé dans
un devoir qui n'est plus le sien. Toute sa tendresse va vers
cette femme, mais tout son esprit est orienté ailleurs, et tout son
désir. Il s'aperçoit qu'elle a une vie propre, et il se découvre une
responsabilité nouvelle. La pensée de l'irréparable l'effraie.
Tout se heurte dans son esprit...

En cette année même, il achève *les Nourritures terrestres,*
où il accueille toutes les satisfactions. L'année suivante, il
écrit l'histoire de *Saül,* qu'il voit vaincu et asservi par ses
désirs. Puis, il fait paraître *L'Immoraliste,* qui exalte son
ancienne audace. Cependant, s'il étouffe auprès des dévots, la
révolte lui paraît vaine, et la liberté impie. Le doute l'a repris
comme à l'époque de son adolescence. Et de nouveau se pose
à lui, mais plus réelle, plus pressante que jamais, l'interrogation
de toute sa vie : « Tu veux servir à quelque chose. Il importe
de savoir à quoi. »

Pendant plus de vingt ans, il va tourner et retourner le
problème sous toutes les faces. Il n'est pas durant cette période,
de position morale qu'il n'adopte, ne pousse à bout dans un

1. *La Porte étroite.*

livre, puis ne rejette. La critique déconcertée ne peut le suivre. Francis Jammes interrompt un article sur lui, parce qu'il ne parvient pas à cerner sa personnalité. Lui-même avoue : « Je ne suis jamais *que* ce que je crois que je suis, et cela *varie* sans cesse. » Il s'égare... jusqu'à ce qu'enfin, après un long effort, il affirme n'être pas loin d'être heureux, vouloir l'être de plus en plus — et le devenir.

C'est dans cette montée que nous allons le suivre, dans cette lutte d'un homme marchant à la connaissance et à la possession de lui-même.

CHAPITRE III

« QUE CHACUN SUIVE SA PENTE... MAIS EN MONTANT »

Dès le lendemain de son mariage, Gide retourna, avec sa femme, en cette Algérie, dont il gardait une inconsolable nostalgie. Mais quelle déception pour lui ! C'est l'hiver, et le pays, sans chaleur, est méconnaissable. Les enfants charmants de Biskra et de Blidah, dont la présence l'avait guéri il y a quatre ou cinq ans, étaient devenus des hommes, vulgaires, déformés par leur métier, happés par le gain. Gide croyait que c'était sa propre jeunesse qui était morte. « J'ai décidément passé l'âge, écrivait-il, où le voyage est un enrichissement heureux [1]. »

Un à un, comme des morceaux de peau morte, se détachaient de lui les espoirs de sa vie d'écrivain. Le trio qu'il avait formé avec Valéry et Louÿs s'était dispersé. Valéry, sentant en Rimbaud et en Mallarmé, sous deux formes différentes, la perfection absolue, l'extrême limite de la poésie, des points d'aboutissement indépassables, s'était enfermé dans une retraite silencieuse dont il ne devait plus sortir jusqu'à la guerre. Avec Louÿs, Gide s'était brouillé. « Etre unique, lui écrivait-il encore d'Algérie, viens, viens ! » Mais dès que Louÿs l'eut rejoint, sa personnalité fantasque, envahissante, tyrannique lui parut plus insupportable que jamais : l'un voulait aller au

1. Lettre à Edouard Ducoté.

soleil, l'autre à l'ombre ; l'un parler, l'autre se taire. Ils ne devaient plus se revoir [1]. Tandis que Louÿs, avec *Aphrodite,* allait conquérir le grand public, Gide rentrait dans l'obscurité.

Ses anciens camarades de cénacle l'avaient quitté. Il s'était également fâché avec un des plus notoires d'entre eux : Henri de Régnier [2]. On concédait dans les chapelles symbolistes qu'il avait donné des espérances avec ses petites plaquettes un peu esotériques (*la Tentative amoureuse, le Voyage d'Urien*), mais on le considérait désormais comme perdu.

— Gide ne fera jamais rien, déclarait Heredia peu de temps avant sa mort.

Quand parut *L'Immoraliste,* la déception fut complète dans l'avant-garde : *L'Immoraliste* était un « roman » ! Si les écrits de Gide étaient plus ouverts, le grand public pourtant les ignorait. Il avait la réputation, qui nous surprend aujourd'hui, d'être un auteur difficile. La critique officielle se moquait de ses tirages restreints. Mais lorsqu'on n'a que cent ou deux cents lecteurs, on fait tirer l'ouvrage en conséquence. Il fallut des années pour épuiser les premiers cinq cents exemplaires des *Nourritures terrestres.* Dans la presse, personne ne signala ce livre, pourtant si nouveau [3]. *Saül* ne sortit pas des tiroirs de l'auteur ; Antoine qui s'était d'abord intéressé à la pièce, la refusa en déclarant que les premiers actes étaient du Shakespeare, mais les derniers... du Maeterlinck.

Après avoir été une sorte de « grand homme » dans le symbolisme, rien ne paraissait à Gide plus pénible que cette

1. C'est au moment de la mort de sa mère que Gide lui écrit une lettre de rupture : « .... Il est inutile et fâcheux de donner nos inconséquences en spectacle... Restons-en là... Je pense que le respect du passé... nous gardera des calomnies... Peut-être après ton frère, est-ce moi qui t'ai le plus aimé... Adieu... »

2. Henri de Régnier avait fait paraître un roman léger dans la tradition du xviiie siècle : *La Double Maîtresse.* Poussé par l'indignation de son ami Viélé-Griffin, un autre puritain, Gide s'était laissé aller à faire, dans la *Revue blanche,* un article de moraliste sévère.

3. Sauf Ghéon dans le *Mercure de France,* Mme Lucie Delarue-Mardrus dans la *Revue blanche* et Edmond Jaloux dans la *Renaissance latine.* Ces quelques critiques, parues dans de petites revues, suffirent à sauver le livre de l'inattention.

injustice. L'horizon se fermait devant lui : il avait l'impression de parler dans le désert.

Gide est au plus bas de la courbe de sa vie. Il sent que quelque chose est fini en lui, et que quelque chose n'a pas encore commencé. Une sorte de vide s'ouvre dans sa vie, un long vide, comme on en trouve dans l'existence de beaucoup d'écrivains. Aucun événement important d'aucune sorte ne marqua cette période, où le désir le tenait sans qu'il parvînt à la vraie satisfaction.

« Je ne fais rien, avouait-il ; je ne lis rien ; je n'écris rien. Tout ce printemps, j'ai attendu l'été, et tout l'été, j'ai attendu l'automne [1] ». Entre 1902 et 1908, c'est-à-dire entre *L'Immoraliste* et *la Porte étroite,* Gide cessa presque complètement de travailler, sinon à de courts articles de critique. Il ne pouvait fixer sa pensée. Il piétinait : « Je sens, à n'en douter pas un instant, que j'ai déjà passé trente ans et que *pour être qui je suis,* je n'ai plus un instant à perdre » [2]. Mais il était arrêté par des troubles nerveux qui rappelaient ceux de son enfance. D'irréductibles insomnies le laissaient pantelant de fatigue. Il essayait tous les traitements. C'était tantôt le poumon, tantôt le foie qu'on déclarait atteints : la médecine préfère soigner des organes plutôt que la conscience.

Il retourna à Champel, où il fit une vraie « saison en enfer ». Ou bien il allait soudain, seul, se réfugier dans un petit village perdu au fond de la campagne : « Si vous saviez, écrivait-il à Ducoté, dans quel état j'ai vécu ces trois nuits blanches, vous m'approuveriez de partir, plantant tout là, devoirs, rendez-vous, occupations sérieuses et plaisirs... [3] ». La Roque était son port d'attache. Au premier contact, la vie de famille le calmait. Mais le répit était bref. A Paris, il ne faisait que de courts séjours. Vers 1904, il se fit construire à Auteuil, en vue d'y recevoir des parents et des amis, une villa trop vaste, dans le

1. Correspondance inédite.
2. Correspondance inédite.
3. Correspondance inédite.

style torturé de l'époque, avec coins et recoins, de manière à ce que chacun y pût travailler en toute tranquillité. Mais il ne prit pas la peine d'en achever l'installation intérieure qui resta toujours incommode ; l'architecte n'avait pas encore terminé ses travaux que déjà Gide repartait...

Il traversait l'Allemagne, l'Autriche, errait de préférence dans le bassin méditerranéen, en Espagne, en Italie, en Afrique du Nord, où il revint cinq ou six fois encore dans l'espace de dix ans ; plus tard il poussa même jusqu'en Grèce, en Turquie, en Asie Mineure. Pendant toute sa vie, Gide n'a cessé de vagabonder sans jamais rester plus de quelques semaines à la même place. Mais à cette époque de sa jeunesse, il donnait l'impression d'un voyageur « traqué ». Il a dépeint, à la fin de *L'Immoraliste,* cet état d'instabilité : le soir, harassé de fatigue, le voyageur arrive dans une ville inconnue, but de l'étape ; le lendemain, sans avoir la patience de rien visiter, comme poursuivi par on ne sait quel démon, il quitte tout pour aller... ailleurs, toujours plus loin.

C'est que l'inquiétude était entrée dans sa vie. Malgré des périodes de gaieté où, avec des parents, des amis ou leurs enfants, il retrouvait son naturel amusé (celui qui apparaît dans ses « soties »), l'inquiétude le hantait fréquemment. Elle contorsionnait sa pensée. Il se croyait obligé de se disculper, de se justifier devant lui-même : c'était un interminable dialogue intérieur.

En tête à tête avec un visiteur, il demandait souvent : — Etes-vous inquiet ? Vous ? à voix un peu basse, penché vers l'autre et cela signifiait : — Craignez-vous Dieu ?

Félix Bertaux raconte qu'un jour, le visage concentré dans l'interrogation : — Que représente pour vous, lui dit Gide, la communion des Saints ? et comme Bertaux garda le silence, Gide lui aurait déclaré plus tard : — Vous ne savez pas ce que cela a été pour moi...

Il y avait sans doute dans ses attitudes torturées, de l'affectation. Gide vivait alors en partie contrefait. Une question fondamentale le dominait : de tout son être il aspirait à être

vrai et tout l'obligeait à mentir. C'est que la nature particulière de sa sexualité l'avait mis en opposition avec son éducation et son milieu, avec la religion et la société : le drame
de sa vie était là. Il ne s'inquiétait du problème de Dieu que
dans la mesure où celui-ci était inscrit dans sa chair. Il ne se
résignait pas à être coupable.

— Est-ce ma faute, pensait-il, si je ressens tels désirs ?
Serait-ce pas une lâcheté, puisque Dieu m'a doué du don de
parler, de penser, que de ne pas exprimer ce qui est en moi ?

Mais dès qu'il se laissait aller à son penchant, il reculait, car,
pour le dogme, il n'y a pas de fatalité physiologique : *chacun
est responsable de son âme* et peut la diriger dans le sens où
il veut, incliner ses désirs et leur résister.

— « Que peut un homme ? » se demandait Gide. Où
est la vérité ? L'insaisissable vérité ?

Alors il reprenait, avec un soulagement de joie, les Évan-
giles : peu à peu, le livre s'illuminait. Non, il n'y a pas d'interdiction dans les paroles du Christ. « Heureux ceux qui...
répète Jésus, heureux... » Ce sont les dévots qui rétrécissent
l'image du Christ ; c'est la religion qui a fini par le crucifier
une seconde fois. Mais il entendait soudain comme une moque-
rie diabolique :

— Peut-on être chrétien aussi longtemps qu'on est tenté
par le plaisir ? Peut-on allier à l'amour de Dieu le désir des
créatures ? Peut-on concilier « le ciel et l'enfer » ?

— Ah ! *J'ai peur* de blasphémer... avouait-il.

Plus tard, un jour où Gide m'expliquait que le Christ n'a
jamais annoncé que joie et bonheur :

— Sur terre, demandai-je ?

— Oui. Le Royaume de Dieu, c'est la joie éternelle dans
l'instant, dès à présent, ici-bas. Lisez *Num Quid et tu.*

— Mais pourquoi laissez-vous subsister, dans votre livre,
la croyance à l'autre vie, à l'après-vie ?

— *J'ai eu* peur... Il parlait comme un voyageur revenu de
loin. Il voulait dire : — J'ai eu peur... d'aller jusqu'au bout de
ma pensée, et cependant je ne peux vivre dans le compromis.

On imagine difficilement, il est vrai, la force d'oppression des préjugés sexuels avant 1914. A cette époque déjà si lointaine, l'adultère était l'unique licence tolérée par la société, (et de ce fait, chérie par les psychologues). Toute autre liberté dans l'amour était bannie. Il y avait de quoi reculer : à un certain ordre bourgeois, alors tout-puissant, l'inversion paraissait aussi menaçante que l'anarchisme. L'inverti était marqué d'infamie, ou plus exactement, il n'y avait pas d'inverti, car tous, semblablement atterrés, se camouflaient plus ou moins habilement. Un Jean Lorrain, un Pierre Loti devaient, pour faire accepter leurs livres, transposer le sexe de leurs personnages. Vingt ans après son drame avec Verlaine, Rimbaud restait encore exclu de la presse [1]. Wilde était cloué au pilori de l'Angleterre déchaînée. Sorti de prison, l'ancien triomphateur de la vie, devenu une lamentable épave, livré à la crapuleuse débauche, déambulait sur le boulevard de Paris et ses anciens amis cherchaient à l'éviter. Lorsque Gide le rencontre, il s'assied avec lui à la terrasse du Napolitain, mais en prenant soin, a-t-il avoué, de tourner le dos au public des passants.

Les défenseurs de Wilde, même en France, étaient très rares à cette époque : cependant sa *Salomé* fut jouée à l'Œuvre, à titre de protestation contre sa condamnation et quelques-uns n'hésitèrent pas à faire à la pièce un succès symbolique. Gide et Édouard Ducoté organisèrent un dîner qui réunit, avec Wilde, quelques-uns de leurs amis. Dans *L'Immoraliste,* Michel embrasse avec ostentation, au milieu d'un salon, Ménalque, un autre réprouvé.

La tragédie de Wilde avait stimulé chez Gide son besoin d'affranchissement. Il admirait l'auréole du grand paria. Il ambitionnait pour lui-même, non son sort de victime, mais le martyre. Le martyre de Wilde lui apparaissait comme un faux martyre, puisqu'il n'avait pas eu le courage d'un aveu et de

---

1. Rimbaud avait proposé d'Aden un reportage sur la guerre italo-abyssinne au journal *Le Temps*, qui le refusa en considération du passé scandaleux de Rimbaud.

revendiquer publiquement ce qu'il était. Lui, il sentait obscuré-
ment, mais avec certitude, qu'un jour viendrait où, dans des
confessions, il mettrait en pleine lumière le secret de sa vie, le
drame de sa pensée. Il savait qu'il n'échapperait à l'impasse
que par une logique toute puritaine, quelles que pussent être les
conséquences.

— Tout cela doit éclater, et éclatera...

Ce moment serait celui de sa libération et mettrait fin à son
angoisse. Mais ce dévoilement lui paraissait si ondoyant encore,
si effarant, si scandaleux qu'il en reculait l'approche. Pouvait-il
avoir seul raison contre tous ?

Et puis, il s'effrayait non seulement de sa pensée, « mais de
la peur que certains amis en avaient ». L'écrivain le plus audacieux craint plus ses proches que le public.

— Il faut bien que je le confesse, dira-t-il plus tard, un
amour aussi (son amour pour Emmanuèle) détourne beaucoup de soi même... Mais c'est une question dont je n'ai pas
le droit de parler...

Ainsi des scrupules et des sympathies ruineuses l'inclinaient
aux accommodements qu'il haïssait. Ses dérobades, ses fuites,
ses détours n'avaient pas d'autre cause ; il voulait forcer ses
contradictions intérieures.

Cependant il sentait la vie qui palpitait sur terre, là, à la
portée de sa main, et la crainte de ne pas en jouir pleinement
était pour lui l'objet d'un autre déséquilibre : « J'ai *peur*,
disait-il, que tout désir, toute puissance que je n'aurai pas
satisfaits durant ma vie, pour leur survie ne me tourmentent. »

Une insatiable curiosité le poussait, aussi forte que son inquiétude. Un jour, dans une petite ville d'Algérie, ayant rencontré
l'étrange cortège d'un mariage arabe, il le suivit pas à pas
jusque dans la cour de la maison nuptiale, où de fanatiques
musulmans déjà le menaçaient. Ce n'est que lorsqu'un ami le
tira par le bras qu'il revint à lui. Absorbé par le spectacle, il
avait perdu toute prudence. Sa curiosité était une sorte d' « avi-
dité de l'esprit et des sens » : il pensait que *sa* curiosité impliquait le risque.

Dans les ports, elle atteignait au paroxysme. Quand il passait
à Marseille pour se rendre en Algérie, la bruyante ville, son
énorme commerce, ses étrangers de passage, la prostitution
dans ses vieilles ruelles exaltaient son ardeur, sa soif, son besoin
de tirer parti de toutes les satisfactions. Ayant considérablement impressionné le lieutenant Dupouey et obtenu son amitié, pour rester à la hauteur où il pensait que celui-ci l'avait
placé :

— Si je ne deviens pas, disait-il en souriant, le héros d'une
aventure, ou si je ne me tue pas dans six mois, que pensera de
moi Dupouey ? (C'était d'ailleurs le ton d'un certain dandysme alors en vogue.)

Sous l'influence des *Nourritures terrestres,* il y avait, entre
ses amis et lui, une sorte d'émulation dans le goût de l'« expérience » : une entrée dans un bar, une conversation avec un
marin, une promenade dans le port, ce que Nietzsche appelle
« les mauvaises fréquentations », de telles démarches leur
semblaient le point de départ de toutes espèces de tentatives.

Mais, au milieu de ses audaces, Gide hésitait, louvoyait :
c'était alors un être papillonnant. Il paraissait atteint d'une
maladie de l'attention. Sa mobilité était devenue légendaire. Il
était toujours dehors. On ne le voyait jamais moins que lorsqu'on habitait chez lui à Paris. Parfois on l'attendait toute
une soirée. Un jour, à l'hôtel de Noailles de Marseille, où il
était descendu, Edmond Jaloux le demanda, et comme il
était absent, le portier expliqua :

— Oh ! M. Gide ne fait toujours qu'entrer et sortir.

Ne pouvant se laisser aller au plaisir sans remords, Gide
renchérissait. Il parlait du désir avec la même frayeur que des
choses sacrées, en mots susurrés, avec délectation, avec concu-
piscence. La volupté lui paraissait quelque chose d'immense,
d'émouvant et de dangereux. Cependant devant les spectacles
qui s'offraient à lui, comme s'il les voyait pour la première
fois, il avait des étonnements ingénus, des airs mystérieux,
des sourires entendus, des aveux soudains suivis de brusques
réticences.

Il avait fait la connaissance d'Henri Ghéon qui devint, jusqu'à la guerre[1], son plus intime confident et qui l'accompagna dans la plupart de ses voyages. Ghéon travaillait comme médecin à Bray-sur-Seine et faisait vivre sa mère. Retenu toute la journée par sa profession, le soir, il venait à Paris dans une petite automobile, originalité à l'époque, et ne s'en retournait parfois qu'au matin, ramenant avec lui des camarades.

Ensemble, les deux compagnons menèrent une vie libre et agitée. Ils s'amusaient à se cacher et à provoquer à la fois...

— Il faut vivre dangereusement...

Avec Ghéon, il se plaisait à toutes sortes d'extravagances. Ils avaient fait venir d'Algérie l'ancien petit guide de Gide : Athman, et sortirent à Paris, pendant quelque temps, accompagnés de ce jeune négrillon. Athman assistait aux rencontres littéraires du groupe. Il était même passé du rang de domestique au rang de poète. On espérait des publications prochaines de lui.

1900 : L'Exposition universelle était reine. Ghéon, Gide et Athman venaient flâner devant des souks tunisiens reconstitués, près des attractions, des carrousels et des marchands. C'est un de ces petits cafés arabes qui servit de décor à Jacques-Emile Blanche quand il fit les portraits de ses amis. On peut voir sur son tableau[2] un mince jeune homme aux moustaches tombantes à la Vercingétorix, en vêtements mi-voyage, mi-artiste. Ce personnage a l'air grave, frileux et comme accablé. Son regard vague cherche à se fixer : c'est Gide. Auprès de lui, Ghéon, assis sur un tapis oriental : il a une tête de satyre barbu, pleine de bonhomie, de vivacité acerbe, de jubilation, un rire égrillard et rabelaisien. Dans le fond, Eugène Rouart et Chanvin. Au centre, dans un somptueux costume indigène, un peu ahuri : Athman Ben Sala.

Après quelques semaines, le jeune Arabe, devenu plein de prétentions littéraires, et sentant qu'on ne savait plus que faire

---

1. La guerre dont il s'agit ici et dans tout le Livre I du présent ouvrage est celle de 1914 : il n'y en avait qu'une alors.
2. Actuellement au musée de Rouen.

de lui, se fit héberger par divers amis de Gide successivement. Bientôt rapatrié en Algérie, il y devint un grand marabout lyrique, composa des poèmes échevelés, tout en se livrant au hachisch. Il avait réconcilié, à sa façon, le ciel et l'enfer.

Les années passent. Anticipons les événements : en 1907, Gide s'est remis à un travail plus suivi. Il a fait paraître *le Retour de l'Enfant prodigue*. Plusieurs projets de livres se précisent dans son esprit. Il rédige *la Porte étroite*.

Pas à pas, il avance mais sans geste imprudent. Dans *la Porte étroite,* sa pensée reste encore presque impénétrable. Cette évocation de son ascétique enfance est si fervente que le lecteur peut se tromper sur son véritable sens, qui n'apparaît que dans les dernières lignes du livre. Alissa, qui a renoncé à Jérôme pour Dieu, découvre, au moment de mourir seulement, un ciel *vide* : c'est « l'éclaircissement brusque et désenchanté » de sa vie. Va-t-elle blasphémer quand elle comprend qu'elle a lâché la proie pour l'ombre, l'amour pour une fausse morale, et qu'elle va mourir seule, sans Dieu et sans Jérôme ?

Gide, qui n'a cessé de résister à lui-même, se demande alors pourquoi il s'est condamné à rouler comme Sisyphe continuellement sa pierre. Ne serait-il pas plus *naturel* de la laisser au creux de la vallée et de s'asseoir dessus ? Oui, à la fin, on se fatigue de lutter en vain ; on se demande pourquoi cet obscur et pénible labeur sans cesse renaissant ? Pourquoi ces sacrifices inutiles ? Pourquoi ce raidissement de l'âme ? Pourquoi ?

Gide venait de franchir une étape. Sa période de vide prenait fin. La lutte continuera cependant contre les dévots qui feront pression sur lui. Mais il voit maintenant le chemin : « Que chacun suive sa pente... mais en montant ».

*
**

Tandis qu'il se débattait seul avec lui-même, l'influence morale et littéraire de ses petits livres s'étendait lentement autour de lui. Il bénéficiait encore de la notoriété des chapelles

symbolistes : avoir été connu de dix écrivains d'avant-garde
permettait alors à un nouveau venu, même ignoré du public,
d'être admiré par la jeunesse.

Il arrivait effectivement, de temps à autre, que telle plaquette de Gide indifférente à la critique et presque introuvable,
allât toucher, par des voies mystérieuses, un adolescent isolé
dans sa province et que cette lecture bouleversait. De différents
coins de France, des lecteurs nouveaux prenaient contact avec
l'écrivain. Quelques-uns de ces lointains amis — les plus
authentiques — se rapprochèrent de Gide et formèrent un
groupe autour de lui.

Le plus souvent, il entrait en rapport avec eux en cherchant
à connaître l'auteur de tel article qui avait paru sur lui. Ghéon,
chargé de faire un « papier » sur les *Nourritures Terrestres*
pour le *Mercure de France,* lui avait écrit et était allé le voir.
Avec des quantités de réserves, Gide lui avait confié les
épreuves de l'ouvrage encore inédit. Alors la lecture avait été
pour Ghéon une révélation, une source d'enthousiasme, d'où
naquit leur amitié.

C'est en des circonstances analogues que Gide dénicha
Jacques Copeau, qui venait de lire *L'Immoraliste* avec des transports d'admiration. Dans son « journal intime », il interpellait
l'auteur, le tutoyait, l'attendait. Copeau avait publié, dans une
petite revue d'art dramatique, une notule sur ce livre, puis
était parti au Danemark pour se marier. C'est à Copenhague
qu'il reçut, écrit en jolie ronde appliquée, un mot de Gide, un
mot très bref, un peu mystérieux comme Gide sait les rédiger,
incitant, appelant une réponse... Et Copeau répondit avec quelle
joie ! Quand il revint en France, Gide s'attendit à trouver
quelque adolescent pathétique : ce fut un garçon de trente
ans, robuste, assuré, avec une grande barbe noire, qui entra,
ce qui ne les empêcha pas de devenir amis.

Parfois Gide se plaisait à étonner. Il avait découvert à Marseille une petite plaquette de vers symbolistes, *Une Ame d'Automne,* qui lui était dédiée : elle était signée Edmond Jaloux,
qui avait alors dix-huit ans. Jaloux rentre chez lui, trouve son

ami Miomandre avec un inconnu : un grand jeune homme, qui se lève, se nomme : — Je suis André Gide. Sensation.

Son influence personnelle sur ses amis était plus directe encore que celle de ses livres. Il avait la passion d'enseigner : — Je vous lirai la plume à la main, déclarait-il, quand on lui apportait un manuscrit. Il le rendait avec des annotations en marge ; il supprimait surtout les mots inutiles. Si son ascendant, son exigence d'écrivain transformaient parfois les faibles en impuissants, quel profit les esprits créateurs ne tiraient-ils pas de sa discipline.

— A vingt ans, raconte Ghéon, j'écrivais à tort et à travers avec facilité et abondance... : poèmes, drames, critiques... J'ai rencontré Gide ; j'ai compris ce qu'était l'effort, la difficulté, l'art. Pendant des années, je me suis abstenu à peu près complètement de créer. A présent, j'écris au courant de la plume : mon instrument est formé.

— Quand j'ai présenté à Gide mon premier ouvrage, un mauvais roman de tout jeune homme, explique Jean Schlumberger, je ne connaissais rien en littérature. J'avais lu Loti, d'Annunzio et, au hasard, quelques romanciers à la mode. C'est Gide qui me remit dans la bonne voie, qui m'ouvrit de nouveaux horizons...

Ce rôle d'éclaireur, Gide le joua également pour la génération suivante :

— Je venais de faire paraître *la Danse de Sophocle,* déclare Jean Cocteau, quand j'ai connu Gide. Avec Ghéon, il s'était amusé à écrire dans la *N. R. F.* un article très dur, mais qui faisait preuve, au fond, de sympathie. Si je répondais je comprenais. J'ai répondu, en remerciant. Dorchain, Rostand m'avaient fait des articles d'éloges dithyrambiques. Cela ne signifiait rien. Gide et Ghéon vinrent chez moi, rue d'Anjou. J'étais ignorant de tout. C'est Gide qui m'a appris ce qu'est le monde moderne et l'art ; qui m'a fait découvrir Rimbaud et le style. Que ne dois-je pas à Gide...

Combien de « jeunes » éprouvaient alors ce sentiment de

gratitude. C'était Jacques Rivière, qui, ayant économisé pour acheter l'une après l'autre les plaquettes de Gide, dévoré d'un feu intérieur, écrivait à son ami Alain-Fournier : « Fais-toi disciple d'André Gide... » C'était Edmond Jaloux qui, après la lecture des récits de Ménalque dans *L'Ermitage,* découvrait le goût de l'aventure et de la disponibilité :

— Que n'ai-je appris, dit-il, au cours de nos promenades répétées à Marseille... !

Dès le premier contact, Gide impressionnait. Son accueil était un mélange de brusquerie, de hauteur, de ferveur contenue. Une conversation en tête à tête chez lui, laissait au visiteur un souvenir inoubliable.

On allait le voir le plus souvent à Auteuil, dans sa « villa » de l'avenue des Sycomores, bâtisse baroque, en style 1900, avec des fenêtres hublots étagées le long de la façade.

Une vieille bonne, un peu infirme, que Gide gardait par bonté, ouvrait la porte. On attendait dans un hall nu, en pierre, d'où partait un escalier de bois avec une rampe rouge. Dans l'ombre une très vaste composition de Maurice Denis : *Hommage à Cézanne,* dont Gide a fait don tout récemment au Luxembourg.

Un claquement de pupitre mettait fin à un morceau de piano. Des portes se fermaient. Dans le lointain, on entendait la voix perçante de Gide. Il apparaissait, avec un tricot dont les manches « dépassaient » et des mitaines aux mains :

— Je vous attendais, disait-il...

On avait aussitôt l'impression qu'il se réjouissait de vous retrouver, que son temps était à vous ; et la conversation s'engageait sur un ton familier et charmant.

La « villa » était si vaste qu'il fallait, pour se chauffer, s'approcher d'une grande cheminée sans trappe. Tout le reste de la pièce était sombre, triste, presque noir. Sur une petite

table, une lampe de bureau, seule clarté. On se réfugiait avec
Gide dans ce coin de chaleur et de lumière. Assis de biais, tournant presque le dos à l'interlocuteur, il se penchait en avant sur
lui-même, ou se balançait, le genou dans ses mains. De temps
à autre, il ajoutait une bûche et tisonnait le feu avec des pin-
cettes.

— Parlez, je vous prie, je vous suis avec une pleine attention...

Gide avait l'art d'interroger. Bientôt on en arrivait aux
grandes questions.

Un long silence lourd. Puis, pathétique :

— Il faut bien que je vous parle de moi, quoique cela me
soit difficile...

Le regard concentré sur un point invisible de la pièce, il
parlait sans regarder son ami pour lui enlever toute gêne, pour
donner à leur pensée plus de liberté.

L'entretien durait des heures... Les confidences devenaient
réciproques... Si son corps maladroit et contourné le trahissait,
il savait par contre, apprêter ses idées, les mettre véritablement
en scène. De ses faiblesses mêmes comme de ses dons, il tirait
un parti remarquable. Quand il faisait la lecture à haute voix,
c'était un comédien presque génial.

Le voici qui va chercher un livre au premier étage. Il revient
par un petit escalier en colimaçon, dont il ressort comme d'une
trappe. Assis devant une table, avec l'ouvrage ouvert devant
lui, il s'anime : sa voix — voix de tête et voix de basse —
monte, s'infléchit, redescend, achève la phrase sur des tons
de gravité extraordinaire. En même temps, il se livre à un
jeu de lunettes qu'il enlève des yeux, pose sur la table, reprend,
avec quelle savante lenteur ! Tout concourt à l'effet : le cadre,
l'atmosphère, le geste, l'émotion. Dans les intervalles de
silence, il suit sur le visage de l'interlocuteur le mouvement de
sa parole. Gide désire séduire, conquérir, agir. On sent dans
son amitié le besoin d'une possession intellectuelle.

Remué, bouleversé, le nouveau venu s'en retournait chez
lui. Il entrevoyait déjà, avec le maître, dans des rencontres

futures, une intimité, qui ne serait qu'une exploration sans fin
dans le domaine de la vie intérieure.

Mais il avait trop vite escompté l'avenir. C'est au moment
où l'on croyait le tenir que Gide échappait. Dès sa première
rencontre avec Copeau, Gide lui proposa, malgré une longue
soirée passée avec lui, de faire encore quelques pas dans la
rue. Il était minuit. Copeau, transporté par cette sympathie, ne
comprit pas tout de suite qu'il est plus facile d' « abandonner
quelqu'un sous un réverbère que de le pousser jusqu'à l'escalier ».

— Je crois, lui dit Gide en le quittant, que nous ne gagne-
rons rien à poursuivre aujourd'hui...

Dès qu'un être l'intéressait, Gide pouvait se passionner pour
lui, tout faire pour le conquérir. Soudain il se fatigue, sa curiosité retombe. C'est un autre homme. Il est devenu indifférent.
Il est ailleurs. Rien ne peut le retenir...

L'appréhension d'une fuite rend une présence plus précieuse.
Gide était parvenu à transformer ses brusques disparitions en
surprises. Le croyait-on à Biskra, il arrivait à Paris ; devait-il
revenir tel jour, il était rentré la veille, et, tandis que ses amis
l'attendaient sur un quai, il se présentait ailleurs devant eux, à
l'improviste... Alors il jouissait de l'étonnement causé avec un
sourire malicieux et plein de bienveillante indulgence.

Il aimait à donner le change ; il approuvait d'un hochement
de tête, écoutait longuement, puis d'un mot décontenançait :

— Permettez-moi « de ne pas m'exclamer ! [1] »

C'était sa manière d'inquiéter et d'éveiller un esprit.

— Je ne déteste pas décevoir, avouait-il...

Lui demandait-on une faveur, un de ses livres, une dédicace, aussitôt il se dérobait, contrarié. Mais quand le service
sollicité paraissait oublié, il revenait spontanément au deman-
deur et lui faisait don d'un magnifique « grand papier »
d'une de ses œuvres, d'un rarissime exemplaire, que ne possé-

1. Correspondance de Jacques Rivière à Alain-Fournier.

daient même pas ses intimes, ou bien, marque de confiance qui paraissait unique, il lisait à un nouveau venu des extraits de son « journal ». Il tenait à faire à chacun un plaisir inégalable, à exercer sur chacun une influence particulière. Mais il fallait que son geste vînt à l'heure choisie par lui, au moment où il répondait au second mouvement. Il tenait par-dessus tout à sauvegarder son indépendance.

Lorsqu'il crut qu'un de ses admirateurs allemands était venu à Paris pour le « taper » [1], d'avance il avait apprêté sa réponse : « Si je vous aidais, vous ne m'intéresseriez plus ». Mais si Gide refusait ouvertement, il donnait parfois en secret. C'est par un tiers, ou anonymement, qu'il cherchait à porter aide. Aussi, malgré de multiples détours, il restait fidèle à ses sentiments.

Après ces sortes d'épreuves, être invité par Gide dans l'une ou l'autre des propriétés normandes qu'il tenait de sa famille, était la consécration. On découvrait un être différent, familier et charmant : Gide ne gardait presque plus rien de pathétique. Au contact de la terre, il tendait au naturel.

C'est à bicyclette qu'il allait chercher l'invité à la gare. Il fallait descendre, selon le lieu du séjour, à Lisieux ou à Criquetot. Aussitôt on partait à la découverte du pays. Au printemps, la campagne était délicieusement feuillue et mouillée. Entre celle de La Roque et celle de Cuverville, on apercevait la différence qui sépare ces deux Normandies : le Calvados de la Seine-Inférieure, l'une riante, l'autre venteuse ; l'une tout en pâturages ; l'autre presque tout en cultures, avec des fermes mystérieusement cachées derrière leurs hêtraies.

Les deux propriétés de Gide ne se ressemblaient guère non plus : La Roque-Baignard, celle qui lui venait de sa mère, était un château Louis XIII, avec fossé plein d'eau, poterne, pigeonnier, tour d'angle intérieur, où Francis Jammes prétendait avoir trouvé, un matin, un hibou dans son soulier. Cuver-

---

1. *Conversation avec un Allemand.*

ville, dont sa femme avait hérité, était une maison à façade unie
et sévère, trouée de fenêtres régulières. Si Gide a décrit La
Roque dans *L'Immoraliste,* il a fait de Cuverville le cadre
de *la Porte étroite.* Ses amis y reconnaissaient le mur, avec la
porte secrète d'Alissa. Chaque partie du jardin portait encore
un nom : c'était l'*Allée Noire,* l'*Allée aux Fleurs ;* dans les
environs immédiats, la *Vallée de la Misère*... A quelques kilomètres de La Roque, on pouvait voir un autre château, abandonné aux herbes folles : celui d'*Isabelle* [1].

En été, les amis mariés venaient à Cuverville avec leur
femme. Chaque couple disposait d'un appartement. Madame
Gide se montrait pleine d'attentions. Les visiteurs étaient si
nombreux qu'il était parfois difficile de leur fixer une date :
« Frère, beau-frère, sœur, tante, cousine et neveu nous retien-
nent... », écrivait Gide à Ducoté. Dans une autre lettre :
« Nous espérons... garder [les Drouin] jusqu'à la rentrée. Les
Jean Schlumberger ont passé quinze jours ici. Nous attendons
Copeau ce soir, Ghéon dans quatre jours... »

Au milieu des siens, Gide était le chef de famille. C'est là
qu'on apprenait à le connaître. Il arrivait que des parents
venaient le trouver de leur province et lui demandaient conseil
au sujet d'un divorce, de l'éducation d'un enfant difficile,
d'une question religieuse. On se confessait volontiers à lui :
il était considéré comme le grand conducteur, le grand pasteur.
Il éprouvait une sorte de chagrin s'il ne pouvait intervenir.
Dans ces familles protestantes, tout accroc aux règles traditionnelles devenait un dramatique problème. Gide cherchait à
concilier ce qui semblait inconciliable. Il se montrait soucieux

---

1. C'est le château de Formentin. Les personnages de ce récit,
comme ceux de presque tous les romans de Gide, sont, dans leurs
grands lignes, empruntés à la réalité. M. Floche s'appelait Floquet.
La fameuse Bible, annotée par Bossuet, fut vendue à un antiquaire
pour une somme dérisoire, quand l'authentique « Isabelle », à bout
d'expédients, empêchée par les créanciers d'abattre les derniers arbres
du parc, cherchait à faire argent de tout. Jean Schlumberger se sou-
vient de l'avoir vue, dans son enfance, attendre comme une mendiante
à la porte de la propriété de ses parents : on lui donnait vingt francs
pour se débarrasser d'elle. Gide n'a rien inventé ni ses aventures, ni
son fils infirme, ni sa fuite avec un cocher.

de stricte probité et ne supportait pas de voir auprès de lui ses
neveux ou ses nièces tricher au jeu. La tricherie lui a toujours paru le signe le plus indiscutable, le plus inadmissible du
mal.

Les enfants cependant l'aimaient. Ils formaient autour de
lui, à Cuverville, des bandes nombreuses, qui faisaient sa joie.
Gide les faisait jouer et jouait avec eux au furet, à colin-mail-
lard. Souvent des jeunes gens, des jeunes filles se joignaient à
eux. Avec toute sa troupe, il se livrait à des parties de pêche
dans les rochers et les flaques d'eau. Il admirait ceux qui
savaient capturer des seiches, des poulpes, crever leur poche
pleine d'encre, les retourner. On coupait un de leurs longs
bras, qu'on accrochait aux filets et qui faisait accourir les
rapaces crevettes. On riait. Gide racontait des histoires de
poissons, de plantes...

Auprès de ses compagnons de lettres, il manifestait le même
entrain : — Tu ne peux savoir, écrivait Jacques Rivière à sa
mère, « dans quel paradis nous vivons en ce moment... Gide
[est] exquis... Nous faisons des blagues toute la journée.
Hier [il] faisait le petit vieux ; il jouait le *Père Ubu* : ... *Monsieur... nous allons vous « tuder » !...* » Il n'est pas d'esprit
libre qui n'ait le sens de l'humour...

La journée se passait en partie en promenades et en jeux. Le
soir après dîner, Gide traduisait parfois *à haute voix* des
poèmes de Keats ou de Whitman, le *Torquato Tasso* de
Gœthe, ou les œuvres de Novalis. Quand la conversation devenait générale, il aimait la faire porter sur quelque point de
morale ou de littérature. Et tout en se dépensant, il trouvait le
moyen de travailler et d'encourager ses amis à leur travail.

C'est ainsi qu'il créait peu à peu un groupe autour de lui.
Ce n'était pas une école. Pas de « manifestes » : quelques
amis s'étaient liés, unis par une même recherche de la note
juste, par une même ferveur pour l'art. On vivait dans l'intimité de Gide. On partageait la joie de ses découvertes. On
admirait ou on excluait en commun.

Certains noms revenaient constamment dans les conversations : Wilde, dont Gide jugeait alors sévèrement l'œuvre, Whitman, Nietzsche. Entre 1895 et 1905, les traductions de Nietzsche par Henri Albert dans le *Mercure* furent chacune des révélations pour le petit milieu. Ghéon d'abord réfractaire, puis le plus frénétiquement passionné, était un nietzschéen gai et bon enfant. Quant à Gide, son puritanisme se satisfaisait dans cette formule d'affranchissement : « Se surmonter soi-même... »

Mais le grand homme incontesté devint bientôt Dostoïevski. Sa figure d'homme et sa figure démoniaque à la fois captivaient.

C'est sous l'influence de ce grand romancier que Gide s'intéressa au roman. Le roman alors n'existait plus. L'œuvre de Zola et celle de Huysmans s'achevaient. Il restait Boylesve, gentil, mais insignifiant. A ses amis, Gide fit connaître les romanciers russes et anglais : Thomas Hardy, Conrad ; il donna le goût du clair-obscur en psychologie. Influence oubliée aujourd'hui, d'autant plus significative pourtant qu'elle s'opposait au symbolisme, purement musical et lyrique.

Un groupe a besoin d'une revue. La revue naît ; la revue meurt. A travers ces expériences, le groupe s'affermit. C'est ainsi que de *L'Ermitage* sortira la *Nouvelle Revue Française*.

En 1896, *L'Ermitage,* vaillant petit organe symboliste, allait mourir... lorsqu'il fut racheté par un jeune poète, timide, doux et effacé : Edouard Ducoté. A peine devenu directeur, son premier geste fut d'écrire à André Gide, ce qui sauva la revue.

Gide accepta d'y collaborer régulièrement [1] et amena ses amis : Jammes, Ghéon, Copeau, Emmanuel Signoret [2], le

---

1. A la *Revue blanche*, où il succéda à Léon Blum comme critique littéraire (et où Ghéon rédigeait après lui des « notules »), il ne resta que peu de temps.
2. Jeune poète, considéré par Gide comme une sorte de prophète, qui mourut prématurément.

« grand et solitaire » Claudel, Valéry même, une ou deux fois. Bientôt il en devint l'éminence grise. C'est qu'il aimait toujours mieux « faire agir que d'agir ».

Ducoté lui envoyait les manuscrits. Sur chacun d'eux, il donnait son jugement : « Je suis enchanté que Léautaud collabore... » ou bien : « Les poèmes de Fargue sentent un peu trop leur Rimbaud... N'importe, cela est savoureux... » Quand il voulait refuser des vers détestables, il écrivait à Ducoté : « Si, comme j'avoue que je l'espère, vous avez le bon goût de les trouver mauvais, renvoyez-les... »

C'est sous son influence que *L'Ermitage* devint pendant quinze ans la meilleure revue poétique de l'époque. Elle garda cependant, de ses origines, une marque toujours apparente. Ducoté, trop faible et trop gentil, ne parvint jamais à se débarrasser complètement des vieux collaborateurs de la première époque (Hugues Rebell, Adolphe Retté, Stuart Merrill, etc.). Un jour, on décida de n'être plus que douze. Mais la discipline ne fut pas maintenue. Et puis certains des douze furent infidèles : ils se réduisirent bientôt à quatre, à deux, et l'essai échoua.

Ces symbolistes de second ordre prétendaient faire planer la revue au-dessus des polémiques du temps, la rendre inactuelle, l'enfermer dans une tour d'ivoire [1]. Aussi *L'Ermitage* ne dépassa jamais deux cents abonnés. Ducoté, déçu, allait, en 1903, l'abandonner, mais *L'Ermitage* survécut trois ans encore.

Son format devint celui des grandes revues. Rémy de Gourmont, venu du *Mercure,* entra dans un « Comité de Direction » auprès de Gide. Des chroniques régulières furent établies [2]. Mais Gide, sans rubrique fixe, allait au gré de sa fantaisie, polémiquant avec Barrès, Maurras, Montfort, dia-

---

1. L'affaire Dreyfus put traverser la revue sans fâcher entre eux aucun des collaborateurs. C'est que *L'Ermitage* fut une des seules revues à ne pas s'occuper de l'Affaire. Gide, par contre, signa des manifestes dreyfusards.

2. La *Littérature* fut tenue par Michel Arnauld ; la *Musique,* par Jacques-Emile Blanche (qui en parlait avec compréhension) ; l'*Art,* par Maurice Denis (qui défendait déjà Cézanne et la nouvelle école de Matisse).

loguant avec lui-même dans ses *Billets à Angèle* et à l'*Inter-viewer,* cherchant, à travers tous les « *prétextes* », à garder, avant tout, « *un esprit non prévenu* ».

En 1908, *L'Ermitage* mourut pour de bon... « Il eût fallu autour de nous, expliquait Gide à Ducoté, un peu plus de fierté, de crânerie, d'abnégation et de solidarité. » Ces « condi-tions de l'œuvre d'art », Gide allait les trouver maintenant auprès de ses amis. Le groupe existait : il ne cherchait plus qu'un organe pour s'exprimer.

Mais chacun craignait de n'avoir pas l'expérience des rap-ports avec les imprimeurs et les libraires. Ayant appris qu'Eu-gène Montfort, qui jusqu'alors dirigeait et rédigeait seul cou-rageusement *les Marges,* cherchait à leur donner plus d'ampleur, le groupe pensa que les deux projets pourraient fusionner. *Les Marges* avaient un local, des abonnés, une exis-tence.

Montfort accepte. Il est nommé directeur de la *Nouvelle Revue Française.* On le laisse tout faire [1].

Quand, le 15 novembre 1908, le premier numéro parut, Gide se rendit compte d'un désastre. L'article de tête, signé Marcel Boulanger, s'intitulait : *En regardant chevaucher d'An-nunzio.* La revue de presse de Léon Bocquet avait pour titre : *Contre Mallarmé.* Le maître vénéré était sacrifié à un écrivain clinquant en vogue.

Gide ne chercha plus qu'à rompre avec *Les Marges.* De laborieuses négociations commencèrent :

— Toute la différence entre nous, expliquait Montfort à Schlumberger, c'est que, pour *vous,* Gide est quelqu'un ; pour *nous,* c'est un impuissant.

D'un côté, on voulait une « tribune » ; de l'autre, mar-cher isolément jusqu'à ce que le public vînt à la revue. Montfort reprit *Les Marges,* qu'il dirigea avec d'autres collaborateurs et qui parurent jusqu'à ces dernières années. Gide repartit coura-

1. Montfort était l'ancien directeur de la *Revue naturiste,* qui cher-cha, en 1895, à réagir contre le mouvement symboliste par un retour à la spontanéité et à la vie.

geusement du commencement. En février 1909, il fit sortir
un second numéro 1 de la *Nouvelle Revue Française*.

Cette fois, au « Comité de Direction », trois noms seulement : Jacques Copeau, Jean Schlumberger, André Ruyters,
auxquels il faut ajouter ceux de Ghéon et de Michel Arnauld
pour avoir le noyau des vrais collaborateurs du début. Quant
à Gide, il s'était naturellement dérobé aux titres officiels.

La revue s'installa, près du Luxembourg, rue d'Assas, dans
l'appartement de Schlumberger (qu'il habite encore). Elle manquait de moyens financiers. (Seuls, Gide et lui avaient pu
apporter des fonds.) Schlumberger collait des enveloppes, faisait
les paquets, donnait tout son temps. C'était l'époque héroïque
des débuts.

Les réunions avaient lieu souvent chez le peintre van Rysselberghe, qu'on appelait Théo. Gide se tenait dans un coin de
la pièce, toujours un peu à l'écart. Mais c'était lui le véritable
animateur. Il donnait l'exemple. Les collaborateurs se lisaient
mutuellement les « notes » à paraître et se corrigeaient les
uns les autres, avec une attentive sévérité. Chacun faisait assaut
de modestie, presque d'humilité. On supprimait les épithètes
trop nombreuses dans un texte ; on discutait longuement sur
un mot, sur sa portée critique. La probité artistique prenait le
pas sur la camaraderie. Aucune concession [1]. Schlumberger, à la
demande de ses amis, acceptait de recommencer en entier un
article. Quand Pierre de Lanux entra comme secrétaire rue
d'Assas, il se sentit fier d'appartenir à une revue, où l'on « black-
boulait » ainsi les « papiers » d'un directeur : certainement
ces choses-là n'avaient pas lieu ailleurs. Gide avait même
interdit (discipline qui fut maintenue jusqu'à la guerre) de
faire des comptes rendus sur ses propres ouvrages et ceux de ses
amis : c'est qu'il craignait par-dessus tout l'encensement réciproque, les complaisances de la vie de chapelle.

---

1. Lorsque, en 1911, dans un prospectus de la *N. R. F.*, Ducoté vit
son nom oublié, il s'étonna : « Eh non !... lui répondit Gide... cette
omission n'est pas involontaire... Je n'ajoute ni protestations, ni
excuses, mais il m'est très pénible de penser que vous pourriez douter
de mon affection fidèle... »

Ainsi la *Nouvelle Revue Française* voulait être — au milieu de la littérature commerciale et pourrie de l'époque — un mouvement de réforme. Il s'agissait, somme toute, de lutter contre ce qu'il y avait de sophistiqué dans les milieux des lettres, contre la « décadence de l'admiration, dans ce siècle » [1], pour la reconnaissance d'une *morale artistique* [2]. Aucun dogme nouveau, mais un retour à un véritable classicisme, goût de la perfection interne, qui permettait toutes les audaces. Aussi ces traditionalistes prenaient la défense de « barbares » comme Claudel, Péguy, ou Suarès. Ils procédaient, en fait, à une revision critique des valeurs.

A partir du numéro spécial consacré à la mort de Charles-Louis Philippe, la revue commença à exercer une influence sur une partie de l'élite. A cette époque, Octave Mirbeau, dans une interview, fit soudain l'éloge de *L'Immoraliste*. *La Porte étroite* éveilla l'attention du public, et l'étonnement de l'éditeur Valette fut grand de voir pour la première fois un livre de Gide se vendre. Pourquoi la revue, désormais, ne publierait-elle pas elle-même ses auteurs ? En 1911, elle s'adjoignit une maison d'édition. Gaston Gallimard y plaça de l'argent et la dirigea dans l'esprit du groupe, qu'il admirait depuis longtemps.

Après la mise en vente des premiers ouvrages (notamment : *Isabelle* de Gide, *l'Otage* de Claudel, *Barnabooth* de Larbaud), très rapidement les manuscrits affluèrent. Un jour, Gide alla trouver Pierre de Lanux, le secrétaire, et voulut voir, par curiosité, les manuscrits qui restaient refusés.

L'écriture de Jean-Richard Bloch l'attira.

Gide emporte le manuscrit, le lit sur l'impériale de je ne sais quel tramway à chevaux, s'arrête aux premières pages, télégraphie à Bloch, le félicite et termine par ce mot : « Venez ! » Jean-Richard Bloch vient à Paris. C'est un jeune professeur, admirateur de Romain Rolland et du naturalisme

---

1. Montesquieu.
2. A la mort de Catulle Mendès, Gide fit un article marquant contre les platitudes laudatives de la grande presse, des Brisson, des Claretie, qui déclaraient Mendès le plus grand poète du temps. Voici Mendès aujourd'hui tombé dans le « mortel silence » prédit par Gide.

humanitaire. N'importe ! On sentait déjà en lui tout un bouillonnement d'idées et d'images. Son premier manuscrit (*Lévy*),
refusé au *Mercure,* paraît à la *N. R. F.*

Peu après, Gallimard envoyait à Cuverville le *Jean Barois* de
Roger Martin du Gard :

— Peut-être pas un artiste, mais à coup sûr un gaillard,
répondit Gide.

Ce grand gaillard, athée et matérialiste plein de bonhomie,
le futur puissant romancier des *Thibault,* devint bientôt un
des meilleurs amis de Gide.

Toujours à l'affût, il accueillait successivement : Jules
Romains et les « unanimistes »; Alain-Fournier, l'auteur du
Grand Meaulnes ; Jean Giraudoux ; Henri Frank, le poète
de *La Danse devant l'Arche...* Le nouveau venu dans le groupe
était présenté aux anciens, qui lui témoignaient une sorte de
méfiance avant la lettre. Mais bientôt on le jugeait digne ; il
était « sacré d'huiles saintes et élu ». Il participait alors, auprès
de Thibaudet, Jaloux, Bertaux et de toute l'équipe du début,
à la rédaction des notes critiques, récompense suprême [1].

Le prestige du groupe avait extraordinairement grandi. On
sait les efforts répétés et tenaces que fit Proust pour entrer dans
ce seul milieu qui lui paraissait inaccessible. Quelle fascination pour un jeune débutant que la sobre couverture, blanche
au filet rouge, des ouvrages de la maison ! Les auteurs, peu
nombreux encore, qui figuraient au petit catalogue, sur la
quatrième page de la couverture, semblaient des privilégiés
d'une autre « race » qui s'opposait aux représentants de la littérature officielle.

En 1913, Jacques Copeau chercha à introduire au théâtre le
même mouvement de réformation : il voulut lutter contre le
réalisme d'Antoine, les drames en vers de Richepin, les « produits frelatés » de Kistemaeckers, « l'industrialisation effrénée »
de la scène.

---

1. Les premiers ouvrages des « cubistes » littéraires (d'Apollinaire,
de Salmon...) qu'on ne prenait guère au sérieux, étaient au contraire
accueillis avec sympathie par les critiques de la revue.

Le *Vieux-Colombier* fut un théâtre d'honnêteté [1]. En un an
et demi à peine (1913-1914), Copeau découvrit, lui aussi,
quelques hommes : il remarqua Dullin, au *Théâtre des Arts,*
où il semblait condamné à jouer toute sa vie les traîtres. Plus
tard, il engagea un grand jeune homme maigriot et timide, le
fils d'un pharmacien, qui s'était présenté à lui pour tenir un
rôle : Jouvet. La mise en scène vivante d'aujourd'hui sort
plus ou moins directement du groupe de la *N. R. F.*

La partie, en 1914, paraissait donc gagnée sur tous les fronts.
La revue avait trois mille abonnés. Sous la direction de Rivière,
successeur de Copeau, elle s'ouvrait davantage au public. Gide
s'en occupait de moins près. Dès qu'il approchait du but, il
n'aspirait qu'à s'en éloigner.

Il avait fait un nouveau pas en avant : l'écrivain et le critique avaient ouvert une voie...

Tandis que son groupe, élargi peu à peu par l'arrivée de
nouveaux collaborateurs, s'imposait, quelques-uns de ses plus
anciens amis le quittaient pour se convertir au catholicisme.
Étrange opposition : tandis que Gide évolue dans un sens de
plus en plus anti-religieux, eux, retournaient à la tradition et
à Dieu.

Gide n'avait jamais cherché à imposer ses vues, mais à
éveiller des consciences : — Quand tu auras lu mon livre,
dit-il, « jette-le » et « oublie-moi ». C'est d'ailleurs le sort de
tout initiateur d'être renié, pour revivre différemment dans ses
disciples. Les amis de Gide, au contraire, à peine convertis,
voulaient l'entraîner, le convaincre à son tour, le circonvenir.

Cette lutte autour de lui avait commencé, dès 1905, avec la
conversion de Francis Jammes. Le 5 juillet de cette année,

1. Copeau chercha à « décabotiniser » l'acteur en créant une école
de comédiens pris dès l'enfance, simplifia, le premier en France, la
mise en scène, acheva enfin sa saison de 1914 par le triomphe de *la
Nuit des Rois.*

Jammes, sentant « sa folle jeunesse sur son déclin » [1], entra
dans le sein de l'Église. Aussitôt sa poésie devint pieuse et il
chercha à forcer ses amis au même renoncement que le sien.
A Gide, il répétait dans d'innombrables lettres :

— Quitte ta néfaste doctrine nietzschéenne... La France a
besoin de toi... il faut te convertir. Vois mon dernier poème ;
mon talent poétique n'a pas diminué, au contraire... [2].

Les arguments de Jammes restaient innocents. Un homme,
par contre, exerçait sur tout le groupe une puissante influence
qui s'opposait à celle de Gide : c'était Claudel. Grand, lourd,
trapu, construit tout d'une pièce, avec un petit front de taureau, Claudel, catholique messianique, parlait par négations ou
affirmations entières, par coups de poing :

— Ce grand âne de Gœthe, disait-il... ce « misérable Gourmont »...

Son prestige d'écrivain attirait à lui ceux qui se sentaient
glisser vers la religion. D'un mouvement brutal, il les préci-
pitait dans l'abîme de Dieu. Il avait converti, au cours de sa
vie, nombre d'écrivains. C'est lui qui avait entraîné Jammes,
c'est lui maintenant qui voulait arracher Rivière à l'emprise
de Gide. Comme dans l'imagerie populaire, Claudel et Gide
semblaient se disputer une âme : l'âme du petit professeur
timoré qu'était alors Rivière. C'est d'abord l'influence du grand
poète qu'il subit :

— Je doute, je doute, rassurez-moi, lui écrivait-il vers 1907.

— Allez « à la messe *tous les jours* », lui répondait Claudel.
Il faut vous enfourner au confessionnal. Le reste viendra après.
L'esprit s'abêtira et s'habituera à obéir [3].

Rivière faisait des objections. Mais Claudel se contentait

---

1. *Mémoires* de Francis Jammes.
2. Preuve : le poème (il est vrai : de circonstance) de Jammes
adressé à Claudel :

Je recommande à tes prières ces amis,
Gide qui toujours flotte et revient d'Italie ;
Fontaine dont le cœur dit : oui, la tête : non ;
Le fier Suarès, qui cherche Dieu ; Edmond Pilon... etc...

3. *Correspondance Rivière-Claudel* page 52.

d'affirmer avec une tranquillité inébranlable : « Il n'y a qu'un Dieu... » Et l'énormité de cette certitude bouleversait son correspondant. Il intimidait et apitoyait cet esprit anxieux : « Mon enfant », lui disait-il comme un père. Mais « je ne vous suis rien [1] », pensait Rivière sans oser le lui écrire.

En 1910, malgré les adjurations de Claudel, le « pauvre garçon » quitte le professorat et entre comme secrétaire à la *Nouvelle Revue Française*. Alors sous l'influence de Gide, la foi ne lui paraissait plus qu'un repos pour l'esprit paresseux : « Je ne peux trouver Dieu ailleurs que partout [2] ». Les paroles de *L'Immoraliste* l'exaltaient : « Pour chaque action, le plaisir que j'y prends est signe que je devais la faire ». Il ajoutait : « Il y a plus de courage à se vaincre... qu'à se laisser vaincre par une discipline... »

Mais Claudel veillait. Quand la femme de Rivière fut enceinte : « Dans ma famille, lui écrivait-il, les femmes dans cette position demandent un ruban béni dans un vieux couvent de montagne... et jamais elles n'ont eu d'accident ». Cependant le ruban resta peu efficace car, quoique Rivière, obéissant, se le procurât, sa femme tomba « très malade » et sa petite fille faillit « mourir » [3]. Alors Claudel, cherchant pour son filleul d'autres indications providentielles, lui montra la grâce divine allant successivement convertir, entre 1911 et 1914, Jacques Maritain, ancien protestant, Péguy, anti-clérical, Psichari, petit-fils de « l'ignoble Renan ». Rivière, frappé par la fertilité de ces miracles, commença, peu avant la guerre, à faire ses prières et à se mettre *A la trace de Dieu*...

Peu après, Claudel enleva même à Gide, pour les faire entrer dans le catholicisme, quelques grands écrivains du passé que son groupe admirait. C'est ainsi qu'il convertit Rimbaud à titre posthume. Aidé par la sœur et le beau-frère du poète (Isabelle

1. *Correspondance Rivière-Alain Fournier.*
2. *Les Nourritures terrestres.*
3. Il est vrai que Rivière n'en « garda » pas moins « une reconnaissance infinie » à Dieu. Pour le croyant quel qu'il soit, l'événement, quelque tournure qu'il prenne, est toujours une confirmation de sa croyance.

et Paterne Berrichon), en même temps que par Rivière, il favorisa une sorte de pieux complot autour de sa mémoire : correspondances tronquées, faux témoignages sur un repentir de la dernière heure. La vie entière et l'œuvre du poète protestaient. Mais Rimbaud catholique, n'était-ce pas toute la poésie moderne qui devenait édifiante ?

Gide protesta contre ces déformations systématiques. Quand Claudel voulut escamoter une lettre à Verlaine, où Rimbaud blasphémait, il se révolta, poussé par son intransigeante probité : « Arthur Rimbaud est *mon ami* », déclarait Gide, et si je l'aime différemment de vous, c'est « de la manière qu'il préfère être aimé [par moi [1]] ».

En 1914, c'est Gide lui-même, directement qui est pris à parti par Claudel. *Les Caves du Vatican* viennent de paraître. Dans cette sotie joyeuse, Gide oppose son désinvolte Lafcadio, adolescent aussi à l'aise dans ses vêtements que dans sa conscience, à l'hypocrisie de la société bourgeoise et religieuse de l'époque. Quand l'ouvrage fut prêt à paraître en revue (dans la *N. R. F.*), il mit en gros émoi Claudel, qui demanda à Gide, ou plutôt lui expliqua la nécessité de supprimer l'épigraphe de la troisième partie : « *Mais de quel roi parlez-vous et de quel pape ? Car il y en a deux et l'on ne sait quel est le bon* ». Cette phrase, tirée de *L'Annonce faite à Marie,* ne fut pas reproduite dans le volume. Ce n'était pas tout : Claudel incriminait un passage « abominable », page 478, où Lafcadio imagine que le curé de Covigliajo est susceptible de « dépraver » le jeune enfant qu'il a sous sa garde.

— Malheureux Gide ! s'écria Claudel [2].

Partant de ce texte scandaleux, il crut le moment favorable pour passer à l'offensive, fouailler en prophète courroucé la conscience de son ami et ainsi le ramener à Dieu.

Après *L'Immoraliste,* Gide n'avait plus une faute à com-

---

1. Correspondance inédite à Paterne Berrichon.
2. L'échange qui suit entre Gide et Claudel est extrait ou ressort, en substance, d'une correspondance entre eux. (Voir plus loin *Entretien avec Gide du 18 février* 1929). Cette correspondance vient d'être publiée intégralement.

mettre. Déjà certains bruits suspects couraient sur lui : — Gide, au nom de notre amitié, dans votre intérêt personnel, au nom de votre femme et de ceux qui vous entourent, je vous demande de me dire ce qui est... si vous êtes celui que... ce misérable qui... Claudel sommait Gide de répondre, et, s'il n'était pas trop tard, de se sauver !

Le grand coup de Claudel avait porté. Il rouvrait en Gide les cicatrices de son inquiétude. Le ton éloquent de la lettre, cette voix qui grondait, s'enflait, l'avaient profondément ému.

— Oui, répondait-il, je suis cet être-là, c'est vrai. Mon aveu le comprendrez-vous, sans vous emporter de colère et rompre ?... Vos questions m'ont seulement devancé ; je me suis toujours promis, à un moment donné, de dévoiler, et à vous-même, le secret de ma chair et de ma conscience. Je ne saurais me travestir et ne puis changer ni ma nature, ni celle de mon désir...

Autoritaire et menaçant, Claudel naturellement s'indigna :

— Il n'est pas vrai qu'il y ait une fatalité physiologique ! Il est donné à chaque homme de diriger ses appétits selon la Loi de Dieu.

Quoiqu'il en soit, ajoutait-il, « il y a une chose infiniment plus odieuse que l'hypocrisie, c'est le cynisme ».

Gide pensait que s'il n'avait pas avoué, il eût été un endurci, mais puisqu'il avouait, il était un cynique. Coupable a priori, il fallait qu'il eût tort.

Après avoir tonné, Claudel, pour séduire, savait aussi attendrir : il parla avec émotion des « deux belles et nobles lettres » de Gide qu'il venait de recevoir. Il ajoutait :

« A tout le moins promettez-moi que ce passage [des *Caves*] ne figurera plus dans le volume... *peu à peu on oubliera.* »

Puis : — Moi-même, je garderai votre aveu secret. Voici vos lettres, que je vous retourne. Je n'en ai parlé qu'à Jammes. J'ai écrit aussi au père F..., sous le sceau du secret de la confession, en lui parlant de vous. Voici son adresse. Vous pouvez aller le voir.

Maintenant, confessez-vous et songez qu'une erreur accompagnée de regret, de la conscience du péché, diminue beaucoup de gravité. Gide, si vous racontez tout cela au père F..., vous pourrez être complètement pardonné, et *tout cela sera comme si cela n'avait jamais été*.

Cette fois, Gide se cabra :

— Je ne peux rien changer au texte que j'ai écrit. Ce serait de ma part une lâcheté ; et je ne comprends pas que vous puissiez me dire : *On oubliera peu à peu*.

Cette hypocrisie le révoltait. Ce qui lui semblait vraiment abominable, c'était le mensonge que l'Église tolère, favorise parfois pour maintenir son prestige. Il n'alla jamais voir le confesseur.

Au moment où Claudel pouvait croire qu'il avait eu raison de sa résistance, Gide s'était échappé. Sans doute avait-il épuisé l'attrait du sujet : ce qui l'avait intéressé, c'était l'union, chez Claudel, d'un grand artiste et d'un grand croyant (car il n'y a pas chez le protestant, livré aux abstraits examens de conscience, d'union analogue) ; c'était son désir de savoir si le catholicisme pouvait favoriser l'éclosion d'un dramaturge. Si Gide avait correspondu si longuement avec Claudel, n'avait-il pas été entraîné avant tout par sa curiosité d'écrivain ?

Voici qu'entre ses amis et lui, les heurts vont s'aggraver. Juillet 1914. La guerre, punition divine, s'est abattue sur les hommes. La main de Dieu se venge des incrédules. Pour les croyants, c'est le moment d'agir. Ils ne s'en priveront pas.

Dès les premiers jours, les collaborateurs de la *N. R. F.* se sont dispersés ; Ghéon et Schlumberger, engagés. « Moi-même, écrit Gide à un ami, en attendant l'appel [qui ne vint pas pour lui], je donne tout mon cœur et mon temps aux réfugiés. » Il aurait « eu honte », le pays étant menacé, de ne pas servir. Gide avait haut placé le sens des convenances.

Il travailla dans un foyer franco-belge, régulièrement pendant dix-huit mois environ, s'occupant des misérables épaves qui venaient y échouer. Il croyait sentir sa vertu se développer, s'exalter dans cette atmosphère de dévouement.

C'est alors qu'il fut pris d'une crise de mysticisme : dans *Num Quid et Tu,* il dialoguait avec Jésus. C'était son dernier retour de ferveur religieuse. Mais même à cette époque où il priait encore, il interprétait en « anarchiste » les textes sacrés et haïssait plus que jamais les dévots dogmatiques, protestants ou catholiques.

Causées par l'ébranlement de la guerre, les conversions se multipliaient autour de lui. Jacques Rivière, seul, dans un camp de prisonniers en Allemagne, faisait acte de foi. Et voici que Ghéon, le fougueux et joyeux Ghéon, le plus ancien disciple du groupe, le plus fidèle, brusquement, à son tour, entrait dans l'Église.

Sa conversion avait eu lieu au front et — ironie — par l'intermédiaire d'un autre ami de Gide : le lieutenant Dupouey. Ce jeune officier qu'il n'avait rencontré qu'une ou deux fois, venait d'être tué. Ghéon, étrangement bouleversé, apprit par l'aumônier qu'il était mort dans un état extraordinaire d'exaltation religieuse, le jour de Pâques, ayant communié le matin même : — Il a donc fêté au ciel le jour de la Résurrection, déclara l'aumônier, tandis que la femme de Dupouey, catholique fervente avec laquelle Ghéon était entré en correspondance, lui écrivait en substance : — Vous allez me croire difficilement, vous ne me croirez pas ; mais depuis la mort de mon mari, je suis transportée : je sais qu'il est auprès de Dieu.

Alors, Ghéon, sentant à chaque minute sa vie en danger, commença à croire à ces paroles...

Il entretenait Gide des progrès de sa foi religieuse et Gide l'encourageait. Quand il fut définitivement converti, Gide lui écrivit : — Je t'embrasse, *toi* qui m'as devancé.

Mais bientôt il comprit — une fois de plus — qu'entre l'orthodoxe et lui, il y avait un mur. Ghéon était d'autant plus exalté qu'il avait été anti-religieux. Au temps où Gide correspondait avec Claudel, Ghéon lui déclarait, indigné : — Allons ! tu ne vas pas quand même te convertir ! et cha-

que fois que Gide revenait sur ce sujet, Ghéon répondait :
— Ça ne m'intéresse absolument pas !

A présent il était animé d'un débordant prosélytisme. Il
voulait à tout prix réduire *L'Immoraliste.*

Dans ses lettres à Gide, il évoquait leur période de honteuse
dissipation et suppliait son ami de renoncer à son passé indigne.
Comme Claudel, il cherchait à le toucher au point sensible
dans sa double vie, dans ses désirs interdits, qu'il cachait, dans
sa mauvaise conscience secrète. Toujours le prêtre veut intervenir dans la vie privée. N'est-ce pas Tirésias, songeait Gide,
qui révèle à Œdipe et à sa femme que leur bonheur ne repose
que sur un mensonge, sur un inceste, sur un crime [1] ? Gide
avait l'impression d'être dénoncé : on voulait forcer sa demeure,
son intimité. Il se sentait atteint, non parce qu'il se croyait coupable, mais parce qu'il se masquait.

Il en résulta un drame auquel les œuvres de Gide et même
son *Journal* paru à ce jour, ne font que des allusions : ce fut
un long et pénible déchirement intérieur.

Mais dès lors il n'avait plus aucun ménagement à prendre
même envers ceux qui lui étaient le plus proches : il sentit
impérieuse, inéluctable la nécessité de s'expliquer au grand
jour.

Avant la guerre, il avait écrit *Corydon,* étude sur la sexualité, mais il n'avait fait paraître qu'une édition incomplète,
tirée à douze exemplaires, hors commerce, pour quelques
intimes. Maintenant il était certain que cet ouvrage était destiné
au public. Déjà il imaginait les sarcasmes et les attaques de la
société. Il allait jusqu'à envisager — et sans frayeur — la
Cour d'assises. Il savait qu'il avait travaillé avec un soin attentif
à cette étude, en s'appuyant sur l'observation et sur le bon sens.

Corydon n'était encore qu'un ouvrage impersonnel. Il s'engagea davantage. Retiré seul chez lui, ce sont ses « mémoires »
qu'il commence à rédiger. Il prend les devants. Il parle. Dans
Si le Grain ne meurt, c'est sa propre vie qu'il raconte. — Vous

---

1. C'est cette époque de sa vie, qui lui a suggéré le drame qu'il
écrira plus tard : Œdipe.

pouvez tout écrire, lui avait dit Proust, mais ne dites jamais :
« Je ». N'importe ! il suivra « sa pente » courageusement.
Pour lutter contre le prêtre, contre tous, les faits rapportés
tels quels, avec naturel, sans commentaires, lui paraissent la
meilleure arme, et le récit de sa vie, la plus éclatante justifi-
cation.

Dès lors, il est parvenu au sommet d'une côte. Une grande
joie l'habite. Quoique les deux livres ne dussent être livrés au
public que plus tard (il ne pouvait être question de les faire
paraître pendant la guerre), Gide se sent libéré ; il est sorti
de l'emprise de la religion et de la loi commune. — Quitte
ta Maison et tes dogmes, tes biens et tes attaches, dit l'Enfant
prodigue au puîné. « Pars... sois fort... Oublie-nous ; puisses-
tu ne pas revenir... » Gide ne reviendra pas.

Quand, en juillet 1918, la nouvelle offensive des Allemands
se déclencha, Gide décida d'aller rejoindre sa femme, qui ne
voulait à aucun prix quitter Cuverville. Malgré le danger d'en-
vahissement, il n'hésita pas à partir et fit même à quelques
amis des adieux émouvants, pathétiques. Pendant un certain
temps, on n'eut plus de ses nouvelles. On s'inquiéta. Puis, un
jour, on apprenait qu'il était à Cambridge, qu'il prenait des
bains dans la rivière et se perfectionnait dans la langue du pays.

La guerre était finie. Une sorte de nouvelle jeunesse allait
commencer dans sa vie.

Note 1950 : Quelques extraits du *Journal* de Gide (paru en
1939) peuvent éclairer et compléter aujourd'hui la fin de ce
chapitre. Ils sont tirés d'une cinquantaine de pages écrites en
1917 et 18, et qui touchent à toutes sortes d'objets et de pensées.
Mais rapprochés les uns des autres, ces extraits, par leur ton,
tranchent subitement sur les pages des années précédentes,

où l'auteur note si souvent ses insomnies, ses vertiges, ses incertitudes, son insatisfaction dans le travail. Ici, Gide introduit soudain un personnage nouveau, Fabrice, qui lui ressemble « comme un frère », si bien que le « je » et le « il » se mêlent curieusement, sans que le lecteur se trompe. Michel n'est autre que Gide. Même « fraternité » entre Michel, M. et Marc :

« *Arrivé à Paris. 5 mai* (1917). *Samedi soir.* — (Gide couche dans sa villa d'Auteuil) ... Il faut un véritable raisonnement pour ne pas appeler cela du bonheur... »

« 19 (*mai*). — ... Je me retiens de parler de l'unique préoccupation de mon esprit et de ma chair... »

« 6 *août*. — ... Le camping de Chavinez prend fin... Je compte jalousement les heures qui me séparent de M... »

« *De Genève à Engelberg.* — ... (Fabrice) se sent, à 48 ans, infiniment plus jeune qu'à 20... Aujourd'hui qu'il voyage en première (ce qui ne lui est pas arrivé depuis longtemps)..., il s'aborde avec étonnement dans la glace et se séduit. Il se dit : « Nouvel être, je ne veux rien te refuser ! »...

A Engelberg, le 7 août, Fabrice retrouve Michel au camping de Chavinez :

« ... Il n'aimait rien tant en Michel que ce que celui-ci gardait encore d'enfantin, dans l'intonation de sa voix, dans sa fougue, dans sa câlinerie et qu'il retrouva peu de temps après tout éperdu de joie, lorsque tous deux, au bord du lac, l'un près de l'autre s'étendirent. »

« 9 *août*. — ... L'âme de Michel offrait à Fabrice des perspectives ravissantes mais encore encombrées... par les brumes du matin. Il fallait pour les dissiper les rayons d'un premier amour... (Fabrice) eût voulu suffire, tentait de se persuader qu'il aurait pu suffire ; il se désolait à penser qu'il ne suffirait plus. »

Nous suivons Gide et Fabrice à Lucerne le 10 août, à Genève « au matin... sur un banc des Bastions », à Saas Fée le 19 août.

« 21 *août*. — ... Certains jours cet enfant prenait une beauté surprenante. De son visage et de toute sa peau, émanait une sorte de rayonnement blond. »

« 1ᵉʳ *octobre*. — ... Couché à la villa (d'Auteuil)... Mon ciel intérieur est plus splendide encore ; une immense joie m'attendrit et m'exalte. »

Gide reste à Paris une vingtaine de jours sans reprendre son journal.

« 22 *octobre*. — Rentré hier à Cuverville. J'ai vécu tous ces temps derniers (et somme toute depuis le 5 mai) dans un étourdissement de bonheur... »

« 25 *octobre*. — Je ne m'y méprends pas : Michel m'aime, non pas tant pour ce que je suis que pour ce que je lui permets d'être. Pourquoi demander mieux ?... »

« 28 *octobre*. — Excellent travail. Joie, équilibre et lucidité. » Gide achève les chapitres les plus audacieux de *Si le Grain ne meurt*.

« Depuis plus de huit jours j'attends une lettre de M... avec une impatience angoissée. »

« 20 *novembre*. — Je n'en puis plus ; je suis à bout de patience et de force, et d'attente... J'ai perdu le sommeil... »

« 23 *novembre*. — En wagon — going to Paris. »

« *Cuverville*. 30 *novembre*. — A peine de retour, me voici rappelé par une dépêche : Ma joie a quelque chose d'indompté, de farouche, en rupture avec toute décence, toute convenance, toute loi... »

« *Cuverville*. 8 *décembre*. — Hier soir, retour de Paris... Avant-hier, et pour la première fois de ma vie, j'ai connu le tourment de la jalousie... M. n'est rentré qu'à 10 heures du soir. Je le savais chez C. Je ne vivais plus... »

« 15 *décembre*. — La pensée de M. me maintient dans un état de lyrisme que je ne connaissais plus depuis mes *Nourritures*... J'ai écrit tout d'une haleine les pages de préambule à *Corydon*. »

Gide achève ce livre et aussitôt se lance dans un nouveau : *La Symphonie Pastorale*. Pendant tout le début de l'année 1918, les courses entre Cuverville et Paris continuent :

« *8 mars*. — Rappelé à Paris de nouveau... Em. ne peut savoir combien mon cœur se déchire à la pensée de la quitter, et pour trouver loin d'elle le bonheur... »

« *2 juin* (1918). — Les Allemands sont à Château-Thierry. » Il ajoute : « Jours d'attente abominablement angoissée. » Néanmoins Gide semble se détacher de la guerre, ou au moins la comprendre autrement :

« Je pense parfois avec horreur que la victoire que nos cœurs souhaitent à la France, c'est celle du passé sur l'avenir. »

Soudain, le 18 juin 1918 : « Je quitte la France dans un état d'angoisse inexprimable. Il me semble que je dis adieu à tout mon passé... »

En juillet, Gide est en Angleterre, avec M. à Grantchester, puis à Cambridge. Il ne rentre à Cuverville qu'au début d'octobre. De retour au port et évoquant son départ, il note :

« Une fatalité irrésistible me poussait en avant, et j'aurais tout sacrifié pour retrouver M. — sans même me douter que je lui sacrifiais quelque chose. »

Dans le même moment, il constate qu'il se réinstalle difficilement au travail : « Je suis quelque peu inquiet, écrit-il, de me voir si vite au bout de ma *Symphonie Pastorale* » qu'il juge trop mince.

Ici une large coupure dans le *Journal* qui ne reprend véritablement qu'en 1921 : trois pages en 1919 et sept en 1920, où le nom de M. ou de Marc réapparaît plusieurs fois, mais incidemment et comme un familier.

CHAPITRE IV

VERS LA SÉRÉNITÉ

A cinquante ans, Gide est revenu au profond de lui-même. Il a retrouvé les audaces qu'il refoulait dans sa jeunesse. « Le monstre intérieur est vaincu ! » dit-il.

Quand un nouveau venu vient lui rendre visite, il lui demande encore parfois :

— Êtes-vous inquiet ? pour ajouter aussitôt :

— Car, moi je ne le suis plus ; j'ai cessé de lutter contre mon démon. Je ne résiste plus au désir.

Le désir est-il le mal ? Il ne sait. Mais il n'est plus troublé. Plaisir ou ascétisme, ciel ou enfer, le débat ne se pose plus à lui :

— Je laisse les contradictions vivre en moi, dit-il... Je n'analyse pas... Ceci est ma voie, la vraie, la bonne...

Son front s'est dénudé. Depuis longtemps, il a fait couper ses longues moustaches. Et son visage découvert semble n'avoir plus rien à cacher. S'il laisse encore entrevoir, masque qui réapparaît, les détours, les affectations du passé, dès que ses traits reposent, il reprend une tranquille assurance. Sa car-

rurc s'est élargie. Sa voix est pleine d'intonations savantes et
de séduction.

C'est que cet ancien timide a appris à ruser avec sa timidité.
Sans doute il vous aborde toujours avec un sourire pincé, figé,
et, parfois, vous quitte brusquement, sans oser avancer le bras,
en faisant simplement un signe avec la main, qu'il agite à la
hauteur de son visage. Mais on sent que les ancêtres puritains qui l'habitent encore malgré lui et qui lui font faire ces
gestes maladroits, n'ont plus rien de commun avec l'homme
d'aujourd'hui : un être neuf est né en lui et, comme au sortir
d'une crise dangereuse, il s'affirme chaque jour davantage.

Son cœur est si léger maintenant qu'il a commencé à chanter de *Nouvelles Nourritures terrestres* : « Jusqu'où mon désir
peut s'étendre, là j'irai ! » Jamais son goût de l'aventure n'a été
si vif. Il ne regrette que le temps perdu : « Ah ! J'ai vécu trop
prudemment jusqu'à ce jour ! » dit-il.

C'est l'après-guerre : le jazz fait son entrée dans les villes.
Il fréquente le cirque, le music-hall, le cinéma, découvre les
premiers films de Charlot, Il rencontre les peintres et les écrivains qui se cherchent dans cette époque nouvelle : on l'appelle
l' « oncle » des « dadaïstes », dont quelques-uns se sont recon-
nus dans son Lafcadio.

Aux jeunes gens de cette renaissance désenchantée, il s'intéresse prodigieusement. Sans doute ses rapports avec eux
n'étaient pas de tout repos, et Gide gardait de son passé une
sorte de peur de ce monde sans respect, d'iconoclastes déchaî-
nés et scandaleux [1]. Mais sa curiosité était la plus forte.

On lui demanda de collaborer à *Littérature,* qui n'était pas
encore la revue « littératuricide » du groupe. « Nous ne pou-

---

1. Le groupe se livrait, en effet, à une surenchère forcenée : Tzara,
leur chef de publicité, organisait la réclame-dada ; Aragon, en cas-
quette et en ceinture rouge, invectivait les puissances du jour ; Breton, avec une politesse exquise, annonçait la fin de l'immense farce
qui a nom : « l'art ».

vons faire paraître la revue sans vous », lui déclaraient ces disciples imprévus. Il accepta, car il voyait avec plaisir « l'acte
gratuit » prendre une place inattendue dans son œuvre et
plaire à ces « modernes » poètes.

— Quel est le livre de moi que vous préférez ? leur demandait Gide.

— *Les Caves du Vatican.*

— Comme vous me faites plaisir ! C'est aussi celui que je
préfère moi-même !

Il eût répondu par les mêmes mots à d'autres qui lui eussent
dit que *La Porte étroite* était son livre le plus émouvant. Quand
commencèrent les manifestations « dada », il les suivit assi-
dûment toutes, avec un sourire un peu complice : le « jugement de Barrès », le lancement des « Vingt-trois manifestes ».
(« Plus de peintres, plus de littérateurs... plus rien, rien,
rien... ! »), et, par-dessus tout, la stupeur du public le diver-
tissait. A la Salle des Indépendants, où, intimidés par les
planches, ces jeunes anarchistes de l'art récitaient de magnifiques textes inspirés et outranciers, les bras collés au corps :
« Faites des gestes ! » leur cria-t-il, et le mot fit fortune.

En 1919, ayant publié *La Symphonie Pastorale,* analyse sub-
tile de l'hypocrisie religieuse, mais petit récit d'une forme traditionnelle, les dadaïstes, déçus, protestèrent. Alors, il rompit
avec le groupe [1]. C'est qu'il était décidé à ne pas faire de concession à cette jeunesse, qu'il aimait pourtant. « Le problème
pour moi, déclarait-il à Jacques Rivière, n'a jamais tant été de
tâcher de plaire que bien de tâcher de durer. »

Par des voies imprévues, les désirs de sa jeunesse se réali-
saient. A vingt-cinq ans, il rêvait déjà d'un disciple préféré.
N'était-ce pas à lui que s'adressait l'invocation des premières
Nourritures terrestres ? A « toi, mon Nathanaël, que je n'ai
pas encore rencontré, écrivait-il alors, je te donne ce nom, ignorant le tien à venir ».

1. Voir plus loin (Livre III) : *Entretien avec Philippe Soupault.*

Désormais il n'avait plus de noms imaginaires à chercher...

Quelques années plus tard, il partit pour le Congo avec Marc Allégret, jeune compagnon et entraîneur.

N'était-ce pas encore un rêve de jadis qui devenait réel ? « Caravanes, s'écriait-il trente ans plus tôt, en Algérie, que ne puis-je partir avec vous, caravanes ! » A présent, il allait les retrouver, au sud du désert, à leur point d'arrivée.

Avant de quitter la France, il vendit, comme pour s'alléger, une partie de sa bibliothèque et notamment les livres d'anciens amis, qui avaient trahi, selon lui, leur propre destinée. « Brûlons les livres inutiles... »

Claudel désira le revoir : pensant aux dangers de l'expédition, il avait, disait-il, le triste pressentiment que Gide devait mourir. Gide, quoique impressionné, ne se laissa pas retenir par cette prophétie, mais l'adieu ne fut que plus pathétique entre les deux amis : c'était, dans l'esprit de Claudel, un adieu définitif. Tous deux furent donc fort gênés en se retrouvant, dès le lendemain, dans le salon de Mme Mühlfeld.

Pendant un an, Gide traversa la forêt équatoriale d'un bout à l'autre, avec une équipe de cent porteurs, que Marc surveillait. Malgré son âge, sa santé résistait aux plus dures épreuves. Il faisait avec entrain quarante kilomètres par jour, à pied. Autour de lui, c'étaient des paysages informes, des ébats de singes, et aussi, des fièvres, des tornades. Il cherchait à étudier la faune et la flore du pays ; il notait, dans son journal de voyage [1], les différentes variétés de cicindèles, observait la mouche maçonne ou le termite. Un naturaliste pointait en lui.

C'est au cours de ce voyage qu'il découvrit les exactions des colons blancs et qu'il fit ouvrir une enquête à leur sujet [2]. — Ah ! dans l'humanité misérable, déclarait-il, qu'il est difficile d'être un homme !

En son absence, avaient paru *Les Faux-Monnayeurs,* car, contrairement à tant d'écrivains, Gide n'avait pas voulu en

---

1. *Voyage au Congo* et *Le Retour du Tchad.*
2. Voir plus loin le chapitre : *Vue sur la Colonisation et le Travail.*

surveiller lui-même le « lancement ». C'était pourtant le livre de lui le plus important, un récit de cinq cents pages, avec trente-cinq personnages, « son premier roman », comme il l'appela lui-même.

Celui-ci lui avait causé une peine considérable : les positions successives qu'il avait prises au cours de sa vie et qu'il avait alors poussées, chacune, dans un livre séparé, ici, il les réunissait dans un même ouvrage : il s'était donné en entier dans ce roman, qui correspondait à l'épanouissement de sa maturité [1]. Maintenant, il entrevoyait l'équilibre.

Cependant quand le livre parut, il fut accueilli dans une glaciale indifférence, sinon avec hostilité, tandis que ses ouvrages antérieurs étaient brusquement attaqués.

C'était encore l'époque des batailles littéraires. Celles qui furent menées contre lui, avec acharnement ou mauvaise foi, contribuèrent finalement à donner de l'importance à son œuvre.

Si le nom de Gide était alors peu connu du public, sa figure avait néanmoins grandi. La *N. R. F.* surtout, était devenue une puissance dans le monde des lettres, et elle excitait l'envie de beaucoup d'écrivains qui n'en faisaient pas partie.

Ses collaborateurs s'étaient tus pendant la guerre. Mais dès 1919, la revue était repartie avec allant, portée par les vagues de l'époque. Valéry, dont Gide avait prédit la gloire, avait fait sa rentrée dans la littérature, une sorte de descente merveilleuse de très haut. Marcel Proust, que Gide avait d'abord méconnu, puis recherché, obtenait, en 1920, le *Prix Goncourt,* et d'un coup, son nom totalement ignoré s'imposait. Jean Giraudoux, avec les images-surprises de sa *Nuit à Châteauroux,* ravissait

---

1. Gide a déclaré qu'il a voulu « tout mettre dans ce roman », déclaration identique à celle qu'il faisait, à vingt ans, quand il écrivait *les Cahiers d'André Walter,* mais ce « tout » qu'il s'agissait d'y mettre était devenu bien différent.

une « élite », tandis que Paul Morand, avec *Tendres Stocks,*
puis avec *Ouvert la Nuit,* mettait à la mode un nouveau style
moderne. Gide et ses amis avaient « trusté » les meilleurs
écrivains du temps.

C'est alors qu'un groupe d'exclus se sentit directement
atteint : parmi eux, Henri Béraud. Celui-ci ne comprenait
vraiment pas pourquoi les livres de Gide, de Proust ou de
Valéry, qui l'ennuyaient à mourir, se vendaient à l'étranger.
Il crut donc que Jean Giraudoux, directeur de la « Propagande » au ministère des Affaires étrangères et ami de la
N. R. F., devait favoriser cette maison au détriment des autres.

Se plaçant sur le terrain commercial, il commença, en 1923,
dans l'*Éclair,* une véritable « croisade » contre les « longues
figures [1] » des huguenots gidiens, opposant à leur littérature
« ennuyeuse », la sienne propre, c'est-à-dire, la « rigolade des
francs buveurs de Beaujolais » et les « amusettes » des « boute-
en-train d'estaminet ». Dès lors, ce fut dans la presse soudain
libérée, un déchaînement : « Hardi mon gros ! Sus ! Sus ! »
clamait tel journaliste de province [2]. « *Hoch Literatur !* » lançait M. Camille Mauclair en parlant de la *N. R. F.* [3]

Giraudoux n'eut guère de difficulté à se disculper : il le fit
avec simplicité, dans les *Nouvelles Littéraires.* Mais Gide se
taisait, et Béraud enrageait. Plus le silence de l'un se prolongeait, plus l'autre se démenait [4]. Finalement Gide, ayant
constaté que ces polémiques lui donnaient une importance inattendue, envoya à son adversaire, un peu ironiquement et
comme en remerciement, une boîte de chocolats avec ce mot :
« Non, je ne suis pas un ingrat, mes « familiers » en ont
menti ». Les *Souvenirs de la Cour d'assises* devant reparaître à

1. Cf. *La Croisade des Longues Figures,* par Henri Béraud.
2. M. Edouard Dulac, directeur de *Pau-Pyrénées.*
3. Signalons les protestations de Paul Souday, Léon Daudet, Fernand Vandérem contre ces « ridicules éreintements ».
4. Gide s'amusait d'ailleurs : le directeur, Francis Gérard, d'une
petite revue (*L'Œuf dur*) lui ayant envoyé en communication, avant
qu'il ne parût, un papier de Béraud intitulé : « *La Nature a horreur
du Gide* », il le retourna simplement avec cette mention : « *Bon à
tirer* ».

cette époque, il lui avait même dédié le livre lorsque, au dernier moment, la dédicace fut enlevée [1].

C'est que l'affaire prenait une autre tournure. Béraud, hors de lui, injuriait. On parla même de duels. Ses attaques et celles de la presse avaient fini par toucher le groupe : — Calomniez, il en reste toujours quelque chose. Copeau, au Vieux-Colombier, crut sentir la désaffection des spectateurs. En librairie s'éveilla la méfiance de certains bibliophiles (pour un Valéry par exemple). La *N. R. F.* risquait d'apparaître, au public mal informé, comme une « boîte à encens », comme un « club d'admiration réciproque ». Béraud attribuait, en effet, à ses ennemis ses propres mobiles ; il partageait le monde en deux hémisphères : d'un côté les critiques amis qui vous louangent ; de l'autre, les adversaires, c'est-à-dire ceux qui ne vous admirent pas.

Au même moment se déclencha une autre offensive, partie d'un milieu tout différent : nationaliste et catholique. Elle était dirigée par Henri Massis, jeune néo-thomiste, qui chargeait avec fougue, dans la *Revue universelle,* et dans ses *Jugements,* les insoumis ou les suspects qui lui apparaissaient comme personnellement dangereux pour sa doctrine. Si ses attaques n'avaient pas le ton prophétique d'un Claudel, elles s'appuyaient par contre sur des syllogismes acérés et quantité de citations insidieuses.

En 1921, puis en 1924, Massis fonça donc sur Gide : prétendant lui enlever son masque, il soutenait que ses moyens de séduction, sa réussite, sa valeur n'étaient que l'effet de détours, de fuites, de ruses, de mensonges d'impuissant ; que cet être trompeur, par sa critique fallacieuse, détournait au profit de ses propres appétits, les dogmes sacrés, l'idée sainte de responsabilité et l'intangible unité de l'homme. Par-dessus tout, Massis incriminait sa redoutable influence, son action décomposante et perfide sur la jeunesse.

---

1. On peut constater que, dans la première édition, la page de garde, où figurait cette dédicace, a été découpée.

Béraud, Rouveyre et d'autres avaient déjà reproché au
« retors » de corrompre « les êtres qui tombaient sous sa
patte ». Et voici que dans une petite brochure intitulée :
Un Malfaiteur, un soi-disant père de famille l'accusait d'avoir
été la cause de la mort de son enfant qui s'était tué, préten-
dait-il, après avoir lu *les Nourritures terrestres.* Ce tract, préfacé
« d'outre-tombe » par l'archevêque Christophe de Beaumont,
ne pouvait guère être pris au sérieux : de tous temps, le réformateur n'a-t-il pas été soupçonné de forfaits imaginaires ?

Cependant Gide était indigné de voir son visage défiguré,
son action mise en doute... On l'accusait sur des indices, qui
favorisaient les plus écœurantes équivoques et les pires falsifi-
cations. Ne valait-il pas mieux apporter lui-même des preuves,
c'est-à-dire se livrer en entier, divulguer sa vie ? *Corydon* et ses
confessions (sous le titre de *Si le grain ne meurt*), qu'il avait
écrits pendant la guerre, étaient restés pratiquement inédits [1].
Le moment lui sembla venu — comme une inéluctable nécessité — de les publier au grand jour.

L'opinion le suspectait. Il préférait la heurter (et dans ses
plus tenaces préjugés : les préjugés sexuels) pour la rétablir en
sa faveur. Puisqu'il pensait qu'il n'y avait rien de condamnable dans sa vie, pourquoi ne pas parler, et même à la première
personne, ne pas avouer ce qui dans la société chrétienne ne
l'avait jamais été encore, et qui lui paraissait avant tout une
vieille interdiction biblique, une convention morale périmée,
une hypocrisie à détruire ?

Cela présentait de grands risques, et l'on comprend que
Gide ait reculé longtemps. S'il osait à présent, c'est qu'il croyait
son passé assez solide, c'est qu'il pensait avoir l'autorité morale
suffisante (dans une bourgeoisie qui n'avait plus très bonne
conscience) pour affronter le danger. Et cependant si l'on avait

---

1. Les ouvrages n'avaient paru, en effet, qu'en édition presque
secrète (à 10 ou 20 exemplaires). Impatienté par ces publications
clandestines, Paul Souday s'écriait : — M. Gide publie-t-il ou ne
publie-t-il pas ?

percé véritablement son intimité, comme il arrive dans un procès, que n'eût-on trouvé, ou prétendu trouver, par interprétation ? Mais Gide était prêt à tirer les conséquences de son acte.
Honneurs, avantages, récompenses attachés à la vie sociale
(quoiqu'il ne les eût jamais recherchés), il envisageait de les
perdre ; il préférait être « déshonoré » plutôt que de savoir
honoré l'homme qu'il n'était pas. Sur cette question déterminée, qui lui paraissait décisive, exemplaire, le symbole de la
liberté et de la liberté des autres, il sentait qu'il ne pouvait pas
désormais ne pas s'engager.

En vain ses amis firent pression sur lui, le suppliant de reculer
la publication du livre au moins après sa mort. Mais Gide
resta inébranlable.

Au fond des caves de la *N. R. F.,* emballés dans des caisses,
des milliers d'exemplaires de *Si le Grain ne meurt* attendent
maintenant pour être distribués que Gide donne un ordre.
Le temps passe... Au dernier instant, reculerait-il ? Au contraire, il a décidé de publier auparavant, à grand tirage, *Corydon,* son étude sur l'instinct sexuel, et c'est presque coup sur
coup, en 1924 et en 1926, que les deux livres paraissent publiquement.

Les réactions collectives sont plus imprévisibles encore que
les réflexes individuels. *Corydon* et *Si le Grain ne meurt* ne cau-
sèrent pas d'éclat à proprement parler. Les articles de presse
furent rares et d'autant plus que les deux ouvrages n'avaient
été envoyés à personne. Pour Gide, ce fut plus grave qu'un
scandale : il paraissait s'être exclu de la société.

Ses meilleurs défenseurs, dans les milieux intellectuels, le
lâchèrent. Certains critiques, qui étaient des amis, crurent qu'il
avait cédé à des obsessions ; d'autres en silence, le désapprou-
vèrent. « La mesure est comble ! » s'écriait Paul Souday dans
Le Temps. Pour Rouveyre, il s'agissait d'une « infection des
lettres ». Charles du Bos dénonçait son « inversion généralisée » et Gabriel Marcel, le « spectacle affreux » qu'il offrait.
Du côté des catholiques, on considérait qu'il avait rompu

les ponts et qu'on n'avait plus de ménagements à prendre avec lui. Il fallait à tout prix l'empêcher de nuire, limiter les dégâts.

Pour Massis, il était devenu un personnage proprement « démoniaque ». Le scandale suprême, c'était que, dans l'état de déchéance où il était tombé après avoir livré son affreux secret, il prétendait, tout en refusant de croire à l'au-delà, connaître le bonheur ! Un *incroyant heureux,* quelle imposture — diabolique !

Cependant d'autres membres de son groupe l'avaient quitté. Depuis la guerre, en effet, les conversions avaient continué à se propager autour de lui. Après Jammes, après Ghéon, après Dupouey, Copeau, écœuré par ses difficultés au Vieux-Colombier, avait soudain fermé son théâtre et tout lâché pour aller se réfugier en Dieu. Paul-Albert Laurens, le compagnon de son premier voyage en Algérie, avait suivi, puis son ami Charles du Bos, puis un jeune juif, René Schwob. La vague religieuse emportait d'autres collaborateurs de la *N. R. F.* : Jean Cocteau, à qui Maritain ouvrait les bras, les poètes Reverdy, Max Jacob, le métapsychiste Gabriel Marcel. Enfin Jacques Rivière, qui, à son retour d'Allemagne, avait cédé à une nouvelle influence profane : celle de Proust, mourait néanmoins, en 1925, « miraculeusement sauvé », déclarait Mme Rivière.

Gide était assailli par cette nouvelle phalange de néophytes. Tous l'entreprenaient :

« Si je crois ou si je ne crois pas, leur répondait-il, qu'est-ce que cela peut vous faire ? »

Contre le front unique des dévots, il résistait maintenant sans difficulté ; il se « tenait ferme dans sa propre conscience » [1]. Mais on revenait sans cesse à la charge.

— Laissez-moi tranquille, s'écriait-il, car il sentait qu'il ne pouvait plus parler sans colère des « mensonges » épais des religions et de « l'égoïsme hideux » des familles.

1. Luther.

Pour ses proches, il semblait un vaincu. Ceux-ci avaient réellement fini par craindre son influence. On croyait son conseil mauvais, on suspectait ses intentions. On ne lui demandait plus d'intervenir comme jadis, et c'était pour lui le plus pénible.

« L'approbation d'un seul *honnête homme,* lui disait-on, c'est la seule... qui importe, et que ton livre n'obtiendra pas.

— Hélas, répondait Gide, quiconque approuve mon livre cesse de paraître honnête à vos yeux. »

« Non, non ; ce n'est pas ma doctrine qui a tort... Vous incriminez mon éthique ; j'accuse mon inconséquence. Où j'eus tort, c'est quand j'ai cru que peut-être vous aviez raison... »

Désormais, reprenait Gide, « ce qui n'est pas, est ce qui ne pouvait pas être ». Il devait « consentir à s'aventurer seul ».

Et pourtant il ajoutait, en pensant à Emmanuèle : « L'être s'abandonne quand il n'a plus qu'à songer qu'à lui-même ; je ne m'efforce que par amour, c'est-à-dire que pour autrui ».

Plus vite qu'il n'avait espéré, l'opinion changea à son égard. Il recevait maintenant l'approbation de certaines personnalités éminentes. Quand Sir Edmund Gosse lui écrivit de Londres, ce mot lui parut plus précieux que cent critiques de presse louangeuses.

Edmund Gosse fit plus : peu de temps après la publication de *Si le Grain ne meurt,* il invita la Société Royale de Littérature de Londres, qui avait à nommer un membre étranger en remplacement d'Anatole France, à choisir André Gide, qui fut élu à l'unanimité.

Les jeunes lui savaient gré d'avoir bravé l'impopularité. Sous l'influence de Freud, de l'œuvre de Proust et de la sienne propre, on commençait peut-être à envisager certains préjugés sexuels avec moins d'embarras, et ce qui d'abord avait semblé révoltant, paraissait peu à peu presque compréhensible.

Ses autres livres également prenaient une plus juste place : chacun d'eux s'était trouvé de dix, de vingt ans en avance sur l'époque ; à présent, ils avaient rattrapé leur retard. En critique, les noms qu'il avait aimés ou aidés à faire connaître, Rimbaud ou William Blake, Dostoïevski ou Whitman, Conrad ou Rilke, continuaient à grandir. La *N. R. F.* était à son apogée.

Et voici que ses adversaires semblaient s'incliner devant le fait accompli : Paul Souday le plaçait au rang des grands écrivains contemporains et Henri Béraud, profitant de l'apparition de *L'École des Femmes,* le « félicitait » d'avoir écrit ce livre « vivant et touchant ».

A l'étranger, on l'admirait avec déférence. Son soixantenaire était célébré en Allemagne par la presse, l'université et le théâtre, comme un événement intellectuel européen. Aux États-Unis, la traduction des *Faux Monnayeurs* devenait soudain un succès de librairie.

Si la gloire est venue à lui, faite de l'estime qu'imposent une vie et une œuvre, il a continué à renoncer aux honneurs et aux parures officielles.

Les salons ne l'effraient plus, mais lui paraissent le néant. Il préfère accueillir des critiques français ou étrangers, des écrivains nouveaux, des étudiants, des jeunes gens. « La jeunesse m'attire, dit-il, et plus encore que la beauté : une certaine fraîcheur, une innocence, dont on voudrait se ressaisir » [1].

C'est à une certaine forme de liberté de l'esprit et du jugement qu'il aspire plus que jamais, au détachement : il voudrait n'être retenu par rien. Est-ce pour s'alléger davantage qu'il s'est débarrassé de ses terres ? Il a vendu La Roque et sa villa d'Auteuil (s'il garde Cuverville, c'est que sa femme s'est isolée et enfermée sans plus la quitter dans cette propriété). Gide,

---

1. Journal.

lui, ne cesse de vagabonder et, partout, il campe. Il évite de
se faire servir. Il n'aime pas, quand il est seul, s'offrir des
commodités, dépenser.

On a parlé de son avarice. Lui-même en a noté des traits
dans son *Journal*. Ce sont des restes de son éducation bourgeoise et puritaine, mais aussi l'expression de son indifférence
au luxe et plus encore, de son besoin d'indépendance ; la puissance de l'argent la donne, mais également un certain mode
improvisé de vie : la possibilité d'écrire n'importe où, avec un
bout de crayon, sur un coin de table, sur un banc, dans un
train, de garder longtemps les mêmes vêtements, d'habiter
dans n'importe quel hôtel, de ne se déplacer qu'avec une valise
légère, qu'on est seul à porter.

A la question que Gide s'est posée toute sa vie : — Que
peut un homme ? Comment « servir » ? il répond à présent
par la bouche d'*Œdipe* : « En renonçant à ses biens, à sa
gloire, à soi-même. »

Cependant Gide sait bien que, pour naturel que lui soit le
détachement des choses de cette terre, le diable se rattrape toujours par quelque autre côté.

... Parvenu à cette étape, si Gide regarde autour de lui et
cherche ses compagnons de départ, que sont-ils devenus ?

Beaucoup ont disparu : Pierre Louÿs, dans la misère et la
débauche ; Proust, dans la gloire ; Ducoté, inconnu. D'autres,
ayant abandonné en chemin, comme Ghéon, n'ont plus travaillé qu'à une œuvre d'édification : le théâtre catholique.
Francis Jammes s'est retiré à Orthez : quand Gide lui a écrit,
Jammes lui a simplement envoyé comme réponse un morceau
de bure dans une enveloppe (bure de fort bonne qualité d'ailleurs, ajoute Gide.) Cependant Valéry et Claudel, malgré leur
grandeur, ont accepté de s'appuyer sur les puissances officielles : l'Académie et l'État. Seuls de l'ancien petit groupe,
Roger Martin du Gard, Jean Schlumberger et Gide ont continué de mener la même route.

L'influence de Gide s'étend sur plus d'un demi-siècle et

dure [1]. Ses livres agissent, et sur certains, avec une efficacité
directe, la vertu d'une sorte de message personnel. Parmi les
lettres qu'il reçoit, il en est de brûlantes : tel malade, cloué
pour des années sur son lit, lui écrit qu'il a retrouvé le goût de
vivre ; tel adolescent tourmenté par son sort sur la terre, s'est,
grâce à lui, libéré. Il n'est pas jusqu'à une vieille folle, qui ne
lui envoie tous les jours, depuis des années, des pages d'amour
délirant, comme pour rappeler ironiquement à l'auteur de
Paludes le danger des vanités littéraires, hommage de l'humour au delà de la raison.

Cependant Gide sent qu'il n'a pas encore pénétré suffisamment dans le vif de lui-même.

— Trop longtemps, avoue-t-il, j'ai parlé à travers quelque
chose ou quelqu'un...

A présent, il a renoncé à la fiction ; c'est la réalité sociale
qu'il veut atteindre. Depuis son voyage au Congo, les abus
coloniaux n'ont cessé de le hanter : est-il possible que presque
toute l'humanité gémisse également dans des chaînes ? Précisément parce qu'il se sent à l'abri, Gide ne peut se résigner et
comme tout sage, — il vieillit « à gauche ».

— Mon dernier livre, dit-il, il faut d'abord que je le vive...

Mais en aura-t-il le temps ? Là-bas, du côté de la Russie, il
regarde le drame qui se joue dans l'avenir. Désormais, c'est
dans cette marche en avant de l'humanité, appelée sans cesse
à se dépasser, que Gide a placé son véritable espoir, l'espoir
d'un autre absolu.

— « Dis où tu veux aller.

1. Mentionnons les réunions annuelles de Pontigny, organisées par
Desjardins. C'est à Pontigny que Gide a pris contact avec quelques-
uns des écrivains étrangers, et, aussitôt après la guerre, avec des
Allemands. Nombreux sont ceux qui gardent le souvenir de ces
« décades » où l'on discutait librement toutes sortes de problèmes,
(dont le sujet était fixé d'avance), « décades » dont Gide était fréquemment l'animateur.

— Droit devant moi... », répond le vieil Œdipe aveugle, « parmi les hommes. »

Si devant la mort, Gide n'a plus d'inquiétude, la mort néanmoins lui impose la préoccupation d'une échéance : il voudrait pouvoir achever son œuvre, lui donner une plus nette, une plus forte conclusion, et mourir ainsi satisfait, en rendant à la terre, comme il se l'est toujours promis, « une âme reconnaissante et ravie ».

DEUXIÈME PARTIE :

SA PSYCHOLOGIE ET SON ART

CHAPITRE PREMIER

L'EXAMEN DE CONSCIENCE ET LE DÉDOUBLEMENT

L'œuvre de Gide n'est peut-être tout entière qu'un vaste débat moral ; sans cesse on y entend dialoguer, comme d'une coulisse mystérieuse, la voix de la conscience.

Dès ses premiers livres, il *interprète* les légendes grecques ou bibliques et souvent, à partir d'une anecdote réaliste, comique ou poétique (comme le *Philoctète, Bethsabé* ou *Narcisse*) il compose un petit *Traité* moral. Ses essais, même lorsqu'ils touchent à l'esthétique, sont avant tout pleins de considérations éthiques. Ses personnages également sont presque tous situés par une idée de bien et de mal : Gide travaille sur la matière morale, comme le sculpteur de jadis à même le marbre.

Dans le plus important de ses romans, *les Faux-Monnayeurs,* où grouillent toutes espèces de types d'humanité, on peut voir d'un côté des jeunes gens et des enfants, révoltés et pervers : Bernard, un inquiet ; Armand, un dévoyé ; Vincent, qui flotte entre diverses conduites, et, d'un autre côté, les pasteurs, les professeurs, les parents, soumis aux préceptes traditionnels. Un seul personnage fait exception : c'est une femme riche, élégante, belle, mais complètement indifférente à Dieu comme au diable : Lady Griffith. Aussi fait-elle « le désespoir du romancier », elle ne l'intéresse pas ; elle est, pour lui, « sans âme », « sans épaisseur ». De même les person-

nages d'un Proust, qui sont sans inquiétude morale, font à
Gide l'impression de n'être tous, quoique merveilleusement
agencés, que de simples pantins. Pour Gide c'est le débat
moral qui donne aux êtres leur réalité, leur conscience, et cette
conscience doit les accompagner comme une ombre portée
à chaque pas dans la vie : Gide doit tenir pour vraie la légende
qui prétend que l'homme qui a vendu son ombre a perdu, ce
faisant, sa vie réelle.

On pourrait dire des ouvrages de Gide ce que Gide dit lui-
même de ceux de Dostoïevski : si les écrivains français s'occupent en général des « rapports passionnels... intellectuels » et
familiaux de leurs personnages, Gide, comme Dostoïevski,
s'intéresse essentiellement aux « rapports de l'individu avec lui-
même ou avec Dieu... ».

Cependant, paradoxe apparent, le but de Gide, tout au
long de sa vie, n'a jamais été autre que de sortir de la morale.
« Il ne faut pas de morale », telle est déjà la conclusion
d'André Walter, ou, plus exactement, pas de morale traditionnelle. C'est que Gide a cherché à atteindre, au delà d'elle,
un état de gratuité, où l'individu puisse vivre léger, disponible,
détaché de ce perpétuel souci du devoir. Cet état de suprême
gratuité a représenté, pour Gide, l'aboutissement d'une nouvelle éthique, l'éthique individualiste.

Poussé à faire la critique de la morale traditionnelle, il a été
conduit à la psychologie, qui elle-même, l'a mené à une morale
plus dégagée. C'est également de l'observation de la vie psychologique qu'il a tiré les grandes lois de son art.

Ainsi, morale, psychologie, art ne sont chez Gide que les
aspects d'une même démarche de l'esprit, et ce n'est que pour
la commodité de l'exposé que nous projetterons successivement
la lumière sur chacun d'eux.

Leur lieu de rencontre, c'est l'examen de conscience, centre
de la réflexion, — d'action ou d'inspiration.

Presque tous les personnages de Gide se livrent à un per-

pétuel examen personnel : c'est de là que leur vient ce caractère
moral que nous leur avons reconnu. Le jeune Vincent désire
séduire une femme qui se soigne dans le même sanatorium
que lui. Il hésite, il cherche à se justifier : malades, se dit-il, ils
vont mourir tous deux. Qu'est-ce qui le retient ? Pendant
qu'il fait sa cour, un débat se livre en lui. Sa personnalité se
décompose en deux personnages distincts : un moi qui agit, et
un moi qui regarde agir et qui juge.

Les deux moi se mettent à délibérer entre eux : ce dialogue,
qui se poursuit au fond de la conscience, a paru à Gide la
source de tout véritable progrès intérieur. « Supprimer le dialogue en soi, écrit-il, c'est arrêter proprement la vie. »

Il attache à l'examen de conscience les mêmes vertus qu'au
dialogue entre deux personnes différentes. Les dialogues de
Platon n'ont-ils pas pour rôle d'exposer une idée sous tous ses
aspects et de la faire vivre dans sa progression ? Si Socrate
a appelé *maïeutique* son art des dialogues, c'est qu'il lui permettait précisément d'*accoucher* les esprits, de mettre au monde
leur pensée. L'examen de concience doit aboutir au même
résultat, avec cette différence que les interlocuteurs sont les
deux représentants d'un même moi dédoublé.

Il arrive que pour mieux élucider le débat qui se poursuit en
lui, l'individu le consigne par écrit. La plupart des personnages de premier plan, dans les livres de Gide, tiennent un
« journal ». Tantôt c'est le roman tout entier qui est un « journal » (comme *Les Cahiers d'André Walter, Les Nourritures
terrestres, La Symphonie pastorale*). Tantôt le récit alterne avec
le journal du principal personnage, et celui-ci, comme Édouard
dans *Les Faux-Monnayeurs,* apparaît vu de l'intérieur par lui-
même et de l'extérieur par l'auteur, réfléchissant et agissant
à la fois. Les mobiles de ses actes sont analysés de son point
de vue et du point de vue des autres ; le lecteur, amené constamment à tout voir sous une double face, a l'impression d'entrer en rapport avec des êtres en relief.

Le dédoublement, qui est pour Gide dans l'examen de

conscience un élément de vie, lui semble, dans la création artistique, la meilleure méthode pour cerner la réalité. C'est pour y pénétrer plus avant qu'il a introduit, dans ses meilleurs ouvrages, une sorte de double fiction : dans *Les Faux-Monnayeurs,* Édouard, qui est romancier, écrit un roman, précisément le même que celui qu'écrit Gide : *Les Faux-Monnayeurs,* avec les mêmes personnages sous d'autres noms. L'ensemble de l'ouvrage se trouve projeté à l'intérieur de lui-même ; chaque personnage, chaque événement, placé comme entre deux miroirs parallèles, se réfléchit indéfiniment en chacun d'eux et donne l'illusion de la profondeur. C'est en ce sens que Gide écrit : « Rien... ne prend pour moi d'existence réelle tant que je ne [le] vois pas reflété ».

Il a joué avec une rare habileté de cette méthode d'exposition, qui aboutit dans certaines scènes aux quiproquos les plus troublants : pour intimider le petit Georges, un enfant de treize ans, déjà voleur et complice de faux-monnayeurs, Édouard lui lit une scène de son roman, qui est l'histoire d'un homme comme Édouard, administrant une semonce à un enfant comme Georges. Le roman d'Édouard devance les événements de celui de Gide. Le futur se mêle au présent ; c'est toute l'œuvre qui s'agrandit du fait qu'elle semble évoluer sur le rythme de plusieurs temps différents.

Le titre lui-même du roman prend à la fois un sens concret (c'est l'anecdote des faux-monnayeurs) et un sens symbolique (la fausse monnaie, la fausse valeur suggère à Gide l'idée d'insincérité, que tous ses personnages flattent ou, au contraire, combattent en eux.) On aperçoit que les deux romans, qui se déroulent tout au long du livre, sont en rapport avec le double caractère du titre : l'un est un roman *réaliste* qui expose les faits tels quels ; l'autre un roman *idéaliste,* ou plutôt *symbolique* qui donne leur signification figurée. De chacun de ces genres littéraires, pris séparément, Gide fait la critique : au réalisme, il reproche de n'être qu'une photographie plate, banale et méticuleuse de la réalité ; l'autre formule lui suggère la remarque suivante : « En guise de romans d'idées on ne nous a guère servi jusqu'à présent que d'exécrables romans à thèse... » Le devoir de l'écrivain serait à l'intérieur d'une même œuvre, de faire la synthèse de ces deux genres.

La double fiction représente aussi la « lutte entre les faits proposés (à l'auteur) et les faits idéaux », c'est-à-dire la lutte entre ce que l'auteur prétend faire de la réalité et ce que la réalité l'oblige à faire, la lutte entre l'œuvre conçue et l'œuvre réalisée. Dans *Les Faux-Monnayeurs,* Gide a introduit ce nouveau point de vue en expliquant dans le journal d'Édouard ce qu'il a voulu tenter, et en montrant dans le récit ce qu'il a matérialisé. Débordé par sa dissociation, il a publié, en outre, séparément, dans son *Journal des Faux-Monnayeurs,* les réflexions sur l'œuvre qu'il n'avait pas pu faire entrer directement dans l'œuvre elle-même. Et à ce sujet il fait remarquer : « Songez à l'intérêt qu'aurait pour nous un semblable carnet tenu par Dickens ou Balzac, si nous avions le journal de *l'Éducation Sentimentale...* l'histoire de l'œuvre, de sa gestation... » Ce journal, comparé à l'œuvre, recrée, pour Gide, le drame de la vie du créateur.

Cette décomposition de la réalité, séduisante mais souvent artificielle (qui fait songer parfois à Pirandello) apparaît sous les aspects les plus divers : en art, entre la fiction et le réel ; dans la conscience, entre l'acte et la pensée ; dans la société, entre l'individu et les groupes ; en amour, entre les sens et la tendresse. L'homme n'est-il pas matière et esprit ? En vrai chrétien, Gide le voit gouverné par un perpétuel dualisme. Entre Dieu et le diable, la lutte ne cesse jamais.

L'œuvre gidienne apparaît comme le lieu d'un perpétuel combat ; la vie est un enjeu, un risque de chaque moment, qui oblige l'individu à tendre continuellement son énergie.

Est-ce à dire que cette espèce de manichéisme généralisé soit le destin de l'homme ?

Gide est obligé de constater que le dédoublement peut aboutir à un cruel déséquilibre de l'esprit, si l'un des aspects

de la personnalité l'emporte sur l'autre. Le moi qui juge prend
peu à peu une importance démesurée, monstrueuse, tandis que
le moi qui exécute s'efface, disparaît. Rien n'est plus dangereux que l'abus de l'examen de conscience, tel que le pratiquent
surtout les protestants, qui soumettent les actes les plus insignifiants de leur activité au crible de leur conscience. De cette
épuisante confrontation résulte un sentiment d'infériorité, une
anxiété qui les rend incapables d'agir ou d'agir sans remords.
Le détraquement nerveux est parfois tel qu'il conduit à l'obsession ou au suicide [1].

« Quand on est ainsi divisé, déclare Armand, une victime
de l'éducation huguenote, comment veux-tu qu'on soit bien
sincère ? » Et il s'explique : « Toujours une partie de moi
reste en arrière, qui regarde l'autre se compromettre, qui
l'observe... qui la siffle ou qui l'applaudit... » Pour corriger son
douloureux dualisme intérieur, il l'exagère involontairement et
sur son vrai visage, qu'il n'ose plus montrer à nu, il porte un
masque sans cesse grimaçant [2].

Il arrive que les deux aspects scindés de la conscience ne
parviennent plus à se rejoindre : on se trouve alors en présence d'un cas pathologique, nettement catalogué, qu'on
appelle : dédoublement de la personnalité. Les écrivains et les
psychiâtres ont souvent décrit ses effets. Gide lui-même, qui
n'a jamais pu se détacher complètement de son puritanisme, a
souffert de ce trouble : « Je... ne comprends pas bien, écrit-il,
lorsque je me regarde agir, que celui que je vois agir *soit le
même* que celui qui regarde... » Mais du fait qu'il pose la
question, il ne sort pas de la limite du normal. Sa résistante
santé l'a sauvé dans ses pires heures d'inquiétude.

Il n'en a pas moins éprouvé, jusqu'à l'obsession, les tourments du dédoublement dans sa vie psychologique comme dans

---

1. Les statistiques indiquent que les suicides sont deux fois plus
importants dans les cantons suisses protestants que dans les cantons de
la Suisse catholique.
2. Nietzsche, un autre protestant, a développé cette image du masque, qui lui semble indispensable dans la vie.

sa vie de créateur, l'auteur du journal, le « contemplateur » a souvent dévoré chez lui l'artiste, au point qu'il en est arrivé à se demander si tout ce qu'il ressentait n'était pas l'œuvre du personnage qui chez lui juge et analyse. « ... L'homme éprouve ce qu'il s'imagine éprouver. De là à penser qu'il s'imagine éprouver ce qu'il éprouve... Entre aimer Laura, déclare Édouard, et m'imaginer que je l'aime..., quel dieu verrait la différence ? » L'examen de conscience ne serait-il qu'une illusion ? Conduirait-il au non-être ? En s'observant lui-même pendant qu'il écrit (et en projetant dans ses écrits les résultats de cette observation) le romancier ne laisse-t-il pas échapper la réalité de la vie qu'il croyait, au contraire, atteindre plus profondément ?

C'est toute la question de l'introspection qui est soulevée. On sait qu'Auguste Comte niait la possibilité de son existence, en affirmant qu'un homme ne peut pas se mettre à la fenêtre et se regarder passer dans la rue. Il supprimait la psychologie, ou tout au moins la limitait à l'étude des autres, c'est-à-dire à une sorte de psycho-physiologie, de psycho-technique. Par là, il en arrivait à bannir de l'art l'analyse personnelle.

L'art repose cependant sur l'introspection : ce que la création artistique a de propre et de mystérieux, c'est de faire fusionner les personnages qui dialoguent en nous, celui qui inspire et celui qui est inspiré. Dans la création, comme dans toute action intense, nos deux moi finissent par coïncider jusqu'à n'en former qu'un. C'est précisément dans ces moments, dans l'acte poétique, que l'homme retrouve enfin une liberté.

Si la nature nous ballotte entre des états contraires et successifs, nous ne progressons cependant qu'en réconciliant en nous nos antagonismes. « Tout notre univers est en proie à la discordance, déclare un des plus étonnants personnages de Gide, le vieux professeur de musique La Pérouse... » Mais il ajoute, soudain transporté dans une sorte d'extase et d'adoration : « ... Un accord parfait, continu ; oui, c'est cela ; un accord parfait, continu... », telle est l'expression suprême de la sérénité, de l'éternité.

7

Mais par une contradiction inhérente à la vie, le jour où l'accord absolu pourrait être réalisé, la vie s'arrêterait, elle cesserait d'être. « Ah ! Comme il faut attendre pour la résolution de l'accord ! » s'écrie La Pérouse.

CHAPITRE II

LES BONNES RAISONS OU LA DUPERIE EN MORALE

Le héros de *Paludes* tient un journal intime. « Dans mon agenda, dit-il, il y a deux parties : sur une feuille j'écris ce que je ferai, et sur la feuille d'en face, chaque jour, j'écris ce que j'ai fait. Ensuite, je compare... Ce matin, en face de l'indication : tâcher de se lever à six heures, j'écrivis : levé à sept... » Ainsi il puise dans son agenda le sentiment du devoir.

Quel est ce devoir ? Quelle est cette conscience, qui, comme un personnage indépendant de la personnalité, semble surveiller l'individu et sans cesse le réprimander ? Voix ironique, dit Baudelaire, qui, la nuit de préférence, nous engage « A nous rappeler quel usage — Nous fîmes du jour qui s'enfuit... » Œil terrible, dit Victor Hugo, dont le regard, n'étant arrêté par rien, va poursuivre Caïn réfugié dans une sextuple enceinte et jusqu'au fond du plus secret caveau.

La plupart des hommes pensent aujourd'hui que nous naissons véritablement avec cette « voix de la conscience ». Elle serait une sorte de sens moral inné, que Dieu nous aurait accordé, comme l'intelligence. C'est surtout depuis le XVIIIe siècle et Rousseau, qui croyaient « l'homme naturel » foncièrement bon et juste, que la conscience est considérée comme un guide sûr, qui nous sauve à chaque moment de l'abîme, comme un tribunal intérieur que nous promenons partout avec nous pour qu'il décide de notre conduite. Le protestantisme, le kantisme, avec son impératif, enfin la morale laïque ont, de nos jours, rendu cette notion populaire.

Hélas ! soupçonne Gide, cette voix prétendue infaillible n'est souvent qu'une voix fallacieuse. L'examen de conscience est un procédé moral d'une incroyable grossièreté. Dès qu'on observe avec un peu d'attention son fonctionnement, on n'entend plus que le grincement de tous ses rouages : l'hypocrisie comme un acide s'insinue entre eux, les ronge et les dénature.

« Sur l'agenda, sitôt levé, déclare le héros de *Paludes,* je pus lire : tâcher de se lever à six heures. Il était huit heures ; je pris ma plume ; je biffai ; j'écrivis au lieu : Se lever à onze heures. — Et je me recouchai, sans lire le reste. » Ce trait, que Gide présente ironiquement, révèle la comédie à laquelle l'homme ne cesse de se livrer dans l'examen de conscience et dont il a d'ailleurs vaguement honte : « Et je me recouchai, ajoute le héros de *Paludes*, sans lire le reste... [de l'agenda] ». — « ... Vite soufflons la lampe, afin — De nous cacher dans les ténèbres ! » écrit Baudelaire.

Cet art de se tromper soi-même apparaît dans les *mauvaises raisons* que l'homme cherche pour se justifier et qu'il transforme en *bonnes raisons :* « Ce ne sont pas tant ses actes que je méprise, déclare Éveline en parlant du pauvre Robert ; *ce sont les raisons qu'il en donne.* » Dans ce domaine, où il faut inventer et mentir, les ressources de l'esprit humain sont d'une richesse prodigieuse.

Le procédé le plus classique consiste, pour fuir sa responsabilité, à la reporter sur le voisin. Quand le loup à jeun a décidé de manger la brebis, il l'accuse, pour légitimer son crime, de toutes sortes de méfaits imaginaires, et comme la pauvre brebis se défend : « Si *ce n'est toi c'est donc ton frère.* — Je n'en ai point. — *C'est donc quelqu'un des tiens...* » La « bonne raison » s'énoncera ainsi : — Comme je ne veux pas que ce soit moi, ce sera lui...

Le père d'Éveline s'ouvre un jour à sa fille et lui raconte ses déceptions dans le mariage. Ah ! S'il avait été mieux compris, mieux secondé par sa femme d'esprit si borné, que n'aurait-il fait ? Tandis qu'il parlait, Éveline ne pouvait se « retenir de penser qu'il n'eût tenu qu'à lui d'obtenir de lui davantage et que s'il n'avait pas su tirer meilleur parti de son intelligence et de ses dons, il ne lui déplaisait pas d'en croire [sa femme] responsable. » C'est le raisonnement des impuissants et des ratés : — Ce n'est pas de ma faute ; c'est celle de mes parents, dit l'enfant, ou de mon associé, dit le commerçant, ou des éditeurs, dit l'écrivain, si je n'ai pu arriver à ceci, à cela... En désespoir de cause, ce sont les circonstances, la malchance, le destin qu'on accuse, et qui, certes, ne protesteront pas. C'est qu'il faut du courage et de l'honnêteté pour dire :   Il n'eût tenu... qu'à moi !... d'où il résulte qu'à présent, il ne tient encore qu'à moi... Dès lors mon désir de paresse, que j'ai pu dissimuler sous de « bonnes raisons », est démasqué et je suis seul, face à moi-même, contraint à l'effort !... Quelle fatigue ! Quel ennui !

Ce transfert de responsabilité sur autrui se présente à l'occasion des sentiments les plus divers. Les auteurs comiques l'ont fréquemment appliqué à la poltronnerie : il y a en littérature toutes sortes de Tartarins toujours prêts à affirmer, lorsqu'ils ont rencontré le lion, que c'est le lion qui a eu peur et qui a fui devant eux [1]...

Gide a constaté que, le plus souvent, la substitution a lieu, au cours de l'examen personnel, non pas entre un individu et un autre, mais à l'intérieur même de la conscience, entre un sentiment véritable qui habite l'individu mais qu'il condamne, et un autre sentiment voisin, mais qu'il peut moralement approuver.

Le héros de *la Symphonie pastorale,* pasteur marié, s'est pris

---

1. La vie politique n'est également qu'un perpétuel rejet de responsabilité : — C'est vous, socialistes, qui avez fait tomber le franc, ce n'est pas nous ; c'est vous, socialistes, qui manquez de patriotisme, tandis que nous... De leur côté, les socialistes : — C'est vous, les faux patriotes... etc.

d'amour pour une pauvre orpheline de vingt ans, aveugle, qu'il a recueillie chez lui au cours d'une de ses visites aux pauvres et, depuis, soignée avec dévouement. Il éprouve pour elle une passion violente et charnelle, mais c'est ce qu'il ignore précisément, car la passion coupable s'est déguisée, au regard de sa conscience, en un devoir de charité. Dieu, se dit-il, a placé « sur ma route une sorte d'obligation » et je ne puis, « sans quelque lâcheté, m'y soustraire ».

Le drame se complique. Le fils du pasteur, un tout jeune homme, à son tour est épris de Gertrude, l'orpheline aveugle, et, très honnêtement, il demande à son père l'autorisation de l'épouser. Voici le père jaloux de son fils, et cherchant tous les moyens pour l'éloigner de la jeune fille. Cependant cette jalousie, elle aussi, se déguise inconsciemment sous de « mauvaises raisons » : — Gertrude est trop jeune pour toi, dit-il à son fils, puis : « Tes sentiments... moi je les dis coupables, parce qu'ils sont prématurés. La prudence que Gertrude n'a pas encore, c'est à nous de l'avoir pour elle. » Je t'ordonne de partir en voyage. « C'est une affaire de conscience. »

La scène est sublime d'hypocrisie. Plus le pasteur est dévoré de jalousie, plus il parle de noblesse, de devoir : « Un instinct aussi sûr que celui de la conscience, dit-il, m'avertissait qu'il fallait empêcher ce mariage à tout prix [le mariage de son fils avec Gertrude] ».

Son amour coupable lui paraît aussi pur, lui apporte la même joie, la même libération que le sentiment du devoir. Et c'est là qu'est l'illusion : le pasteur se figure qu'un désir répréhensible, dès qu'on s'y abandonne, doit nécessairement engendrer le remords. Il oublie qu'au fond de la conscience, le désir, plus fort que nous, se cache sous un nom d'emprunt, un nom flatteur et héroïque, et triomphe ainsi de nos scrupules.

Insistons : comment le pasteur peut-il se tromper aussi grossièrement sur lui-même ? Comment peut-il se trahir, trahir la cause de la pureté qu'il a toujours défendue ? Comment, à partir de quel moment un homme peut-il trahir en croyant rester fidèle à lui-même ? Dans la mesure, sans doute, où il a pris l'habitude d'obéir à des idées qui ne sont pas complètement les siennes, à des ordres qui ne viennent pas véritablement de lui. Le mécanisme d'obéissance automatique est celui qui se détraque le plus facilement : l'homme ne trouve plus rien pour l'avertir, aucun critère de l'erreur, aucun sentiment qui lui permette de distinguer la honte de l'honneur. Pour se sentir profondément d'accord avec sa conscience, il faudrait que, retiré seul en lui-même, il parte de lui-même. Mais c'est ce qui lui est précisément impossible, puisqu'il s'appuie sur des systèmes d'idées tout donnés, qu'il les déforme et les substitue les uns aux autres selon les besoins de son désir, son désir plus insidieux que ces concepts abstraits et extérieurs à lui.

Son désir prend parfois des détours plus savants encore : son accomplissement exige un raidissement de tout l'être, qui fait croire que nous remplissons une noble et grande tâche, alors que nous agissons avec lâcheté. Cherchant de « bonnes raisons » pour abandonner, avec son enfant, la femme qu'il vient de séduire, Vincent s'est créé une sorte de morale nietzschéenne, qui bannit la pitié comme une honte ; dès lors, en rompant avec sa maîtresse, il se figure accomplir un effort d'autant plus louable qu'il est de cœur précisément sensible.

Quelques mois auparavant, lorsqu'il a rencontré cette femme, malade dans un sanatorium, abandonnée, elle aussi, comme Gertrude, c'est au contraire par charité, comme le pasteur, qu'il s'est cru autorisé à la conquérir. Il se figurait alors agir en vrai chrétien. A la substitution des sentiments correspond, chez Vincent, la substitution des règles morales.

Pauvre voix de la conscience ! Voix sophistique qui vient sans cesse nous berner, nous jouer des tours, recouvrir du beau nom de « devoir » nos sentiments les plus égoïstes. La plupart des personnages de Gide sont victimes de ses duperies. Le directeur de pension Azaïs déclare avoir, uniquement par dévouement, recueilli chez lui le vieux La Pérouse, qu'il fait travailler tant et plus. Le vieux La Pérouse lui-même appelle austérité ce qui n'est chez lui qu'orgueil. L'amour divin, les

macérations du corps, les élans purs d'*André Walter* recou-
vrent un désir charnel, un vulgaire désir insatisfait et révolté.
Cette dernière substitution, qui est d'ailleurs la plus connue,
explique pourquoi il arrive à des sectes mystiques de sombrer
dans l'orgie et le scandale, à des bigots de finir dans la mes-
quinerie et l'escroquerie...

Il semble que la vie intérieure tout entière soit un perpétuel
jeu de « mauvaises raisons ». Plus l'homme est moral, plus
il déforme et travestit sa morale. C'est pour endormir l'angoisse née de ses fautes et de ses instincts anti-sociaux qu'il a
recours, malgré qu'il en ait, au mensonge qui lui donne l'illusion de la pureté. Plus le sentiment de la culpabilité est puissant, plus l'individu, pour se rassurer, pour acquérir une
« bonne conscience », use et abuse envers lui-même d'arguments fourbes et insidieux.

Gide a constaté que les dévots sont victimes, plus que les
autres, de l'hypocrisie. Toutes ses familles de pasteurs vivent
dans un complet aveuglement, dans une atmosphère « ineffablement alpestre ». On y étouffe, on y crève, déclare Armand
en parlant de son foyer. Chez les Vedel, chacun se livre secrètement à ses passions, mais, ajoute Armand : « Grand-père...
n'y voit que du feu. Maman s'efforce de ne rien comprendre.
Quant à papa, il s'en remet au Seigneur : c'est plus commode... » Le père Vedel préfère donner tout son temps aux
pauvres, aux sermons, aux congrès plutôt que de voir clair
autour de lui et surtout en lui.

L'examen personnel apparaît finalement comme une torture, la conscience comme une malédiction que Dieu a infli-
gée à l'homme depuis le jour où il a mangé du fruit de l'Arbre
de la Connaissance du Bien et du Mal. Si les écrivains opti-
mistes du xviiie siècle ont pu voir dans la conscience un guide
sauveur, les poètes romantiques byroniens, les philosophes allemands de la nature ont considéré avec plus de raison qu'elle
nous inflige par-dessus tout le sentiment de notre détresse.
Ce n'est d'ailleurs pas tant le remords qui est douloureux dans
la conscience que l'impression vague d'être joués lorsque nous

cherchons à juger nos actes, que le fait de ne plus savoir distinguer le bien du mal, le vrai du faux, les bons des mauvais arguments, si bien qu'au milieu de tant de détours, nous sentons que nous devons finir par nous perdre. Dieu, déclare le vieux La Pérouse, « nous envoie des tentations auxquelles il sait que nous ne pourrons pas résister, et quand pourtant nous résistons, il se venge de nous plus encore », en jetant la confusion dans notre esprit. « Pourquoi nous en veut-il ? » Oui, pourquoi ?

Ce n'est pas Dieu qui a inventé cette morale de duperie, d'où découlent tous nos maux. C'est l'homme lui-même, dans son ignorance. *L'homme ne sait pas se passer d' « autorisations » pour agir.* Aussi longtemps qu'il ira les demander à la société, à la religion, aux autres et non pas à lui-même, la duperie sera générale [1]. L'hypocrisie de la vie intérieure naît de la forme même de la morale traditionnelle.

C'est elle qui condamne l'épanouissement de certains instincts et parfois même des plus féconds, et qui oblige l'homme à inventer de « bonnes raisons » pour permettre à ces instincts de se donner quand même libre cours. Les passions ont une vie propre et ne souffrent pas d'être brutalement réprimées, pas plus que nos poumons d'être oppressés, notre cœur d'être arrêté. Lorsque la morale leur interdit de se montrer au jour, elles se réfugient dans notre inconscient comme au fond d'un brouillard opaque, et là, corrompent l'esprit, faussent la logique et nous désarment. C'est ainsi que la passion inavouée du pasteur pour la jeune aveugle réapparaît triomphante, toute pure, tout innocente, transfigurée en passion charitable.

Si Gide a dévoilé le rôle des instincts dans la vie ordinaire, Freud l'a décrit dans la vie pathologique. La conception freudienne part également de l'opposition entre les instincts profonds et les institutions sociales. Lorsque nos instincts (et pour Freud surtout nos instincts sexuels) sont refoulés par

---

1. Voir plus loin *La Morale individualiste*.

la « censure » morale, ils resurgissent bientôt, mais déguisés
en images symboliques dans nos rêves, ou en obsessions mala-
dives dans les névroses. Ces névroses sont des espèces de sou-
papes, mais qui n'ouvrent la voie aux instincts qu'en ruinant
l'équilibre de nos nerfs. De même, grâce aux « bonnes raisons », la « censure » morale laisse passer le désir, travesti et
méconnaissable, mais cette libération n'a lieu qu'au prix d'une
ruse sordide, qui avilit l'intelligence et qui contamine toute
la personnalité.

CHAPITRE III

L'INCONSCIENT, REPAIRE DU DIABLE

Voici Gide penché sur l'inconscient, repaire des pires instincts humains. C'est là que l'individu refoule et dissimule ses pensées clandestines, ses convoitises voilées, ses sentiments louches. Freud, qui a été obligé, par profession, de « se vautrer, dit-il, dans toutes ces saletés », affirme que, dans ce moi profond, croupissent des désirs si affreux que l' « honnête homme », s'il les connaissait, en serait malade de honte et de frayeur.

Explorer cette sombre caverne devient une tâche peut ragoûtante. Quand la pensée entre dans ce lieu, dit Gide, elle ressemble à un dragon, qui avance « son mufle invisible, flairant tout, reniflant tout, [promenant] partout une curiosité attentatoire ». L'inconscient est proprement le domaine où se cache le diable, et c'est pourquoi il faut le pousuivre dans sa retraite.

Cette image ne doit pourtant pas nous tromper. Gide n'a jamais rencontré le diable, ce personnage provocant auquel Luther jeta un encrier au visage. Il a cru davantage à l'esprit démoniaque. C'est le diable qui, tapi dans l'ombre de la conscience, s'amuse, pendant que nous dialoguons avec nous-mêmes, à suggérer toutes sortes de « bonnes raisons », de sophismes et de mensonges que nous n'arrivons plus à distinguer de la vérité. Il « joue avec nous comme un chat avec une souris ».

A son tour, Gide semble s'amuser de ce manège. Embusqué derrière les personnages de ses romans, il observe les tours pendables que leur jouent leurs instincts secrets. Ce dont il se réjouit, ce n'est pas tant de voir l'homme dupé par le diable ; c'est d'avoir dupé le diable lui-même, puisqu'il a surpris son camouflage. « Vous le croyez votre dupe, écrit La Bruyère. S'il feint de l'être, qui est plus dupe, de lui ou de vous ? » C'est une sorte de jeu de la vérité qui attire Gide : laisser ses personnages tomber dans les pièges de l'inconscient, pour révéler ensuite l'illusion dont ils ont été victimes.

Gide ouvre le « journal » de l'austère pasteur Vedel. Qu'y voit-il ? Des pages entières « de luttes, de supplications, de prières, d'efforts » au sujet de la résolution de ne plus fumer. « Mon Dieu, écrit Vedel, donnez-moi la force de secouer le joug de ce honteux esclavage. » Mais que peut bien signifier ce mot « fumer », puisque Gide sait que le pasteur a renoncé depuis longtemps au tabac et, de plus, sans difficulté ? Ici l'auteur sourit d'un air entendu. Il a compris... le mot « fumer » est mis là pour autre chose...

A Neufchâtel, un dimanche, Gide rencontre les fidèles revenant du temple. « Leurs pensées, écrit-il, sont blanches et repassées par le sermon qu'ils viennent d'entendre, bien rangées dans leur tête comme dans une armoire à linge propre. » Puis il ajoute : « Je voudrais fouiller dans le tiroir d'en bas. J'en ai la clef [1]. » Gide ne se réjouit jamais tant qu'en présence de gens sérieux chez qui il découvre soudain un désir insolite, mal contenu, débordant leur figure sociale. C'est pour lui un spectacle aussi plaisant que voir, chez un professeur, un bout de chemise mal rentré rompre avec l'éminente gravité du personnage.

Alors, tourné vers son public, Gide pourrait lui dire, comme Baudelaire : « Hypocrite lecteur, mon semblable, mon frère... »,

---

1. Journal.

pourquoi te draper dans ta dignité ? Vois, nous sommes tous tourmentés. Ne te récrie pas ! Si tu es sincère, tu te reconnaî-tras en Vincent, en Saül, en Michel, en moi-même. — Tais-toi, me dis-tu, même si j'ai quelque tare qui me ronge, il ne faut pas crier cela sur les toits ! — Cher lecteur, il ne faut rien cacher ; moi, je dirai tout. Assez de vos sales mensonges ! Je dirai tout : ce sera drôle et triste, vrai en tout cas...

Gide pêche en eau trouble pour pénétrer dans les bas-fonds de l'être. Avec sa clef diabolique, il va, accompagné de ses personnages, forcer des tiroirs, ouvrir des correspondances cachetées, soulever des couvercles. Ici, c'est Bernard qui vole une valise pour lire le « journal » d'Édouard ; là, c'est Julius qui feuillette le carnet intime de Lafcadio, en son absence ; ailleurs, c'est Sarah qui fouille dans celui de son père. Si l'au-teur se faufile ainsi par des voies dérobées, c'est pour connaître les secrets du drame humain.

Au cours de cette chasse, nous le voyons à l'affût des moin-dres gestes, des faits les plus insignifiants : il sait que les instincts profondément refoulés ne se trahissent guère que par des tics, des réflexes, des mouvements impercepibles ; c'est à ces signes, d'ordinaire inaperçus, qu'il doit s'attacher pour les débusquer. Ainsi l'observateur sagace découvrira l'émotion qui étreint un joueur attablé, imperturbable, devant le tapis vert, uniquement à un très léger tremblement presque invisible de son pouce. C'est grâce au petit insigne curieux que porte à sa boutonnière le petit Georges et parce que celui-ci rougit sans répondre, quand on l'interroge à ce sujet, qu'Édouard apprendra l'existence d'une association secrète de collégiens, qui ont été dévoyés par une bande de faux-mon-nayeurs.

L'auteur remonte des faits apparemment les plus minimes jusqu'à leur cause profonde. Les individus et les familles prennent toutes sortes de précautions pour cacher leurs passions secrètes, mais pas plus que les criminels, ils ne parviennent à en effacer les traces. Ce sont ces indices que Gide surveille et interprète, comme un détective étudie les empreintes digitales ou des analyses de grains de poussière. Dans *Isabelle,* c'est par une série de petits recoupements que nous pénétrons peu à peu, avec l'auteur, dans le honteux secret du château. Les scènes sont savamment graduées jusqu'au moment où nous découvrons qu'Isabelle est une « fille-mère », que ses parents ont maudite et qu'ils n'osent plus recevoir chez eux que la nuit, en cachette.

Cependant ce n'est pas seulement une curiosité diabolique qui attache Gide à ces passions louches et occultes. Après tout, se dit-il, sont-elles donc si affreuses, ces passions ? Puisqu'elles sont en nous, n'ont-elles pas leur raison d'être ? N'est-ce pas la société qui travaille contre elle-même en les condamnant et n'y a-t-il pas, parmi elles, des forces fécondes pour l'individu ?

On sait que des hommes admirés par l'histoire doivent leur grandeur à ces instincts. Gide a remarqué que des savants, des écrivains, des penseurs ont souffert d'un déséquilibre intérieur : ce sont justement leurs passions qui ont permis en eux l'essor de la création. Beaucoup de grands mystiques ont été des névropathes. Mahomet, Luther, Dostoïevski, des épileptiques. « Pascal avait son gouffre avec lui se mouvant »[1], « Nietzsche et Rousseau leur folie. »[2].

Evidemment Gide ne prétend pas que tous les génies aient été des malades ou des « anormaux », ni que l'instinct vicié soit *par lui-même* créateur ; mais que celui-ci entraîne dans la conscience un désordre si insupportable que, pour le surmonter, certains hommes sont amenés à créer en eux un ordre nouveau, original et personnel qui donnera naissance à l'œuvre d'art ou à l'action créatrice. « A l'origine de chaque réforme, écrit Gide, il y a toujours... un petit mystère physiologique, une anomalie... un malaise, le malaise du réformateur[3] ».

---

1. Baudelaire.
2. Cf. Les études de Gide sur *Dostoïevski*.
3. Gide écrit excellemment : « Ce n'est pas parce que Dostoïevski a été épileptique qu'il est grand, c'est parce que, étant épileptique, il a pu cependant faire son œuvre. »

Dans le bien-être, au contraire, la pensée se satisfait de l'état de choses présent et s'endort [1].

Si Gide se sent attiré vers les êtres troubles, c'est qu'il a le sentiment qu'ils ont plus de valeur que les autres, que leurs désirs rebelles sont susceptibles d'engendrer les gestes les plus pathétiques. On est sûr, au contraire, de n'avoir jamais rien à attendre de l'homme qui peut se soumettre, *sans difficulté,* aux règles de la politesse, de la morale, de la religion.

C'est pourquoi Michel préfère, aux enfants « faibles, chétifs et trop sages », dont s'occupe sa femme, les jeunes vauriens de Biskra, qui aident, par leur simple présence, à la guérison de sa neurasthénie.

N'y a-t-il pas cependant, dans ce goût de l'auteur pour les passions scandaleuses, un sentiment parfois équivoque ? Ne cherche-t-il pas à prendre le contre-pied de la morale commune ? Quand il paraît s'intéresser à la débauche, quand il écrit par exemple : « J'ai connu... tous les vices », quand il prend pour titre d'un livre : *L'Immoraliste,* ne semble-t-il pas, en défiant ses hypocrites adversaires, tomber à son tour dans leur panneau ?

Rien de plus enfantin que l'esprit de celui qui tire du plaisir à heurter la loi générale, puisque son plaisir même prouve qu'il en admet l'existence [2]. Pour braver avec volupté le vice, il faut être sûr au moins qu'il existe — en soi. De même le sacrilège qui jouit à la vue d'une hostie profanée, doit croire non seulement à la présence divine en elle, mais à un mythe déterminé, considéré comme vérité absolue. Il y a dans toutes ces attitudes de défi une surprenante confiance dans la réalité de la chose défiée, ou dans son immédiate antithèse. Si

1. C'est pourquoi il peut être dangereux de vouloir guérir à tout prix un homme de sa névrose : il arrive que celle-ci soit devenue sa raison de vivre, — la source d'une activité précieuse.

2. Le révolté, au contraire, n'éprouve que colère ou vengeance à heurter la morale commune ; il cherche à rompre le réseau des croyances qui l'enserrent ; il fait place malgré lui à quelque chose de nouveau.

le mot athée paraît aujourd'hui désuet et quelque peu puéril,
c'est que l'athée n'oppose pas à la croyance religieuse sa propre
conception métaphysique ; il joue le même jeu que son adversaire ; il *croit* selon les mêmes règles, au lieu que Dieu est,
que Dieu n'est pas. Ainsi quand, à la joie du bien, est substituée
la joie du mal, c'est que bien et mal sont considérés comme
les impératifs d'une même morale. Gide a évité le plus souvent ces pièges de la naïveté. Aussi lorsqu'il écrit : « J'ai connu
toutes les passions et tous les vices », il s'agit pour lui des vices
de la morale conventionnelle, à laquelle il ne croit pas. Mais
comme il emploie le mot « vice », sans préciser, sa phrase reste
équivoque.

En fait Gide ne déteste pas choquer d'abord le lecteur par
une impression de sacrilège, pour éveiller en quelque sorte son
attention ; mais il espère que le lecteur sera vite détrompé par
le contexte et n'en saisira que mieux sa pensée, qui est toute
différente.

Aucun de ses ouvrages n'est plus caractéristique, à cet égard,
que *L'Immoraliste,* dont le titre est également par lui-même
un jeu de mots : Michel est, en vérité, un être très moral, mais
qui pratique une éthique individualiste, différente de celle du
troupeau. Quand il déclare — épisode célèbre du roman —
que le jeune Moktir, un enfant arabe, est devenu son « préféré » du jour où il l'a vu lui voler une paire de ciseaux, ce
n'est pas parce que le vol est répréhensible, *d'après les lois
sociales,* que Michel s'est réjoui de voir le petit le voler (ce ne
serait là qu'un sacrilège sans intérêt), mais c'est parce qu'il
considère que ce vol est l'expression, chez l'enfant, d'instincts
sauvages et libres, qui peuvent indiquer déjà chez lui une
nature riche de possibilités [1].

Le doute n'est d'ailleurs pas possible sur la vraie pensée de
l'écrivain : quand Bernard a dérobé la correspondance de ses
parents, en soulevant le marbre d'un guéridon, repensant à son

---

1. L'expression péjorative : *Il faut s'attendre à tout avec lui...*, est
la même que cette expression d'admiration : *C'est un homme dont
on peut tout attendre.*

geste, il se demande : « Est-ce que c'était mal à moi de lire ces lettres ? » C'était peut-être mal par rapport à la morale objective, mais non au regard de *sa* conscience, qui éprouvait le besoin de s'éclairer au sujet de sa famille. Aussi cet examen de conscience l'a rassuré au point que si vous l'accusez maintenant d'être un « crocheteur », il sera sincèrement scandalisé. Comme Lafcadio, comme tous les personnages de Gide, il reste, quoiqu'il fasse, un être essentiellement moral.

Gide aime à laisser entendre qu'il heurte la morale, mais bien vite il nous révèle que s'il n'admet pas celle-ci, il en a cependant une autre. Son malin plaisir, il est vrai, n'en est pas moins de laisser entendre d'abord qu'il adhère parfois à ces règles qu'il défie ; de même qu'en pénétrant dans l'inconscient il se plaît à duper le diable, ici, dans son art, c'est le lecteur qu'il s'amuse à mystifier.

Si ses adversaires l'ont pris pour une incarnation méphistophélique, ils sont donc tombés dans son piège. Quand Massis s'épouvante parce que Gide écrit, parlant d'un personnage de Barrès [1] : « Si Racadot n'eût jamais quitté la Lorraine, il n'eût jamais assassiné ; mais alors, il ne m'intéresserait plus du tout », il ne voit pas que ce n'est pas tant le crime, en tant qu'acte interdit, qui intéresse Gide, mais l'état intérieur, les mobiles et les instincts plus ou moins inconscients qui ont conduit Racadot à cet assassinat. Gide, par ce langage de feinte, atteint son but : il parvient à « effarer » son public en lui révélant les sentiments incertains, obscurs et mouvants de l'être. Au lecteur de prendre conscience de ses préjugés.

Le sacrilège devient, pour Gide, un procédé psychologique : une manière de surprendre, de déconcerter, d' « inquiéter ». Gide s'efforce de communiquer, par suggestion, le sentiment des profondeurs de l'homme.

---

1. Dans *Les Déracinés*.

CHAPITRE IV

ÊTRE ET PARAÎTRE. — SINCÉRITÉ ET VÉRITÉ

Dédoublé, dupé, victime de ses propres désirs déguisés, l'homme qui se livre à l'examen personnel ne pourra-t-il jamais parvenir à la vérité ? Mais avant même qu'il se demande : — Comment être sincère ? la société lui pose cette question préalable : — Doit-on l'être ?

C'est là un vieux problème, mais dont on ne semble guère connaître que l'aspect mélodramatique, celui que l'on a fréquemment posé au théâtre.

Pour Gide la question n'est pas proprement : doit-on dénoncer les illusions sur lesquelles vivent nos amis ou nos parents, et par là risquer de détruire leur bonheur ? mais : avons-nous le droit de forcer l'intimité des autres et de résoudre, à leur place, les difficultés de leur vie morale ? Dès lors la réponse s'impose : c'est seulement la vérité de *sa* vie que l'individu est autorisé à dévoiler [1]. Ainsi l'horrible secret que l'*Œdipe* de Gide veut faire entendre au peuple concerne avant tout l'histoire de sa propre existence : « Un bonheur fait d'erreur et

[1]. Il convient aussi d'envisager les réactions sur autrui d'une telle révélation. (Voir plus loin.)

d'ignorance, s'écrie le héros, je n'en veux pas... *Pour moi,* je n'ai pas besoin d'être heureux ». Gide est sans doute un des hommes qui a poussé très loin le besoin de se démasquer, de livrer ses arrière-pensées ; cependant il s'est toujours efforcé de ne pas parler des êtres qui lui ont été le plus chers, considérant qu'il ne pouvait pas attenter à leur quiétude.

Ceux qui croient à la nécessité d'intervenir dans la vie des autres, ce sont surtout les esprits religieux : les confesseurs, les puritains, par besoin de prosélytisme, pour sauver des âmes. Dans une admirable petite nouvelle, Mark Twain nous présente deux vieilles huguenotes, qui obligent une fillette à confesser à sa mère mourante un insignifiant mensonge qu'elle lui a fait, épouvantable péché selon leur morale. Tant pis si la mère peut en mourir ! Mais la petite ne doit pas rester avec son mensonge sur la conscience. Quelle se presse de l'avouer avant que ne disparaisse sa mère ; autrement sa faute deviendrait irréparable, indélébile !

Gide a transformé le principe : — Il faut toujours dire *la* vérité, en : — Il ne faut révéler que *sa* vérité. Il arrive cependant qu'en divulguant *sa* vérité l'individu heurte les sentiments de ceux qu'il affectionne. C'est le cas si émouvant que raconte Oscar Wilde, dans *De Profundis,* lorsqu'un de ses camarades d'enfance vient le visiter dans sa prison et lui dit : — Je ne veux rien croire des calomnies qui ont couru sur vous pendant votre procès ; vous restez toujours pour moi l'ancien Wilde que j'estime... Minute d'anxiété pour l'écrivain prisonnier. Wilde doit-il détromper l'ami au risque de le perdre ? Il n'hésite pas. Gide non plus, dans des circonstances analogues.

Le conflit qui se présente ici provient du fait que nos parents et nos amis se « font de nous une image qui ne nous ressemble que fort peu », si bien que, lorsque nous leur révélons notre être véritable, ils sont consternés. Mais c'est nous le plus souvent qui avons contribué à leur donner cette opinion erronée qu'ils se font à notre sujet ; nous n'avons pas su ou pas voulu nous montrer dès l'abord tels que nous sommes. Il est donc

permis de dire que la question : Doit-on révéler sa vie à ceux
qui nous méjugent ? aboutit à celle-ci : Comment parvenir à ne
pas se faire méjuger ? C'est ainsi que nous revenons au seul
problème : Comment être sincère ?

« Oh ! Laura ! s'écrie Bernard, un des plus sympathiques
héros de Gide, je voudrais, tout au long de ma vie, au moindre
choc, rendre un son pur, probe, authentique... » La sincérité
apparaît à Gide comme le point de départ de toute vraie
morale, de toute grande entreprise, la vertu même, dit-il sans
hésiter, mais aussi la plus rare.

C'est que presque tous les hommes sonnent faux, sont livrés
à de faux sentiments, qui les empêchent de se comprendre entre
eux, de se connaître, de s'aimer. Voici Passavant, l'incarnation de l'insincérité, le type du « faiseur ». Gide en a fait un
homme de lettres, poète d'avant-garde, dépourvu de scrupule,
pillant ses confrères, incapable de faire autre chose que de
réduire la vie à des mots ou à des jeux d'esprit. Mais voici
l'homme ordinaire : c'est Robert, le bourgeois moyen. Lui
également ne cesse de jouer la comédie. Quand il défend les
vertus du foyer, la grandeur de la religion, le patriotisme —
et c'est toute sa vie — que fait-il sinon donner le change, tenir
un rôle ? « ... Ces beaux sentiments que tu exprimes, lui lance
sa femme avec haine, je serais folle [selon toi] de m'inquiéter si tu les éprouves véritablement ! » Les enfants sont-ils
plus sincères ? Gide nous les montre pris davantage encore du
besoin de jactance, de défi, de forfanterie. C'est pour étonner
ses camarades que celui-ci est amené à voler ; c'est en partie
par bravade que le petit Boris se tue.

La vanité, en chaque individu, ouvre un abîme entre l'être et
le paraître, entre son image vraie et celle qu'il prétend donner
de lui : « Par un renversement de l'ordre naturel, écrit Schopenhauer, c'est l'opinion qui semble être aux hommes la partie
réelle de leur existence ; l'autre, ce qui se passe dans leur
propre conscience, ne leur paraît en être que la partie idéale ».
Et Nietzsche, à son tour, s'écrie : « Soyez donc un peu hon-

nêtes avec vous-mêmes ; nous ne sommes pas au théâtre...
où règne le voisin, où l'on *devient* voisin ».

Mais comment ne pas mentir, lorsque l'on ne sait même
pas que l'on ment ? Le plus grave, dans l'insincérité, c'est
qu'elle est presque toujours inconsciente. Notre esprit est tellement plein d'idées toutes faites, d'habitudes, de conventions,
de partis-pris, que nous ne nous apercevons même plus qu'il
déforme tout ce qu'il appréhende. Un psychologue [1], qui s'est
livré à une étude des témoignages en justice, a pu constater que
les neuf dixièmes d'entre eux sont erronés, non que les témoins
soient nécessairement de mauvaise foi, mais parce qu'ils n'ont
pas su voir, ou entendre correctement ce qu'ils rapportent.
Eveline a l'esprit tellement *prévenu* contre Robert que, quoi
qu'il dise, la résonance des paroles de Robert dans son âme,
pour elle, reste toujours la même : elle ne peut « plus [l'] entendre que mentir ». Ces préjugés sont ce que les hommes
appellent leurs convictions : plus elles sont fortes, plus ils se
croient sincères et plus ils sont aveuglés. Le caractère, en se
raidissant dans une attitude figée, prend toutes sortes de faux
plis, irréparables, et l'individu se situe constamment en deçà ou
au delà de lui-même.

La moralité ordinaire incite à prendre ces attitudes défor-
mantes, car se passionner pour un idéal moral, *lorsqu'il est
contraire à notre nature,* nous entraîne hors de nous-mêmes et
nous rend apprêtés, hypocrites ; tâcher de devenir l'être que
nous ne sommes pas faits pour être, c'est se condamner à le
paraître et à ne jamais *être.* Le devoir dans un milieu déterminé nous fait une obligation de ressembler à un modèle donné
de vertu, le même pour tous, et que certains ne peuvent atteindre qu'en passant leur vie contrefaits. Mais les moralistes ne
semblent guère condamner ceux qui *affectent* d'agir *comme*
l' « honnête homme » ; ils craignent par-dessus tout celui
qui agit selon sa nature, le naturel. « Tout vous amuse, écrit

---

1. Il s'agit du philosophe Claparède.

Fénelon horrifié à un de ses élèves, tout vous dissipe, tout vous replonge dans le *naturel* ». *Etre naturel, être soi-même, c'est pourtant là toute la sincérité.* Gide a remarqué, non sans surprise, que cette notion de sincérité, introduite dans la morale traditionnelle, la ruinait [1].

Si la sincérité, c'est être soi-même, comment y atteindre ? Comment saisir nos vrais sentiments jusque dans l'inconscient ?

Est-ce de l'amour, est-ce de la haine, se demande Gide, qu'éprouve Trousotzki, le héros de Dostoïevski, pour l'amant de sa femme [2] ? Depuis des années, le couple s'est transformé en trio. Quand l'amant tombe malade, le mari le soigne comme son propre fils ; mais soudain, au moment où il le croit endormi, il cherche à lui donner un grand coup de couteau ; aussitôt après il se met à pleurer et à sangloter. Trousotzki n'était-il pas sincère, pendant vingt ans, quand il lui prodiguait des démonstrations d'amitié, et hier encore, quand il le comblait de soins ? Il était parfaitement sincère, répond Dostoïevski, il l'aimait tout en le haïssant. Seulement *il ne savait pas* où cet amour devait le mener : « le baiser *et* le coup de couteau, les deux à la fois », c'était l'expression vraie de son état de conscience.

Les sentiments mouvants et fuyants de notre être profond s'interpénètrent sans cesse, se confondent comme des gouttes d'eau dans un lac. Chercher à les exprimer et à les définir avec des mots immobiles, c'est une tâche presque impossible. Dès lors dans quel langage traduire nos émotions intérieures ? Quel nom donner à cet extraordinaire mélange émotionnel qui caractérise l'état d'un Trousotzki ?

1. C'est dans *l'Ecole des Femmes* et surtout dans *Robert* que Gide a soulevé cette question : en relisant ces deux petits ouvrages, j'en suis arrivé à penser que leur véritable sujet, le débat qui oppose Robert à sa femme, Eveline, c'est celui de la sincérité et de la morale : Robert se courbe sous des règles toutes données ; Eveline s'efforce d'être elle-même ; ce sont là deux attitudes inconciliables ; ils ne pourront jamais s'entendre.

2. C'est surtout dans sa critique, et particulièrement dans celle de Dostoïevski, que Gide a poussé son analyse de l'idée de sincérité.

Ce qui rend la sincérité plus insaisissable encore, c'est que notre moi, entraîné dans le temps, est modifié chaque jour, à chaque heure, à chaque minute dans son incessante évolution. Quand Robert a épousé Éveline, c'est la jeune fille de vingt ans qu'il aimait en elle. Mais aujourd'hui ce visage adoré, qui faisait fondre son cœur, a perdu de son éclat ; son regard, de sa chaleur, et Robert se demande, tout à coup, si c'est bien toujours Éveline qu'il a devant lui. La morale religieuse qui fait du mariage un lien indissoluble, suppose, ou veut supposer, que l'amour ne se modifie jamais. Mais le sentiment vrai hier, ne l'est plus à présent. A quel moment le prendre, s'il n'est jamais identique à lui-même en deux instants successifs de la durée ? « Tu dis, déclare Robert à Éveline, que je ne suis pas celui qui tu avais cru. Mais alors, toi non plus, tu n'es pas celle que je croyais. Comment veux-tu que l'on sache jamais si l'on est bien celui que l'on croit être ? [1] »

— Ce mot de sincérité, s'écrie Gide, est « un de ceux qu'il me devient le plus malaisé de comprendre. » Ce problème irritant, ajoute-t-il, est cependant toute ma vie. Savoir si je sens ce que je crois sentir ; si je suis moi-même, ou double, ou triple, ou rien ; si je déborde de ma conscience, ou si je coïncide avec elle ; s'il reste enfin quelque chose de constant sous les perpétuelles dégradations de mon corps et de mon âme. C'est là tout le problème de la personnalité sans cesse modifiée dans le temps et l'espace, de cette sombre, immense et troublante personnalité, que prolongent des avenues obscures, tandis que la conscience n'en éclaire qu'un point.

Aussi la sincérité ne sera-t-elle jamais qu'une tendance limite. Tout ce que l'homme peut espérer, c'est de s'en approcher. Peut-être y atteindra-t-il, dans quelques moments exceptionnels, dans l'*acte libre,* ou dans l'*acte créateur,* quand le moi et son expression se confondent en une unité vivante comme, à l'infini, l'asymptote et sa courbe se réunissent.

---

1. « La route est longue, déclare Bernard, dans *Les Faux-Monnayeurs,* de ce que je croyais être à ce que peut-être je suis. »

De cette critique de la sincérité découle une critique presque analogue de la notion de la vérité.

L'homme, qui imagine être fait à l'image de Dieu, a cru que sa raison pouvait comprendre l'univers, expliquer le monde par syllogismes et réduire la réalité en dogmes. Ah ! qui nous « délivrera des lourdes chaînes de la logique ? s'écrie Gide. *Donc* est un mot que doit ignorer le poète [1]. »

Très caractéristique la défiance de Gide pour la logique abstraite, pour les discussions philosophiques. Il sait que jamais une discussion n'a convaincu personne, que jamais la lumière n'en a jailli, mais qu'au contraire chacun s'obstine dans son sens. — N'acculez pas ma raison, dit Gide à ses contradicteurs, et surtout aux croyants. Je vous laisse le dernier mot. Pourquoi « ergoter » ? La raison a toujours raison. Donner une réponse à tout prix à tel grand problème, n'est-ce pas le plus souvent se contenter d'une formule qui court les rues, d'une formule abstraite, d'une affirmation répétée « avec violence, persistance et uniformité » pour forcer la conviction. Si l'on appelle *réponse* cet escamotage, certes, Gide ne répond pas. Il ne répond qu'aux problèmes qui sont les siens et qui ont mûri en lui. Encore s'efforce-t-il « non pour établir la vérité, mais pour la chercher » [2]. Il n'a pas par nature de goût pour le jeu des idées générales.

Mais il ne reste pas moins un rationaliste convaincu. Justement parce que la raison est un remarquable instrument, dans nos mains, nous ne devons pas le fausser comme font les esprits dogmatiques. Il faut se servir de cet outil avec patience et prudence. Gide a donné lui-même l'exemple. Son besoin de dénoncer la mauvaise foi et la tricherie même inconsciente, son horreur des textes truqués, son désir, dans le roman, de présenter sous le meilleur jour les thèses qu'il combat, d'expo-

1. Journal
2. Montaigne, cité par Gide.

ser parfois la sienne propre en faisant parler un adversaire [1].
d'apporter le document brut, vivant, non retouché, toute sa
critique est le plus bel hommage qu'il ait pu rendre à la
raison.

En dernière analyse, le rôle de la raison est d'écarter de notre
route les méprises et les pièges, de diminuer nos chances d'erreur. Ce travail exécuté, la raison a achevé sa tâche. Elle n'est
qu'un chemin qui mène dans une direction donnée. Il y a toujours un moment où il faut quitter le chemin pour se lancer
dans la brousse. Il y a toujours un moment où il faut dire,
comme le Philoctète de Gide : « Je ne sais plus. Je ne sais
pas... » Il n'y a là ni dérobade, ni scepticisme, mais critique
de la raison par elle-même. Si l'œuvre de Gide est avant
tout interrogative, c'est que les problèmes sont mal posés et
s'évanouissent dès que la raison dénonce le sophisme qu'ils
renferment [2]. Il faut s'efforcer avant tout de bien éclairer une
question, de placer ses termes sous un nouveau jour pour que
la réponse puisse devenir évidente ; à ce moment, il arrive
que la raison soit dépassée par une sorte d'intuition intellectuelle ; la vérité jaillit d'elle-même et s'impose.

Elle vient des mêmes sources que la sincérité. Elle est clair-
voyance, *liberté, création...*

1. Cf. *Robert.*
2. Meyerson a expliqué que le contrôle en science consiste uniquement à débusquer les chances d'erreur, si bien que ce qu'on
appelle un fait contrôlé, un fait exact, n'est *rien autre* qu'un fait
dépouillé, autant que possible, des illusions des sens et de l'esprit.

CHAPITRE V

L'ACTE GRATUIT OU L'ACTE LIBRE

Lorsque Prométhée [1] quitta le Caucase et « entre quatre et cinq heures d'automne », descendit le boulevard de la Madeleine, « diverses personnalités parisiennes passèrent à l'envi devant ses yeux. — Où vont-ils, se demandait Prométhée ? et, s'attablant à un café devant un bock, il demanda : Garçon, où vont-ils ? »

Et le garçon répondit : « Si Monsieur les voyait repasser comme moi tous les jours, il pourrait tout aussi bien me demander d'où ils viennent. Ça doit être tout un puisqu'ils repassent tous les jours. Je me dis : puisqu'ils repassent, c'est qu'ils n'ont pas trouvé... » Ils n'ont pas trouvé leur personnalité, et c'est parce qu'ils la cherchent, sans la trouver, qu'ils donnent cette impression de vaine agitation.

Chacun de nous est accompagné d'une conscience personnelle, comme Prométhée de son aigle. « Un aigle, au fond, vous l'avouerai-je ? un aigle, nous en avons tous... Mais nous ne le portons pas à Paris... L'aigle gêne... » Quand Prométhée, toujours attablé à la terrasse, appelle son aigle près de lui, « un oiseau qui de loin paraît énorme, mais qui n'est, vu de près, pas du tout si grand que cela, fond comme

1. Cf. *Le Prométhée mal enchaîné.*

un tourbillon vers le café, brise la devanture » et crève d'un coup d'aile l'œil d'un consommateur. « Voyez un peu ce qu'il a fait » : dans une capitale, une conscience est bien encombrante. Il est plus commode de la vendre ou de l'étouffer.

C'est en prenant conscience de lui que l'homme devient libre et c'est par là qu'il peut parvenir à la gratuité, comme à une merveilleuse récompense. « J'ai longtemps pensé, déclare Prométhée, que c'était là ce qui distinguait l'homme des animaux. Une action gratuite... Comprenez-vous ?... l'acte... *né de soi...* donc sans maître ; l'*acte libre ;* l'acte autochtone ? »

Mais l'effort qui conduit à la liberté est ordinairement trop pénible et douloureux, et la lucidité trop effrayante. Si quelques-uns sont enclins à la chercher quand même, ils sont empêchés par les conditions matérielles de leur existence. L'homme « est agi » par ses habitudes, son hérédité, ou son milieu. Le matin en s'éveillant, il pense qu'il doit se rendre au lieu de son travail. Mais le pense-t-il réellement ? Sa pensée est inconsciente : c'est un réflexe qui le fait lever. Il s'habille, il sort, il se rend à l'usine ou au bureau. Y aura-t-il dans sa journée un geste qui ne soit machinal ? Un instant où, rompant avec ses occupations et ses préoccupations quotidiennes, il se demandera avant que d'agir : — Pourquoi... oui... pourquoi ? Une seule minute de conscience par jour serait déjà précieuse...

Dans *Paludes,* Gide montre les oisifs, — les « hommes de lettres » —, refaire tous les jours la même chose et ne faire à peu près que cela : « — Qui est Bernard ? C'est celui qu'on voit le jeudi chez Octave. — Qui est Octave ? C'est celui qui reçoit le jeudi Bernard... » « Etre heureux de sa cécité, croire qu'on y voit clair pour ne pas chercher à y voir », c'est le pire esclavage. Sous sa forme humoristique, *Paludes* cache la détresse qu'inspire la vue d'une humanité moyenne et médiocre, soumise, résignée au destin.

Mais Gide pense que l'homme peut échapper à sa gangue. Au moins le laisse-t-il espérer. A cette humanité grégaire, où chacun cherche à « ressembler aux plus communs des hommes », il a opposé quelques merveilleux adolescents, Bernard ou Lafcadio, qui ne cherchent qu'à ressembler à eux-mêmes.

A vingt ans, le corps et l'âme ne sont pas encore fixés par les habitudes et répondent à tous les appels. Que Lafcadio escalade les murs d'une maison incendiée pour sauver un enfant, ou qu'il fasse, en montagne, simplement de la marche à pied, ses gestes restent toujours naturels ; c'est un même élan, la même aisance joyeuse qui les inspirent. Lafcadio n'a pas été soumis à l'éducation traditionnelle de la famille, ni à la routine d'une école ; on lui a enseigné à affirmer son tempérament, à suivre sa pente...

Cela ne suffit pas pour atteindre à la liberté ; il faut « suivre sa pente... mais en montant ». Il faut savoir sacrifier certains désirs, certaines tentations, à la loi profonde de l'être. Des appels, parfois très puissants, *isolés et presque indépendants* du moi, distraient l'individu et le détournent de lui-même : quand Lafcadio s'est abandonné à un mouvement de colère ou de vanité, il s'empare d'un petit canif « et, à travers la poche de sa culotte, il l'enfonce droit dans la cuisse » [1]. Par les punitions qu'il s'inflige, il soumet son orgueil et sa timidité, ses sentiments raidis, cachés et détournés à la lumière de sa conscience, où ils se fondent en un tout unique ; il a appris à dompter en liberté ses instincts qu'il a fait sortir de leur caverne ; il a pris possession de lui-même (exactement, il possède sa personnalité, il la tient en main). Désormais, il est prêt à agir...

Si je cherchais à définir l'acte libre, je dirais que c'est l'acte qu'on accomplit avec *toute* sa personnalité, *tout* son contenu, avec le conscient et l'inconscient, le passé et le présent, le corps et l'esprit ; c'est l'acte qui met fin à notre dualité, qui nous réconcilie avec nous-mêmes. Les grincements de notre vie

---

1. Lafcadio tient même la comptabilité exacte de ces coups de canif, dans un petit carnet où l'on peut lire : « ... *Pour avoir répondu avant Protos* = 1 p. ; *Pour avoir eu le dernier mot* = 1 p. ; *Pour avoir pleuré en apprenant la mort de Faby* = 4 p. (Les p. correspondent aux coups de canif.)

intérieure ont cessé : l'acte et l'acteur semblent coïncider enfin. L'acte libre représente véritablement l'individu comme l'œuvre d'art, l'artiste.

Voici Lafcadio en chemin de fer : il voyage seul dans un wagon avec Amédée Fleurissoire, un inconnu pour lui. Lafcadio se sent parfaitement dispos, et il songe : — Pourquoi ne pas jeter hors du train, *comme pour s'amuser et sans raison plausible,* ce triste bonhomme, affreux et boutonneux, qui, debout devant la portière, agrafe péniblement son faux col dur comme du carton ? « Si je puis compter jusqu'à douze sans me presser avant de voir dans la campagne quelque feu », le tapir aura la vie sauve. Il compte : Une, deux, trois... Dix ! Un feu ! Une poussée fait basculer hors du train Fleurissoire, qui est tué. Tel est l' « acte gratuit » de Lafcadio.

Mais est-il gratuit en réalité ? L'exemple de Gide est-il bien choisi ?

Sans doute cet acte est absurde et l'absurdité est effectivement un des caractères fréquents de l'acte libre. Mais l'est-elle nécessairement ? « Que si quelque romancier, écrit Bergson, déchirant la toile habilement tissée de notre moi conventionnel, nous montre sous [la] logique apparente, une absurdité fondamentale », ce romancier nous aura fait soupçonner la nature extraordinaire et la richesse de notre moi profond. Gide montre l'absurdité de l'acte, mais fait-il par là sentir l'extraordinaire richesse intérieure de son personnage ? Fait-il entrevoir chez celui-ci une logique des sentiments toute différente de la logique formelle ? « Le baiser *et* le coup de couteau, écrit Dostoïevski, c'était [pour Trousotzki] la solution tout à fait logique », c'est-à-dire la solution de sa logique affective : un mélange contradictoire d'images au sein de sa conscience, qui donne à Trousotzki une réalité hallucinante. Est-ce le cas de Lafcadio ? Gide nous dit qu'en le créant, il a créé « un être d'inconséquence ». Mais d'une inconséquence toute formelle. Nous ne voyons pas les dessous psychologiques de son acte. Son acte est inconséquent simplement parce qu'il est immotivé.

Immotivé ? C'est bien un autre caractère de l'acte gratuit. Dans l'acte libre, écrit Bergson, nous cherchons parfois « à savoir en vertu de quelle raison nous nous sommes décidés et nous trouvons que nous nous sommes décidés sans raison (peut-être même contre toute raison). Mais c'est précisément dans certains cas la *meilleure des raisons* ». Et Gide : « [La] raison [de Lafcadio] de commettre le crime, c'est précisément de le commettre sans raisons ».

Encore faut-il faire ici une distinction fondamentale. Si le mobile paraît absent *dans l'acte libre,* c'est que l'individu n'a pas agi sous l'influence d'un désir particulier (désir de gain, jalousie, colère ou peur) ; de ces désirs isolés, il s'est libéré. Le vrai mobile de son acte, c'est donc sa personnalité *tout entière.* C'est en ce sens que nous déclarons que l'acte n'a pas de cause, c'est-à-dire *pas de cause particulière*. Lorsqu'on écrit un livre avec tout son être, ce n'est ni le désir de s'enrichir, ni le goût des honneurs, ni l'envie d'étonner ses contemporains qui est la cause de cet acte. On écrit ce livre sans raisons, parce qu'il n'a pas d'autre raison que d'exprimer la personnalité de l'auteur, de le représenter.

Mais il arrive que *dans l'acte le moins libre,* le mobile nous échappe également ; il s'agit alors d'un mobile d'une autre nature, d'un mobile *particulier*. Ainsi Gide a étudié le cas d'un nommé Redureau, un tout jeune adolescent, qui, en 1912, a assassiné sept personnes *apparemment sans cause*. En réalité, l'acte avait bien des causes, mais qu'on ne découvrait pas parce que l'effet (le septuple assassinat) semblait trop disproportionné à ces causes [1].

Plus généralement il y a des actes commis sous l'effet d'un sentiment violent qui surgit de l'inconscient, d'une obsession si soudaine et tellement irrésistible que nous croyons agir librement alors que nous agissons, au contraire, comme par sug-

---

1. Les causes étaient peut-être la peur ou la colère, puis l'affolement devant l'énormité du premier acte ; enfin un certain déséquilibre mental (nié d'ailleurs par les médecins légistes), qui a permis aux premières causes de devenir déterminantes. (Cf. IVe partie : *la Justice*.)

gestion hypnotique. Cette similitude est bien troublante et rend l'acte libre bien difficile à reconnaître. Ainsi les actes les plus déterminés sont parfois les plus trompeurs : ils imitent le caractère spontané de l'acte libre ; ils sont, comme lui, inconséquents et sans cause apparente, et cependant ils représentent son contraire.

Le crime de Lafcadio n'appartient-il pas à cette dernière catégorie ? Lafcadio n'a-t-il pas été poussé à l'action par une sorte d'obsession inconsciente et isolée dans son moi : par l'irritation que peut provoquer, chez un être jeune et de bonne humeur, la vue pénible d'un homme laid et maladroit [1] ?

Cependant, répond Gide, le crime de Lafcadio est « désintéressé ». Mais un acte accompli sous l'effet d'une obsession inconsciente peut-il être désintéressé ? Peut-on d'ailleurs prétendre que l'acte gratuit est, en général, désintéressé ? [2] Si Lafcadio avait agi librement, c'est-à-dire avec *toute* sa conscience, il y aurait eu sans doute en lui un naturel instinct, une sympathie humaine qui l'aurait empêché de tuer. C'est parce que ces tendances semblent momentanément endormies, parce qu'elles ne participent pas à son action qu'il jette Fleurissoire par la portière. « La plupart des crimes, écrit Valéry, étant des actes de somnambulisme, la morale consisterait à réveiller à temps le dormeur ».

Pourtant Gide dépeint Lafcadio parfaitement maître de lui. Est-il possible que de cette possession de soi sorte un acte qui ait les caractères d'une brusque impulsion ? C'est ici qu'il y a

---

1. Quand Fleurissoire touche avec maladresse le commutateur du wagon, donne la lumière, puis l'éteint, puis la redonne : « A-t-il bientôt fini de jouer avec la lumière ? pensait Lafcadio *impatienté*. Que fait-il à présent ? »

2. « Désintéressé » est une expression qui prête à une sorte de jeu de mots. Lorsque Bernard ou Octave *s'intéresse* à sa famille ou à la société, il est plus *désintéressé* que lorsqu'il discute une affaire avec un commerçant. L'*intérêt* qui nous pousse à agir peut prendre un caractère moralement de plus en plus élevé, à mesure que l'acte devient plus conscient, c'est-à-dire plus libre. L'*intérêt ne disparaît pas, il change de nature*. A la limite, dans la liberté, l'intérêt et le désintéressement semblent ne plus faire qu'un.

invraisemblance, contradiction psychologique. Mais l'acte de Lafcadio n'est qu'un acte hypothétique, qu'une farce intellectuelle, qu'un paradoxe saugrenu, quoique significatif. Il est donc difficile de parler d'invraisemblance à propos de livres comme *Les Caves du Vatican* ou *Le Prométhée mal enchaîné,* qui sont, de l'aveu même de l'auteur, avant tout des « soties ».

En fait, Gide a souvent renié la paternité de l'expression : « acte gratuit », ou tout au moins ne l'a considéré que comme une gageure d'écrivain [1]. Mais plus tard, quand les surréalistes l'ont reprise à leur compte et lui ont donné de l'importance, il a été amusé et satisfait, et leur a témoigné de la complaisance. L'acte gratuit de Lafcadio est alors devenu le symbole de la désinvolture, un défi à la raison, aux bonnes mœurs, le type de l'acte scandaleux simplement parce qu'il est absurde et immotivé, un acte d'humour sur un fond de décor tendre et aimable, car Lafcadio reste, constamment et quoi qu'il fasse, un jeune homme très convenable.

Si, dans *Les Caves du Vatican,* l'exemple de l'acte gratuit est discutable c'est-à-dire sans véritable signification psychologique, Gide n'en a pas moins très justement décrit, *avant l'acte,* la méthode qui mène à la conscience de soi, et, *après l'acte,* les conditions de l'état de gratuité.

Un homme libre dépasse la *morale de son milieu :* il se place, pour ainsi dire, au-dessus d'elle. C'est là un des plus passionnants, mais aussi un des plus mystérieux caractères de la liberté : l'intelligence ne peut pas la comprendre. Tous les raisonnements sur la liberté semblent conduire la raison au déterminisme [2].

---

1. L'idée de *crime* gratuit semble avoir été « dans l'air » à l'époque symboliste. Dans le titre même de Quincey « *De l'Assassinat considéré comme un des Beaux-Arts* », on retrouve une idée analogue.
2. Au lieu de considérer la liberté comme la faculté qui permet d'exprimer *toute* la personnalité, on croit qu'elle est caractérisée par une *faculté de choix.* Chaque fois que nous déclarons (et c'est pour nous une manière fréquente de nous exprimer) qu'un acte libre aurait pu être *autre* que ce qu'il a été, nous pensons que l'individu a été amené à *choisir* entre l'action accomplie et une autre. Cette

En réalité, l'acte libre est inintelligible en soi et nous ne pouvons qu'en prendre conscience ; il sort de nous comme la plante de la graine, le fruit de la fleur : comme tout ce qui est proprement vivant, on ne peut que le vivre. Des philosophes individualistes qui ont défendu l'idée de liberté, pour la démontrer, n'ont pu que réfuter les thèses déterministes, puis, le terrain déblayé, nous demander de rentrer en nous-mêmes et de nous rappeler s'il y a eu des moments de notre existence où nous nous sommes décidés conformément à toutes nos aspirations.

Je suis donc seul à pouvoir me rendre compte si j'ai agi librement ou non, seul à pouvoir apprécier ma responsabilité. Sans doute aussi longtemps que je reste soumis à la chaîne des effets et des causes, la société a prise sur moi (c'est d'ailleurs à ces moments-là qu'elle m'accordera le bénéfice des circonstances atténuantes) ; mais si j'atteignais la liberté, elle n'aurait plus à *juger* mon acte, puisque les mobiles et les intentions de cet acte deviendraient pour elle inintelligibles ; elle serait ainsi arrêtée par le non-sens. « Une action gratuite, s'écrie le Miglionnaire, il n'y a rien de plus démoralisant ! » Et Gide ajoute : « Je ne parlerai pas de la moralité publique parce qu'il n'y en a pas ».

La contradiction entre l'acte libre et la morale commune

manière de parler *implique inconsciemment* une analyse erronée de la délibération qui a précédé l'acte. Si l'individu a dû choisir entre deux actions, nous supposons qu'il y avait deux mobiles en conflit dans sa conscience et qu'il a choisi entre eux. Mais si les deux mobiles étaient exactement d'égale force, il n'aurait jamais pu se décider. Et si l'un était plus fort que l'autre, il n'avait donc plus à choisir ; il n'était pas libre.

En analysant de cette manière l'acte libre, on aboutit donc au déterminisme, ou à d'insolubles contradictions. En fait, cette analyse porte sur la délibération qui précède l'action (et non pas sur l'action elle-même), et elle n'expliquera jamais comment on peut passer de l'une à l'autre. C'est qu'on considère les mobiles comme *invariables*, alors qu'ils se modifient à chaque instant, de même que la représentation anticipée des deux actions possibles. Quand nous déclarons, par conséquent, qu'un acte libre aurait pu être *autre* que ce qu'il a été, nous faisons abstraction du temps. L'expression n'a pas de sens ; il faudrait faire une toute autre analyse de la délibération, replacer la conscience dans le temps et nous constaterions alors qu'on peut dire seulement, de l'acte libre, qu'il est l'expression entière du moi à tel

est plus frappante encore, considérée du point de vue du
Miglionnaire, qui, dans le *Prométhée,* est « le bon Dieu ».
Puisque Dieu sait tout, il prévoit l'avenir, il sait d'avance ce
que feront les hommes ; dès lors comment ceux-ci pourraient-
ils agir librement, être responsables de leurs actions ? C'est
un très vieux et très banal problème. Depuis des siècles, théologiens et philosophes se sont heurtés à ce casse-tête : « Ce que
j'ai fait, déclare l'Œdipe de Gide (son meurtre et son inceste)
je ne pouvais donc pas ne pas le faire ». Ainsi Œdipe se révolte
contre le prêtre Tirésias, qui lui demande de se repentir d'un
crime que les Dieux ont prédit et jugé nécessaire. « Très
lâche trahison de Dieu, s'écrie-t-il, tu ne me parais pas tolé-
rable... » Non, Œdipe ne servira pas un Dieu qui semble
pousser l'humanité dans la voie du mal... Lorsque les hommes
raisonnent sur la liberté, ils croient ne pas pouvoir agir autrement que Dieu a décidé. Cependant, — malgré tous les arguments d'une logique trompeuse sur le destin, la fatalité ou la
nécessité, — la liberté s'impose à la conscience, par un appel
irrésistible.

Mais mon intuition ne coïncide presque jamais avec celle
d'autrui. Ni le moraliste, ni le juge [1], ni le prêtre ne peuvent
affirmer la responsabilité d'un acte qui serait libre : c'est en
ce sens que l'individu à la limite échappe aux lois.

Ce n'est pas là seulement une image. Par l'action gratuite,
l'individu se dégage de son enveloppe sociale, de sa respecta-
bilité, de sa livrée...

En jetant par la portière le pauvre Amédée Fleurissoire, il
semble que c'est vraiment toute la morale conventionnelle que
le jeune et libre Lafcadio envoie promener, que l'esprit de légèreté triomphe de l'esprit de lourdeur, que Gide lui-même s'est
débarrassé de tout son puritanisme. En agissant, Lafcadio a

moment du temps. Mais notre raison revient toujours à l'idée de
choix, envisagé d'un point de vue tout statique et qui crée l'illusion
du déterminisme.

1. Cf. IVe partie : *la Justice,* nous reprenons la question du point
de vue des tribunaux.

purifié sa conscience ; il renaît plus jeune, plus heureux, affranchi. « O vertigineuse aventure ! O périlleuse volupté ! »

« D'où que vienne le vent désormais, s'écrie-t-il, celui qui soufflera sera le bon. » Il lui semble qu'il peut agir dans tous les sens. Cela ne signifie pas qu'il fera n'importe quoi, mais qu'*il est adapté aux circonstances les plus imprévues de la vie*. De même lorsqu'il prend un dé pour se décider, il ne se conforme pas au hasard, car il fait souvent le contraire de ce que le dé lui répond, afin d'agir toujours selon sa loi ; le dé l'aide simplement à ne pas tergiverser.

Entre la pensée et l'action, l'imagination et le fait, la plupart des hommes délibèrent, discutent, ergotent — et perdent ainsi le meilleur d'eux-mêmes. Sans doute quand un homme n'est pas préparé à une action inopinée, agir spontanément serait inconsidéré. Mais dans l'état de gratuité, l'individu est toujours prêt à tout, prêt à tous les risques. Rien ne l'effraie : il sait que les conséquences de l'action sont presque infinies, qu'elle engage l'être dans une aventure immense, terrible et imprévisible... et qu'il n'a pourtant « pas plus le droit de reprendre son coup qu'aux échecs ». Un être comme Lafcadio ne recule pas au moment d'agir ; il « passe outre » ; il fait un saut.

Cet état de disponibilité lui donne une assurance telle que tout lui réussit de ce qu'il entreprend : l'homme ordinaire parle de sa « chance », mais la chance n'est que la faculté de ne laisser échapper aucune occasion propice d'agir.

Dès lors l'action libre devient un jeu. Si l'enfant donne l'image de la gratuité, ce n'est pas parce qu'il est *pur moralement* (cet âge est, au contraire, « sans pitié », plein de ruse et de vanité), mais c'est bien parce qu'il *joue,* parce qu'il *paraît libre*. Si les enfants aident Michel à guérir, c'est qu'ils représentent pour lui cette liberté. Et si à tous, il leur préfère Moktir, c'est parce que les ciseaux que vole le petit représentent un autre acte gratuit... Ces ciseaux rouillés et sans valeur, Moktir n'avait aucune raison de les voler, sinon par

goût du jeu. De même Lafcadio, qui est aussi presque un
enfant, s'est exercé à de « menus larcins », non pour s'appro-
prier des objets, mais pour le plaisir de les « escamoter », par
goût de l'habileté.

Cependant ne nous trompons pas. L'enfant n'est que
l'image de la liberté, il ne se domine pas et constamment
retombe en esclavage : il pleure, ou il se désole, il est pris de
peur ou de désir. La liberté est chez lui plutôt un état apparent, fragile et instable, parce qu'elle n'a pas été obtenue par
une lente et persévérante prise de conscience.

Le jeu lui-même exige un apprentissage. Ce n'est qu'après
un long entraînement que le plongeur ou le sauteur décri-
vent avec naturel et aisance leur trajectoire dans l'espace. Agir
pour la joie d'agir, de s'exprimer, d'être, ne veut pas dire se
livrer à des gestes quelconques, mais agir selon sa nature, ce
qui ne peut être obtenu que par un pénible et douloureux
effort.

« ... Si vous ne repaissez pas avec amour votre aigle, explique Prométhée, il restera gris, misérable... il faut se dévouer à
son aigle... l'aimer pour qu'il devienne beau... » A l'origine,
l'aigle de Prométhée « était gris, laid, rabougri, rechigné,
résigné, misérable... » et Prométhée pleura de pitié sur son
aigle... « Oiseau fidèle, lui dit-il, qu'as-tu ? — J'ai faim, dit
l'aigle. — Mange », dit Prométhée en découvrant son foie.
L'oiseau mangea. « Tu me fais mal », dit Prométhée. Le
nourrissant pourtant chaque jour davantage de lui-même, Prométhée vit bientôt l'aigle cesser de raser terre et apprendre à
voler. « Un jour nous partirons, dit l'aigle. — Vrai ? s'écria
Prométhée. — Car je suis devenu très fort ; toi, maigre ; et
je puis t'emporter. — Aigle, mon aigle... emporte-moi. Et
l'aigle enleva Prométhée... »

Notre personnalité est notre raison d'être, mais à condition
que nous la sacrifiions à nous-mêmes. La création est à ce prix,
et la liberté. « Je n'aime pas les hommes, déclare Prométhée,
j'aime ce qui les dévore. » C'est là le sens d'une morale
individualiste.

CHAPITRE VI

LE RÔLE DE L'ART ET
L'ART DE GIDE : SON STYLE

Si la liberté entr'ouvre une porte sur la vie merveilleuse, elle paraît imposer à la raison la nécessité du choix. A chaque instant de la durée, nous ne pouvons agir qu'une fois. Toutes les virtualités du moi s'enfournent à un moment donné dans *une seule forme d'action,* et qui ne se répétera jamais. — « Que tout ce qui [en moi] peut être, soit !... », s'écrie Lafcadio. Hélas, ce tout va se réduire à un. L'acte est unique. Mais notre esprit, se plaçant *avant* ou *après* l'acte, imagine ses mille autres formes possibles et les regrette...

« Choisir, écrit Gide, m'apparaissait non pas tant élire que repousser ce que je n'élisais pas... Je ne faisais jamais que *ceci* ou *cela* [1]. Si je faisais ceci, cela m'en devenait aussitôt regrettable... Je comprenais épouvantablement l'étroitesse des heures... » Cette nécessité de l'option n'est jamais plus douloureuse que dans l'adolescence. Le jeune Proust, placé devant la grappe des jeunes filles en fleurs, désirait les posséder toutes à la fois et ne savait laquelle élire. A vingt ans, Gide se désolait de ne pouvoir entreprendre toutes les études dans le même temps.

1. Souligné par l'auteur.

C'est ici que l'art intervient : les formes de vie auxquelles nous sommes obligés de renoncer, nous pouvons les vivre néanmoins. — Je parle, écrit Gide dans *Les Nourritures terrestres,* « de pays que je n'ai point vus, de parfums que je n'ai point sentis, d'actions que je n'ai pas commises... » Gide vient de découvrir l'Algérie, mais ce pays n'est qu'*un* de ceux qu'il aurait voulu connaître. Alors il écrit son livre : Naples, Malte, Grenade, Damas, Biskra, le Pérou, le voici partout au même moment. La poésie lui accorde le don d'ubiquité.

Alors la vie imaginaire l'emporte sur l'autre. Sous l'influence du symbolisme et de ses scrupules religieux, Gide en est arrivé, dans sa jeunesse, à préférer le possible au réel. De là le reproche de la critique : Gide n'est qu'un spectateur. « Ce qu'on fait, écrivait-il à vingt ans dans son *Journal,* n'a aucune importance. Ce qu'on peut faire vaut mieux que ce qu'on fait. » L'état de disponibilité qui précède immédiatement l'acte, le moment où nous croyons qu'il pourra revêtir encore mille aspects imprévus, ce moment lui paraissait si beau, si exaltant qu'il aurait voulu le prolonger indéfiniment. « O instant, ne t'épuise pas... » dit Faust, « O temps, suspends ton vol... » dit Lamartine. Mais l'homme vit dans le temps, qui n'a qu'une dimension et qui ne s'arrête pas de couler. Le devoir est donc d'agir. C'est ce que Gide a également affirmé à mesure qu'il est entré davantage dans la vie. « Il *faut choisir...* », déclare déjà *L'Immoraliste* et dans *Les Nourritures terrestres,* il écrit : « Ce sont les actes qui font la splendeur de l'homme... » En vieillissant, Gide a cherché à ne se dérober ni à l'action, ni aux réponses.

Néanmoins s'il apparaît souvent, dans ses romans, comme une sorte de « voyeur », qui suit avec une curiosité passionnée les résultats des expériences qu'il a tentées sur ses personnages, c'est qu'en opérant sur leur destinée, il se débarrasse de ses propres tentations, de ses remords. L'art joue avant tout pour lui un rôle moral. Il lui permet par substi-

tution de passer outre. Nos livres, écrit Gide dans la Préface
à *La Tentative Amoureuse,* auront été « le souhait d'autres
vies à jamais *défendues* ».

Et c'est ce qui explique son esthétique : Gide déclare que
plus les hommes peuvent satisfaire leurs passions *dans la vie,*
plus les passions *dans l'art* sont bridées par des règles formelles.
« Qu'on nous redonne la liberté des mœurs, dit-il, et la
contrainte de l'art suivra. » Il parle notamment de la Renaissance, période de vie libre et luxuriante, où Shakespeare, Ronsard, Pétrarque, Michel-Ange usaient si fréquemment de la
forme stricte du sonnet.

Mais l'exemple ne paraît pas probant. L'art de Shakespeare
et de Michel-Ange, dans leurs œuvres principales, n'est-il pas
déchaîné et romantique ? C'est plutôt la contrainte des mœurs
qui engendre la contrainte de l'art ; c'est la rigidité de la
tradition qui donne naissance aux formes strictes. Les écrivains n'ont jamais gardé autant de retenue qu'au conventionnel
XVIIe siècle. Gide en convient d'ailleurs, mais dans d'autres
études, qui paraissent contredire les premières.

Ce qu'il prétend alors, c'est que l'hypocrisie sociale, en entraînant celle de l'art, *favorise* cet art. Peu importe, dit-il, que la
société et l'artiste soient soumis l'un et l'autre à une religion
commune, même *sévère,* à une morale unique, même étroite.
L'essentiel, c'est que la société donne naissance à un *petit*
groupe de gens cultivés soumis tous au *même* idéal : l'artiste
qui appartient également à ce groupe cherche les sources de son
art dans un fond commun de sentiments et d'idées ; il sait
pour qui il travaille et il crée des œuvres qui ont un style. Tel
était le cas chez les Grecs et aux grands siècles classiques. Jamais
l'œuvre d'art n'a connu, déclare Gide, de meilleures conditions
d'éclosion qu'à ces grandes époques de l'histoire.

Aujourd'hui, le public est hétérogène, et venu de partout ;
il n'a en commun ni culture, ni goûts, ni *devoirs*. Aussi l'écrivain est obligé de rompre avec son temps : on le voit tantôt
s'isoler et « flatter idéalement » dans l'avenir un groupe de

lecteurs inconnus ; tantôt s'adresser au hasard à la foule ; dans les deux cas, il risque de se perdre.

Sans doute il est exact qu'aux époques d'anarchie, de révolution sociale, l'art ne fleurit pas, car il lui faut une société où règne un *certain* ordre. Au début du XXe siècle, Gide ne voit de public ni dans la bourgeoisie décadente, ni dans le prolétariat encore inéduqué. Je suis surpris cependant qu'il se tourne vers l'ordre du passé et qu'il le regrette avec nostalgie.

Il est vrai que presque toutes les considérations esthétiques de Gide ont été écrites par lui dans sa jeunesse. Tandis que dans le domaine moral, il déniait déjà à la bourgeoisie le droit de se considérer comme l'élite, il a longtemps regretté l'absence, dans le domaine artistique, d'une sorte de caste d' « honnêtes gens » : bourgeois ou aristocrates. Son attachement au génie français, pondéré, mesuré, raisonnable [1], aux écrivains du grand siècle, son amour de la forme traditionnelle, semblent avoir incliné ici vers un retour en arrière cet écrivain, qui a donné par ailleurs l'exemple d'un « esprit non prévenu ».

C'est que Gide est par essence, si j'ose dire, un classique. « L'art comporte une tempérance, écrit-il, et répugne à l'énormité ». Au milieu de l'uniforme forêt du Congo, il se réfugie avec délice dans la lecture de La Fontaine. Les contours arrêtés du style, les lois strictes, la contrainte en art lui sont nécessaires. « Le grand artiste, écrit-il, est celui qu'exalte la gêne, à qui l'obstacle sert de tremplin ». Effectivement un Valéry ou un Edgar Poe prétendent avoir trouvé leur inspiration dans la difficulté même de la forme. Mais si des règles toutes données par la tradition ont servi certains tempéraments, elles ont desservi certains autres. Les seules règles défendables sont celles que l'artiste s'impose à lui-même et qui peuvent être, *entre autres,* celles de la tradition *librement* acceptée. Il est curieux

---

1. Il existe cependant, reconnaît Gide, une autre tradition française, tradition romantique illustrée par Villon, Nerval, Hugo, Baudelaire, Rimbaud et les surréalistes mais qui est toujours restée, dit-il, comme à l'écart du grand courant de notre littérature.

que Gide, qui a fait preuve de tant d'individualisme en morale,
ait été incité, en esthétique, à généraliser les observations valables seulement pour son cas personnel.

Son esthétique étroite ne l'a cependant pas empêché d'être
un des critiques de notre temps : critique d'autant plus remarquable qu'il a su comprendre des génies contraires à lui-même,
des génies précisément *énormes,* tels que Shakespeare, William Blake — ou Dostoïevski. Si, parmi les écrivains de son
époque, il s'est senti secrètement attiré par un Moréas et la
« beauté » de ses *Stances* ou par un Signoret, il n'en a pas
moins découvert Claudel, Péguy, Proust...

C'est que Gide, tout en voulant rester un classique, s'est toujours méfié de tous les faux classicismes, simples expressions
de la raison claire. Dès le début de sa vie littéraire, dans ses
polémiques avec les disciples de Moréas, Maurras et Clouard,
il s'est expliqué : le néo-classicisme, dit-il, ne fait appel qu'aux
« parties les plus superficielles... du moi », qu'aux sentiments
tout faits, étiquetés et extérieurs à nous-mêmes. L'exemple
d'Anatole France prouve à quelle pauvreté de tempérament est
due son apparente perfection. Si à une époque moins complexe
que la nôtre, on pouvait se contenter de la culture de « terrains maigres », aujourd'hui, dans une littérature qui a déjà
traversé le romantisme, l'écrivain, pour émouvoir, doit creuser
dans le fond de la personnalité, les « régions basses, sauvages
et fiévreuses », que l'art a pour rôle précisément d'*ordonner.*
Sans doute elles sont plus rebelles, mais « sur quoi nos dis-
ciplines s'extérioriseraient-elles sinon sur ce qui leur regimbe ? »
« O terrains d'alluvions ! Terres nouvelles, difficiles, dangereuses, mais fécondes infiniment ! » Ce sont elles qu'il faut soumettre à la contrainte de la forme pour obtenir les œuvres
véritablement classiques de notre siècle. Ainsi Gide définit, en
même temps que l'art de son temps, les caractères de son art
propre, et particulièrement de son style.
Le génie de Gide est effectivement dans sa forme, qui

enferme et domine la passion. Forme qui tend tout entière, comme il dit lui-même, au classicisme, c'est-à-dire à la litote : « l'art d'exprimer le plus en disant le moins ». De la concision même de la phrase découlent, par suggestion, ses prolongements.

Mais la suggestion n'opère que si l'auteur a su d'abord se débarrasser de toute rhétorique et de toute préciosité. Gide a lutté contre ces deux tentations. A la première, il a échappé facilement et, dès *Les Cahiers d'André Walter,* il a dénoncé l'emphase, « le mot plus gros que la pensée ». La préciosité par contre lui a été plus dangereuse. C'est que le symbolisme cédait à cette tendance par ses recherches du musical et de l'indicible. Aujourd'hui le style dit moderne tombe dans le même défaut par l'abus des images-surprises [1]. L'effort de Gide a tendu à ne garder de la préciosité que ce qui apporte un surcroît de *précision :* certaines étrangetés apparentes proviennent chez lui de mots pris dans leur sens étymologique. Ses archaïsmes, ses contructions elliptiques inaccoutumées n'ont d'autre but que de rompre l'élan d'une période et de la réduire au minimum de mots.

C'est ainsi que le style un peu guindé du début a pris rapidement le ton ferme du récit en prose, qui va droit au but. Les mots, encore estompés et abtraits dans *Les Cahiers d'André Walter* évoquent, déjà dans *Les Nourritures terrestres,* des sensations précises, des ciels, des villes, des pays. Dans une de ses dernières œuvres, *Œdipe,* il ne recule pas devant la formule familière ou crue, si elle est nécessaire. Dans le *Voyage au Congo,* il ne craint pas le lieu commun et parle des *défauts* d'un ami, de la *beauté* d'une femme, du *bonheur* d'aimer. « Devenir banal », écrit-il, c'est « devenir le plus humain possible », c'est-à-dire désencombré des éléments redondants qui faussent l'expression de la personnalité.

Dès lors, avec une phrase toute claire et pure, il pénètre dans les sombres et équivoques profondeurs du moi. Une phrase

---

1. Cf. Giraudoux.

toute d'innocence ramène dans son filet les plus troubles sentiments. De son remarquable dénûment se dégage une intense
ferveur ; de son économie, l'émotion. L'émotion grandit, mais
la syntaxe la maintient dans le cadre du style. C'est ce contraste,
cette fluidité, cette blancheur inquiétante qui font l'écriture de
Gide.

Il y a sans doute d'autres styles classiques, plus directs, ou plus
compliqués, le style d'un Pascal ou le style d'un Saint-Simon.
Mais sous la « banalité » apparente de sa forme, Gide s'est introduit en entier, sans forcer le ton, sans l'abaisser, en restant dans
la juste note, et c'est ce qui fait sa valeur.

Il peut à présent se laisser écrire et abandonner ses livres
à leur destin. Il a atteint le naturel. Pas de gonflement ; pas
d'apprêt. Dire sans détour ce qu'il faut dire. « Tout est simple
et tout vient à point. Il est lui-même. »

TROISIÈME PARTIE : *ASPECT DE SA MORALE*

CHAPITRE PREMIER

PREMIER ASPECT DE LA MORALE INDIVIDUALISTE
OU L'HOMME A LA RECHERCHE DE LUI-MÊME

> « Qu'est-ce qui t'attirait donc au
> dehors ? — ... Rien... Moi-même »
> *Le Retour de l'Enfant Prodigue.*

C'est en découvrant certaines lois de la vie de la conscience
que Gide a été amené à formuler des règles de conduite. C'est
en partant de l'homme, de sa nature, égoïste *et* altruiste, individuelle *et* sociale que Gide a pris des positions morales.

Sa morale ne se présente pas sous l'aspect d'un système
coordonné. Elle est une œuvre à laquelle il a travaillé tout au
long de sa vie. En évolution constante, contradictoire d'apparence, elle semble aller tout entière dans un sens, puis, tout à
coup, part dans la direction opposée : de ces oscillations mêmes
se dégage cependant une ligne générale.

Il ne s'agit pas de retracer l'historique de son évolution, mais
d'expliquer comment, de l'individualisme égocentrique, il a
incliné vers la morale évangélique du don de soi, puis comment
ces deux aspects de sa pensée, après s'être heurtés en lui, se

sont réconciliés en un tout qui est pour l'auteur le véritable individualisme.

*
* *

C'est vers quinze ans que l'adolescent, au moins celui qui n'est pas dénué de toute vie intérieure, pense avec le plus d'acuité à sa situation sur la terre. C'est l'âge où il sent sa solitude au milieu de sa famille, qui, elle, a résolu depuis long-temps les grands problèmes de la vie. S'il interroge les gens *sérieux,* il a l'impression de les troubler ; les réponses sont si faibles qu'il s'étonne. Son doute s'accroît...

Il se demande alors pourquoi on lui a enseigné des principes religieux et moraux qui chancellent dès l'éveil de la raison, pourquoi il est amené à défaire, point par point, le réseau d'arguments dont on l'a enveloppé depuis ses premières années. Pour se dégager de la religion, il faudra un long et pénible travail.

Dès le jour où il a commencé à tenir son « Journal », André Walter se débat : comment les dévots, écrit-il, ne comprennent-ils pas ces « impossibilités » de croire ? « Ils s'imaginent qu'il suffit de vouloir !... Et le plus admirable, c'est qu'ils pensent croire avec leur raison. »

Aussi est-il interdit d'examiner les dogmes, qui ont été rendus sacrés dans ce but. Si l'un chancelle, dit-on, tout l'édifice tombe, et c'est la catastrophe. Naturellement superstitieux, l'enfant cherche à sauver au moins l'existence de Dieu, dont il passe et repasse successivement dans son esprit les preuves traditionnelles. Une à une, il les voit s'évanouir. Plus tard, Gide fera une « ronde » qui se chante [1], mais à présent, il s'effraie encore de sa propre pensée...

Cependant lorsque s'éveille la sensualité de l'adolescent, tout l'édifice de sa croyance s'écroule. Épreuve terrible que celle de la sensualité pour la religion, qui prétend justement la disci-

1. Dans *Les Nourritures terrestres.*

pliner. Généralement les hommes cessent de se confesser du
jour où ils se livrent à la vie sexuelle. C'est alors que la plupart
d'entre eux se détachent insensiblement de leur croyance et
acceptent, pour le reste de leur vie, un compromis sur lequel
ils éviteront plus ou moins consciemment, mais systématiquement, de réfléchir.

Lorsque l'adolescent a été élevé dans un milieu traditionnel
et fermé, il ne rejette pas les principes sans que son esprit soit
bouleversé... La chambre pleine de livres, où se sont écoulées
ses années studieuses, soudain l'étouffe. Au dehors s'ouvre
l'inconnu, la liberté, d'infinies perspectives. Il s'émancipe. C'est
la révolte : instant de joie et d'orgueil où il se croit plus fort
que la société, se figure que tous les hommes sont dupes et
esclaves de préjugés, et qu'il s'est libéré, lui, lui seul. L'élan de
son enthousiasme balaie la contrainte, les petites lois, la morale
conventionnelle. Les freins sont rompus. J'ai fait « table rase »,
écrit Gide. « J'ai tout balayé... je me dresse nu sur la terre
vierge avec le ciel à repeupler. »

En face d'un Dieu qui l'a toujours tenu en tutelle, l'individu
redresse la tête et se déclare majeur. C'est le pire des crimes,
le crime de l'orgueil, car le Dieu chrétien exige de ses créatures
la constante humilité. Humilier son intelligence et son corps,
c'est même pour certains grands croyants toute la religion.
Aussi, formidable fut l'audace de ces héros qui, depuis Job et
Prométhée jusqu'à Maldoror et Zarathoustra, se sont attaqués
aux dieux de l'Olympe ou du Ciel.

Ce n'est que vers la fin de sa vie que Gide, par la bouche
d'Œdipe, a osé ouvertement défier la divinité. Mais son œuvre
entière, même dans ses ouvrages apparemment les plus religieux, n'est qu'un acheminement vers cette définitive négation.
Dès *L'Immoraliste* : « Il ne faut pas prier pour moi, Marceline, déclare Michel à sa femme... — Tu repousses l'aide de
Dieu ? — [Oui], après il aurait droit à ma reconnaissance.
Je n'en veux pas. » Il est vrai que dans *Les Nourritures terrestres,* le mot Dieu apparaît fréquemment. Mais il n'est pas
dans le langage des hommes de terme plus vague, plus souvent

vide de sens, de syllabe plus trompeuse. « J'ai nommé Dieu tout ce que j'aime, écrit Gide, et j'ai voulu tout aimer. » Ici Dieu, synonyme de ferveur, n'a plus rien de commun avec le Dieu, Père et Législateur des fidèles.

Mais Gide n'a rien moins qu'un caractère de révolté. C'est même cette absence de révolte qui donne à sa pensée une tonalité si particulière, si différente de celle de Nietzsche, même lorsqu'il paraît le plus rapproché de lui. L'attitude de l'homme dressé contre tout n'a été qu'un éclair dans sa jeunesse. S'il n'a pas eu de la révolte et de ses destructions créatrices une expérience précise, du moins il en a évité les plus graves écueils : la lassitude, le pessimisme, le renoncement. Rimbaud, après avoir tout rejeté, a tout accepté dans la seconde partie de sa vie : travail, famille, morale.

Ce brusque retour en arrière est fréquent chez ceux dont la jeunesse a été emprisonnée. A vingt ans, lorsqu'ils cessent de croire, ils ne parviennent plus à trouver de raison d'être. Toute aspiration à une idée de bien, tout espoir leur paraît irrémédiablement ruiné. Ils ne conçoivent plus qu'une morale utilitariste ou matérialiste, dans le sens vulgaire de ces mots. Ils s'écrieraient volontiers comme un des personnages de Dostoïevski : « Si Dieu n'existe pas, alors tout est permis ! » Il leur semble que seule la peur du gendarme peut arrêter l'homme dans ses instincts antisociaux. La vie leur donne une impression d'affreuse désolation : c'est pour sortir de ce désert qu'ils retournent bientôt à Dieu.

Claudel et Maritain ont été dans leur jeunesse des disciples de Le Dantec. C'est le dégoût de cette pensée scientiste qui a fait naître en eux la nostalgie de la religion et qui a préparé leur conversion [1].

Gide, au contraire, n'a jamais pu vivre sans légitimer ses actes. La morale traditionnelle écroulée, il lui a fallu aussitôt en édifier une autre.

---

1. Lorsque l'homme érige la Raison en déesse, (comme dans le « scientisme ») il est rapidement amené à mépriser ce nouveau culte.

L'individu devient son propre maître. C'est lui qui crée *son* bien et *son* mal, sans s'occuper des lois établies. C'est lui qui forge sa propre table des valeurs, susceptible même de varier selon les circonstances et l'époque de sa vie.

Kant semble avoir déjà proposé une règle individualiste. Mais, dans son éthique, l'individu est simplement son propre agent exécutif ; il n'est pas son propre législateur ; c'est lui qui récompense ou qui sanctionne l'acte, mais c'est la *Raison universelle* qui fait les lois, les mêmes pour tous [1]. Les traditionalistes ont toujours cru nécessaire de placer en dehors de l'individu, et au-dessus de lui, un système de notions spirituelles sacrées : lois de Dieu, lois de la Société, ou lois de la Raison pure. Gide, au contraire, comme Nietzsche, s'en remet de ce soin à chaque individu pris en particulier.

Les hommes ne sont-ils pas tous différents les uns des autres ? N'est-il pas monstrueux de vouloir à tous appliquer le même code ? La nature proteste contre cette uniformité. La grande trahison, écrit Gide, le plus grand péché, le péché contre l'Esprit, « qui ne sera pas pardonné », c'est d'enlever à chaque être sa « saveur » propre, « sa signification précise, irremplaçable ».

Déjà Gœthe avait écrit : « Le but le plus élevé et difficilement accessible auquel l'homme puisse aspirer consiste à prendre connaissance de ses propres sentiments et pensées, autrement dit de lui-même ». Il faut d'abord connaître ses qualités et ses faiblesses, ses limites et sa puissance pour pouvoir réaliser ce qu'on a en soi. Le point de départ de l'individualisme, c'est la détermination par l'individu de ce qui sera fécond et de ce qui sera mauvais pour lui : c'est là son bien et

---

1. On peut prétendre que, selon Kant, chacun est moralement déterminé par sa personnalité nouménale. Il n'en reste pas moins que, pour Kant, l'individu, dans la société, est soumis à des règles universelles.

son mal. Rien de plus important que de conformer ses aspirations à sa nature. Combien d'intelligences ont échoué en
cherchant la perfection au delà de leurs moyens ? Combien,
à qui la nature n'a accordé que de médiocres qualités, sont
parvenus, prenant conscience de leurs limites, à des œuvres
valables ?

Cependant il ne suffit pas de créer sa propre morale, encore
faut-il lui être fidèle. « Le plus difficile en ce monde, déclare
Dostoïevski, c'est de rester soi-même. » Et Michelet : « Le
difficile n'est pas de monter, mais en montant de rester soi. »
« Rien n'est plus fatigant, écrit Gide à son tour, que de réaliser
sa dissemblance. »

Tout ne nous engage-t-il pas à la paresse : la paresse qui
incite l'Enfant prodigue à retourner chez les siens ? « J'ai
voulu m'arrêter, confesse-t-il, m'attacher enfin quelque part ; le
confort que me promettait ce maître m'a tenté... oui, je le
sens bien à présent ; j'ai failli. » C'est cette faute qui est à
l'origine de tant d'existences. Ces vies recroquevillées et con-
trefaites que l'on découvre en province, ces soupirs de vieilles
filles au moment où revient le printemps, ces récriminations
de médiocres aigris, ces plaintes d'adolescents isolés qui cherchent à épuiser vainement en eux le désir, ne sont-ils pas
avant tout l'expression du renoncement, de la peur, du préjugé ? Il est tellement plus commode de lâcher prise.

Le plus curieux, c'est que l'individu n'ose pas s'abandonner
dans les petits actes de la vie, laisser pousser sa barbe, négliger
sa mise, cesser de faire sa toilette. C'est pour ces gestes qu'il
trouve le plus longtemps la force. Mais devant les actes déci-
sifs, il se laisse aller. C'est au moment où s'abat sur l'homme
un malheur, ou c'est à vingt ans, lorsqu'il faut du courage pour
entrer dans la vie, que se décident la plupart des vocations
religieuses. L'individu s'habitue si bien à sa lâcheté qu'il finit
même par y trouver du bonheur : presque tous les bonheurs
bourgeois reposent sur un renoncement à soi. Quand Alissa
va rendre visite à sa sœur Juliette et qu'elle la voit « heureuse »
au milieu de ses multiples enfants, elle éprouve un véritable

« malaise » à sentir « cette félicité si parfaitement *sur mesure*
qu'elle enserre l'âme et l'étouffe ».

Ainsi les forces d'inertie attirent sans cesse l'homme vers un
point mort. Pour être lui-même, c'est une lutte sans merci
qu'il doit entreprendre contre sa conscience et contre le monde.
Il faut qu'il se mette dans un véritable état d' « hostilité »,
comme Michel au moment où il cherche à guérir. Le plus
souvent, c'est en détruisant et en niant que l'individu parvient
à créer. Pour se rendre maître d'un art, d'un sport, ne doit-il
pas rompre avec les réflexes vicieux ? Pour imaginer, l'esprit
ne brise-t-il pas des associations d'idées toutes faites ? Vivre,
c'est peut-être avant tout surmonter des réflexes, dominer la
matière et la désagréger.

L'individualisme exige une lutte de l'homme contre son
milieu, contre sa nature qui l'ont marqué ; un effort pour
se dépouiller de tout ce qui est étranger à lui-même ; c'est
une aventure où il doit être sans cesse prêt à tous les risques.
Peu importe que la société appelle ses désirs bons ou mauvais, s'ils sont l'expression de la personnalité véritable. Il
arrive même que les instincts les plus sévèrement condamnés soient les plus féconds. Ce n'est pas par hasard que l'on
trouve chez les individus forts les pires instincts auprès des
sublimes. Les instincts mauvais sont ceux que l'individu n'est
pas parvenu à élever, à rendre créateurs, mais ils sont de
même nature que les autres. « La confortable et rassurante
idée de bien, écrit Gide, telle que la chérit la bourgeoisie,
invite l'humanité à la stagnation et au sommeil. Je crois que
souvent ce que la société appelle le mal [est une] manifestation d'énergie... d'une vertu éducatrice et initiatrice... susceptible d'entraîner indirectement... au progrès. »

Les instincts maudits sont à la racine de l'humanité. La première mort, selon la Bible, est le résultat d'un crime. Grande
dut être l'ivresse de Caïn en constatant qu'il était capable de
prendre la vie comme de la donner. Si l'on remonte aux
sources primitives de l'être, on trouve associé à l'amour un
sombre besoin de destruction. Michel, après s'être battu dans

un furieux corps à corps avec un cocher, se retourne encore
tout exalté vers sa femme. — « Quel baiser nous échan-
geâmes ! » dit-il.

Cependant cette femme qu'il adore, il va la faire mourir en
l'entraînant avec lui dans un course si éperdue vers le Sud-
Algérien qu'elle ne pourra pas résister. De ce crime, accompli
dans des conditions telles que la société ne peut le sanctionner,
Michel semble n'avoir aucun remords.

C'est faute de se connaître soi-même que Michel en est arrivé
là. Il n'a pas eu le courage de s'avouer que la présence auprès
de lui de cette femme, qu'il aimait pourtant, entravait l'évolution de sa vie, la réalisation d'autres désirs. Pour n'avoir pas su
sacrifier consciemment son amour, il a tué inconsciemment la
femme, objet de cet amour.

S'il n'a pas osé se séparer plus tôt de Marceline, c'est précisément pour n'avoir pas obéi à *sa* morale ; il a cédé à la
paresse, ennemie des décisions ; aussi sans doute à la pitié.

C'est pourquoi Nietzsche considère la pitié comme une
force de perdition, qui va à l'inverse du développement
humain. La pitié est la pire tentation, dit-il, et qui empoi-
sonne toute notre société. Exalter la pitié, c'est un moyen pour
celui qui l'inspire de « faire mal » à celui qui s'y laisse prendre.
Rien n'est plus aisé que de céder à cette souffrance qu'a glo-
rifiée le christianisme : « Savoir souffrir est peu de chose ; de
faibles femmes, même des esclaves passent maîtres en cet art,
écrit Nietzsche. Mais ne pas succomber aux assauts de la
détresse... quand on inflige une grande douleur, voilà qui
est grand... Résiste contre cette perversion, ajoute Nietzsche,
durcis-toi... » Et Gide : « O mon cœur, durcis-toi contre
[les] sympathies ruineuses, conseillères de tous les accommodements. »

Sans promulguer une loi nouvelle, comme l'auteur de *Zarathoustra,* Gide a compris que, dans bien des cas, c'est un devoir
de sacrifier la pitié individuelle à l'œuvre qui sera finalement
utile et féconde pour tous. C'est parfois en heurtant de front
ceux qui veulent nous apitoyer que nous leur rendons le plus

grand service. Quand l'adolescent doit s'émanciper, s'affirmer, choisir sa carrière, s'il cède aux exhortations et aux larmes de sa famille qui veut le détourner de sa voie, c'est sa vie entière qui sera empoisonnée et qui empoisonnera ses proches.

Rien n'est plus grave, plus émouvant que cet instant où l'individu doit passer outre. Pour se préférer lui-même, il faut qu'il prenne conscience de sa propre valeur, charge si lourde que peu d'hommes la supportent. Loin d'être l'expression de l'égoïsme, cette charge implique de pénibles devoirs ; il s'agit de surmonter les pressions des parents, des amis, du milieu, de rejeter son passé et, par-dessus tout, de vaincre une inexprimable angoisse. Le moment de la libération devient un arrachement de tout l'être, analogue à celui qui se produit au moment d'un grand départ. — Une seconde d'hésitation, et c'est l'avenir d'une existence qui s'effondre.

C'est le sujet d'*Isabelle*. La jeune fille, depuis des mois, a préparé une fuite clandestine avec un châtelain des environs, que ses parents lui ont interdit d'épouser. Tout est prêt. La date du départ est fixée. Soudain une anxiété l'étreint ; elle renonce... et renonce également à avertir le jeune homme qui, dans la nuit, doit venir l'enlever. Lâcheté suprême, elle laisse les événements agir pour elle ; son fiancé est tué par un domestique de la famille et le scandale devient irréparable pour Isabelle, bientôt mère. Elle finira sa vie dans la débauche et la misère. Elle a tout gâché, tout perdu.

Qu'un éclair de « remords », au dernier instant, entrave l'action, l'homme retombe sous l'influence de la société ; il est repris par sa « mauvaise conscience ». Le risque est d'autant plus grand que l'individu est plus fort : plus il s'élève dans sa propre pensée, plus son équilibre devient instable, et plus impétueuse la nécessité de faire, à chaque minute, le point dans sa conscience et de la redresser. L'insécurité et la précarité augmentent pour les créateurs à mesure que s'accroît leur puissance ; c'est lorsqu'il est au sommet du pouvoir ou de la richesse que la plus petite faute précipite en prison, dans la ruine ou dans l'oubli l'homme d'action, qui a bouleversé des pays et des sociétés : sans doute était-il parvenu à ce point où continuer à progresser devenait au-dessus de ses forces. « Ce qu'on entreprend au-dessus de ses forces, dit Philoctète à Néoptolème, voilà ce qu'on appelle la vertu. »

Il y a deux étapes dans l'individualisme : *il ne s'agit pas seulement de libérer ses instincts, mais de les pousser au delà d'eux-mêmes ; il ne suffit pas d'être soi, il faut se surmonter ; le but atteint, le dépasser...*

En cherchant à se maintenir à la limite de lui-même, à l'extrême pointe de sa conscience, l'homme parviendra peut-être à acquérir un corps physiquement plus puissant [1], une acuité intellectuelle plus aiguë. Il aura franchi une étape nouvelle : il faut être soi pour se retrouver supérieur à soi.

Si la pensée de Gide a cheminé jusqu'à présent, quoique sur un autre plan, parallèlement à celle de Nietzsche, la voici qui bifurque. C'est que Gide a épousé successivement toutes les formes de l'individualisme : après avoir, dans *L'Immoraliste,* exalté les instincts de puissance de l'homme, — dans *Les Nourritures Terrestres,* il pousse à l'extrême ses aspirations au plaisir.

Le plaisir également, affirme Gide, est un devoir, car il est naturel à l'homme d'être heureux. « Chaque action parfaite, enseigne Ménalque, s'accompagne de volupté ; à cela tu connais que tu devais la faire. »

Le plaisir lui aussi ne peut être atteint que par un effort d'abord pénible. Les religions le présentent comme un fruit défendu. Les adultes, la société entière retiennent l'adolescent sur la pente de lui-même. Quel raidissement de courage ne faut-il pas souvent pour répondre : « Oui », quand la vie nous propose l'aventure. Chaque aventure est unique : il ne faut

---

1. Ne serait-ce qu'une longévité accrue.

jamais la laisser échapper. « J'ai peur, écrit Gide, que tout désir, toute puissance que je n'aurai pas satisfaits durant ma vie pour leur survie ne me tourmentent. »

Ce sont toujours les mêmes obstacles qui arrêtent : la honte, la crainte, les conventions. Le pire danger est cependant en nous : c'est notre propre lassitude ; c'est la satisfaction même de la chair. « Quand mon corps est las, écrit Gide, c'est ma faiblesse que j'accuse. » Toute fatigue est coupable : « Regrets, remords, repentirs, ce sont joies de naguère vues de dos. »

Sans doute les sens de l'homme sont misérablement limités. Toute joie est éphémère. Tout passe, tout est fragile et friable, dit le croyant. Mais Gide a voulu adapter le plaisir à l'écoulement des choses. C'est à son caractère transitoire que le bonheur doit son prix inestimable. « Si tu savais, éternelle idée de l'apparence, ce que la proche attente de la mort donne de valeur à l'instant. » Au milieu de leurs banquets, des vins, et des femmes les anciens Romains faisaient apporter par leurs esclaves un squelette, dont la vue devait accroître l'intensité du moment.

L'homme n'a jamais pu se représenter un bonheur autre qu'éphémère et terrestre.

Quand il a voulu figurer l'harmonie céleste, il a imaginé des anges à chair molle soufflant dans des trompettes [1] : mais une harmonie ininterrompue, quelle fatigue ! L'ennui est l'apanage de tout ce qui dure. C'est même une loi physiologique que toute sensation s'émousse dès qu'elle se prolonge et que sa prolongation transforme une excitation agréable en une véritable douleur physique.

Aussi Gide se rejette-t-il sur « l'instant ». « Instants, qui comprendra de quelle force est [votre] présence ! » Chaque instant de la journée, de la plus ordinaire, peut nous apporter une joie : une palissade, le mystère d'une boutique, l'aspect hétéroclite d'un passant ; des émotions plus simples encore : la

1. C'est ainsi du moins qu'aux époques les plus croyantes, au Moyen Age, au début de la Renaissance, on a représenté la béatitude de l'âme.

griserie de la vitesse en voiture, ou plus directes, plus animales :
la vue de la pure lumière du ciel, la sensation du soleil sur la
peau ; du corps sur le sable, de l'eau, la sensation de la serviette
chaude sur le visage chez le barbier, toutes les sensations. Le
corps humain est un réceptacle d'une sensibilité admirable
dès que nous savons être attentifs.

Il est curieux que les systèmes hédonistes aboutissent presque
nécessairement à la sensation au détriment de la passion. Le
marquis de Sade interdit strictement l'amour : le plaisir, seul
compte le plaisir. « Non pas l'amour, dit Gide, mais la ferveur. » L'amour est un état trouble auquel se mêlent quantités
d'images étrangères, qui alourdissent la sensation pure, qui
l'empêchent d'arriver jusqu'à la conscience ou qui amortissent
son choc.

L'hédoniste doit chercher à vider son âme de ces éléments
encombrants qui s'interposent entre le monde extérieur et lui :
les complications intellectuelles, la mémoire, le passé, les traditions. Sans doute, abolir tous nos souvenirs, c'est nous appau-
vrir. Qu'importe ! Que l'homme soit avant tout léger ! Brûlons
nos livres, dit Gide, vendons nos biens ; sortons de notre
chambre et de notre milieu. Toute possession est une charge,
tout attachement, douloureux. Les passions sont mauvaises,
parce qu'elles nous lient aux êtres ou aux choses.

Finalement, c'est dans le désir lui-même qu'est la véritable
joie. Le départ est plus merveilleux que le voyage ; la faim,
que les nourritures, la soif, que les boissons. C'est la soif elle-
même qui devient l'ivresse. Désirer avec ferveur, c'est la
suprême volupté...

L'important n'est pas de satisfaire son désir, mais d'aspirer
à la satisfaction ; ce n'est pas la sensation, mais l'image qu'on
s'en fait. Par une sorte de logique implacable, la poursuite systématique de ce qu'il y a de *matériel* dans le plaisir conduit
l'hédoniste à sa représentation, à l'intellectualisme.

Des ignorants ont cru que l'épicurisme consistait à se vautrer
dans la fange. Il est peu de livres cependant qui donnent,
autant que *Les Nourritures terrestres,* une impression de

pureté. L'ardeur voluptueuse qui brûle au premier plan ne doit pas nous cacher le fond du tableau, pareil à ces ciels divinement clairs que l'on aperçoit souvent, au lointain, dans les toiles de Fra Angelico ou de Fra Filippo Lippi. Au milieu de ce paysage de rêve, le héros se présente à nous, semblable à l'*Enfant prodigue,* avec le plus doux et le plus tendre visage, enveloppé d'une robe de lin, les mains tendues et vides, et pourtant pleines de bonheur.

La vie éternelle qu'il a rejetée, il la retrouve dans l'instant ; cet absolu auquel il ne croyait plus, c'est la sensation qui le lui apporte : la sensation « puissante, complète, immédiate de la vie [dans] l'oubli de tout ce qui n'est pas elle ». La nature est ramenée à ses éléments primitifs ; l'âme allégée et comme vidée communique avec elle dans un fervent panthéisme charnel.

C'est l'extase flottante d'une matinée de printemps quand l'esprit, libéré des contingences quotidiennes, sent monter en lui une immense allégresse. Cette extase ressemble étrangement à l'ivresse des drogues. Ivresse autrement pure toutefois, car elle est une sorte de récompense de la nature à l'âme disponible, qui a su gagner sa liberté.

Dans l'extase, le plaisir prend la forme d'une adoration : « A travers tout, écrit Gide, j'ai éperdument adoré. »

CHAPITRE II

AUTRE ASPECT DE LA MORALE INDIVIDUALISTE :
LE DON DE SOI

Voici que dans les instants de détente qui suivent l'action forte ou la conquête frénétique du plaisir, l'individu peut bien affirmer : « ... Je ne suis fatigué de rien », la fatigue est la plus forte ; « ... toute joie nous attend toujours », la joie lui laisse un goût de cendre dans la bouche. S'il regarde le chemin parcouru, c'est le sentiment accablant de l'inutilité de tout qui s'impose à lui : A quoi bon ! Rien ne sert de rien...

Délivré des siens et des conventions, il est plus anxieux que jamais. Est-ce cela le remords ? Au milieu des hommes, le cœur affreusement serré, il en vient à pleurer devant cette mère qui berce son enfant. Il lui semble que, pour conquérir sa liberté, il a dû arracher de lui les grands sentiments premiers et permanents de l'homme. Quand il ne peut plus supporter cet état de solitude, d'abandon, de sécheresse désespérée, il entrevoit une autre morale. Va-t-il se renier lui-même ?

« Donnez-moi des raisons d'être », implore *L'Immoraliste* à la fin de l'ouvrage. Des raisons d'être ? C'est donc toute sa vie qui s'écroule.

Après avoir écrit *Les Nourritures terrestres,* Gide s'est effrayé de sa propre audace. N'a-t-il réinventé le système hédoniste que pour se mettre à l' « abri de [sa] sensualité » ? L'homme trouve toujours de « bonnes raisons » pour justifier ses actes. Avec des mots, il est capable de tout. « Words ! Words ! Words ! » Le mot aussi est le repaire du diable.

C'est alors que Gide a fait le portrait de *Saül*. Avec quelle ironie féroce ne s'est-il pas moqué des prétentions de ce roi abandonné à tous ses désirs et qui n'agit jamais ! Pauvre Saül, qui déclare que « sa valeur est dans [sa] complication », tandis qu'il ouvre sa tente à une bande de démons qui se bousculent autour de lui, et vont se blottir jusque sur ses genoux. « Avec quoi l'homme se consolera-t-il d'une déchéance, s'écrie Saül, sinon avec ce qui l'a déchu ? » Mais en même temps, il avoue : « Je suis complètement supprimé ».

Dès lors Gide cherche une autre règle de vie. Mais où la trouver sinon au sein de la religion et peut-être même de la famille ? C'est là que, dans son enfance, il a vu certains de ses parents lui donner l'exemple du don de soi. Gide retourne vers Dieu ; il résigne cet orgueil, qui faisait hier encore la violence de sa joie et qui, devant Dieu, fait sa « honte ». Il s'agenouille. Il prie. Pris d'un élan mystique : « Je vous soumets mon cœur.... », écrit-il dans *Num Quid et tu*. Non plus la joie, mais la douleur. Après les jardins de soleil et de gloire, il ne veut plus entrer que dans la lourde et sombre forêt du repentir. « Quoi ! pour un peu de plaisir, vais-je nier la mort et la miséricorde du Christ ? » Étrange volte-face. Tout ce qu'il a adoré, il le renie : les beaux visages, les corps de femmes et d'adolescents, toutes les formes de vie dont ses sens se sont épris lui semblent une « souillure affreuse », la « salissure du péché ». La chair resplendissante n'est plus que la chair « pourrie ». Il craint que cette fange ne souille jusqu'à son âme.

Puis, tout à coup :

« Pardon, Seigneur ! Oui, je sais que je mens. Le vrai, c'est que cette chair que je hais, je l'aime encore plus que vous-même. »

Gide ne parvient pas à se maintenir longtemps agenouillé. S'il pressent dans la religion quelque vérité cachée, il y a en elle trop de dogmes qui le choquent ; trop d'objections se présentent qui l'empêchent de s'y installer.

Par-dessus tout, c'est la « domestication des instincts » telle que l'enseigne le christianisme, qui lui paraît injustifiable. La nature est pure, déclare le pasteur de *la Symphonie pastorale*. C'est l'homme qui a rendu le désir coupable. « La vie serait belle... si nous nous contentions des maux réels. » C'est la religion qui torture la vie.

Sans doute la douleur peut aider au développement de l'individu, mais ne perd-elle pas toute grandeur dès qu'elle devient un « devoir » imposé ? En faisant le portrait d'Alissa, Gide a cherché à se rendre compte lui-même du caractère systématique et désolant de cette morale religieuse du sacrifice. Il suffit qu'Alissa prenne conscience d'un désir pour qu'aussitôt elle refuse d'y céder ; éprouve-t-elle de l'amour pour Jérôme, un amour légitime et qu'elle respecte elle-même, voici ce penchant condamné. Est-elle fière de sa beauté, elle ne cherche plus qu'à se défigurer. On en arrive nécessairement à se demander, comme fait d'ailleurs, à un certain moment, Alissa elle-même, pourquoi le sombre tableau de la souffrance serait une volupté pour Dieu, tandis que le plaisir humain l'offenserait. Par quel curieux mécanisme de la pensée l'homme est-il arrivé à croire que la souffrance doit effacer la faute ? Aussi Gide nous montre-t-il qu'Alissa, ayant cherché pendant toute sa vie à entrer au ciel par la « porte étroite », a été finalement bernée par Dieu...

Cependant, — et cette constatation n'est pas sans importance — Gide n'a pu s'empêcher de dépeindre cette douce figure de jeune fille avec la plus tendre émotion, avec un pieux et fervent amour.

C'est qu'il y a dans toute l'œuvre de Gide, — à côté des Ménalque, des Nathanaël, des individualistes et des hédonistes, — des femmes obéissantes et résignées, mais chez qui

l'effacement est un actif et frémissant don de soi. « O Femme,
monceau d'entrailles, pitié douce... », écrit Rimbaud... Quand
Gide dépeint une femme fatale, comme Lady Griffith dans
Les Faux-Monnayeurs, elle est trop fardée, trop chargée de
parures et de vices démoniaques. Mais Emmanuèle ou Laura,
Rachel ou Gertrude paraissent tirées du fond même de l'âme
de l'auteur, faites avec sa propre chair. De même Marceline
dans *L'Immortaliste :* tandis que Michel, pour se livrer à ses
plaisirs, l'abandonne quand elle est malade, puis revient à
elle en pleurant, puis, lorsqu'il la voit tout adonnée à Dieu, la
heurte de nouveau avec des mots durs, elle se soumet à son
sort avec une grandissante force d'âme, si bien qu'à la fin,
lorsque Michel l'entraîne avec lui au fond du désert, où elle
trouvera la mort, il semble ne l'avoir jamais adorée davantage ; il est saisi devant elle d'un respect plus fort que lui,
comme s'il n'osait plus que baiser avec ferveur l'extrémité de
sa robe...

Ainsi Gide est resté longtemps tourmenté, — hésitant entre
des attitudes contraires, et c'est ce doute qui a fait le fond
même de son inquiétude...

Un jour, il a cru en sortir en reprenant, avec des « transports d'amour », l'Évangile qu'il a lu d'un œil neuf et dont
il a vu « s'illuminer... et l'esprit et la lettre... »

Il a compris alors que le don de soi a été tellement défiguré
par les religions qu'il ne pouvait le reconnaître qu'à peine à travers elles. Jamais le Christ n'a enseigné systématiquement la
recherche de la douleur pour plaire à Dieu. Il n'y a pas de
défense, de « rampes », de « garde-fous » dans la morale de
l'Évangile, ni d'interdiction des désirs, ni de domestication
perpétuelle des instincts. « Malheur à vous, dit le Christ aux
docteurs de la loi, parce que vous chargez les hommes de
fardeaux difficiles à porter... » Et il ajoute : « Vos lois ont

été inventées par les hommes et elles ne viennent pas de
Dieu [1] ». Il n'est pas d'autres commandements, que d'aimer.
Le seul péché, dit le Pasteur de *La Symphonie pastorale,* c'est
« ce qui attente au bonheur d'autrui ou compromet notre
propre bonheur ».

A mesure que Gide a approfondi le livre sacré, il s'est désolé
et indigné à la fois de ce que les Églises en ont fait. Chaque
ligne de ce texte a été habillée, au cours des siècles, de commentaires, d'interprétations, qui ne sont qu'autant de contre-vérités.
C'est ce qui explique que notre civilisation, qui se prétend
chrétienne, soit devenue « la plus distante des préceptes de
l'Évangile », la plus « opposée » à eux. Aujourd'hui, quand
on cherche le Christ, on trouve le prêtre, et « derrière le
prêtre, saint Paul ». La religion n'est plus qu' « une croix
de mensonges à quoi... [on a] si solidement cloué... [le
Christ] que désormais on ne [peut] enlever le bois sans arracher la chair ».

Le *Christianisme contre le Christ* c'est, à l'heure présente,
un sujet tellement banal que Gide n'a guère jugé utile de le
développer dans son œuvre [2]. Cette question n'en a pas moins
joué dans sa vie un rôle essentiel : c'est en revenant au texte
de l'Évangile qu'il a découvert, à la racine de l'individu, l'élan
dans le don de soi. Sans doute il y a d'autres livres sacrés qui
ont exposé cette pensée avec une égale force (la Bhagavad-
gîtâ), mais pour nous, Occidentaux, c'est dans l'Évangile que
nous trouvons son expression la plus authentique.

Il est curieux de remarquer que ce sont surtout des hété-
rodoxes ou des incroyants qui ont exalté la grandeur de
l'Évangile. Gide, le premier, cite Rousseau, et, commentant
ses paroles, il écrit : « Il ne s'agit pas tant de croire aux
paroles du Christ parce qu'il est le Fils de Dieu que de
comprendre qu'il est le Fils de Dieu parce que sa parole

---

1. Ainsi a parlé déjà Esaïe : le Christ cite son nom et reprend ses
paroles.
2. Gide a des quantités de notes sur ce sujet et qui pourraient
faire l'objet d'un livre, mais qui sont jusqu'à présent restées inédites.

est... infiniment élevée, au-dessus de tout ce que nous propose... la sagesse des hommes. » Mais ce n'est pas seulement Rousseau qui a jugé divine cette morale évangélique ; on peut dire que ce sont tous ceux qui ont le plus
vivement attaqué le dogme de l'Église : c'est Renan ; c'est
Spinoza ; c'est Nietzsche : « On commet un abus intolérable, écrit ce dernier, en désignant par ce *nom sacré* — [le
nom de Christ] — des formations aussi dégénérées que...
la *foi chrétienne,* la *vie chrétienne* » ; c'est le Voltaire du :
Écrasons l'infâme ! qui a dit encore : Cette morale du Christ
« est si pure, si sainte, si universelle, si claire, si ancienne qu'elle
semble venir de Dieu même... »

Quel est le secret de vie que des penseurs aussi divers sont
venus puiser dans l'Évangile ? Quelle est, pour Gide, la signification de cette sagesse ?

Ce que le Christ nous propose, c'est le *royaume de dieu.*
Mais il faut préciser le sens de ces mots, d'où naissent tant de
malentendus. Pour la plupart des croyants, entrer dans le
royaume de dieu, c'est entrer, après la mort, dans le Paradis
placé au-dessus de la voûte céleste, auprès de Dieu trônant
dans toute sa gloire. Dès lors Jésus aurait créé une nouvelle
religion, en annonçant la survie, la récompense des bons et la
punition des méchants.

Toute différente est pour Gide la vie éternelle que propose
le Christ. Elle « n'a rien de *futur,* écrit Gide... elle est *dès à
présent* toute présente en nous » [1] ; elle est la conscience à
chaque instant de cette éternité. C'est un état de « nature intérieure et spirituelle ». Oui, il n'y a pas de doute, ce sont
les fidèles qui ternissent ces mots si clairs. A chaque page, à
chaque moment de sa pensée, Jésus reprend : « Il vient une
heure... *et elle est déjà venue...* » Celui dont la vie n'a
pas connu cette heure l'attend en vain après la mort...
C'est « *présentement, dans ce siècle-ci...* » que vous aurez
le *royaume de dieu.* « En vérité, en vérité, je vous le dis,

1. Les mots en italique sont ici soulignés par moi.

répète Jésus, celui qui écoute ma parole *a* la vie éternelle [1]. »

C'est toute l'interprétation traditionnelle de l'Évangile qui est à modifier, comme l'explique Nietzsche admirablement : « Le Royaume de Dieu est conçu par [Jésus], non comme un événement chronologique et historique, mais comme une transformation de l'individu sensible... La béatitude n'est pas une promesse : elle existe d'ores et déjà lorsqu'on vit et agit d'une certaine façon... Jésus opposait à [la] vie quotidienne une vie réelle, une vie selon la vérité. » Et Spinoza : « La Béatitude n'est pas le prix de la vertu, mais la vertu elle-même... » Le *royaume de dieu* est un état de conscience.

Le Bouddha, pas plus que Jésus, l'un et l'autre fondateurs de religion malgré eux, n'ont promis la survie [2] ; ils ont créé des termes mythiques : le Royaume de Dieu ou le Nirvâna, susceptibles d'interprétations diverses. Mais quand les amis du Bouddha insistent auprès de lui pour savoir si le Nirvâna est le néant, il répond : — Peut-être que oui, peut-être que non ; de même, lorsque ses disciples interrogent avec insistance Jésus : « Quand arrivera le Royaume de Dieu ? » « Où sera-t-il ? » « Quel sera le signe de son avènement ? » le maître répond en paraboles, comparant le *royaume de dieu* à toutes sortes d'images, et notamment au grain de sénevé, la plus petite de toutes les semences, mais qui devient, en se développant, une plante immense. De même les textes védiques parlent du « petit homme » placé dans la plus petite caverne du cœur de chacun de nous, ou bien plus petit que la plus petite partie de chacun de nos cheveux coupé lui-même en

1. Gide n'est pas venu immédiatement à cette conception. Retenu par des scrupules envers ses proches, par une dernière superstition, il n'a pas osé heurter la croyance traditionnelle. Mais plus tard, il a écrit : « Une des plus graves mépréhensions de l'esprit du Christ provient de la confusion qui fréquemment s'établit dans l'esprit du chrétien entre la vie future et la vie éternelle ». De la vie future, Gide ne s'inquiète plus. Dans *Robert*, un de ses derniers ouvrages, Eveline, *à l'heure des derniers sacrements*, déclare : « Je ne crois pas à la vie éternelle », c'est-à-dire à l'immortalité.

2. Personne, sans doute, ne peut affirmer la survie, sinon dans les termes dubitatifs dont usa un jour Bergson : — L'immortalité de l'âme, aurait-il dit, c'est une possibilité qui n'a rien de contradictoire...

infiniment de parties. Et cependant le « petit homme » est plus grand que toute la sphère céleste. En réalité, il est à la fois ce qu'il y a de plus petit et ce qu'il y a de plus grand ; il n'a pas de dimensions ; il est un état d'âme. Toutes ces images et toutes ces réponses tendent au même but, à nous prouver que chacun peut, par lui-même, atteindre en lui cette joie qui porte l'âme, par une sorte d'ascèse, au sommet d'elle-même. — *Le royaume de dieu,* dit le Christ, est « au milieu de vous ». — Il est dans votre cœur.

C'est proprement une extase et que l'Évangile décrit comme une résurrection intérieure : l'homme passe véritablement de l'état de mort à l'état de vie ; il devient capable de tout entreprendre ; cependant ses besoins sont satisfaits ; il est libre et léger comme le petit enfant ; il a retrouvé son rire, sa liberté, sa gratuité ; il est au-dessus de la loi.

Remarquons que la coloration de cette extase n'est pas très différente de celle qui apparaît dans certaines parties des *Nourritures Terrestres* ; l'innocence dans le bonheur du don de soi ne s'oppose pas au bonheur d'être et de jouir des choses de la terre, à cet état de légèreté et de pureté qui résulte peut-être moins des satisfactions que du désir.

Cependant par quelles voies Jésus propose-t-il d'entrer dans le *royaume de dieu* ? Par la charité. Cette fois encore, la signification évangélique de ce mot n'a guère de rapport avec celle qu'on lui donne communément aujourd'hui. — Avant de rendre visite aux pauvres, il faut, pour le Christ, être pauvre soi-même. Il n'est sans doute pas de spectacle qui l'offenserait davantage que celui du riche, couvert de ses parures, faisant l'aumône à quelque misérable et qui croit qu'en se privant d'une parcelle insignifiante de son superflu, il a mérité de Dieu. La plupart de ceux qui se figurent pénétrés de l'Écriture se contentent de faire des gestes qui ne sont que la caricature de gestes véritables [1].

1. La comédie de la charité a même été poussée si loin qu'elle a été érigée en théorie sociale : l'industriel déclare qu'il « *fait vivre* »

« Qu'il sera difficile, a dit le Christ, à ceux qui ont des richesses d'entrer dans le Royaume de Dieu ! » Et comme ses disciples s'étonnent, Jésus répète cette phrase et ajoute : « Il sera plus difficile au riche d'entrer dans le Royaume de Dieu qu'au chameau de passer par le trou d'une aiguille ». Ce n'est pas simplement une image, ou plutôt, explique Gide, l'énorme absurdité de cette image : *passer par le trou d'une aiguille,* prouve qu'il sera à jamais impossible au riche d'atteindre à la vie éternelle. Car à ceux qui possèdent les richesses, à l'élite possédante, le Christ dit : « Vous ne pouvez servir Dieu et Mamon... Ce qui est élevé parmi les hommes est une abomination devant Dieu. »

Ce n'est pas d'un peu de superflu que le riche doit se priver, ni même de beaucoup, ni même de tout son superflu, mais du superflu et du nécessaire, de toute sa fortune. « Vends tes biens, dit Jésus, donne tout ce que tu as... » Puis : « Ne vous inquiétez pas pour votre vie de ce que vous mangerez, ni pour votre corps de quoi vous serez vêtus... Regardez les oiseaux du ciel... Considérez comment croissent les lis dans les champs... » Mais ce n'est pas seulement aux biens matériels que l'homme doit renoncer, mais à toutes ses habitudes et à toutes ses attaches, à son héritage et à sa famille, à son père et à sa mère, à ses frères et à ses sœurs... C'est alors, et alors seulement, qu'il pourra suivre les voies de l'Évangile, et par le plus complet dénûment être enfin libre et joyeux...

Dans les *Nourritures Terrestres,* Ménalque, après avoir pendant quelque temps collectionné les trésors les plus rares, soudain se défait de tout : « J'éprouve, écrit Gide dans ce livre, que chaque objet de cette terre que je convoite... se fait opaque par cela même que je le convoite ». La possession des

---

ses ouvriers ; le maître, ses domestiques : du fait que le produit de leurs dépenses va aux classes déshéritées, ces dépenses sont considérées comme de « bonnes œuvres ». Dès lors toute revendication du travailleur pauvre paraît injustifiée et scandaleuse, puisque la moindre part d'argent qui va à lui, prend, aux yeux du riche, le caractère d'une sorte de don.

choses alourdit l'âme ; les choses s'abîment, se détériorent, sont périssables ; elles créent des soucis ; toute possession est une douleur. Seuls comptent les biens que l'on peu emporter avec soi... Ainsi Ménalque, à la recherche de la joie terrestre, incite, lui également, à nous dépouiller de tout ce qui encombre l'esprit : — Sors, nous dit-il, de ta ville, « de ta famille, de ta chambre, de ta pensée » ; alors « sans plus de femme, ni d'enfants... seul devant Dieu sur la terre », tu pourras t'écrier dans l'ivresse : « Mon cœur, sans nulle attache... est resté *pauvre !* »

Comment le rapprochement est-il possible entre ce que Gide a appelé l'individualisme — et une morale du don de soi ? Le dilemme auquel Gide s'est heurté si longtemps et qui obscurcissait ses idées, c'était la nécessité pour lui de choisir entre ces deux aspirations contraires. Mais si elles sont contraires, elles sont néanmoins complémentaires. Elles représentent l'une comme l'autre deux modes essentiels de la personnalité. Le « moi » et le « nous », l'individuel et le social font partie du fond primitif de la conscience.

L'erreur constante et qui fausse nos idées, c'est de croire que l'individualisme *n'est que* l'expression des tendances égocentriques de l'être ; qu'être soi, c'est *uniquement* développer ces tendances. *Mais l'altruisme fait également partie de l'individu.* Le dévouement de la mère pour son enfant est un instinct inné aussi réel que l'instinct de conservation. Si cette mère abandonne son nouveau-né, nous disons très justement qu'elle est *dénaturée* ou *inhumaine.* Lorsqu'un homme en voit un autre se noyer, quelque chose le pousse à se jeter spontanément à l'eau pour tâcher de l'en sortir. Aimer son prochain est un besoin profond de l'être, qui demande à être satisfait comme le besoin contraire de l'être à persévérer en lui-même.

Si les tendances altruistes font véritablement partie de la personnalité, *le don de soi fait encore partie de la morale individualiste.* « De l'égoïsme comme je l'entends, l'héroïsme ni

l'abnégation ne sont exclus » écrit Gide[1]. Pour parvenir à
cette conception, pour atteindre à cet équilibre, il lui faudra
traverser une période semi-mystique.

Oui, nous explique Gide, l'individu triomphe dans le renoncement à l'individu ; c'est en abandonnant sa vie, son âme,
qu'il a le pouvoir de la gagner en naissant à nouveau. « Celui
qui voudra sauver sa vie, dit Jésus, la perdra ; et celui qui la
perdra la retrouvera. »

Cette phrase de l'Évangile, Gide l'a reproduite à maintes
reprises dans son œuvre. C'est là un des points fondamental
de sa pensée. Enfin les deux parties de son être, le moi et les
autres en lui, peuvent se réconcilier dans les moments d'exaltation. Le renoncement de soi peut s'affirmer dans le même
temps que l'affirmation de soi, qui exigent l'un et l'autre
que l'individu se dépasse, afin de se retrouver au delà de lui-
même.

« Il y a dans tout homme, écrit Baudelaire, deux postulations simultanées : l'une vers Dieu, l'autre vers Satan. »
Puis Gide cite Dostoïevski : « Je puis éprouver le désir de
faire une bonne action, et j'en ressens du plaisir. A côté de
cela, je désire aussi faire le mal, et j'en ressens également de
la satisfaction. » Bien et mal, Dieu et Satan, Ciel et Enfer,
ces images ont le tort de considérer une partie de notre moi
comme supérieure à l'autre ; mais elles nous montrent qu'il
y a, dans chaque homme, des aspirations antagonistes et qui
se complètent lorsqu'elles sont poussées à leur limite[2]. Dans le
relâchement, dans la vie de tous les jours, deux êtres luttent
en nous, mais qui, lorsque nous sommes portés très haut, dans
la tension ou dans l'ivresse, seules minutes véritables, peuvent
se rejoindre.

La véritable morale individualiste va maintenant s'élargir.
Nous l'avons présentée successivement sous deux aspects paral-

1. Journal 1929.
2. Cf. William Blake : *Le Mariage du Ciel et de l'Enfer*, dont Gide
a donné une traduction nouvelle.

lèles, mais qui entrent l'un et l'autre dans l'individualisme.

Que les forces du « moi » s'orientent vers l'altruisme ou qu'elles se replient sur elles-mêmes, l'important c'est que l'individu, avec toutes ses forces, prenne conscience de lui le plus intensément possible.

Au départ il décante sa personnalité des éléments qui lui sont étrangers, il se dépouille de ce qui n'est pas à lui. Il commence toujours par lutter contre la société et ses forces d'inertie : routines et traditions. Un Nietzsche n'a pas combattu plus ardemment contre son milieu que Jésus, figure toute de douceur, contre ses propres frères, contre les lois, le clergé, et les scribes. La voix de Jésus s'enfle : « Pensez-vous que je suis venu apporter la paix sur la terre ? Non, vous dis-je, mais la division... » « Ceux qui croient aux peuples, aux races, aux familles, écrit Gide, et ne comprennent pas que l'individu constamment se dresse contre elles en démenti, ce sont les mêmes qui ont refusé de croire au Christ quand il est venu !... »

Mais c'est aussi contre lui-même que lutte l'individu, contre ce qui est tout fait et tout donné dans sa conscience, contre ce qui est mécanique et statique, contre la paresse et la peur. Ses efforts sont pénibles, mais la douleur n'est pas recherchée pour elle-même, elle est inhérente à l'effort ; elle n'est qu'un moyen inévitable pour atteindre un état plus élevé. Elle est active et non négative ; elle est féconde et non une punition. Elle n'est pas due à la réduction des désirs et des instincts ; car lutter contre soi ne signifie pas les contrecarrer, mais établir entre eux une hiérarchie : les désirs contrecarrés prennent des détours hypocrites, ils se cachent dans les « mauvaises raisons » ou dans les névroses ; ils deviennent diaboliques. « Le désir non suivi d'action, dit Blake, engendre la pestilence » et Spinoza : « La béatitude (être soi dans le royaume de Dieu) n'est pas obtenue par la réduction de nos appétits sensuels. »

Parvenu à ce stade de sa libération, chaque individu se cherchera par un chemin différent, qui peut être étrange, souvent dangereux. Celui-ci pour prendre véritablement conscience de lui, sera amené à libérer précisément des désirs qui croupissent et bouillonnent en lui, parfois les pires, des désirs dits « défendus », mais à la condition, et à la condition seulement de les porter sur un plan plus élevé et de se détacher de ceux qui ne correspondent pas à la nature profonde de son être [1].

Jésus enseigne que le juste qui n'a jamais péché sera *moins bien* accueilli au ciel que celui qui s'est égaré. C'est sans doute, écrit Gide, le précepte de l'Écriture que le dévot a le plus de difficulté à admettre, contre lequel son esprit ne peut s'empêcher de s'insurger, exactement comme le frère du Prodigue lui-même qui, pleurant de colère et de révolte, s'adresse à son père : « Il y a tant d'années que je te sers, lui dit-il, sans avoir jamais transgressé tes ordres et jamais tu ne m'as donné un chevreau pour que je me réjouisse avec mes amis. Et quand ton fils [le Prodigue] est arrivé, celui qui a mangé ton bien avec des prostituées, c'est pour lui que tu as tué le veau gras... c'est à lui que tu as donné la plus belle robe... un anneau au doigt... et des souliers aux pieds... » Mais le père répond : « Ton frère que voici était mort, et il est revenu à la vie, parce qu'il était perdu et qu'il est retrouvé. » Réponse qui revient sans cesse dans l'Évangile, comme un leit-motiv avec toutes sortes de variantes : « Quiconque s'élève sera abaissé et quiconque s'abaisse sera élevé », ou encore : « Plusieurs des premiers seront les derniers et plusieurs des derniers seront les premiers ».

Ceux qui se contentent de suivre les commandements de la Loi, de ne pas tuer et de ne pas voler, de ne pas commettre d'adultère, on ne peut en attendre grand'chose. Ceux qui se soumettent à la norme, ceux qui paient la dîme régulièrement, ceux qui comptent leurs démarches et leur argent, ceux qui invitent des amis à dîner pour qu'on les réinvite, les philistins et les pharisiens, ceux qui ont des vies recroquevillées et des bonheurs étouffés, les « tièdes » à qui les « froids »

---

1. Libérer et prendre conscience d'un désir, c'est non seulement se rendre compte de sa nature et de ses conséquences, mais le remettre à la place qui lui convient dans l'harmonie intérieure de l'individu.

mêmes sont préférables, ceux-là Jésus leur interdit de le suivre ;
ce sont ses pires ennemis. Jésus s'entoure de gens de mauvaise vie, de publicains, de déclassés, et les pharisiens indignés
murmurent : « Jésus s'attable avec eux ! » Il accueille les prostituées, les vagabonds que l'on trouve « dans les chemins et
le long des haies », car eux seront peut-être susceptibles, dans
l'extrémité de la misère et de l'abandon, de connaître l'absolu
dénûment et par là de se retrouver.

Il ne faut pas réduire l'individu à un modèle unique : chacun, en suivant sa *propre* pente, doit atteindre sa limite et la
dépasser. Pour un Dostoïevski, explique Gide, c'est le sentiment de la détresse et de la déchéance qui lui a permis, à
certains moments, de parvenir à la pointe de son âme. « Comprenez-vous ce que signifient ces mots : *N'avoir plus où aller ?*
Non, vous ne comprenez pas encore cela. » Cela signifie que
ce n'est pas de l'honnête homme que l'on peut attendre ce cri,
de celui qui se croit en règle envers soi-même et envers la
société, mais seulement de celui qui a osé tout risquer, qui
a tout perdu, mais qui, en cet instant, peut entrevoir qui il
est — et le devenir [1].

Il y a parfois dans la vie d'un homme qui a *tout osé,* certaines actions horribles et clandestines qui, comme un corps
étranger arrêté dans sa gorge, l'étouffent. Au milieu de ses
semblables, de ses parents, de ses amis, il cache son angoisse
dans la journée ; l'air s'épaissit autour de lui ; dans le moindre
geste, il sent le poids de toute la misère humaine. Pour rompre
cet encerclement, le voici qui sort de chez lui et qui se met à
courir droit devant lui, comme pris de panique...

Et cependant, en cette minute où l'homme n'a plus rien
devant lui, sinon sa propre mort, il peut revenir à lui et
découvrir sa vraie vie.

L'homme qui se dépasse, l'homme qui « se dévore », c'est

---

1. Cette inclination vers la détresse et la déchéance changerait totalement de sens si elle était recherchée pour elle-même. De même le
besoin de surestimation, et de victoire. Il s'agit avant tout, et par
quelque moyen, pour l'individu, de prendre élan pour s'éduquer,
c'est-à-dire, à travers l'éducation reçue, de se reconnaître.

l'homme : « l'individu véritable ». Par le ciel ou l'enfer,
la détresse ou l'ivresse, le don de soi ou la prise de soi, l'homme
qui tend de toutes les forces de son être, à être authentiquement lui, fait coïncider sa conscience avec elle-même : il a le
royaume de dieu en lui.

État intérieur limite et exceptionnel. Quel qu'ait été son
nom au cours des âges, et la coloration religieuse ou philosophique qui lui a été donnée, (Eden, Age d'or, Jardin des
Idées, état de Nature, monde de la Troisième Connaissance),
toujours cette appréhension d'un bonheur absolu a été placée,
soit dans le temps, à l'origine ou à la fin de l'histoire, soit dans
l'espace, dans la plus basse ou la plus haute sphère, en un
point infiniment éloigné pour que l'homme ne puisse y tendre
que par un effort infini, pour que le but ne cesse de reculer et
l'effort d'être à recommencer... « Tout est à refaire, à refaire
éternellement », écrit Gide, parce que l'homme est distrait,
parce qu'il est pris par des habitudes, parce qu'il est soumis
aux conventions, parce qu'il désire se reposer.

Dès que l'homme retombe, sa dualité le divise à nouveau.
« Il y aura toujours sur terre, écrit Dostoïevski, ces deux
postulations contraires, qui seront toujours ennemies. »
Mais ne développe-t-il qu'une partie de soi, l'individu fausse
sa nature, la fait dévier, la défigure. Les grands maudits, les
révoltés de la révolte absolue, qui ne s'appuient que sur leur
orgueil ont été toujours contraints d'abdiquer. Les grands
ascètes en ne cultivant en eux que le renoncement se sont
enfoncés tragiquement dans une impasse. Si dans presque chacun des romans de Gide, le principal personnage aboutit
à un échec, c'est que, dans presque chacun de ses personnages,
l'auteur a poussé tour à tour à ses extrêmes limites l'une
ou l'autre seulement de ces tendances de l'individu. Michel
ne compte qu'avec son désir, et bientôt ne sait plus que faire

de sa liberté. Alissa ne vit que par l'abnégation, et finalement est « dépossédée d'elle-même ».

Dans la vie ordinaire, l'homme doit se résigner à laisser cohabiter en lui des tendances contradictoires. On ne ramène pas de force sa conscience à l'unité.

Après l'enivrement de la lecture de l'Évangile et aussi de celle de Dostoïevski, après une dernière intense période de mysticisme, Gide a compris qu'il ne parviendra jamais à réduire complètement les antinomies de sa nature.

La vie seule peut rapprocher les idées contraires, et chaque jour davantage, pareilles à des galets qui s'entre-choquent, mais dont les angles s'arrondissent et s'adoucissent sous l'influence de chaque marée. Par ce progrès douloureux, lent et continu, l'homme réduit les forces contraires qui luttent en lui et tend peu à peu à l'équilibre, plus loin encore, à la sérénité.

CHAPITRE III

LA PASSION AMOUREUSE ET LE PLAISIR

Gide ne dépeint jamais la grande passion charnelle, maladie fatale qui désorganise l'existence. La seule fois où il présente cet amour, c'est pour montrer son caractère égoïste et ses ravages. Lady Griffith est attachée tout entière par les sens à Vincent, et cet attachement forcené, qu'elle exprime avec emphase, paraît monstrueux à Gide. C'est une femme fatale, nietzschéenne frénétique, qui vit dans un luxe quasi démoniaque ; c'est un personnage exceptionnel dans l'œuvre de Gide. Elle a en vue, non pas le perfectionnement moral de son amant, mais ne cherche qu'à le faire réussir socialement. Le malheureux Vincent éprouve que « du rassasiement des désirs peut naître, accompagnant la joie..., une sorte de désespoir ». Aussi leur amour se transformera bientôt en jalousie, la jalousie en haine « féroce », en corps à corps. Tandis qu'ils remontent en yacht, un fleuve africain, Vincent jettera Lady Griffith par-dessus bord, et lui-même deviendra fou... Tel serait l'abîme où mène la passion lorsqu'elle prend sa source dans les sens.

L'amour que décrit Gide est une pure adoration de l'homme pour la femme, un désir de se dévouer pour elle, de forcer son estime. C'est l'amour d'André Walter pour Emmanuèle, de Jérôme pour Alissa, de Bernard pour Laura, ou bien encore d'Édouard pour Olivier (car peu importe le sexe de l'objet adoré). Cependant, l'amant ne reste pas chaste ; mais il cherche le plaisir, en dehors de sa passion, avec des créatures de rencontre...

Cette dissociation, si caractéristique chez les personnages de Gide, entre l'affection tendre et l'attirance sensuelle, l'amour de l'âme et l'amour du corps, semble due à l'influence chrétienne. Ayant placé l'âme tellement haut et le corps tellement bas, l'homme n'arrive plus à les réunir... La chair est pour lui si abhorrée, si méprisable qu'il devient incapable d'éprouver un désir pour la femme qu'il chérit et qu'il admire ; il n'ose plus, dit Bernard, la toucher du bout des doigts ; il aurait l'impression d'une « profanation ». Son éducation a créé en lui une invincible timidité, une peur, un « complexe » d'infériorité. Il ne se sentira à l'aise et ne pourra se laisser aller au désir de son corps qu'avec des êtres qu'il n'a pas besoin d'estimer, d'une classe sociale au-dessous de la sienne, qu'avec des enfants ou des prostituées. Le boy algérien que Michel préfère est « souple et fidèle comme un chien ».

Dès lors on saisit mieux l'attitude apparemment contradictoire des personnages de Gide devant le plaisir uniquement charnel. Pendant longtemps l'adolescent ne comprend pas sa dualité intérieure. « Vous allez me *dégoûter* par avance, et de moi-même, et de la vie », s'écrie Bernard quand Laura, la femme vénérée par lui, lui parle des exigences de sa chair. Quand Olivier raconte à un camarade sa première nuit avec une fille : « Eh bien ! mon vieux... [c'était] horrible... Après j'avais envie de cracher, de vomir, de m'arracher la peau, de me tuer. » Retenu par toutes sortes d'inhibitions et d'inconscients préjugés moraux, le désir de l'adolescent hésite, erre, se cherche. Cependant lorsqu'il a trouvé enfin un être passif, devant lequel il ne craint pas de se livrer à la joie des sens, c'est l'ivresse. Merveilleuse nuit que celle de Bernard avec la petite Sarah, une fillette provocante et dévergondée ! Émotion intense que celle de Michel lorsqu'il rencontre les jeunes enfants

de Biskra ; sa grande et noble passion pour sa femme, Marceline, ne l'empêchait pas de songer au suicide, mais les êtres
soumis et passifs avec lesquels il peut connaître le plaisir le
ramènent à la joie de vivre.

Ce plaisir sensuel n'a rien du plaisir païen, associé, lui, au
contraire, au sentiment et à l'intelligence. Dans le plaisir de
Michel il y a celui d'avoir surmonté le péché, de s'être dégagé
du scrupule, d'avoir vaincu en soi l'appréhension ; la conscience *libérée* flotte dans un océan de bonheur. Plaisir éphémère cependant : Bernard quitte Sarah dès l'aube de leur
première nuit ; de même Lafcadio abandonne au matin Geneviève. « Non pas l'amour Nathanaël, mais la ferveur. » Tout
attachement durable pour ces créatures insignifiantes paraît
impossible au héros gidien. Son cœur et son esprit sont orientés vers une femme pour qui il brûle d'un amour dit « platonique ».

Cette dualité de l'amour, si caractéristique chez Gide, est
dominante dans la société chrétienne. Tel était l'amour des
chevaliers du Moyen Age pour leur dulcinée, celui de Dante
pour Béatrix, qu'il n'a rencontrée qu'une seule fois lorsqu'elle avait huit ans, celui de Pétrarque pour Laure, qu'il
n'a guère entrevue également qu'un jour dans une église, et
qu'il a refusé d'épouser, dit-on, pour mieux la vénérer.
L'amour romantique de Nerval pour Aurélia garde ce caractère. Musset souffre de ne pouvoir renoncer à la débauche et
de salir ainsi l'objet idéalisé de sa passion. C'est encore le sujet
d'*Elle et Lui,* de George Sand. Le poète de cette époque sou-
pire désespérément pour la bien-aimée tandis qu'il lutine la
grisette. Baudelaire adressait à madame S... qu'il avait rencontrée dans un salon, ses plus magnifiques poèmes : « Je
t'adore à l'égal de la voûte nocturne... » Lorsqu'elle s'offrit à
lui, il s'enfuit comme le Joseph de la Bible, pour aller rejoindre
une négresse ou une prostituée, les seules femmes avec qui il
osait prendre du plaisir, à qui il ordonnait de « se taire » et
auprès desquelles il rêvait de madame S... :

Une nuit que j'étais près d'une affreuse Juive,
Je me pris à songer près de ce corps vendu
A la triste beauté dont mon désir se prive...

Gide a senti la tristesse de cette division intérieure qui oblige
l'homme à répartir sur plusieurs ce qu'il voudrait ne donner
qu'à un seul être : il est contraint de renouveler continuellement les créatures de son plaisir ; et, ce qui est plus grave,
sa passion platonique reste perpétuellement insatisfaite...
Ainsi l'amour d'André Walter pour Emmanuèle, attachement tendre d'enfant, cherche en vain à se prolonger. Gide
a pour le dépeindre, malgré son style trop éthéré de l'époque, des touches délicates. Cet amour se nourrit de lectures
en commun, du sentiment de la nature ; il est fait d'effusions
éperdues, la main dans la main, la joue contre la joue, sur
lesquelles glissent de douces larmes de joie. « La vraie vie,
déclare le héros, n'avait pas de ces enlèvements. » Mais la
« vraie vie » va bientôt manquer à ces deux enfants. Pour se
rapprocher davantage, ils apprennent la poésie ou la musique
ensemble, ils veulent avoir les mêmes souvenirs, devenir pareils
l'un à l'autre. Illusoire similitude ! L'amour ne réunit, au
contraire, comme l'a écrit Schopenhauer, que deux êtres qui
s'opposent et se complètent, qui doivent lutter l'un contre
l'autre pour se conquérir. Dans les *Cahiers d'André Walter,*
les âmes, presque identiques, n'arrivent cependant pas à fusionner ; « elles se heurtent ou se croisent », ou bien elles chemi-
nent parallèlement à perte de vue. De même, deux amis cherchent dans l'amitié ce qu'elle ne peut donner. Ils n'ont qu'un
moyen d'échange : la conversation ; ils la prolongent inutilement ; l'un raccompagne l'autre chez lui et n'arrive pas à le
quitter : il semble espérer et attendre, dans une artificielle
excitation intellectuelle, une sorte de choc, une émotion réelle
qui ne vient pas, qui ne peut pas venir. L'amitié n'est qu'un
sentiment d'amour impuissant.
Quand Emmanuèle épouse un étranger, Walter n'est pas
jaloux. « Jaloux de quoi ? » avoue-t-il. Quand elle meurt, il

paraît ne pas souffrir : « Elle meurt ; *donc* il la possède. » Il
semble se réjouir de pouvoir s'écrier : « Seigneur, je suis pur,
je suis pur, je suis pur ! » Cependant, dans le *Cahier Noir,*
qui fait suite au *Cahier Blanc,* le héros nous fait part de ses
pénibles luttes contre les appels de la chair...

Dans *La Porte étroite,* l'amour de Jérôme et d'Alissa devient un véritable amour chevaleresque. C'est par l'héroïsme,
par l'ascétisme que les deux âmes cherchent à atteindre la pure
étreinte spirituelle. Malgré la passion qui attache l'un à l'autre
les deux jeunes gens, ils rivalisent dans l'art de se fuir...

Si les amants se fuient, c'est qu'en présence l'un de l'autre, ils
éprouvent une gêne intolérable, ils craignent de rester seuls
ensemble et « de n'avoir plus rien à dire ». L'anxiété de
Jérôme devant Alissa est telle qu'il se sent soulagé, tranquille,
presque heureux, capable de travailler à nouveau dès qu'il l'a
quittée. Ton « amour était surtout un amour de tête, un bel
entêtement intellectuel de fidélité », lui écrit la jeune fille par
dépit, sans croire à ces mots, pourtant si justes. Dans la dernière partie du roman, le mirage de cet amour se dissipe :
nous nous rendons compte, par le *Journal* d'Alissa, que la
jeune fille n'avait d'autre véritable désir profond que de céder
au jeune homme, de tomber dans ses bras.

La passion d'Édouard pour Olivier est encore de même
nature. Si elle nous paraît plus réelle, c'est qu'un désir attire
le romancier vers le jeune homme. Dès leur première rencontre, c'est « le coup de foudre ». — J'ai senti que *son* regard,
écrit Édouard, « s'emparait de moi et que je ne disposais
plus de ma vie ». Mais lorsqu'Édouard est devant son neveu,
son désir est inhibé par une telle gêne, gêne d'ailleurs réciproque, que leur amour semble se transformer, dès le début,
en passion idéale, ou plus exactement morale : le désir
d'Édouard est d'amener le jeune homme à s'élever, celui
d'Olivier de se faire estimer par Édouard. C'est pourquoi les
mots : estime, mésestime, juger, méjuger, reviennent sans
cesse dans la bouche des deux personnages...

Malgré leur caractère sentimental et intellectuel, il y a cepen-

dant dans ces passions un instant unique, où les amants connaissent la plus grande joie, une joie analogue en apparence à
celle qui peut être atteinte dans le plaisir charnel : la conscience
est brusquement libérée des contraintes morales ; timidité, pudeur, craintes, qui peuvent arrêter le désir sexuel aussi
bien que le pur désir du don de soi, toutes ces inhibitions tombent brusquement ; de l'individu jaillit un élan qui s'exalte
et devient contagieux. C'est le moment où l'amant voit son
dévouement compris, reconnu, accepté par l'être aimé. Au cours
d'un banquet, l'ivresse ayant aidé enfin Olivier à dominer sa
gêne, il se jette, reconnaissant, « frémissant de détresse et de
tendresse » vers Édouard et, « pressé contre lui » sanglote :
« Emmène-moi ! » Parvenu à l'oubli de soi, il a atteint un état
de lyrisme, d'inspiration, d'enthousiasme suprême, de « visita-
tion divine », déclare Olivier, et, dès lors, il ne songe plus qu'à
s'anéantir.

Le lendemain du banquet, Édouard le trouve à moitié
évanoui dans la salle de bains, où le robinet à gaz est ouvert.
« Je comprends qu'on se tue, a déclaré Olivier la veille, mais
ce serait après avoir goûté une joie si forte que toute la vie
qui la suive en pâlisse, une joie telle qu'on puisse penser :
Cela suffit. »

Dans *La Porte étroite*, Jérôme et Alissa sont parvenus, eux
aussi, à un instant suprême, tel qu'on ne souhaite plus « rien
au delà, » et que les amants songent : « Assez ! Pas davantage. Ce n'est déjà plus aussi suave que tout à l'heure... »

Rien n'est peut-être plus dangereux que l'extase : elle mène
au bord de la vie et enlève dès lors le désir d'y rentrer. La
joie humaine est tellement négative que l'extase parfaite des
mystiques, notamment des Indous, les entraîne parfois dans
la mort [1]. Mais entre deux êtres de chair, cette espèce d'enlèvement de l'amour sans le désir de la possession porte à faux,
prend un caractère artificiel, dénaturé et l'extase, quand elle
se produit, cherche à se rapprocher inconsciemment, mais en

1. *La Vie de Ramakrishna*, par Romain Rolland.

vain, de la véritable extase mystique ou de l'extase physique.

Il n'est donc pas surprenant qu'après cet instant suprême, la passion d'Édouard et d'Olivier prenne fin. Le roman continue, mais nous ne retrouvons plus les deux personnages ensemble. Leur amour a-t-il cessé d'être ? Ou bien, n'ont-ils, eux aussi, « plus rien à dire » l'un à l'autre ?

Comme il s'est « sublimé » dès le début, il atteint, après la première véritable rencontre des amants, un sommet tel qu'il ne peut pas redescendre sur terre. La scène du banquet est, pour Olivier et Édouard, la scène de l'aveu, mais c'est aussi la scène finale de leur amour.

La passion qui naît du désir physique, qui le satisfait, peut prendre une autre profondeur. L'intimité charnelle subsiste à travers l'affection tendre, qui succède au désir. L'amant conquiert, — puis s'oublie dans la femme qu'il aime. Toutes ses aspirations fusionnent en elle ; la passion agrège toutes les images du moi ; elle permet à l'individu d'être lui-même.

Sans doute tout amour est douloureusement imparfait. C'est en regardant Albertine dormir que Proust calme son sentiment de jalousie et trouve sa plus grande joie. Édouard connaît son plus grand bonheur au moment où, dans un besoin éperdu de don, il ramène Olivier, à moitié asphyxié, à la vie, comme on fait pour un noyé ; où il lave « le haut du corps et le visage » du jeune homme, couverts de vomissure. Il faut se dévouer, dit la *Vierge Folle* de Rimbaud « Quoique ce ne soit guère ragoûtant... chère Ame ». C'est qu'il y a toujours une étrange disproportion, une absence de coïncidence entre notre exaltation intérieure et les pauvres gestes matériels qui l'expriment. Cependant si, dans l'œuvre de Gide, l'amour donne parfois une impression si décevante de tristesse, si les moments de joie paraissent particulièrement éphémères, c'est que l'auteur n'est pas parvenu à retrouver dans la passion l'unité profonde de sa conscience.

CHAPITRE IV

CORYDON

Nous avons considéré, dans le précédent chapitre, l'amour attachant l'un à l'autre, dans les romans de Gide, tantôt des personnages du même sexe, tantôt de sexes différents. C'est que la psychologie amoureuse reste la même chez les uns comme chez les autres. Autrement, la supercherie devrait apparaître aussitôt dans toutes les transpositions de sexe des personnages, auxquelles se livrent si souvent les romanciers pour ne pas choquer la pudeur du public. Ce qui semble invraisemblable dans l'amour de Proust pour Albertine, ce sont des circonstances de temps, de lieu, de milieu social, mais l'analyse de la passion, dans ses grandes lois (cristallisation, jalousie, etc.), est d'une vérité tellement générale que certains esprits, même prévenus, se refusent à croire que le personnage réel, dont Proust s'est inspiré pour recréer Albertine, ait été du sexe masculin.

C'est donc essentiellement du point de vue moral que la question de l'inversion s'est posée à Gide. Nous avons dit, dans la première partie de ce livre, comment Gide a été amené, avec courage, à discuter publiquement le problème dans *Corydon,* puis à parler de lui-même dans *Si le Grain ne meurt.* — Puisque je considère, nous dit-il en substance, que l'inversion n'est pas un amour immoral, pourquoi n'oserai-je pas, sans détour, sans fiction, parler de ma vie sexuelle ?

Wilde, Krupp..., Eulenburg, déclare Corydon... « tous ont nié ; tous nieront... On a le courage de ses opinions ; de ses mœurs, point. On accepte bien de souffrir, mais pas d'être déshonoré ».

L'aveu de Gide a été pourtant considéré comme une provocation, ou pis ! comme le résultat d'une obsession. On n'a guère compris que, ce que revendiquait Gide, c'était simplement le droit au naturel, but de sa vie. Ce que je souhaite, ajoute Corydon, c'est « quelqu'un qui... sans forfanterie, sans bravade, supporterait la réprobation, l'insulte ; ou mieux, qui serait de valeur, de probité, de droiture si reconnues que la réprobation hésiterait d'abord... ».

En fait, la réprobation n'a pas hésité : elle a été quasi unanime. Gide a-t-il complètement échoué dans son entreprise ? Non seulement l'auteur n'est pas « déshonoré », mais il est admiré aujourd'hui. Comment expliquer l'attitude du public ?

Il n'est pas de plus puissants préjugés que ceux qui sont dictés par nos réactions de pudeur et de dégoût sexuel. « On a toujours le plus grand mal à comprendre les amours des autres, écrit Gide, leur façon de pratiquer l'amour. » Et c'est pour cela « que sur ce point les incompréhensions sont si grandes, et les intransigeances si féroces ». Celles-ci étaient telles, avant la guerre, qu'il était impossible de poser la question de l'inversion, sous quelque forme que ce soit, dans une œuvre littéraire, — que l'audacieux Zola lui-même, tenté par ce sujet, a reculé, — qu'un médecin qui cherchait à étudier ce problème en savant, perdant toute objectivité, laissait éclater son mépris et son horreur pour l'objet même de son étude.

Aujourd'hui les idées du public se sont en partie modifiées. La frénésie de l'époque d'après-guerre dans certains milieux, l'influence de la psychiatrie, et, en littérature, les ouvrages de Proust et de Gide, ont amené tout un public à ne plus considérer l'inversion comme un vice, mais comme une sorte de maladie. L'écrivain peut à présent parler des « sodomites » s'il

voit en eux les enfants d'une race maudite, s'il les dépeint
comme les victimes de leurs propres désirs et de la société qui
les traque. La société aime à sympathiser avec ses victimes,
(d'où le succès des ouvrages sur le bagne). C'est le ton douloureux de Proust dans *Sodome et Gomorrhe* qui a fait accepter le sujet. Il y a là un progrès de l'opinion : l'inversion a
perdu son caractère immoral ; elle entre dans le domaine de
la pathologie. C'est ce qui explique que le public, malgré la
publication de *Si le Grain ne meurt*, puisse estimer un écrivain comme Gide et que quelques-uns aillent même jusqu'à
admirer son courage.

Mais Gide est allé plus loin. L'inversion non seulement n'est
pas un vice, mais elle ne lui apparaît pas contre nature ; elle
est, pour lui, aussi naturelle que le désir hétéro-sexuel. A
la fin de *Corydon*, il évoque les amours des anciens Grecs,
les éphèbes aux vertus héroïques, que l'on rencontrait dans
les gymnases, qui inspirèrent les poètes, les philosophes, les
sculpteurs du temps et qui donnèrent naissance à quelques-
unes des grandes œuvres d'art. Quand parut *Sodome et Gomorrhe*, Gide ne reconnut pas cet amour dans les tragiques et
repoussantes peintures proustiennes. Au cours d'une conversation amicale avec l'auteur, il lui reprocha d'avoir poussé au
noir son tableau de Sodome, et Proust, avec sa gentillesse
coutumière, déclara aussitôt qu'il avait épuisé, en effet, en
travestissant les jeunes-gens en « jeunes filles en fleurs », toutes
les couleurs claires de sa palette : grâce, charme, jeunesse.

L'inversion dont parle Gide serait-elle tout autre que celle
qu'a décrite Proust ? L'un présente des malheureux êtres obsé-
dés ; l'autre quelques-uns des plus beaux types humains. Si
nous nous plaçons à notre époque, à Paris même, si nous nous
rendons dans un des lieux où se rencontrent habituellement les
invertis, dans le promenoir de tel music-hall, par exemple, ce
sont les descriptions de Proust qui semblent les plus proches
de la réalité : des êtres au regard inquiet se frôlent dans la
demi-obscurité. Les regards se croisent et s'entre-croisent. Tous
les yeux paraissent briller et jeter des lueurs. Ici, un homme

énorme, géant corpulent et ventru, à grosses moustaches, saisit le bras d'un grand, jeune et mince garçon blond, qui sourit béatement en faisant semblant de suivre le spectacle. Là, à l'écart, sur une banquette, un vieux monsieur aux cheveux grisonnants, et rendu plus respectable encore par son pince-nez, est entouré de trois jeunes gens de petite taille, qui rient et poussent des cris. Le couple inverti nous donne la grotesque impression de parodier le couple normal. La jeunesse des êtres est ici trompeuse. Beaucoup d'entre eux n'ont d'elle que l'apparence, qui semble due souvent au rachitisme ou à un arrêt de développement. Cependant voici quelqu'un qui s'enfuit tout à coup, de peur d'être reconnu en ce lieu par des spectateurs de l'orchestre. A la porte du music-hall quelques voyous, calicots endimanchés, aux cheveux luisants de pommade, attendent sur le trottoir... A la vue de ce spectacle, il semble difficile d'évoquer le bel adolescent grec...

Comment Gide est-il parvenu, dans *Corydon,* à défendre sa conception de l'inversion ? *Corydon* est certainement l'ouvrage que la critique considère comme le plus faible des livres de Gide. On n'a voulu y voir qu'un plaidoyer de l'auteur. Toute la seconde partie de l'essai est, en effet, une défense de l'inversion. Mais la première partie est une étude objective et générale de l'instinct sexuel. Gide, qui s'est toujours intéressé à l'histoire naturelle, est parvenu, par l'observation personnelle et des lectures, à des résultats d'une précision et d'une prudence remarquables : ses conclusions coïncident sur plus d'un point avec les travaux de Freud, alors inconnus du public français.

L'instinct sexuel, explique Gide, n'est pas une tendance simple, unique et précise qui attire, dans l'ensemble du règne animal, un sexe vers l'autre ; ce n'est pas un instinct qui se déclenche avec la netteté impérative et catégorique d'un réflexe. Et Gide, appuyant cette remarque sur une quantité de faits précieux, montre tantôt le nombre des mâles considérablement supérieur au nombre des femelles, tantôt les femelles, en état de rut, quelques jours par an seulement. Ainsi on ne voit, nulle part dans la nature, dit-il, de liaison *absolue* entre le plaisir sexuel et la procréation. Les espèces cherchent uniquement la volupté, par quelque mode que ce soit. L'acte de procréation « parmi la plus déconcertante profusion n'est, le plus souvent, qu'un raccroc. »

Étudiant ensuite la sexualité chez l'homme, il constate que celle-ci reste longtemps sans objet précis. La femme, pour attirer l'homme, se sert de « l'artifice », de « l'ornement et du voile ». La civilisation parfait le reste. Ce n'est que par suite « de conseils, d'exemples, d'invitations, d'incitations, d'excitations, et de toutes sortes », que la société parvient à « maintenir au coefficient voulu l'hétérosexualité humaine ». Si un jeune homme, une fois adulte, ne cherche l'amour qu'avec les femmes, c'est que toute son éducation l'a sollicité vers le sexe féminin ; c'est qu'elle n'a été qu'une suite « d'injonctions » et de « prescriptions » qui l'ont amené à considérer la femme comme le seul objet d'amour possible.

Les théories freudiennes aboutissent aux mêmes conclusions. « Vous tombez dans l'erreur, écrit Freud, qui consiste à confondre sexualité et reproduction. » L'instinct sexuel est de « nature complexe ». Il ne sort pas de l'individu tout formé à l'âge de la puberté, comme Minerve de Jupiter, mais se constitue lentement, de la naissance à l'âge adulte, sous l'influence de modifications de l'organisme et d'inhibitions psychiques, (substitutions, sublimations, etc.). Or, ajoute Freud, (et c'est ce que pensent aujourd'hui un grand nombre de psychiâtres), il y a dans chaque homme, jusqu'à l'époque du plein développement de la puberté, une période pendant laquelle l'adolescent est *indifféremment* attiré vers l'un ou l'autre sexe. C'est essentiellement sous la contrainte inconsciente des lois morales et de l'opinion qu'il est porté, à l'âge adulte, vers l'hétérosexualité.

Dès lors, on comprend aisément l'inversion dans la société grecque, où les femmes restaient enfermées au gynécée, où seul l'homme était considéré comme un être de valeur. Mais comment, à notre époque, un adolescent peut-il échapper à l'in-

fluence si puissante de l'éducation, qui, comme Gide l'explique,
le ramène, par tous les moyens, au culte féminin ? Comment
est-il possible qu'il soit attiré par son propre sexe jusqu'à oser
braver la réprobation de l'opinion ?

Ce problème mystérieux, Gide ne l'a pas soulevé, et c'est
la grande lacune de son livre. Freud, lui-même, avoue que la
psychanalyse n'a pu présenter ici que des suggestions. Il pense
que l'instinct sexuel, chez l'inverti, a subi une sorte d'arrêt
dans son développement, est resté au stade primitif, où cet
instinct, encore diffus, attire l'être vers lui-même ou vers son
propre sexe. Si l'éducation hétérosexuelle n'a pas influencé
l'instinct, c'est que l'individu n'a pas su, dans son inconscient,
rompre avec son enfance ; il s'est trop attaché à elle, attachement dû lui-même, ajoute Freud, à l'amour trop tendre ou
trop sévère de la mère pour son fils. Il est curieux de remarquer
qu'une mère a joué effectivement dans l'enfance de Gide,
comme dans celle de Proust, un rôle très important.

L'inversion, telle qu'elle apparaît de nos jours, est-elle
« contre nature » ? Ces mots « contre nature » n'ont guère
de sens, car tout ce qui est, est dans la nature. Il serait plus
exact de demander si l'inversion est, aujourd'hui, une perversion de l'instinct sexuel. C'est bien sous la rubrique des
perversions que Freud l'étudie.

Cependant un simple arrêt dans le développement de l'instinct est-il véritablement une maladie ? Non, répond Freud ;
il n'y a pas névrose lorsque l'inversion n'est pas liée elle-même
à d'autres déviations, lorsque l'ensemble des fonctions et des
activités de l'individu n'a pas subi en même temps d'autres
graves altérations.

Ainsi l'inversion ne constituerait pas, en soi, même aujour-
d'hui, un cas pathologique. Elle n'est sans doute pas plus
anormale que la dissociation, due à l'influence de notre société
chrétienne, entre les sens et les sentiments dans un même individu. Sans doute la plupart des invertis sont aujourd'hui, en
fait, des êtres tarés, parce que leur perversion sexuelle est
accompagnée par d'autres perversions (fétichisme, sadisme,

impuissance...) et par d'autres troubles physiologiques (rachitisme, etc.). Ce sont ces êtres-là que l'on rencontre surtout dans le promenoir de tel music-hall et qui expliquent la pénible et douloureuse impression qu'ils provoquent lorsqu'on les voit réunis. Il n'est pas possible de les négliger, car ils constituent probablement, dans notre société, l'immense majorité des invertis.

C'est parce que Gide n'a pas parlé d'eux (sinon incidemment dans une note) qu'il n'est pas parvenu à convaincre son lecteur. Celui-ci n'aperçoit pas la remarquable analyse que l'auteur a faite de l'instinct sexuel. Il est regrettable que Gide, après avoir parlé de la « bisexualité » de l'adolescent, — au lieu d'expliquer comment, malgré l'éducation de notre société, certains individus sont attirés par leur propre sexe, — ait fait immédiatement la critique de cette éducation hétérosexuelle, qu'il a opposée à celle de la Grèce antique. Il a trop rapidement transposé le problème du plan psychologique sur le plan social et moral. Sans doute les deux aspects sont étroitement liés. Il n'en reste pas moins vrai qu'à la question : l'inversion est-elle aujourd'hui une perversion de l'instinct sexuel ? Gide n'a fait qu'un commencement de réponse.

Mais comme ses travaux ont devancé, en quelque sorte, certaines grandes conceptions de la psychiatrie moderne, celle-ci peut nous aider à compléter l'étude de Gide. Pour la psychanalyse, il y a une infinité de formes d'inversion, dont les cas extrêmes sont, d'un côté, morbides, tandis qu'à l'autre extrême, l'inversion n'est plus que l'expression d'une des tendances bi-sexuelles de l'homme, tendance qui peut s'exprimer librement dans une société sans préjugés.

Gide termine *Corydon* par une évocation de la Grèce. Mais l'inversion dans l'antiquité, qui n'était due qu'au mépris où était tenue la femme, n'a plus de sens pour nous. La société contemporaine a libéré la femme de l'esclavage et tend à lui rendre sa personnalité. La femme peut-elle devenir l'égale de l'homme ? Un Platon l'exclurait-il encore de l'amour ?

Ce que la Grèce peut nous enseigner par contre, c'est l'union

de la chair et de l'esprit, ou, plus exactement, l'élévation progressive de la passion vulgaire, l'élan que l'amour communique aux âmes étant dirigé et contenu, l'inspiration du cœur
conduisant à la vertu, le désir fou à la sagesse, le délire à une
sorte d'extase initiatique.

Deux préjugés semblent avoir longtemps emprisonné la
passion : le préjugé antique contre la femme ; le préjugé
chrétien contre la chair. Dégagé de ces idées préconçues,
l'amour serait enfin libre et le problème de l'inversion ne serait
plus qu'un problème social.

QUATRIÈME PARTIE : *LA CRITIQUE SOCIALE*

CHAPITRE PREMIER

L'INDIVIDU ET LA SOCIÉTÉ

« Les questions politiques, a écrit Gide en 1923, me paraissent moins importantes que les questions sociales ; les questions sociales moins... importantes que les questions morales... Il sied de s'en prendre moins aux institutions qu'à l'homme et... c'est lui d'abord et surtout qu'il importe de réformer. » Cependant, dans ses romans, comme dans ses essais, Gide a été souvent amené à faire la critique de quelques-unes des grandes institutions de la société contemporaine.

Cette critique part d'idées générales, que Gide n'a souvent pas développées, mais que nous voudrions tenter de reconstruire pour mieux comprendre la portée de chacune de ces critiques particulières. Le mot reconstruction est sans doute ambitieux : il ne peut s'agir que de quelques très brèves remarques qui indiqueront l'orientation générale de la pensée sociale de Gide.

« L'individu *contre* la société... » Cette formule individualiste, du faux individualisme, paraît à l'opposé de la pensée de Gide. Elle implique toute une conception rousseauiste de l'histoire et de la préhistoire : à l'origine des temps, les hommes auraient vécu en bons sauvages et parfaitement heureux dans un splendide isolement, dans un idéal état d'anarchie. Mais un jour, ils ont accepté la civilisation et perdu la liberté. L'individu serait devenu l' « ennemi des lois ». Les lois seraient donc, dans l'actuel état de société, un mal inévitable, dont il faudrait réduire autant que possible l'étendue. C'est ainsi que toute une lignée d'écrivains, depuis le xviii° siècle, ont abouti au « libéralisme » : dans une société où régnerait un libéralisme complet, l'individu se rapprocherait, en effet, de l'originel état d'anarchie perdu [1].

Cet individualisme libéral repose cependant sur des fondements, aujourd'hui ruinés. Déjà Spinoza a déclaré très justement qu'un individu livré à lui-même, seul dans une forêt, est moins libre que dans une prison. L'individu a besoin de la société. Non seulement il ne serait pas libre sans elle, mais il n'existerait pas. Aussi loin qu'on remonte dans l'histoire, on ne trouve pas de bons sauvages vivant en Robinsons. Les études sur les primitifs ont confirmé cette vérité. La société n'apparaît jamais comme une addition d'individus isolés, autonomes et indépendants, mais comme une réunion d'êtres sociaux. Elle constitue elle-même un être collectif, qui se reflète *réellement* dans la conscience de chacun de nous. Il y a dans chaque individu des aspirations sociales et des aspirations individuelles. La véritable question devient celle-ci : comment l'homme peut-il concilier en lui les unes et les autres ?

Gide a répondu : « *C'est en étant le plus particulier qu'on sert le mieux l'intérêt le plus général* », mais cette vérité, ajoute-t-il, doit être fortifiée par la suivante : « *C'est en se renonçant qu'on se trouve* ».

1. On trouve dans les numéros de la *Nouvelle Revue Française*, qui ont paru après la guerre, différents articles qui éclairent la pensée du groupe à ce sujet. Tandis que quelques nouveaux convertis (comme Ghéon) s'orientaient vers des groupements inspirés par *l'Action française*, Jacques Rivière, dans une longue étude, constatait l'insuffisance et l'impuissance du libéralisme et s'intéressait, en faisant des réserves il est vrai, mais dès cette époque, au collectivisme russe.

En développant en lui ce qu'il a de plus particulier, en se *spécialisant,* l'individu sera amené à tenir dans la société le rôle irremplaçable que la nature lui a assigné [1]. On est ainsi conduit aux idées de division du travail et de coopération. Sans doute ces idées, c'est moi qui les déduis de la pensée de Gide, mais il me semble bien qu'elles y sont implicitement contenues.

On pourrait dire encore : être particulier, c'est prendre conscience de soi. « Les mœurs seraient bien changées, écrit Valéry, si toutes les démonstrations et les actes extérieurs, paroles, etc., étaient jugés selon le plus ou moins de conscience qu'ils supposent dans leur auteur, si tout ce qui échappe et se fait sans contrôle de soi était considéré honteux, » j'ajouterai : était considéré comme le seul crime, qui contient nécessairement tous les autres.

En ce sens l'individualisme n'est évidemment qu'une *tendance limite,* car seul un Dieu pourrait être parfaitement conscient, et parfaitement collaborer avec d'autres dieux. Mais si la société assignait à chaque homme cet idéal, nous assisterions à une extraordinaire révolution.

Et cependant la société, considérée à travers l'ensemble de l'histoire (*en tenant compte des périodes de décadence et de réaction*), semble évoluer peu à peu vers cette forme d'individualisme.

Dans le clan primitif, tous les membres étaient soumis aux *mêmes* commandements religieux. A cette cohésion, obtenue par la réunion d'individus, identiques les uns aux autres, est

1. La véritable spécialisation permet de retrouver le général. Le savant, spécialisé dans une science particulière, peut, en approfondissant cette science, prendre conscience des grandes lois de la vie. Cependant, la spécialisation peut avoir lieu dans deux sens contraires, dont l'un tend à augmenter, l'autre à réduire la personnalité. C'est ainsi que la division du travail aboutit dans l'industrie à créer, dans un cas, des ouvriers *spécialistes ;* dans l'autre, des ouvriers *spécialisés.* Les premiers ont acquis par un apprentissage assez long une technique *particulière* qui peut leur permettre de ne pas perdre le sens et la portée *générale* de leur travail ; les seconds, ouvriers « à la chaîne », exécutent simplement quelques gestes automatiques, qu'ils ont pu acquérir en quelques jours, parfois en quelques heures. Ils sont réduits à un rôle machinal.

venue s'ajouter une cohésion organique encore bien impar-
faite, d'individus *différenciés* coopérant à un même but social [1].
Jadis le crime était puni en soi et la punition était, en général,
sans rapport avec le degré de conscience du criminel. Mais à
cette responsabilité objective se superpose aujourd'hui une responsabilité individuelle, encore bien rudimentaire [2].

C'est la lutte contre l'extraordinaire lenteur de l'évolution
sociale vers le véritable individualisme qui explique peut-être
le fond et l'unité de toutes les critiques sociales de Gide.

La plupart des institutions contemporaines nous apparaissent comme de *très* anciens monuments, recrépis à neuf par
quelques réformes. Éducation de l'enfant, famille, religion,
justice, patrie reposent encore sur le principe d'autorité, sur le
vieux dogmatisme d'origine religieuse, sur la soumission de
l'esprit, sur tout un système de peines et de récompenses. Celui
qui se distingue, dit le frère de l'Enfant prodigue, est « fruit
de démence et d'orgueil ». L'affinité du sang, l'attachement à
un même sol, le culte des ancêtres doivent ramener l'individu,
par réductions successives, au type moyen de la société. C'est
toujours la vieille morale par similitude : chacun doit ressembler à chacun. Ne suffit-il pas de considérer les lycées sombres,
les casernes, les prisons, toutes les grandes bâtisses de l'État,
aux murs monotones troués de fenêtres identiques, pour comprendre que l'individu est appelé à y perdre son âme, sa raison
d'être ? C'est ainsi qu'on est arrivé à croire que le régime militaire est le modèle de la vie sociale.

Ce sont cependant ces vieilles institutions qui sont défendues,
aujourd'hui encore, par certaines classes de la société ; autrement leur maintien dans la durée ne s'expliquerait pas. Si
Gide ne les a pas attaquées directement, il a dénoncé avec
sérieux, ou plus souvent avec ironie, l'esprit des milieux qui
les soutiennent. « Crustacé », tel est le nom que Lafcadio

1. Cette nouvelle cohésion apparaît dans la division du travail qui
ne s'est surtout développée qu'au cours des derniers siècles.
2. Elle se traduit en justice par la notion de responsabilité atténuée,
le jeu de circonstances atténuantes, qui sont de date toute récente.

enfant et son ami Protos ont donné à tous ces gens respectables, enfermés dans leur carapace, nationalistes, défenseurs du culte des morts, juges imbus de leur toute-puissance, époux, qui vivent sur l'idée d'honneur conjugal, pères, qui s'appuient sur leur autorité... Le « crustacé », c'est l'homme qui incline la raison sous la règle, s'effraie de l'esprit critique, enrégimente l'individu pour qu'il répète ce qui a été fait et ce qui se fait autour de lui. Toujours prêt à céder à l'opinion, c'est le traditionaliste, le « conformiste ». Bien casé et tranquille dans sa maison, dans sa profession, dans la vie, il ne court pas de risque. Il a remplacé l'esprit par la lettre ; l'homme par l'uniforme ; le progrès intérieur par la montée en grade, les honneurs et les décorations. Son égoïsme reste intact, parce qu'il ne sait pas ce que signifient ces mots : se renoncer, car pour renoncer à soi, il faut d'abord être soi, tandis qu'il s'est supprimé une fois pour toutes.

En politique le « crustacé » est presque toujours un conservateur. « Les partis conservateurs, écrit Gide dans une étude sur *l'Avenir de l'Europe*, s'abusent s'ils estiment pouvoir loger l'avenir dans les institutions du passé, car les formes vieilles ne peuvent convenir aux forces jeunes. » Dans notre société où l'aspect industriel et économique de la vie évolue avec une rapidité telle que rien d'immuable ne semble pouvoir se maintenir, il y a encore des esprits pour croire que la forme de l'État, de la famille, de la justice ne doit pas changer et qu'il faut maintenir à tout prix leur structure passée.

Il est vrai que la transformation des institutions sociales comporte des risques. La marche vers la collectivisation affranchit sans doute l'homme de l'oppression des anciens cadres, mais les nouveaux cadres nécessaires seront-ils moins tyranniques ?

Gide n'a pas parlé jusqu'à présent de ce péril. Chacune de nos institutions aujourd'hui est pourtant doublement menacée : l'individu est souvent étouffé par la famille, mais il sera peut-être étouffé par l'État. A présent, à l'âge de l'adolescence, il est obligé d'user fréquemment le meilleur de ses forces en se révoltant contre les siens, mais il risque de se perdre également s'il est contraint de lutter contre l'emprise de toute la collectivité sur lui ; l'éducation idéale sera celle qui cherchera à faire de l'enfant, non pas un esclave de la famille ou de l'État, mais un être vivant, unique, irremplaçable.

Gide ne s'est intéressé aux questions sociales qu'au fur et à mesure qu'elles se sont imposées directement à lui. C'est comme juré qu'il s'est préoccupé du fonctionnement de la justice ; c'est comme voyageur qu'il a découvert au Congo les abus coloniaux... Quant à la famille, c'est dans son enfance qu'il s'est senti enserré par elle.

Et pourtant Gide a toujours cherché à ne pas remettre les grands principes en question.

Rien ne lui paraît facile comme de jeter tout par terre : c'est supprimer les problèmes au lieu de les résoudre.

Cependant, à mesure qu'il entre davantage dans une difficulté, il s'enhardit. Les faits eux-mêmes semblent le provoquer. Sans grand cri, sans violence, il insuffle, dans nos croyances aux institutions, le doute destructeur. Il suggère le soupçon, le scrupule. L'inquiétude qu'il éveille est plus efficace que les négations farouches. Malheur aux « livres qui concluent ! » Gide pense qu'un roman à thèse perd, en voulant démontrer, toute force de démonstration. Il souhaite qu'il reste dans un livre « de la question sans réponse ». Ce que les hommes ne peuvent supporter, c'est l'incertitude à l'égard des objets qu'ils révèrent religieusement. C'est en les arrachant à leur quiétude que les réformes deviennent possibles. Socrate, aidé de son génie familier, se contentait de poser des questions. Mais elles étaient si insinuantes qu'il fut appelé le pervertisseur de la jeunesse et condamné par sa cité. Un « Malfaiteur », tel a été le titre décerné à Gide[1]. Le scandale qu'il provoque autour de lui, mais qu'il ne cherche pas, prouve que sa méthode est bonne.

1. Voir la biographie page 65.

C'est ainsi que Gide a pu se livrer à la critique de la société, sans toutefois entrer dans la mêlée politique. Pour parler à la foule, il faut que votre voix porte sans tarder : l'écrivain devient un journaliste. Sans doute il est pénible parfois de résister au désir d'une lutte plus directe et plus physique contre les abus et les erreurs de la société ; c'est cependant en demeurant dans son propre domaine, dans celui de la pensée, que l'écrivain, destructeur de conventions par nature, agira avec le plus de force [1].

Il est des cas malgré tout, où les événements publics sont si pressants, où l'iniquité d'un spectacle s'impose à l'écrivain si immédiatement qu'il perd tout repos : dès lors, il doit entrer dans la mêlée, comme firent un Voltaire, ou un Zola. Ainsi Gide, après son retour du Congo, a lutté pendant presque un an pour tenter d'abattre le despotisme des grandes compagnies concessionnaires. Mais aussitôt l'action épuisée, il s'est ressaisi, il a refusé de répondre à d'autres appels.

C'est depuis cette époque cependant que Gide a approfondi davantage les questions sociales, non pas tels de leurs aspects particuliers, mais leurs rapports avec la vie en général.

Gide semble considérer aujourd'hui qu'il a achevé son œuvre d'imagination. C'est pour lui apporter une conclusion plus précise, plus vaste, qu'il envisage avec plus d'intérêt que jamais l'aspect positif et social des problèmes qui l'ont toujours préoccupé. Vaste et pénible investigation. Presque partout sous le couvert des lois, l'homme exploite l'homme. Est-il possible que cette civilisation dont il est si fier soit ruinée dans ses fondements ?

Gide semble amené à prendre une position de plus en plus nette devant ces grands problèmes. Il suit avec sympathie le développement de l'expérience russe, cette expérience, dit-il,

1. Romain Rolland a défendu éloquemment ce point de vue dans une émouvante discussion contre Barbusse.

d' « une société sans famille et sans religion ». S'il pensait, il y a quelque temps encore, que c'est en réformant l'homme que les institutions seront améliorées, peut-être est-il prêt à croire aujourd'hui que des institutions neuves peuvent également rénover l'individu.

CHAPITRE II

LA FAMILLE ET SON ÉDUCATION

> « La famille, cette cellule sociale. »
>
> PAUL BOURGET.

> La famille « régime cellulaire ».
>
> ANDRÉ GIDE.

Gide a vu surtout dans la famille l'institution patriarcale. Voici le père, occupé au dehors, et qui ignore tout de la vie intérieure de ses proches. La mère est absorbée par les soins du ménage, où elle doit trouver tout son bonheur. L'aîné des enfants, « sentencieux », veille au maintien de l'esprit traditionnel de la maison. L'adolescent écoute, plein d'inquiétude, les appels du lointain. Le cadet, « précoce et dégourdi », cultive en secret des pensées hostiles aux siens. Cependant, le soir, réunis autour de la table commune, ils restent étrangers les uns aux autres. Toute spontanéité est faussée par la cohabitation forcée et la contrainte des devoirs familiaux ; l'amour que pourrait créer la parenté se déforme. Ce qui domine, c'est le sentiment d'honneur conjugal, de respect filial, d'obéissance : la gêne et la tricherie...

C'est sur la fidélité du couple que repose cette « grande chose fermée » qu'est la famille. « De toutes les connaissances

13

humaines, a écrit Balzac, celle du mariage [est] la moins avancée ».

Dans la bourgeoisie sévère et dévote, que dépeint le plus souvent Gide, la jeune fille n'a guère évolué et se rapproche encore, par bien des traits, de celle du xixᵉ siècle. Le vieil appareil de précautions sociales, monté dans le but de protéger son innocence, n'a pas encore disparu. La jeune fille du monde n'a, plus ou moins consciemment, qu'une idée fixe : le mari. Le reste de sa vie désœuvrée n'est que passe-temps. Quand Éveline essaie de faire entrer son amie Yvonne au service du docteur Marchant : « Et les arts d'agrément ? lui répond-il ironiquement... Pourquoi les a-t-on inventés, sinon pour occuper les oisives ?... » Les hommes, qui considèrent la jeune fille comme une des merveilles du monde, oublient fréquemment que, sous « des préoccupations futiles », un drame se joue dans sa conscience : le drame de la jeune fille est dans son esprit grippe-époux. « C'est atroce... », dit Éveline, que les désirs de cet être, ses vertus, ses dons, « que tout cela soit subordonné au plus ou moins bon vouloir d'un monsieur, cela m'indigne ! » Éveline plaint son amie Yvonne ; elle pense à la vieille fille, ce produit de la demi-liberté que l'Occident accorde aux femmes : « Sentir en soi, tout ce qu'il faut pour aider, pour secourir, pour répandre autour de soi la joie, et n'en pas trouver le moyen ! »

Le jeune homme, de son côté, se heurte souvent à des difficultés non moins troublantes. Si les lois sociales et morales étaient observées dans une société comme la nôtre où l'adultère est condamné et où les jeunes filles devraient rester vierges, avec qui pourrait-il normalement satisfaire ses désirs, sinon avec les prostituées ? « Liaisons dégradantes », écrit Gide... Le jeune homme devrait-il garder la chasteté avant de connaître sa femme, comme font sans doute certains pasteurs ou provinciaux dans les romans de Gide ?

C'est ce couple, si peu préparé au mariage, que la société lie « par des liens indissolubles » et que la religion consacre « pour l'éternité ». Gide a décrit avec un bonheur particulier

certaines cérémonies nuptiales. « Courses », « réceptions »,
« visites », rythment les fiançailles, « comédie du bonheur »,
qui ne laisse plus aux nouveaux appariés le temps de se recueillir. Les mariés sont déguisés en mariés. « Foule », « chaleur »,
« buffet », demoiselles d'honneur. Et, chez les puritains,
le pasteur sème, dans son sermon, « le bon grain », avec
un « je ne sais quoi d'ineffablement alpestre, paradisiaque
et niais ».

Cependant, tout finit par s'arranger plus ou moins dans le
compromis. C'est pour se sacrifier à sa sœur Alissa, que
Juliette a épousé un commerçant étranger à leur milieu, énorme
gaillard coloré et chauve. Elle s'évanouit en lui abandonnant
pour la première fois une main glacée. « Ce mariage pourrait
n'être pas si malheureux », déclarent avec assurance les proches. Et ils ont raison. Car, dès son voyage de noces, Juliette
envoie une « lettre enthousiaste ». Dans quelques années,
Alissa la retrouvera, entourée de plusieurs enfants, ayant oublié
tous les émois de sa jeunesse, et heureuse [1].

Quand Gide pénètre dans l'intimité du couple, il constate
que l'adultère s'y est installé le plus souvent. C'est sur l'adultère que repose presque tout le roman du xixᵉ siècle, et presque
tout le théâtre contemporain. Dans *Les Faux-Monnayeurs,* Gide
a dépeint deux ménages de magistrats, qu'on pourrait appeler
des bourgeois moyens : ici, c'est la femme qui s'est enfuie un
jour de son foyer, puis qui est revenue ; là, c'est l'homme qui
se livre à la « petite aventure » et qui est obligé de « ruser »
avec sa femme, de « dissimuler », de « mentir ». Pauline
croit même devoir se faire complice de son mari, la société
lui ayant enseigné que l'homme a des exigences que la morale
a honte de connaître et qu'il est dangereux de laisser entièrement inassouvies. Par-dessus ces « situations fausses », la vie
continue, continue...

Cependant Gide nous a présenté des couples fidèles : un
couple catholique, dans *L'École des Femmes.* Après quelques

1. C'est devant ce bonheur qu'Alissa éprouve ce malaise dont nous
avons parlé plus haut.

années, Éveline, qui était tout à fait éprise de son mari en
l'épousant, le voit peu à peu tel qu'il est. C'est la loi même de
l'amour : quand la passion prend fin, on ne reconnaît pas l'être
aimé. Mais le mariage, tel qu'il est conçu par l'Église *doit*
durer. Éveline, désormais, souffre auprès de Robert, mais son
père et le prêtre, directeur de conscience de la famille, lui
conseillent avant tout de « cacher » les déficiences de son mari
« aux regards de tous » et de prier Dieu pour se consoler. Le
devoir de l' « épouse chrétienne », c'est de se résigner.

« A quel point, écrit Gide, deux êtres vivant somme toute
de la même vie, et qui s'aiment, peuvent rester (ou devenir)
l'un pour l'autre énigmatiques et emmurés ! » Le mariage
devient une invitation à la paresse. L'homme renonce à tout
effort pour séduire : l'épouse lui appartient. Elle aussi, d'ailleurs, a renoncé. C'est dans un couple protestant, celui du
vieux La Pérouse, que Gide nous a montré combien l'homme
et la femme, toujours attachés l'un à l'autre, peuvent se faire
« abominablement souffrir ». « N'importe quel passant qu'on
croise dans la rue, s'écrie La Pérouse, vous comprendrait mieux
que celle à qui on a donné sa vie. » Dans les frottements de
l'existence en commun, « la vie conjugale n'est plus qu'un
enfer ».

Dans *Corydon,* que Gide a écrit il y a vingt ans, c'est à une
sorte de retour en arrière qu'il concluait : il voyait le rôle de la
femme au sein du gynécée, se consacrant avant tout comme la
nature le lui commande, à la maternité, et tirant sa noblesse
de ce sacrifice d'elle-même. C'est parce que les femmes de
l'antiquité n'étaient presque jamais des amantes, écrivait Gide,
que les Grecs ont pu créer les « admirables figures d'Andro-
maque, d'Iphigénie, d'Antigone ». Presque toutes les premières
héroïnes de Gide sont leurs sœurs. Elles ne vivent que par le
dévouement et le don d'elles-mêmes.

Mais dans *Les Faux-Monnayeurs,* parus en 1926, au milieu

de la famille qui reste dans la tradition, apparaît une jeune fille,
Sarah, qui revendique avec la véhémence de la jeunesse et l'intransigeance de la révolte, son entière émancipation : Sarah ne
voit dans « la pieuse résignation » que la vieille fille, comme
dans « la dévotion conjugale » qu' « une duperie », dans le
mariage qu' « un lugubre marché ». Elle se déclare prête à
« affronter tous les mépris et tous les blâmes ». Elle ressemble
à ces jeunes filles d'Amérique ou d'Angleterre qui, par réaction contre le puritanisme, s'abandonnent frénétiquement au
plaisir. Mais les impulsions brutales et éphémères anéantissent
la passion exactement comme l'ascétisme. Toute réaction commence par des excès.

Les personnages féminins que Gide a créés depuis, tout en
prétendant à la même liberté, la demandent avec une fermeté
réfléchie. Éveline, élevée dans un milieu bourgeois, se rebelle
en pensée, sans oser encore se libérer elle-même. Cependant sa
fille, Geneviève, lui déclare qu'elle n'acceptera jamais de se
soumettre au mariage, tel qu'il est encore institué de nos jours,
et qu'elle est bien résolue « à faire, de celui dont elle [s'épren-
dra], *son associé, son camarade* ». Égale de l'homme, elle sera
mise « à même de vivre d'une vie personnelle ». Il y aura
dans la société un esclave de moins, un individu de plus : la
femme.

Geneviève va plus loin : c'est sans réticence qu'elle ose dire
à sa mère : — En renonçant à l'amour hors du mariage, « tu
t'es faite l'esclave de ton devoir... d'un devoir imaginaire... je
ne puis t'en être reconnaissante ». Et dans le secret de son
cœur, sans le lui dire, Éveline approuve sa fille.

Sans doute, doit-elle penser, une princesse de Clèves peut
nous émouvoir par sa résistance poussée jusqu'à l'héroïsme.
Mais quelle signification peut avoir son « sacrifice », s'il est
« *inutile* » ? Balzac a fait observer très justement qu'une
épouse fait injure à son mari, non pas en cédant ou en ne
cédant pas à sa passion pour un autre homme, mais dès le
moment où elle éprouve cette passion *involontaire*. Pour le
mari, désormais, sa femme, même si elle lui *reste fidèle,* devient

un être étranger, obsédé par des pensées qui lui échappent complètement.

Gide a été frappé de constater qu'il entre dans la jalousie traditionnelle, surtout dans celle du mari, une idée d'honneur conjugal, espèce de droit de justice, qui tient « de l'amour-propre » et qui, de ce fait, dit-il, « cesse de [m'] intéresser ». « Qu'un Othello soit jaloux, cela se comprend ; l'image du plaisir pris par sa femme avec autrui l'obsède. » Cependant, j'ai souvent entendu Gide déclarer que même cette jalousie instinctive lui paraît un sentiment fait de violence et d'hostilité, qu'il serait beau de pouvoir dominer. Ce n'est pas l'amour, passion généreuse d'épanouissement de l'individu, qui devrait être vaincu, mais la jalousie, passion dangereuse de contrainte. Il y a dans l'amour véritable un tel besoin spontané de don que celui qui est épris, n'ayant en vue que le bonheur de l'autre, acceptera son inconstance comme l'occasion douloureuse de lui prouver la force de sacrifice de son amour.

C'est dans ce sens que Gide nous proposerait de libérer le couple et le mariage s'il avait développé la question. « Le mal n'est jamais dans l'amour », dit le Pasteur de *la Symphonie pastorale*. C'est, au contraire, la morale du péché charnel qui, en emprisonnant l'amour, a perverti tous les sentiments, et jusqu'à l'amitié et l'affection ; c'est cette morale qui crée « notre doute et la dureté de nos cœurs », c'est elle qui a rendu les hommes moins généreux. La notion du péché charnel a été une des raisons de la sujétion de la femme [1].

---

1. Pour les Pères de l'Église, la femme doit être « honteuse de sa beauté » ; c'est elle qui incite à la fornication ; c'est la « mère des maux de l'humanité », la « porte de l'enfer ». « Mariez-vous, a dit saint Paul, de peur que Satan ne vous tente par votre incontinence. » Mais ce n'est pas seulement la notion de péché charnel qui a incité les hommes à contraindre depuis des siècles la femme à la vertu : la question de la filiation de l'enfant a joué un rôle essentiel. C'est l'enfant qui rend encore aujourd'hui si graves, si difficiles, si complexes ces problèmes de l'émancipation de la femme et de la libération du couple. Gide, romancier, n'a pas eu véritablement à poser cette question puisque pour lui la famille est toujours, ou presque toujours, néfaste pour l'enfant. S'agit-il de tendre à la suppression de la famille ou seulement à sa réforme ?
Dans *le Mariage et la Morale* le philosophe anglais Bertrand Russel

Mais si Gide pense que le mal vient de notre croyance à la malignité de l'amour, s'il souhaite l'amour plus libre, il n'en conclut pas qu'on puisse dire à l'individu : — Fais comme il te plaît, mais toujours : — Surmonte-toi ! Il faut non pas prohiber les désirs, comme le veut le chrétien orthodoxe, mais les éduquer. L'homme luttera non plus contre ses passions, mais contre leur tendance à opprimer autrui. Mari et femme cesseraient d'être des policiers chargés de se surveiller réciproquement. La franchise mettrait fin aux petits mensonges de l'adultère. Et puisque la nature de l'amour est de diminuer dès qu'il ne continue pas de croître, il évoluerait enfin avec naturel en une intimité affectueuse.

Plus grave encore pour Gide que la situation des époux l'un par rapport à l'autre est celle de l'enfant dans le « cercle de famille ».

Jacques semble avoir été tellement réduit par la crainte et le respect que lorsque son père (le Pasteur de la *Symphonie Pastorale*) brise son amour pour la femme qu'il s'est choisie : « Mon père, je me suis promis de vous *obéir*. » A peine ose-t-il lui demander : « Puis-je connaître vos raisons ? » Ainsi sera-t-il entraîné bientôt à entrer dans les ordres [1].

Parfois l'enfant se cabre : une première éducation puritaine a laissé au cœur d'Armand « un ressentiment » dont il ne

suggère des solutions fort raisonnables : aujourd'hui, dit-il, le couple a, en quelque sorte, vaincu la nature, puisqu'il est à peu près maître de la procréation. Russel accorde donc la liberté la plus entière au couple, aussi longtemps qu'il n'y a pas d'enfant. Il considère même le « mariage d'essai » comme nécessaire pour la future bonne entente morale, et surtout charnelle, des époux. — Mais tout change dès que l'enfant apparaît. Pour Russel, la pratique des divorces répétés devient dès lors funeste pour l'enfant, à moins que ne surgisse une incompatibilité d'humeur irrémédiable entre les parents. Mais si la stabilité du couple est désirable, cela ne signifie pas que la fidélité des conjoints l'un envers l'autre doive être absolument respectée. Russel aussi pense qu'il est à la fois plus beau et plus difficile de surmonter la jalousie que la passion.

1. Jacques s'est converti au catholicisme.

peut se guérir ; elle l'a rendu à jamais révolté, désespéré, amer et cynique. C'est de l' « horreur » et de la « haine » qu'il a pour tout ce qu'on appelle la vertu [1].

Dans les milieux de la bourgeoisie moyenne que Gide a dépeints, l'éducation ne semble guère mieux réussir. « Les fils de parents butés sont butés plus avant encore. » Gide ajoute : « Certains s'indignent de l'alcoolique enseignant à son fils à boire qui, selon leur biais, n'agissent pas différemment. »

L'enfant, qui veut échapper à son milieu, est conduit à la révolte. Quand le petit Georges vient travailler, le soir, près de sa mère, sous la lampe : « Ce n'est pas de l'affection, dit-elle, que je rencontre dans son regard ; c'est du défi. » Comme le Prodigue, il se raidit sous la contrainte de la famille. A son tour, le plus jeune frère du Prodigue s'écrie : « Comment quelqu'un des miens saurait-il être mon ami ? »

Cependant, à vingt ans l'enfant sera livré à lui-même dans la vie ; un Alexandre Vedel, un Vincent Molinié se conduisent comme ces grands dadais de province soudain débarqués à Paris.

Gide ne pense pourtant pas que l'indulgence des parents réussisse mieux que la sévérité : « Les plus lamentables victimes sont celles de l'adulation », adulation qui se transforme facilement en une irritante et maladroite sollicitude, en « recommandations... admonestations... réprimandes ».

Finalement, ce sont les parents eux-mêmes qui souffrent de

---

1. Il semble qu'on ait découvert l'enfant depuis peu de temps. On considérait jadis qu'il n'avait pas de personnalité ; l'éducation était une sorte de dressage ; la férule, l'instrument essentiel du maître d'école : Jules Boissier nous raconte qu'on entendait les enfants hurler dans les collèges romains. C'est en classe, publiquement, que les magisters anglais, au xviiie siècle, appliquaient des fessées, nous dit M. John Carpentier. A cette époque, les jeunes princes étaient parfois frappés symboliquement en la personne d'enfants spécialement affectés à eux pour recevoir les coups. Faut-il croire, comme le prétendent certains historiens, que le fils du marquis de Boufflers mourut à la suite d'une volée trop bien administrée par son précepteur ? Bien des causes diverses contribuaient au sort malheureux de l'enfant : il suffit de lire, au siècle suivant, les récits du *Petit Chose*, de *Jack*, de *David Copperfield*, de *Poil de Carotte*...

leur propre erreur. L'enfant leur échappe rapidement : « On perd prise, dit Pauline, le plus tendre amour n'y peut rien. » Gide n'a pas omis ce douloureux point de vue de la mère. Trompée par son mari, Pauline l'est encore par ses fils. C'est Olivier surtout qu'elle regrette : « Sa confiance ?... je l'ai perdue !... Il se cache de moi. » N'importe quel étranger, l'enfant le préfère à ses parents, du seul fait qu'il ne ressemble pas à sa famille. Le père, également, peut être une victime. Le moins sympathique des bourgeois, Profitendieu, ne laisse pas d'émouvoir Gide. Quand Bernard a quitté la « Maison », Profitendieu, cachant « dans ses mains son visage » et « tout secoué de sanglots », balbutie : « Vous voyez..., vous voyez, Monsieur, qu'un enfant peut nous rendre bien misérables. »

Tel est le « régime cellulaire » pour Gide. Je ne peux m'empêcher de voir une sorte de symbole dans l'histoire du petit Boris. Cet enfant si tendre, si fragile, si angélique, Édouard a l'inconscience, — il l'avoue lui-même — de le placer dans la pension Vedel, dans cet « air empesté » qu'on y respire « sous le couvert de la morale et de la religion ». C'est là que le petit sera bientôt amené à se tuer...

En face de ces adolescents, tous plus ou moins déformés par l'éducation, Gide dresse le bâtard triomphant [1] — le bâtard, « fils de l'ivresse » pour Euripide. Tout réussit au bâtard. L' « avenir lui appartient » ! « Seul il a droit au naturel. » Voyez Bernard et Lafcadio, ces adolescents au regard assuré, aux gestes souples, qui avancent avec aisance dans la vie.

Sans doute, il a été « imprudemment engendré ». C'est l'enfant « non souhaité », « compromettant », dit Œdipe ; c'est le « produit d'une incartade, d'un crochet dans la ligne droite », dit Lafcadio. C'est, dit le grotesque magistrat Moli-

---

1. L'image du bâtard est évidemment symbolique pour Gide. En réalité, le bâtard, dans notre société, partage le plus souvent les sentiments et les idées de son milieu ; il a honte de ses origines ; il souffre parfois toute sa vie d'un complexe d'infériorité.

nié, le « fruit du désordre et de l'insoumission », qui « porte
nécessairement en lui des germes d'anarchie ». Mais Gide se
réjouit précisément qu'il fasse échec au principe traditionnel
du foyer. Les cadres de la famille ont craqué. Gide a trop
souffert par elle. Il est trop certain de sa malfaisance : « Sur
une quarantaine de familles que j'ai pu observer, écrit-il, je
n'en connais peut-être pas quatre où les parents n'agissent point
de telle sorte que rien ne serait plus souhaitable pour l'enfant
que d'échapper à leur empire. » Tant pis si les « crustacés »
vont « crier au scandale » ! Il n'hésite pas à prendre, et très
nettement, une position révolutionnaire : l'existence de l'individu est à ce prix.

Une société rajeunie pourra naître. Est-ce un rêve ? Peut-être.
Nous commençons à le vivre : la famille évolue lentement, très
lentement, vers des formes nouvelles ; on peut dire aussi qu'elle
se désagrège...

*
* *

On peut considérer comme fantaisiste l'éducation de Lafcadio, telle que Gide l'a présentée dans *les Caves du Vatican*.
Cet enfant « à qui sa mère [a] donné cinq oncles » a été
habitué par eux, dès son plus jeune âge, à « la libre disposition
de soi-même ». Il n'a connu ni punitions ni récompenses. Il
était libre d'aller de-ci de-là à sa guise. Promené de pays en
pays à travers l'Europe, transplanté sans cesse de milieu, il s'est
ainsi créé sa personnalité. « Toute instruction, a écrit Gide, est
un déracinement. » Merveilleuse hygiène : Lafcadio vivait
« tête et pieds nus », par quelque temps qu'il fît, toujours
au grand air. Tout enseignement lui était donné sous forme de
jeu. Pour faire agir l'enfant, ne faut-il pas lui inspirer le désir
d'agir ? C'est en l' « embarrassant » dans « les monnaies
étrangères » qu'un de ses oncles lui apprenait le calcul. C'est
par des tours de jongleurs, d'escamoteurs, de prestidigitateurs
qu'un autre lui apprenait la physique. Plus tard, Lafcadio
dira : « J'ai beaucoup profité de cet enseignement ».

Malgré l'ironie du récit, on y trouve quelques-uns des prin-

cipes sur lesquels s'appuie la pédagogie récente. Dans ces nouvelles écoles, placées au milieu de la nature, les tout jeunes
enfants travaillent sur des objets matériels, boîtes, cadres, couleurs. Classement par places, examens sont supprimés, de
même l'immobilité. Le vieux système est aboli, qui était fondé
sur l'attention forcée et la mémoire. C'est bien la méthode
appliquée à l'enseignement de Lafcadio. Il s'agit avant tout
d'amener l'enfant à penser par lui-même, à imaginer, à comprendre, à créer.

Mais le problème difficile est de savoir *par qui* sera dirigé
cet enseignement. Gide, somme toute, n'a pas répondu.

Tout nous montre aujourd'hui que c'est l'État qui hérite des
fonctions de la famille, au fur et à mesure que celle-ci disparaît. L'évolution a commencé d'ailleurs, depuis des siècles [1].
Elle semble, malheureusement, nous conduire vers un avenir
bien menaçant. La libération de l'enfant risque de se faire
moins à son profit qu'au profit d'une nouvelle oppression collective et d'un système idéologique uniforme, établi précisément par l'État. Il faudrait pouvoir éviter l'étouffement de la
personnalité originale sous le poids de l'étouffement de la
collectivité, et écarter le danger de conformisme, peut-être plus
grave que jamais pour l'humanité.

Certes, si l'influence de l'État n'était pas déviée au profit
d'intérêts opportunistes, si l'État éducateur restait dans son
véritable rôle, l'expérience serait intéressante à suivre. Il est
vraisemblable que le groupe social étant plus large, devienne
moins tyrannique ; l'État s'immiscerait moins dans la person-

1. De la conception du *pater familias* jusqu'à nos jours, la famille
n'a cessé d'évoluer vers l'individualisme. Le développement industriel
a favorisé ce changement. L'État a commencé à donner l'instruction
aux enfants. Il s'occupe aussi de leur santé (lois sur les soins médicaux
aux enfants de parents indigents, lois sur la déchéance paternelle,
etc.) L'État a même tendance à intervenir à présent dans la vie
sexuelle du couple, sous l'influence des idées d'eugénisme. Un certain
eugénisme qu'on pourrait appeler « négatif », est entré en vigueur aux
États-Unis, dans quelques « États » où les criminels « dégénérés » sont
rendus stériles. Mais comment l'autorité peut-elle aujourd'hui prouver
la dégénérescence ?

nalité, dans l'intimité de l'enfant. Dans les conflits classiques
entre deux générations, concernant le choix de la profession, le
mariage, etc., etc..., l'État n'a aucun intérêt à heurter l'enfant.
Le père veut imposer à son fils son métier, ou celui qu'il aurait
désiré exercer lui-même ; l'État cherchera simplement à ce
que chaque individu soit placé de manière à pouvoir donner le
meilleur de lui-même [1].

Y a-t-il d'autres éducateurs que l'État ou les parents ? Gide
a remarqué que l'enfant adopté est souvent plus choyé que
l'enfant légitime. Le père de Bernard a pour son fils « des
sentiments d'autant plus forts » qu'ils échappent à la « voix
du sang ».

Peut-on imaginer des éducateurs individuels étrangers à la
famille qui, tout en enveloppant l'enfant d'une affection plus
véritable et plus pure, ouvriraient son intelligence ? La plupart
des philosophes grecs étaient entourés de jeunes gens qu'ils
cherchaient à élever jusqu'à eux : dans les plus belles de ces
écoles qu'on peut appeler « libres », l'enseignement avait
pour but le progrès de la vie intérieure.

Dans *Si le Grain ne meurt*, Gide a déclaré que s'il n'avait
pas été écrivain, il aurait choisi la carrière de professeur. C'est
que nulle tâche ne lui apparaît plus généreuse qu'éveiller à
la pensée un jeune esprit. Tâche difficile : « l'implacable
Proserpine » qui voulait donner au jeune Hercule une éducation divine, l'exposa dans son berceau sur des charbons
ardents, entouré de flammes. Le véritable enseignement exige
du maître, comme de l'élève, une certaine dureté envers eux-
mêmes. Il demande même de l'abnégation, car, à mesure que
l'enfant grandit, le maître doit se détacher de lui : « Nathanaël, jette mon livre... »

Si l'enseignement est encore trop souvent un système d'in-

1. C'est dans ce but que la recherche des aptitudes professionnelles
tend à devenir une science, qui doit permettre à l'éducateur d'orienter
l'enfant dans la branche du travail à laquelle il est mieux adapté.
Mais cette science, qui ne semble faire appel qu'à la psycho-physiologie,
peut entraîner à bien des erreurs.

compréhension, si la famille reste fermée sur elle-même, si le couple est déformé par la jalousie, c'est que le don de soi n'a pas véritablement pénétré dans la Maison.

« L'égoïsme familial est à peine un peu moins hideux que l'égoïsme individuel. »

CHAPITRE III

LA JUSTICE

En 1912, André Gide fut appelé comme juré à la Cour d'Assises de Rouen : « C'est une tout autre chose, écrit-il dans ses *Souvenirs,* d'écouter rendre la justice, ou d'aider à la rendre soi-même... A quel point la justice humaine est chose douteuse et précaire, c'est ce que, durant douze jours, j'ai pu sentir jusqu'à l'angoisse. »

C'est cependant plein de bonne volonté que Gide s'est dirigé vers le Palais de Justice. D'ailleurs, chacun des jurés, des magistrats, des avocats va s'efforcer de s'acquitter de ses fonctions avec toute sa conscience. Pourquoi la machine judiciaire fait-elle entendre, pourtant, de si « affreux grincements » ?...

Avant leur entrée dans la salle d'audience, les jurés avaient déjà subi la pression de l'opinion populaire : l'affaire Bonnot venait d'émouvoir le pays. « Surtout, pas d'indulgence ! » c'était le mot d'ordre soufflé par les journaux.

Pendant tout le procès, l'opinion collective continuera à contrôler la justice. Après un verdict impitoyable, « de hideux applaudissements éclatent dans la salle », on crie : « Bravo ! Bravo ! » ; « c'est un délire ». Rien n'aurait-il changé depuis l'époque du talion ? Un crime a été commis. La collectivité est heurtée dans sa conscience profonde. Elle demande réparation. Certes, il faut que la société intervienne. En répondant au crime par le châtiment, efface-t-on le crime ? Ce système de compensation rend-il à la loi violée son prestige ?

— La Cour ! Le procès s'ouvre. Attentif, Gide va s'appliquer de toutes ses forces à découvrir la vérité. — Accusé, levez-vous !

Chaque fois que j'ai assisté personnellement à un procès, la distance qui sépare le juge de l'accusé m'a frappé : ce dernier, enfermé dans son box étroit, entre deux gendarmes, se présente amoindri pour défendre sa vie. En face de lui, le président, prestigieux dans sa toge solennelle, trône, entouré de ses assesseurs, telle la représentation de la Trinité dans l'imagerie populaire. Que l'accusé se méfie, si le juge prend les apparences d'un bon père de famille, s'il fait rire le public, ou s'il entremêle de plaisanteries ses semonces morales. Quelle dangereuse épreuve que celle de l'interrogatoire !

Gide constate que fréquemment l'accusé ne comprend pas la question du président, qui parle pour lui un langage trop savant. Mais le président passe outre. La machine judiciaire tourne. Il n'a rien remarqué. Voici que dans les explications de l'accusé qui s'embrouille, il attrape au vol un mot compromettant et s'appesantit sur lui. Si l'inculpé veut se justifier, il lui coupe la parole et souvent le « bouscule ». Il cherche, sans s'en rendre compte peut-être, à « lui donner l'air coupable », à l'amener à se contredire, à se couper. Si l'accusé est emphatique, on dira qu'il ment ; s'il est timide, qu'il est insensible ; s'il est de caractère « sournois », il sera suspect : — Qu'entendez-vous par « sournois » ? demande Gide à un témoin. — « Je veux dire qu'il n'allait jamais boire ou s'amuser avec les autres. » Un commentateur de la Grande Ordonnance de 1670 déclarait que le « vilain nom » d'un accusé pouvait être une charge contre lui. De nos jours, un individu peu sociable, ou qui a simplement une « sale tête », est en état d'infériorité. S'il a « une réputation déplorable », il est à moitié perdu. La fiction de l'accusé présumé innocent jusqu'à preuve du contraire est impuissante devant la justice, qui ne fonctionne qu'en vue de la répression [1].

Gide, le cœur serré, tâche d'écarter toute chance d'erreur. Mais, comment y parvenir dans une procédure qui est fondée entièrement sur la mise en jeu des passions ? Ici, le procureur évoque l'horreur du crime et, au nom de la société, réclame vengeance. A son tour, l'avocat parle : il implore l'indulgence et la pitié [2]. Après avoir oscillé entre des sentiments contraires, chaque juré doit se replier en lui-même : sa conviction invérifiée, invérifiable lui sera dictée par la voix de sa conscience, cette voix si fallacieuse. En fait, l'opinion du jury, remarque Gide, est presque toujours celle du président...

Dès qu'un écrivain d'esprit quelque peu libre s'est approché ces temps derniers des tribunaux, il a été saisi par la même angoisse que Gide [3]. Ce sentiment est provoqué dans la conscience moderne par la nature même de la recherche judiciaire qui s'appuie sur des analogies, des apparences, des présomptions. En voulant établir qu'un homme est la *cause* d'un crime, la justice se préoccupe d'une causalité humaine, qui n'a aucun rapport avec la causalité scientifique. Rattacher entre eux deux phénomènes physiques, c'est tout autre chose que de rattacher un acte criminel à son *auteur*. Les rapports entre l'homme et ses actions restent à peu près incompréhensibles. « Nous sommes le père de nos actes, comme nous le sommes de nos enfants », écrivait déjà Aristote.

1. Une circulaire de M. Chéron, alors ministre de la Justice, félicitait, après les sessions d'Assises, les Présidents d'avoir bien accompli leur devoir — et en particulier d'avoir obtenu des jurys qu'ils n'aient pas acquitté trop souvent.

2. Gide est surpris que l'avocat fasse si peu ressortir les faits favorables à l'accusé. C'est une réflexion presque identique qu'a faite Mauriac dans *l'Affaire Favre-Bulle*. Les avocats eux-mêmes avouent que leurs plaidoiries sont souvent peu efficaces : ils s'appuient non sur le réel, mais sur les conventions en vigueur au « Palais ».

3. Il n'est pas excessif, je crois, de parler d'une crise actuelle de la justice, qui semble ne plus répondre aux exigences de notre esprit. Il suffit d'ailleurs d'ouvrir un manuel de Droit criminel à l'usage des étudiants pour constater combien les principes théoriques sur lesquels s'appuie le droit sont aujourd'hui fragiles et controversés par des écoles multiples qui s'entre-dévorent.

Cependant la terrible difficulté provient de ce que la justice
cherche moins un lien de cause à effet (— Qui est-ce qui a fait
ça ?) qu'une culpabilité (— A qui la faute ?). Dès lors toute
méthode rigoureuse lui est interdite ; elle en est réduite aux
intuitions incontrôlables. Des témoignages incertains, des
indices vagues, susceptibles d'interprétations contradictoires, qui
ne constitueraient jamais une *preuve* pour un savant suffisent
à un juge, non seulement pour trouver le coupable, mais encore
pour déterminer le degré de sa culpabilité. C'est justement
parce que de véritables preuves font défaut en justice, que les
magistrats se sont, en tous temps, efforcés d'obtenir, de gré ou
de force, des aveux. Ces aveux semblent si nécessaires que
l'opinion tolère avec indulgence les procédés de pression dont
se sert la police, encore aujourd'hui, pour faire avouer l'inculpé.

Cependant le procès va s'achever. Après avoir discuté ou
résisté passivement pendant plusieurs heures, ou plusieurs
jours, l'accusé attend le verdict. Tout est fini. Derrière son
box, les gardes vont ouvrir une porte qui le conduira vers
son destin. Le sort est jeté... Parmi tant de prévenus qui ont
défilé devant lui, Gide a été frappé par le cas de l'un d'eux,
Cordier, un honnête mais faible marin de vingt ans, entraîné
presque malgré lui, en état d'ivresse, par deux escarpes profes-
sionnels, à faire un mauvais coup. Gide a l'impression qu'il est
à peu près innocent. Mais comment le savoir ? La vérité fuit
à travers l'enchevêtrement des détails et la complexité des
sentiments humains. Il faudrait de la patience, de la précision
pour éclairer à loisir chaque cas particulier [1].

— Les débats sont clos, déclare le président. Gide est
« consterné » de leur rapidité, car il reste dans le doute. Cependant le jury décide. Le président prononce son jugement à
haute voix. Non, cette vérité solennelle n'est pas pour Gide la

---

1. Lorsque plusieurs complices du même délit sont jugés ensemble,
il devient encore beaucoup plus difficile d'apprécier le degré de
culpabilité de chacun d'eux. Il y a alors bien souvent une victime ;
tel est précisément le cas de Cordier.

vérité. Certainement l'arrêt qui condamne Cordier à cinq ans de réclusion est une erreur. Mais la machine judiciaire tourne, irréversible. Cordier est emmené par ses gardes...

Cette nuit-là, Gide ne peut dormir : « Je prends en honte... de [me] sentir à l'abri. » Le souvenir des précédentes audiences le hante. Un autre jour, un témoin a précisé que le coup de couteau du meurtrier avait fait « crrac » en se retournant dans la plaie, détail qui a entraîné pour l'accusé les travaux forcés à perpétuité. La justice serait-elle l'expression de la contingence ? Il faut si peu de chose pour qu'elle vous appréhende. « Il suffit, dit Protos à Lafcadio, d'un dépaysement, d'un oubli... un trou dans la mémoire. » Quand j'ouvre le Code pénal, je vois qu'il n'est pas un geste de notre activité qui ne risque de se transformer en délit ou en crime. Si ces lois étaient appliquées à la lettre, au moindre écart, l'homme serait perdu : une fois pris dans l'engrenage répressif, « si le ciel ne vous aide, écrit Gide, c'est le diable pour s'en tirer ».

Cependant le vice de construction de cet appareil s'aggrave : le responsable que la justice recherche pour chaque crime, elle prétend aujourd'hui le frapper dans la *mesure exacte* de sa culpabilité. Le jugement capital, écrit Kant dans sa folie de l'équité, doit être prononcé « *proportionnellement à la méchanceté interne du criminel* ».

Avec le développement de l'individualisme, surtout depuis un siècle, la société s'est intéressée de plus en plus à la personnalité de l'accusé et s'est appliquée à *doser* toujours davantage sa responsabilité. C'est ainsi que la loi a créé successivement, pour une même infraction, des peines variables [1], puis des circonstances aggravantes ou atténuantes, enfin le sursis. Le juge doit donc apprécier désormais le *degré* de perversité du délinquant, s'introduire dans sa conscience.

1. Le Code pénal de 1791 fixait, pour chaque crime, une peine précise. Celui de 1806 n'indique plus qu'un minimum et un maximum.

C'est pourquoi le tribunal est obligé d'adresser des questionnaires si longs aux jurés[1]. Ceux-ci, souvent peu habitués à un travail intellectuel, s'embrouillent dans le jeu, à présent si compliqué, de la loi. Gide les a vus, dans un cas où la peine encourue par l'accusé leur semblait déjà trop sévère, se décider à ne pas voter les « aggravantes », et cependant être contraints de les voter pour ne pas nier la matérialité des faits, si bien qu'ils auraient désiré voter ensuite les « atténuantes », afin de diminuer la peine. Pauvres jurés ! Ils sortent de leurs délibérations « les yeux hagards, comme ébouillantés, furieux les uns contre les autres... ». C'est que les questions qui leur sont posées sont, par nature, à peu près insolubles.

Le questionnaire qui est adressé au médecin légiste le rend également perplexe. Le médecin doit déterminer dans quelle proportion l'intention de nuire subsiste chez un criminel dément. Le tribunal lui demande de préciser si l'atténuation à la responsabilité est « légère, large, ou très large[2] ». Cette discrimination aboutit ici encore à des difficultés presque insurmontables. Quoiqu'un délinquant épileptique, par exemple, ne soit pas un aliéné, l'expert, pour lui éviter la prison, sera souvent contraint de lui jeter « sur les épaules la livrée du délire[3] ».

Il y a donc bien une faille dans le système de la responsabilité. Gide l'a nettement vue et, par sa notion d' « acte gratuit », il a démontré l'absurdité de tout le système.

— Vous voulez, déclare Gide en substance au tribunal, ne châtier le crime qu'après avoir apprécié les intentions du criminel. Soit ! Mais si le criminel n'a manifesté aucune intention, que ferez-vous ? Vous serez forclos. — Il y a toujours des intentions, répond le juge. Il faut qu'il y en ait. — Non pas, reprend Gide, ou tout au moins, ce qui revient au même, il y

---

1. On sait que le questionnaire comporte parfois jusqu'à plus de cent questions.
2. Il est à remarquer que ce n'est pas la loi, mais un décret ministériel qui a créé la *responsabilité atténuée*. Décret de 1905 qui interprète l'article 64 du Code pénal, énoncé ainsi : « Il n'y a ni crime ni délit lorsque le prévenu était en état de démence ».
3. Legrand du Saulle.

a des cas où on ne les voit pas. « Un acte gratuit... Entendons-nous... Les mots « acte gratuit » sont une étiquette *provisoire,* commode... » Mais il y a des « actes qui échappent aux explications psychologiques ordinaires, [des] gestes que ne détermine pas le simple intérêt personnel ». Appelons-les les « *actes désintéressés* ». Prenons un exemple bien choisi dans les « faits divers » : l'Affaire Redureau, si vous voulez.

En 1913, Marcel Redureau, ouvrier agricole, âgé de quinze ans, assomme son patron qui lui avait fait une réprimande, puis égorge six personnes qui restaient dans la ferme : femme, enfants, domestiques. Ni le vol, ni l'amour, ni la jalousie ne sont les mobiles de ces meurtres. Cependant les médecins légistes certifient que le jeune Redureau n'est ni un dément, ni un dégénéré, et le tribunal conclut à son discernement complet (ce qui entraîne pour lui vingt ans de détention). Mais comment peut-on affirmer la volonté consciente de tuer chez cet individu, lorsqu'on ignore le motif, et encore plus l'intérêt qui l'a poussé à ce septuple assassinat ? Et si l'on n'aperçoit pas l'intention de nuire, pourquoi condamne-t-on ?

Par le simple exposé d'un dossier typique, Gide bat en brèche l'antique système du châtiment lié à la faute. Ce cas n'est pourtant pas exceptionnel. Si Gide a réuni des « faits divers [1] », c'est précisément parce qu'ils bousculent les préjugés, qu'ils déroutent l'esprit. Encore seraient-ils plus nombreux si les agences de presse qui les transmettent ne les déformaient pas pour leur retirer ce qu'ils peuvent avoir de trop inquiétant. Un petite fille de douze ans, « animée d'un sentiment de méchanceté », précipite un enfant de trois ans dans un puits. Mais les mots : « animée d'un sentiment de méchanceté », ont été ajoutés par le journaliste parce qu'ils constituaient « la seule explication plausible... On ne tue pas ainsi les gens à cet âge ». Gide a vu défiler devant lui un incendiaire qui « manifestement n'avait mis le feu que par simple besoin de brûler ». — « Pourquoi avez-vous fait cela ? » demande le président.

---

1. Ils sont réunis dans une collection intitulée : *Ne jugez pas.*

L'accusé : — « J'avais pas de motifs. — Vous aviez bu, ce
soir-là ? — Non, monsieur le Président. — Est-ce par jalousie ? par envie ?... Alors, vous ne voulez pas dire pourquoi
vous les avez allumés [vos feux] ? — Mon Président, je vous
dis que j'avais aucun motif. » Devant son Code, le juge
devrait rester avec son verdict en suspens. Innocemment, avec
son « acte désintéressé », l'accusé lui joue un bon tour, comme
au médecin qui l'a condamné, un malade qui survit... : « Et
le président de se prendre la tête dans ses mains, renonçant à
comprendre. »

L'absence apparente de causalité humaine effraie l'homme
autant que le mystère des espaces infinis.

Il est vrai que lorsqu'un acte immotivé est accompli par un
dément, on cesse d'être inquiet. Or, peut-on affirmer qu'un
Redureau n'a pas agi sous l'effet d' « une impulsion naïve et
sommaire », *dont nous ne découvrons pas les caractères pathologiques ?...* Il y a des cas où le médecin reste longtemps sans
reconnaître une névrose. Dans certaines formes d'épilepsie,
écrit le docteur A. Ceillier, il n'est *pas un seul signe* sur lequel
s'appuie habituellement le diagnostic qui ne puisse faire
défaut [1].

Certes, entre un fou furieux et un homme sain, il n'y a
pas de confusion possible. Cependant la nature ne trace presque
jamais des démarcations *précises,* correspondant aux classifications de notre esprit. Il est aussi difficile de trouver une
frontière entre les êtres normaux et anormaux qu'entre le
règne végétal et le règne animal. C'est par degrés insen-
sibles qu'on passe d'un domaine à l'autre. Or les criminels

1. Cf. Rapport du docteur A. Ceillier sur la *Responsabilité pénale
des Epileptiques.* Ce rapport remarquable et courageux a paru dans
les *Annales de Médecine légale* (1929).
Parlant de schizophrénie, M. Minkowski pense que la médecine ne
doit pas seulement « étiqueter » des symptômes extérieurs précis, mais
y joindre un diagnostic « par pénétration », par sympathie avec le
malade, par intuition générale. Cette indication paraît intéressante
en ce qu'elle montre la psychiatrie perdant toute rigueur, et s'inclinant vers la psychologie.

appartiennent presque tous à une catégorie d'individus qu'il faut situer dans une région floue et incertaine entre les êtres sains et les aliénés avérés[1]. La psychiatrie, en évoluant, loin d'éclaircir la discrimination entre responsables et irresponsables[2], découvre que les tendances dites normales et dites pathologiques coexistent dans un même être, dont le comportement n'est déterminé que par le plus ou moins grand développement de telle ou telle tendance en lui. Les médecins légistes, appelés par le tribunal à répondre à des questions quasi insolubles, ne souhaitent d'ailleurs rien tant que de voir disparaître la recherche en justice de la notion de culpabilité. Par son analyse de l'acte criminel inexplicable, Gide aboutit à la même conclusion : le problème de la responsabilité enchaîné à celui de la liberté, apparaît aujourd'hui comme la recherche de la quadrature métaphysique du cercle[3].

« Renoncez, monsieur le Juge, écrit Gide, cédez la place au médecin. » N'est-ce pas frappant de constater que presque tous les accusés, qui ont défilé dans les *Souvenirs de la Cour d'Assises,* portaient des signes plus ou moins graves de dégénérescence ou avaient des parents tarés ?

Autrefois on infligeait des mauvais traitements aux prostituées syphilitiques ; on les oblige à présent à se faire soigner. Pourquoi la prison serait-elle considérée, pour un épileptique criminel, par exemple, comme un meilleur traitement que le gardénal ?

Si l'opinion hésite encore à suivre le médecin, c'est parce que, dans l'état actuel des lois, reconnaître la maladie du criminel, c'est reconnaître son irresponsabilité, et, *par conséquent, le rendre à la vie publique* et, qui pis est, sans soins. Lombroso,

1. C'est précisément pourquoi on pourrait compter « par centaines, écrivent les psychiatres Pactet et Colin, les aliénés enfermés dans les prisons. »

2. Le fait d'avoir introduit une ou deux classifications intermédiaires *n'atténue pas la difficulté,* au contraire, elle l'aggrave.

3. Gide a très justement remarqué, en outre, que des lois qui s'appuient sur l'idée de responsabilité protègent bien mal la société. Elles doivent, en effet, se montrer moins sévères à « un prédestiné, qui ne peut pas ne pas tuer, qu'à celui qu'une *dementia brevis* aveugle accidentellement... »

qui le premier a combattu le principe de la responsabilité, explique que *soigner* le délinquant s'il est dangereux, c'est *l'éliminer* de la société.

Soigner l'individu, c'est vers quoi devrait tendre l'évolution de la justice. La justice, sortie des brouillards de la métaphysique, ne serait plus qu'un droit de défense sociale, — et la punition qu'une rééducation.

Il est vrai que, sous les auspices de la société représentée par l'État, la rééducation (comme l'éducation) peut présenter un nouveau danger, celui d'un conformisme tyrannique. Au lieu des magistrats, ce seraient les psychiatres, les neurologues, les sociologues qui s'accrocheraient au principe d'autorité, leur raison d'être, et qui sacrifieraient à nouveau l'individu.

Mais toute réforme sociale présente un risque. Dans l'état actuel de la justice, c'est le jugement avant tout qui est à mettre en cause.

« Ne jugez pas », écrit Gide, qui ajoute aussitôt : « Certes, je ne me persuade point qu'une société puisse se passer de tribunaux. » Ne jugez pas la faute, mais protégez la société ! Hélas, elle se défend bien mal, avec une grossièreté enfantine, un inconscient et cruel besoin de saccage.

Après l'injuste condamnation de Cordier, Gide demande et obtient pour lui (avec quelle difficulté !) une réduction de peine : « Si on lui tend la perche, peut-être pourrait-on le sauver ? » Mais il ajoute : « Après la prison, ce sera [pour lui] le bataillon d'Afrique. Et au sortir de ces six ans, que sera-t-il ? Qui sera-t-il ? » C'est que le régime de la répression corrompt les prisonniers. Les enfants qui ont traversé des maisons de correction, les délinquants qui ont séjourné dans les prisons sont plus dangereux pour la société qu'avant la détention. Il n'est plus personne pour le nier. On en arrive à cette constatation paradoxale, que *la société serait mieux défendue si elle n'appréhendait pas les délinquants qu'elle a l'intention de relâcher.*

C'est que la peine cherche aujourd'hui à humilier avant
tout le condamné, à le plier sous l'uniformité d'une règle, à
lui faire perdre sa personnalité pour le ramener à n'être plus
qu'un matricule, qu'un numéro, qu'une chose. Ce n'est d'ailleurs pas seulement la justice, mais aussi la religion et l'éducation qui donnent au châtiment ce caractère d'excommunication
et de dépersonnalisation, — alors qu'il faudrait tenter un effort
exactement inverse [1].

Il y a cent cinquante ans à peine, les juges appliquaient la
torture. Il a trois siècles, ils condamnaient les fous, les enfants,
les animaux, les choses inanimées. Il faudra peut-être moins
de temps pour que nos tribunaux actuels paraissent aussi ana-
chroniques. Alors les murs des Palais de Justice finiront par
tomber. Ne jugez pas ! Non, Dieu n'a pas délégué à l'homme
le droit de justice pour punir. Non, l'homme n'est pas le
centre de l'univers.

1. Si on pouvait réveiller un criminel au moment de son forfait,
son moi entier serait loin d'approuver son action ; il découvrirait en
lui, refoulées dans l'inconscient, quantités d'idées et d'images qui, si
elles avaient participé à l'action, l'auraient complètement modifiée, en
auraient fait une autre action. *Il n'agissait donc qu'avec une partie de
lui-même*, sous l'influence d'une impulsion isolée sous l'empire d'une
obsession. Lui apprendre à agir avec toute sa conscience serait lui
permettre d'éviter le crime. Cette conception suppose naturellement
un état social qui ait pour but le libre développement de l'individu.

Les crimes couramment réprimés en justice sont accomplis dans cette
sorte d'état hallucinatoire. C'est d'ailleurs pourquoi les criminels,
même ceux qui préparent le mieux leur crime, laissent presque
toujours des traces derrière eux ; n'étant pas en possession d'eux-
mêmes, le moindre fait imprévu les déroute complètement.

CHAPITRE IV

VUE SUR LA COLONISATION ET LE TRAVAIL

En 1925, Gide quitta la France pour le Congo ; il n'emportait avec lui que des filets à papillons ; il partait pour le plaisir, espérant jouir, dans « la volupté, l'oubli », de la nature, du ciel bleu, de la forêt vierge. Mais, dès les premières escales, le pays « enchanteur » changea d'aspect. A Libreville, c'est la disette. Bordeaux a expédié des conserves, mais elles sont avariées. A Brazzaville, aucune hygiène ; les épidémies sévissent : c'est le prologue.

A peine s'est-il engagé dans les sentes où les Européens s'aventurent rarement, en plein Oubanghi, qu'il voit venir à sa rencontre un petit groupe de noirs, le plus lamentable bétail humain qu'on puisse imaginer : « Quinze femmes et deux hommes attachés au cou par la même corde... à peine en état de se porter eux-mêmes », avancent « escortés de gardes armés de fouets à cinq lanières ». Dans d'autres régions, ce sont d'autres colonnes, plus misérables encore. Gide interroge. On n'ose lui répondre. La terreur règne. Ce sont des noirs qui fuient le *portage*. Pas de chemin de fer, pas de routes, ni de voies d'eau suffisantes. Les autorités sont obligées, pour assurer les transports, de recruter les indigènes, et comme l'administration a abusé de ces recrutements, les noirs sont mobilisés de force : on lance à leur poursuite des miliciens qui se livrent

à une véritable chasse à l'homme. Dès lors, les habitants s'en-
fuient, abandonnant leur culture. Les familles s'égaillent. Chacun va vivre dans la brousse ; ils se terrent comme des
« fauves », disent les rapports administratifs secrets [1]. De
contrées riches, de villages florissants, il ne reste souvent que
ruines. Ce tableau rappelle celui de la mobilisation des indigènes en 1914, tel que me l'a décrit un administrateur colo-
nial. Chaque village devant fournir un contingent fixé d'avance,
on considérait comme insoumis le village qui n'atteignait pas
le chiffre imposé. Alors une escouade le cernait ; on ouvrait le
feu sur les cases. On les incendiait si les noirs n'en sortaient pas
assez vite. Apeurés, traqués, ils se livraient. Le troupeau était
expédié, sous bonne garde, jusqu'au prochain centre adminis-
tratif. Les bancals et les infirmes étaient renvoyés chez eux ;
les autres dirigés, après peu de temps, vers le front. Aujour-
d'hui, le front, c'est le chantier de la voie qui doit relier Brazzaville à Pointe-à-Pitre. A Fort-Archambault, en plein cœur
du pays, Gide a vu partir des caravanes qui s'acheminent par
le fleuve vers la côte. Transports de « pièces d'ébène » qui
ressemblent à ceux de jadis. Entassés sur le pont des cargos,
au point que certains tombent dans le fleuve et se noient, ils
sont brûlés par les escarbilles qui jaillissent des cheminées, sans
couvertures, et meurent dévorés par la fièvre [2]. Gide n'a pas
vu les chantiers de la côte. Albert Londres les a décrits : les
outils manquent, dit-il, les nègres remplacent la machine, le
camion, la grue. « Il faut accepter le sacrifice de six à huit
mille hommes, a dit M. Antonetti, le Gouverneur général,
ou renoncer au chemin de fer. » Le sacrifice s'élevait en 1929
à 17.000 hommes, et il restait 300 kilomètres à construire.

Sans doute les difficultés matérielles, dans ce pays trois fois
plus grand que la France, peuvent paraître presque insurmontables. Elles n'enlèvent rien cependant aux horreurs du tableau

1. C'est Gide lui-même qui cite ces rapports dans ses livres : Le
Voyage au Congo et Le Retour du Tchad.
2. Voyage au Congo, page 195. Il est intéressant de comparer cette
page aux Aventures d'un Négrier (Choses vues, Plon, éditeur) au début
du XIXe siècle.

que Gide a découvert là-bas et qu'il a dépeint avec sa prudence ordinaire.

Désirant ne pas soulever le principe de la colonisation, ce sont les funestes erreurs de son application qu'il va chercher avant tout à combattre.

Souvent le noir, nous dit Gide, se rend compte qu'il est en retard sur l'Européen. Il voudrait s'élever jusqu'à lui. C'est une collaboration qu'il appelle. Mais le blanc ne répond guère que par la cruauté et le mépris. Tel est le premier aspect du drame de la colonisation.

C'est encore une fois le vieux principe d'autorité qui réapparaît, mais ici dans toute sa brutalité. Perdu dans un immense territoire, mal connu, chargé presque uniquement de faire rentrer les impôts, de réquisitionner des vivres et des hommes, l'administrateur croit ne pouvoir s'appuyer que sur la force et le travail forcé. Toute autre méthode lui semble chimérique [1]. « Soyez tranquille, déclare un colon à Gide, *ces gens-là* ne se laisseraient pas mourir de faim. » Donc inutile de les nourrir. Ces gens-là « sont tous fourbes, menteurs et voleurs ». Il ne reste donc qu'à les bousculer, qu'à les rudoyer. « Moins le blanc est intelligent et plus le noir lui paraît bête. »

Dans ses rapports personnels avec le bas peuple indigène, Gide n'a découvert presque toujours qu'honnêteté, fidélité, amitié, « désir de s'instruire et par là de se rapprocher de nous ». Dès lors, il s'indigne : « Quoi ! Tant de dévouement... de désir de bien faire... de possibilité d'amour qui ne rencontrent le plus souvent que rebuffade... je sens toute une humanité souffrante, une pauvre race opprimée. » A mesure qu'il séjourne dans le pays, la colère s'élève plus violemment en lui : « Quelle persévérance dans l'incompréhension, quelle politique de haine et de mauvais vouloir il a fallu pour obtenir de quoi justifier... les exactions, les sévices ! » Gide se révolte, et son livre devient, par sa précision, sa modération dans

1. Cf. Lire les naïfs aveux de M. Jean Bénilan, administrateur au Congo à l'époque où Gide le traversait (*Revue de France* du 1er novembre 1930).

l'expression, un terrible réquisitoire contre les méthodes de
colonisation européenne.

Encore Gide n'a-t-il parlé que du Congo et seulement des
faits qu'il a personnellement observés. Partout cependant la
même tragédie se répète. Dans chaque colonie où il s'est établi,
l'Européen a promis les bienfaits de sa civilisation. L'indigène,
devant le fait accompli, est allé, en général, confiant et respec-
tueux au-devant de lui. Aux Indes, les « grands bâtisseurs »
jusqu'à Gandhi ont tendu la main à l'Angleterre [1]. En Indo-
Chine, au Tonkin, en Annam, les fils des familles nobles ont
regardé pleins d'espoir vers la France. Cependant Gandhi est
en prison ; des centaines de nationalistes annamites ont été
décapités — en particulier des étudiants, même des lycéens —
il y a deux ans, comme des malfaiteurs ; des avions ont bom-
bardé les villages indigènes, tuant femmes et enfants [2]. Partout le colon injurie : — Sale nègre ! Sale jaune ! Sale mori-
caud ! Et sous le signe du mépris de race, c'est une lutte à
mort, sans doute fatale, qui se joue entre la race colonisatrice
et la race colonisée. On dirait finalement que le blanc n'a
plus que le choix entre voir l'indigène disparaître, ou être chassé
par lui [3]. Aussi Gide se demande aujourd'hui si ce n'est pas
le principe même de la colonisation qui est indéfendable...

Je crois que celui-ci a été vicié en soi, dès l'origine, du fait

1. Cf. Dans ses études sur *Ramakrishna, Vivekananda* et *Gandhi*,
Romain Rolland montre ce que les « grands bâtisseurs » de l'Inde au
xixe siècle doivent à l'Angleterre et quel était alors leur désir de
collaboration avec elle.

2. Cf. C'est M. Louis Roubaud qui rapporte ces faits dans un reportage courageux et émouvant sur l'Indo-Chine : *Viet-Nam* (*Valois*,
éditeur).

3. Il semble que les pays colonisés n'échappent pas à cette alterna-
tive : certaines races comme jadis celles des Aztèques ou des Incas,
aujourd'hui les Polynésiens, les Australiens ou les Noirs du Congo,
ont disparu complètement ou sont en voie de disparition. Les nègres,
écrit Gide, « sitôt qu'ils sont malades » deviennent « mous », ils
« s'immobilisent dans un coin. » On a l'impression que la vie est en
eux une toute petite lumière et qui s'éteint au contact du blanc.
D'autres races, au contraire, comme celles des Indes, de l'Indo-Chine,
se sont multipliées grâce aux premières mesures prophylactiques et
économiques apportées par les blancs, mais alors elles ont repoussé ou
sont en train de repousser leurs colonisateurs.

que l'Européen s'est toujours introduit en conquérant et en spoliateur chez l'indigène (c'est son rôle même de conquérant qui a engendré son préjugé de race, et non pas le préjugé racial qui l'a amené à la persécution) ; c'est parce qu'on traite un homme en esclave qu'on le méprise. Si les abus ont pu devenir un état de choses toléré, presque général et normal, c'est que la violence est à la base même de toute entreprise coloniale [1].

Et pourtant désespérer du principe de colonisation, n'est-ce pas désespérer de tout rapprochement entre peuples ? La terre à présent est trop petite pour qu'un peuple puisse vivre dans l'isolement. Le grand Mur de Chine est devenu un autostrade. Les vieilles civilisations se réveillent de la léthargie de leur passé. Et un nouveau péril surgit, dont Gide n'a pas eu à parler, car il apparaît surtout en Asie, chez des peuples colonisés plus résistants, qui ne meurent pas au contact du blanc.

Ces peuples se transforment en nations modernes, et par là même en nations guerrières et jalouses de leur souveraineté. Rien de plus difficile, nous le savons, que le véritable individualisme, celui qui conduit à la coopération. Qu'il s'agisse des peuples ou des hommes, ce n'est que dans la mesure où ils développent leurs qualités propres, où ils apportent chacun au monde quelque chose de particulier et d'unique qu'ils peuvent s'acheminer vers l'équilibre, équilibre qui ne doit être fondé ni sur une assimilation réciproque, ni sur une opposition de forces.

Si nous voyons aujourd'hui les vieux pays asiatiques évoluer d'une manière si menaçante, échapper lentement au cadre immobile de race pour entrer dans le cadre séparatiste de

1. Que chaque nouvelle entreprise de colonisation soit, à ses débuts, un système de « spoliation », il est intéressant de noter que M. Albert Sarraut (ministre des Colonies en 1932) le reconnaît. (Cf. *Grandeur et Servitude Coloniale*, éditions du Sagittaire). M. Albert Sarraut pense que le blanc peut, par ses bienfaits matériels et moraux, racheter son péché originel. Mais pour réussir, il faudrait qu'il ait le pouvoir d'abnégation d'un Dieu. « Quiconque se sert du glaive périra par le glaive. »

nation, c'est qu'ils cherchent à imiter l'Europe, c'est que l'Europe en les éveillant leur a versé le poison de son propre égoïsme.

*
* *

Ainsi le problème des colonies paraît lié à l'organisation interne de la société européenne. Gide a été amené à envisager ces deux aspects de la colonisation lorsqu'il a voulu poursuivre son action contre les compagnies concessionnaires du Congo.

Je les ai passées sous silence jusqu'à présent. Cependant les plus graves exactions, commises dans la colonie, étaient plus encore leur fait que celui de l'administration. Deux ou trois grandes sociétés se partagent ces immenses régions pour la récolte du caoutchouc. Les noirs leur ont été concédés par l'État avec les terrains « en toute propriété [1] ». Elles fixent ainsi à leur gré le salaire de l'indigène et lui accordent tout juste de quoi ne pas mourir de faim : 1 fr. 50 par kilo de caoutchouc, qu'elles revendent 20 francs, parfois 30, parfois 40 francs [2]. Un indigène pour récolter dix kilos est obligé de passer un mois en forêt et gagne 10 francs, soit 120 francs par an. Le moindre agent de la compagnie touche 60.000 francs. C'est au Congo que Gide a vu jouer la fameuse loi d'airain. S'initiant peu à peu au change, aux prix, aux redevances, il a saisi ces « question sociales angoissantes », qu'il n'avait fait qu' « entrevoir ». Derrière la colonisation, il a découvert le capitalisme.

Régime dont les principes sont partout les mêmes, mais plus accusés aux colonies. Gide est révolté par les amendes que les factoreries déduisent du salaire des indigènes pour retard dans les livraisons, et qui se traduisent souvent par un ou deux mois de travail non rémunéré [3]. Il voit comment les compagnies

1. Un « cahier des charges », il est vrai, doit protéger l'indigène, mais ses clauses ne sont guère respectées.
2. Dans la province voisine, où les compagnies ne règnent pas, le caoutchouc y est payé 7 fr. 50 à l'indigène. Chiffres donnés par Gide.
3. En Europe, dans de nombreuses sociétés, l'employé en retard de quelques minutes subit sur son traitement une retenue.

tournent un contrat de travail, en promettant aux récolteurs un
« sur-salaire », moyennant « certaines conditions favorables »
(si le prix du caoutchouc monte en Europe, si le caoutchouc est
assez sec..., etc.), mais ces conditions ne sont jamais obtenues,
et le noir travaille davantage, et en vain. En imaginant la
vie d'un pagayeur, qui mourut au cours de la remontée du
Logone, Gide écrit : « Quelle misérable existence aura-t-il
connue !... Kara avait quarante ans environ. C'est le fils aîné
d'une nombreuse famille... Il quitte la vie sans espérance,
et durant toute sa vie n'a jamais eu l'espoir sans doute de
pouvoir gagner plus d'un franc cinquante par jour. »
C'est la destinée de beaucoup de prolétaires que Gide évoque
ainsi.

Cependant les pires abus des compagnies, c'est par hasard
que Gide va les découvrir. Peu de temps avant son passage,
vingt noirs ont été torturés par les agents de la *Forestière* ;
cinq enfants, brûlés volontairement dans une cabane ; des tribus, pressurées et saignées à blanc par représailles. L'administration, complice ici des compagnies, a demandé qu'on lui
apporte « les oreilles et parties génitales » des nègres tués, dont
le nombre s'est élevé à un millier.

Pourquoi ces victimes ? parce que quelques « récolteurs »,
sans même refuser de travailler pour la compagnie, sont retour-
nés pour quelques jours dans leur village, ou ont livré du
caoutchouc en quantité insuffisante. La société avait donné
l'ordre à ses agents de forcer la production. A quels excès ces
mesures peuvent conduire, c'est ce que Gide constate par lui-
même. Il est effaré. De même que quelques années auparavant,
lorsqu'il a vu le marin, Cordier, victime d'une injustice, il ne
peut dormir pendant plusieurs nuits. Mais cette fois, l'injustice
est plus générale, plus profonde. Une nouvelle réalité s'ouvre
à lui. Il ne s'agit pas seulement de quelques agents commer-
ciaux, plus ou moins responsables, « c'est un régime qui est en
cause, dit-il, un régime abominable... qui asservit et exténue
tout un peuple... » Le pays ne pourra guérir, « aussi longtemps

qu'on ne l'aura pas délivré de ces sangsues que sont les compagnies concessionnaires ». Comment divulguer, de manière à se faire entendre, ces faits qu'il est seul à connaître ? Comment les exposer avec le plus d'efficacité ? Il s'efforce avant tout de ne pas généraliser « ces abus particuliers à » l'Afrique Équatoriale Française. Il pense que sa revendication mérite de rallier « tous les honnêtes gens » de tous les partis. Mais c'est en vain qu'il essaie de se placer au-dessus de la politique. Tant pis, Gide est décidé à parler.

Avant même de rentrer en France, il apprend que son livre doit être « torpillé » [1]. Dès qu'il a paru, les compagnies recrutent des alliés dans la presse. Ici, dans un grand journal, Gide est considéré comme un littérateur plein de sensiblerie. Quel est l'auteur de l'article ? C'est un parent d'un des administrateurs de la *Forestière*. Dans un autre organe, la compagnie est représentée comme une espèce de société de bienfaisance qui assure aux indigènes l'assistance médicale, met à leur disposition un économat, un orchestre, un cinéma. Mais de quelle société s'agit-il ? D'une société sans aucun rapport avec les compagnies concessionnaires [2]. A cette même époque j'ai rencontré l'ami d'un des administrateurs de la *Forestière*. Cet ami, homme d'affaires, croyant que mon présent ouvrage allait paraître sous peu, me fit comprendre que mon intérêt était de défendre la société *Forestière* [3].

Dans un seul journal, *le Populaire,* M. Léon Blum appuya Gide dans sa campagne. Aussitôt M. X..., administrateur de la *Forestière*, usa longuement de son droit de réponse. La compagnie se faisait aimable et innocente. Des nègres ont été fusillés, brûlés, torturés ? Que peut-elle, sinon prendre l'attitude de Ponce Pilate ? Elle n'a aucun pouvoir ; ce sont les agents du

1. Son *Voyage au Congo* révèle précisément les abus des compagnies.
2. Ajoutons cependant que ce même journal a, dans un autre numéro, remis « en place les cartes brouillées ».
3. Un dossier devait naturellement m'être remis, dans lequel j'aurais trouvé, exposés objectivement, les faits établis dans leur exacte vérité ! C'est de ce dossier que s'est servi, à défaut d'autre porte-parole, l'administrateur lui-même dans les réponses qu'il a faites à Gide et à Léon Blum et dont nous allons parler.

gouvernement, ou les nègres eux-mêmes, qui se sont livrés à ces atrocités.

Cependant Gide n'admet pas le maquillage de cette affreuse affaire. L'enquête administrative qu'il a provoquée a déclenché une action judiciaire. La lutte est portée jusqu'à la Chambre. En 1927, le ministre des Colonies, fidèle à l'entretien personnel qu'il a eu avec Gide, déclare : « Toutes les grandes concessions expirent en *1929*. Je donne à la Chambre l'assurance qu'aucune d'elles ne sera renouvelée ou prolongée... » Est-ce la victoire ? Gide a-t-il contribué à « délivrer cent vingt mille nègres de l'esclavage ? » Six jours après cette séance parlementaire, le journal *l'Information* annonçait que la *Forestière* projetait une augmentation de capital, précisément pour exécuter un programme de plantation, « lié au renouvellement des concessions en 1935. » Étonnant tour de passe-passe. La *Forestière*, dont le bail ne s'achevait qu'en 1935, n'était pas comprise dans les promesses du ministre, qui n'avait parlé que des renouvellements de 1929.

De quel droit Gide quitte-t-il ses romans pour protester ? Les choses vont-elles si mal dans le monde capitaliste ? Qui ose parler de l'esclavage des nègres, qui sont des « engagés volontaires » ? N'y a-t-il pas des règlements, des « cahiers des charges » qui les protègent ? Lorsque ceux-ci ne sont pas respectés, n'est-ce pas parce qu'il était impossible d'agir autrement ?

La *Forestière* parle non seulement des *bienfaits* de la colonisation en général, mais encore des bienfaits qu'elle apporte « à ses employés noirs, en leur faisant apprécier les satisfactions matérielles que [le travail] procure » [1]. Les grandes sociétés et leurs directeurs désirent que leurs profits prennent une appa-

---

1. Réponse de l'administrateur de la *Forestière* à Léon Blum. Dans son ouvrage *Épopée du Caoutchouc*, M. G. Le Fèvre, parlant des coolies, écrit : « ... la double formule de la vie : travail et pauvreté ».
Aux États-Unis les dirigeants de la *Standard Oil* écrivent textuellement : « Notre organisation administrative est l'application du *Sermon sur la Montagne* aux grandes affaires. » C'est-à-dire, explique-t-elle : « l'individu qui oublie son intérêt dans la joie de bien faire son travail est celui qui, finalement, s'enrichit le plus. »

rence désintéressée : Lœwenstein voulait, en diffusant l'élec-
tricité, le bonheur de l'humanité ; Michelin, sa fécondité ;
Ford, sa « prospérité ». La *Forestière,* elle, aspire à des buts
analogues : à rendre les populations « plus nombreuses, plus
prospères, plus heureuses ». Vouloir la mort des grandes
compagnies, c'est donc une « solution simpliste », qui ne fait
que « retarder beaucoup la mise en valeur [des] vastes régions
[congolaises]... et l'accroissement du bien-être des indigènes ».
Ceux qui soutiennent de semblables thèses ne sont généralement
pas de mauvaise foi.

« La cause *première...* » des violences qui sont infligées au
noir, explique l'administrateur de la *Forestière,* c'est la condition terrible où son inertie « depuis des millénaires » le fait
croupir.

Si l'indigène se révolte, a écrit Galliéni à Madagascar, « les
causes sont dans la mentalité de ces tribus sauvages et dans
[leur]... inaptitude à distinguer la bienveillance que nous leur
avons toujours témoignée... »

Ainsi, sans avoir voulu faire la critique d'un système économique et social, Gide est obligé de constater « l'occulte puissance de ces sociétés » organisées « pour le seul profit, pour le
seul enrichissement de quelques actionnaires ». Sans doute,
c'est aux compagnies du Congo qu'il pensait en écrivant ces
mots, mais il ajoute : « C'est à Paris d'abord qu'est le mal... » ;
c'est à Paris que sont les chefs de l'administration, de la presse
et de la politique : un petit groupe d'hommes placés à la tête
des principaux organes dirigeants de la société ne travaille que
dans son intérêt personnel, au douloureux détriment des masses.
Par sa véhémente campagne contre les compagnies du Congo,
Gide a contribué à divulguer cet état de choses.

A l'époque où il s'est lancé dans l'action, il ne pensait certainement pas mettre en question le régime lui-même. Mais
dès qu'il a découvert le capitalisme, il n'a pu s'en dissimuler
les tares. Dans ses récents textes, se tournant vers la Russie, il
écrit : « Je voudrais crier très haut ma sympathie pour
l'U. R. S. S. et que mon cri soit entendu ; ait de l'impor-

tance. Je voudrais vivre assez pour voir la réussite de cet énorme effort, son succès que je souhaite de toute mon âme, auquel je voudrais pouvoir travailler... »

Quels que soient les dangers que comporte toute expérience nouvelle — dangers inhérents à la vie — Gide les préfère aujourd'hui aux formes d'oppression de notre société. Car la marche vers l'avenir est susceptible de nous mener à un état de libres rapports humains, se substituant à l'ancienne société bourgeoise, vers une véritable association d'individus « où le libre développement de chacun [sera] la condition du libre développement de tous » [1].

1. *Manifeste communiste* de K. Marx et F. Engels.

Le présent ouvrage était à peu près achevé lorsque André Gide s'est rallié au communisme. Son éclatante adhésion est venue confirmer son attachement grandissant pour l'individu, non pas pour un individu abstrait, isolé et théorique, mais replacé dans la société dont il est inséparable. Si, dans les textes les plus divers, Gide s'est intéressé si souvent à la famille, à la religion, à la justice, à la patrie, c'est que déjà, plus ou moins consciemment, le préoccupait la question sociale.

Malgré bien des détours et d'apparentes contradictions, l'esprit de Gide a évolué dans un même sens : s'éloignant de plus en plus de l'idée de Dieu, d'un Dieu traditionnel qui récompense les bons et punit les méchants, il n'a cessé de se rapprocher de l'idée d'homme. Sa lutte intérieure contre la religion fut longue et douloureuse : il est pénible d'avoir à recréer l'univers ; et tellement commode et reposant, au contraire, d'accepter une vérité révélée, une conception toute faite de la morale, de la vie et de l'après-vie. Et puis tant de souvenirs pathétiques, d'exaltations merveilleuses s'attachaient à la pieuse adolescence de Gide.

N'importe. Il a rejeté tout ce passé : « Dieu, écrit-il dans son *Journal,* c'est pour moi le grand Bouche-Trou. Et je peux bien crier avec Hugo : — *Il est ! Il est ! Il est ! Il est éper-*

dument ! La belle avance si je ne sais pas Quel il est. Notre adoration reste à l'échelle de l'homme... » Désormais quelle que soit la question que le Sphynx posera à l'Œdipe de Gide, Œdipe a résolu d'avance de répondre —— L'Homme, car à toutes les grandes questions de la vie, « il n'y a qu'une seule et même réponse... »

C'est au moment où Gide, après sa période prolongée d'inquiétude, pose cette première affirmation, que commence un nouveau débat pour lui. Il semble approcher de la sérénité, toucher au but. Mais qu'est-ce qu'une tranquillité dont il serait *seul* à jouir ? Non, s'écrie-t-il, je ne veux pas « d'un impitoyable bonheur... »

S'agit-il d'un besoin de prosélytisme ? Veut-il faire connaître à ses proches, à ses amis, à tous la certitude nouvelle qui l'habite ? Est-ce par générosité qu'il cherche à communiquer sa joie ? Toute son évolution morale (son goût du don de soi autant que son individualisme) l'ont incité à regarder d'un œil neuf une partie de la société, qui lui était restée presque étrangère.

C'est alors que Gide a été saisi d'une véritable angoisse en songeant combien les simples conditions matérielles du bonheur sont réduites. A peine peut-on dire qu'elles existent sur une toute petite partie du globe, et là, tout au plus, dans un tout petit milieu de privilégiés. Partout ailleurs, c'est la famine, l'oppression, la vision de l'épouvantable misère humaine...

Sans doute dès ses premiers livres, Gide a évoqué les quartiers de pauvres, les « maisons sordides » qu'habitent « la maladie, la prostitution, la honte, le crime et la faim ». Mais à présent cette misère est devenue pour lui une réalité tellement immédiate et pressante qu'elle ne lui laisse plus de repos. Tout le ramène à elle. Tout dans la société contemporaine, ses injustices qu'elle masque sous de grands mots démocratiques vides de sens, sa barbarie militaire, son impuissance à répartir les richesses qu'elle crée, tout le révolte. Gide n'a plus la tranquillité d'esprit nécessaire pour écrire des œuvres de fiction.

Les traditionnels petits romans lui paraissent dérisoires. L'artiste ne peut-il travailler qu'en interposant entre lui et le monde une sorte d'écran ? Toujours est-il qu'il y a des moments où il se sent, en quelque sorte, obligé de descendre sur la place publique et de parler... C'est sous une pression impérieuse de cette nature que Gide a fait paraître, dans la *N. R. F.,* ses notes sur le communisme...

Depuis longtemps, le goût de Gide pour le dénument, son indifférence au sentiment de propriété l'incitaient naturellement à envisager un état de société, où le travail serait moins étroitement attaché à l'argent qu'aujourd'hui, où le gain ne serait plus le mobile essentiel de l'activité humaine. Cependant ce ne sont pas des aspirations sentimentales qui ont mené Gide au communisme, mais sa position individualiste. C'est elle qui l'a conduit aux problèmes sociaux : dès lors, il n'a plus vu qu'une seule issue, il n'a gardé qu'un seul espoir...

N'est-il pas frappant qu'à la même heure, un autre grand esprit, que Gide a littérairement parfois méconnu, arrive, presque en même temps que lui, à des conclusions analogues aux siennes. C'est en des termes bien proches de ceux dont Gide s'est servi, que Romain Rolland s'est déclaré en faveur de la grande expérience russe : « Je crois en l'œuvre de l'U. R. S. S., a-t-il écrit. Je la défendrai tant que le souffle me restera. » Il y a plus : « Vous êtes, mes amis en U. R. S. S. a ajouté Romain Rolland, des consciences libres, donc de *vrais individualistes sans le savoir...* » Et Gide : « *L'individualisme bien compris doit servir à la communauté...* [1] et je tiens pour erreur de l'opposer au communisme. »

Ce n'est pas par hasard que se rencontrent deux écrivains aussi différents. Il n'est guère de penseur, actuellement en Occident, qui ne soit incliné au pessimisme le plus tragique, ou à la révolte, ou qui n'envisage la réforme sociale comme suprême recours. Valéry désespère, et de l'Europe, et d'une humanité qui semble vouée à la guerre d'extermination. Einstein en

---

1. C'est moi qui souligne.

arrive à conseiller aux hommes la plus grave des rébellions, le
refus du service militaire ; (mais l'insurrection individuelle
a-t-elle jamais eu une chance de réussite ?) Écrivains ou savants,
essayistes ou philosophes, tous ceux qui considèrent lucidement
notre civilisation la sentent menacée dans ses profondeurs,
croient à la nécessité d'un renouvellement [1].

Toute l'histoire ne nous enseigne-t-elle pas la perpétuelle
évolution de la vie et notamment des formes sociales ? Dès le
moment où l'on accepte l'idée d'évolution, il semble que le
mouvement naturel des sociétés les entraîne, plus ou moins
vite, mais nécessairement vers le socialisme. On constate, depuis
quelques siècles, que les idées des penseurs d'avant-garde sont
entrées, partiellement au moins, dans les mœurs et les institutions : en 1789, les doctrines des Encyclopédistes ; au cours du
XIXᵉ siècle, le programme, dit réformiste, des socialistes. Il
suffit de cinquante ans à peine pour qu'un parti politique,
placé au Parlement à l'extrême gauche, soit chassé peu à peu
vers le centre [2]. Peut-être verrons-nous, dans un temps relativement rapproché, le parti communiste lui-même, poussé dans
le même sens, par un parti plus extrémiste. Si la vie, et surtout la vie sociale, nous donne cette impression d'avancement
perpétuel, que faire sinon aider cette marche en avant ?

L'idée de progrès est aujourd'hui une des préoccupations
dominantes de l'esprit de Gide, et c'est elle qui donne sa véri-

1. L'incapacité de la société à répartir les produits du travail est
notamment frappante. M. Caillaux a expliqué que si la science et l'industrie parvenaient à créer une machine unique, manœuvrée par trois
ouvriers, machine capable de subvenir à *tous* les besoins sans exception des hommes, ceux-ci mourraient de faim et de froid, car, n'ayant
pas de travail, ils n'auraient pas d'argent, et donc pas la possibilité
d'acquérir les produits fabriqués par cette machine. Aussi M. Caillaux conseille-t-il (comme Duhamel également) de suspendre, pendant
un certain temps, les inventions nouvelles, d'arrêter en quelque sorte
le progrès pour éviter de plus graves catastrophes... S'il est vrai que la
société actuelle, qui jusqu'à présent a eu pour principal mérite de
favoriser précisément le développement scientifique et industriel, est
incapable de continuer à assumer ce rôle, elle devient dès lors difficile à défendre...

2. Dans l'actuelle Chambre des députés française, les partis situés
à droite portent des étiquettes où figurent le mot *gauche*. C'est que
les royalistes ont à peu près disparu. Les « radicaux », jadis situés à
gauche, occupent le centre... etc...

table signification à son adhésion au communisme. Grave et dangereuse idée que celle du progrès ! Les esprits qui, au XVIII° siècle, l'ont énoncée les premiers semblent avoir été tellement enivrés par elle qu'ils l'ont poussée, trop vite et d'une manière trop simple, à des conséquences extrêmes. C'est pourquoi on appelle souvent « primaire » celui qui croit aujourd'hui au progrès. Mais de qui vient ce mépris ? Généralement des croyants et des orthodoxes, qui sont obligés de se raccrocher à une conception statique de l'univers, à une vérité donnée par Dieu, définitive et éternelle.

Gide n'hésite pas à réhabiliter l'idée discréditée de progrès. Même dans l'état actuel de notre civilisation, et même en négligeant l'accroissement du pouvoir matériel de l'homme, il faut reconnaître que la connaissance est dans un perpétuel devenir. La philosophie est obligée de réviser sans cesse sa critique de l'intelligence et de montrer la valeur, toujours plus relative à l'homme, des résultats acquis par l'expérience. Progrès négatif ? Peut-être, en ce sens qu'il nous éloigne de plus en plus du vague, c'est-à-dire qu'il nous rapproche d'une vérité.

Cependant, répondent les détracteurs de l'idée de progrès, l'histoire ne fait apparaître aucun progrès moral de l'homme, et c'est le seul qui importe. Gide est sans doute incliné à croire que le devenir moral doit suivre, à une distance plus ou moins longue dans le temps, le devenir intellectuel. Il lui semble surtout que nous trahissons cette idée de progrès en ne la considérant que par rapport à notre époque. L'histoire de l'homme est à ses débuts. Quelques récits seulement nous sont donnés sur la grandeur et la décadence des peuples. C'est projetée dans l'infini de l'avenir que l'idée de progrès devient éblouissante. Elle n'est encore, aujourd'hui, qu'une pauvre, chétive notion naissante. Mais elle progressera, elle également, et deviendra sans doute notre raison d'être...

« Je n'ai pas changé de direction, écrit Gide, j'ai toujours marché droit devant moi ; je continue... » Mais « à présent j'avance en m'orientant vers quelque chose... »

LIVRE II

L'HOMME

CHAPITRE PREMIER

De l'Influence de Corydon

« *Corydon* reste à mes yeux le plus important de mes livres », écrit Gide en 1942. On s'accorde ordinairement à le juger un des plus faibles de son œuvre. Ceux qui ne dissimulent pas leur sympathie pour la témérité de l'auteur, déclarent, ou mal venues les remarques sur les étalons et les oiseaux (quoiqu'elles fassent ressortir très exactement la nature de l'instinct sexuel), ou conventionnelle son évocation d'une Grèce antique, avec de libres éphèbes dans les gymnases opposés aux femmes dans les gynécées. Si Gide reconnaît parfois que la « forme même » de l'ouvrage ne le « satisfait plus guère aujourd'hui », ni non plus cette façon qu'il a eu « d'esquiver le scandale » en attaquant le problème sous forme d'un débat dialogué, il reste convaincu que *Corydon* est, dans son œuvre, le livre « de plus grande utilité... pour le progrès de l'humanité ».

Sans doute pourrait-on chercher un rapport d'influence entre *Corydon* et cette liberté plus grande qui s'est établie aujourd'hui, et surtout depuis la guerre, dans les mœurs, encore que se manifeste dans le même moment et en sens contraire une aggravation de la répression pénale : lois sur le vagabondage spécial, le détournement de mineurs, le proxénétisme...

Cette liberté nouvelle se manifeste par une certaine modification des rapports sexuels, surtout dans les milieux de jeunesse et d'étudiants. L'amour paraît s'être débarrassé des formes de la coquetterie, survivance du rapt ; on pourrait croire qu'il s'est simplifié ; l'absence de cérémonial semble souvent aussi naturelle que l'apparition des corps nus sur les stades ou sur les plages. Il arrive qu'une jeune fille cohabite avec un étudiant ; il ne s'agit plus de l'union libre, protestation anarchiste contre la famille fermée, mais d'une acceptation réciproque de désirs et de convenances.

Le changement est sensible avant tout dans les rapports sociaux, dans ce lent mouvement probablement durable, commencé depuis un demi-siècle, qui aboutit moins à l'affranchissement sexuel de l'homme qu'à la libération de la femme et de l'enfant, qui, plus détachés de la famille traditionnelle, sont mieux défendus par les lois. Un mouvement analogue, au cours de la même période, a desserré les liens du travailleur envers le patron tandis que la législation du travail, en faveur de la femme et de l'enfant, n'a cessé d'être renforcée.

En même temps qu'à cette évolution sociale, on assiste depuis quelques années à un usage plus direct de la liberté d'expression. Il semble qu'apparaissent à la fois une simplification apparente de l'amour, dûe à la décomposition de la société bourgeoise, et un langage sans apprêt. La simplification du langage s'accompagne d'une prétention à l'investigation psychologique. Par leur seule désignation les secrets de l'inconscient semblent moins effrayants, plus à portée d'intelligence. Nommer une chose, c'est défier les interdictions sacrées ; c'est ne plus la craindre ; c'est l'admettre comme familière, habituelle, amicale, naturelle. L'individu reprend bonne conscience devant elle. Il cesse de s'incliner, comme les Hébreux devant le sacré — Tu

ne proféreras pas en vain le nom de l'Eternel, ton Dieu —
et de l'appeler Adonaï au lieu de Jéhovah. Sans doute il
arrive qu'un mythe nouveau se substitue au précédent.
Néanmoins pendant cette révolution, la précision du vocabulaire débarrassé de tout contenu moral permet souvent
d'entrer dans le domaine d'une connaissance jusqu'alors
interdite et on peut croire alors que la réalité du fait s'est
accusée au détriment du mythe...

Gide a bien senti que le freudisme est une des sources
de ce dégagement : « Ah ! que Freud est gênant ! »
écrit-il, en pensant à *Corydon* commencé longtemps avant
les premières traductions de Freud en français. Mais il
ajoute : « Il me semble que ce dont je doive [être à Freud]
le plus reconnaissant, c'est d'avoir habitué les lecteurs à
entendre traiter certains sujets sans avoir à se récrier ni à
rougir. » Il faut se rappeler combien le freudisme à l'origine scandalisa les bons esprits, même des médecins, même
des psychiâtres, même des écrivains.

Sans doute les mots s'usent vite et, sous leur assemblage
nouveau, se recréent constamment de nouvelles conventions. C'est au moment où ils perdent leur force et leur
puissance libératrice qu'on entend les pharisiens rassurés
déclarer : — Vous pouvez tout dire, mais n'en faites rien...
Il y a selon les siècles, une convention des mots, une
convention des genres littéraires. Quand au lieu de :
— Dans le simple appareil — D'une beauté qu'on vient
d'arracher au sommeil —, nous pouvons dans un drame
dire ou entendre dire : une femme surprise au lit en
chemise, il semble qu'il y ait là une libération pour la
conscience. Le mot nouveau et direct heurte souvent, c'est-
à-dire peut être mal inséré dans son contexte, selon le
résultat plus ou moins réussi du travail de l'artiste.

L'art crée des images et des symboles, comme la société
des mythes, pour rendre plus sensible une réalité difficile à
saisir. Mais quand cette réalité est frappée d'interdiction,
les images permettent d'en atténuer la force, d'aborder le

sujet interdit sans heurter de front la réprobation des hommes.

Sodome est, en littérature, un sujet de tous les temps, et même sous le règne de M. Prud'homme quelques-uns des plus grands romanciers et poètes éprouvèrent la nécessité de l'évoquer pour rester eux-mêmes authentiques ou rendre authentique la comédie humaine. Le destin de Rubempré resterait incompréhensible sans la passion de Vautrin pour lui. Il s'en est fallu de peu que Zola, comme Balzac, abordât ce sujet, mais, déjà attaqué pour sa peinture trop crue de l'amour, il a craint d'écrire un livre qui eût paru une nouvelle provocation [1]. Le romancier réaliste n'aurait pas su déguiser, mais d'autres ont réussi, en détournant les mots de leur acception courante et, comme certains philosophes qui jadis craignant d'être condamnés pour athéisme nommaient Dieu la substance, Balzac parle de l'*amitié* de Vautrin pour Lucien, ou Loti de son *affection* pour *Mon frère Yves*. Toutes les formes du déguisement ont été utilisées pour évoquer et masquer ce sujet. Le moyen de l'artiste varie selon son art : le héros de l'*Immoraliste* embrasse en français le petit cocher sicilien, mais lui fait la cour en italien.

L'auteur qui se découvre le fait avec hésitation, prudence et lenteur : ce n'est que vingt ans après l'*Immoraliste* que la scène, d'abord transposée, entre Michel et la maîtresse de Moktir, est reproduite dans sa réalité, presque trait pour trait, dans *Si le Grain ne meurt* : c'est celle de Biskra avec le jeune arabe.

Mais il semble qu'il y ait un moment où l'artiste soit empêché d'avancer, comme si le terrain n'était pas encore assez déblayé, comme s'il découvrait la profondeur et les contradictions du problème sexuel. Le caractère sacré et

---

1. Ayant reçu une longue confession d'un homosexuel, qui eût pu lui servir de point de départ pour un roman, Zola, après hésitation et avec regret, se contenta de l'envoyer au Dr Forel qui la publia dans son grand traité de psychiatrie.

mythique de la réalité s'impose de nouveau à lui, malgré lui. Alors ressurgit cette pudeur qu'il a voulu surmonter.

Il arrive que dans les familles les plus dégagées des conventions se maintienne une gêne entre l'enfant et sa famille ou celle de son compagnon. Gide a compris l'importance de la question, qui, dans les *Faux-Monnayeurs,* présente la mère d'Olivier consentante, presque complice d'Edouard, lui confiant ouvertement son fils parce qu'elle se sent moins inquiète de le savoir protégé par lui que dissipé par d'autres. Mais dans cette scène audacieuse peut-être Pauline représente-t-elle moins un personnage réel que la thèse idéale de l'auteur sur la mère. Dans les rares cas où il y a accord reconnu entre la mère et le fils, l'accord cependant reste tacite, et l'intimité s'établit entre eux sous forme d'une sorte de jeu, à la merci d'une maladresse.

Mais cette gêne si forte ici n'est pas propre à cet amour. Pourquoi, demande Montaigne « appeler l'action honteuse ; et honteuses les parties qui y servent ». On comprendrait si nous avions lieu « de nous blâmer de faire une si sotte production que l'homme ». Humiliant l'homme, l'idée de péché originel a accru son sentiment de honte. Cependant s'il y a péché, il est dans l'acceptation même de la honte, dans la croyance que nous sommes réprouvés ou objet de dérision, et finalement dans la reconnaissance de notre impuissance.

La réprobation s'impose si impérieusement qu'à certains moments Gide lui-même y a cédé. Parlant de l'inversion de Proust, il écrit : « Je comprends enfin que ce que nous trouvons ignoble... ne lui paraît pas, à lui, si repoussant. » De même que dans un groupe d'exclus, nègres ou juifs, les exclus s'excluent entre eux selon certains signes de la peau ou du visage, Gide établit parfois des distinctions, liées à des jugements de valeur, entre les formes de l'inversion. Mais il sait bien que ces distinctions restent arbitraires.

Il reste à reconnaître, derrière la réprobation morale qui

frappe l'inversion, la réalité des questions psychologiques
et sociologiques. Peut-elle s'intégrer à la conscience individuelle sans la déséquilibrer et la société peut-elle, sans
danger pour elle, l'intégrer, telles sont les questions que
Gide a posées, après avoir constaté en lui avec certitude, et
dès sa jeunesse, sa force créatrice, la maîtrise de soi et son
influence à la fois de discipline et d'émancipation. Sans
doute ne s'est-il pas livré à une étude objective (*Corydon,*
quoique l'auteur y semble absent n'est encore qu'un essai
de l'auteur sur lui-même) ; il n'a pas non plus cherché à
faire la peinture d'un milieu ; c'est lui avant tout qu'il a
voulu libérer. Partant d'une nécessité intérieure, il a acquis
peu à peu la conviction que cette forme d'amour, à travers
les difficultés qui sont celles de tous les hommes pour
maîtriser leurs passions, devait le conduire, et sans doute
les meilleurs avec lui, à la lutte la plus « utile » contre
l'hypocrisie.

Lorsque *Corydon* parut, Paul Souday écrivit dans son
feuilleton du *Temps,* avec la certitude du libéral qui croit
que l'individu vit isolé, en dehors des réalités : « On ne
s'enquiert nullement de la vie privée de M. André Gide,
et on le laisse bien tranquille ... » Pourtant personne ne
laissait Gide tranquille : ni les hommes avec leurs mythes,
ni la religion, ni Claudel, ni Jammes, ni Maritain.

Il lui a fallu parler. Sans se vouloir écrivain maudit,
homme impie, il n'a pas craint, en s'affirmant tel qu'il
était, le blâme de l'opinion, la réprobation de l'Eglise, la
contradiction de ces Evangiles auxquels il a été presque
tout au long de sa vie si intimement attaché que Maritain,
croyant savoir où le toucher sûrement, lui demanda à la
veille de la publication de *Corydon* : — « Promettez-moi
que, lorsque je serai parti, vous vous mettrez en prière et
demanderez au Christ de vous faire connaître directement
si vous avez raison ou tort de publier ce livre. Pouvez-vous
me promettre cela ? », « Je le regardai longuement, raconte
Gide dans son *Journal,* et dis : — Non. »

Quand il a connu la gloire, il a accusé sa position, se plaisant à imaginer dans son dernier *Journal,* s'il était invité à l'Académie Française, sitôt après « comme premier acte d'Immortel », une préface à *Corydon* où il revendiquerait encore une fois son livre. Finalement ce n'est pas l'Académie, c'est le jury du Prix Nobel qui en le couronnant a accepté ce grand écrivain tel qu'il était, tel qu'il s'était voulu[1]. En ce sens sa revendication est une réussite de l'homme. Ce n'est pas *Corydon* qui prend une portée générale ; c'est la position de Gide par rapport à ce livre qui est un enseignement. Mais avant de parvenir à cette certitude, il lui a fallu de longs détours. Gide ne s'est jamais livré inconsidérément. Sa prudence est la forme de son intelligence. Ce n'est qu'après avoir longtemps envisagé la question sous tous ses aspects comme il a fait pour la morale elle-même, ou plutôt après avoir été touché directement dans sa vie par ses contradictions, qu'à l'âge de 55 ans, il publia son livre : il n'avouait pas à proprement parler, ni ne se confessait ; il s'affirmait.

1. Dans l'allocution prononcée à Stockholm pour la remise de son Prix Nobel, le Secrétaire perpétuel de l'Académie suédoise, sans citer *Corydon* et *Si le grain ne meurt*, ne passe cependant pas ces livres sous silence : l'œuvre de Gide, dit-il, « contient des pages qui provoquent un défi, par l'audace presque inégalée dans la confession. C'est le pharisaïsme qu'il voulu combattre, mais il est hélas difficile d'éviter que ne soient atteintes, dans la lutte, certaines normes humaines de caractère plutôt délicat. Que l'on veuille bien toutefois se rappeler que cette manière d'agir est une forme de l'amour passionné de la vérité qui, depuis Montaigne et Rousseau, s'est imposée comme une exigence dans la littérature française ».

Corydon

Gide cherche la beauté dans les étroites limites du début
de l'adolescence, dans « l'âge voisin de l'enfance », comme
dit Montaigne que Gide cite ici non sans plaisir, et seulement « jusqu'à ce que le menton commence à s'ombrager ».
Le désir s'attache à une équivoque figure, comme Vinci à
ses visages d'anges ; à la douceur féminine des formes fon-
due dans les traits d'un garçon, à une recherche contradictoire, à l'impossible androgyne. Le désir évolue entre les
bornes les plus fragiles : un garçon efféminé ne lui plaît pas le
plus souvent ; un garçon qui ne doit l'apparence de sa
jeunesse qu'à la dégénérescence, non plus. Chacun parle
de « son genre », mais ici le genre est à la fois si indécis
et si fixé qu'il s'évanouit dans l'imperceptible déplacement
de la ligne d'une nuque ou d'un mollet. « Le petit *Tireur
d'épine* de bronze qui se trouve au Musée du Capitole...
est une incomparable merveille » écrit Gide. « L'étonnante
gracilité de ce petit corps impubère ne fait pourtant point
regretter que les formes ne soient ou plus enfantines ou
plus pleines. » Dans ces corps grêles, à l'âge ingrat de
la croissance, c'est l'incertitude même, le devenir qui est
appelé beauté. La beauté, c'est non seulement une ligne
difficile à saisir ; mais aussi la peau imberbe, uniformément
chaude et dorée, son duvet blond, son « rayonnement
blond », dont Gide parle si souvent.

Avec quelle rapidité la peau paraît se faner ! Le vieillissement n'est pas celui qui apparaît progressivement au delà
de l'âge mûr ; c'est un brusque et soudain désenchantement
de tout l'être qui se produit parfois « en à peine un
peu plus de deux ans ». Les enfants « ont affreusement grandi ». « Quelle déconvenue ! Que s'est-il donc
passé ? [1] ». Chaque amour ne peut évoluer que dans un

---

1. L'Immoraliste.

bref espace de temps; chaque plaisir, presque immédiatement déçu, est sans cesse à retrouver.

Devant les enfants, le sentiment lui-même hésite entre le
désir et une sorte d'attendrissement apitoyé. Dans les environs de Cuverville, raconte Gide, au cours d'une promenade, il se sent attiré par les enfants de la lande, mais
ceux-ci sont dénués, monstrueux et ils viennent « se blottir » dans « les plis de mon manteau ». Devant d'autres
aux « cheveux blonds », au « regard pur », à Weimar,
la même année : « Que n'ai-je osé m'asseoir auprès
d'eux ! [1] » Le désir le rend timide quand ils sont beaux ;
quand ils sont laids, il ne reconnaît plus que l'enfance en
eux. L'enfance par elle-même allège de la timidité : il
s'agit plutôt de jouer, et non de conquérir. Mais le sentiment est parfois plus complexe. Parlant d'Athman :
« ... Et je retrouvais aussitôt le docile enfant que j'aimais »
écrit Gide ; au contraire la dureté du visage d'Ali « arrêtait
en moi tout désir » [2]. La personnalité le gêne ; la docilité le
met à l'aise. Mais entre la douceur et l'insignifiance, le désir
n'a presque pas d'espace pour se reconnaître.

Alors cette figure de la naissante adolescence est recherchée parfois dans les milieux équivoques d'apprentis en
« demi-chômage », dans une sorte de prolétariat en hail-
lons, où deux enfants survivent sur onze, mais où peut
apparaître un « Apollon » de quinze ans, dans une « pose
à la Praxitèle » [1]. Il arrive que parmi ces enfants, certains
se fassent proxénètes et Gide, revendiquant les droits du
plaisir, écrit : « Je ne sais pourquoi l'on a toujours fait
des monstres et des êtres vils des procureurs » [1]. La rencontre de hasard souvent n'a lieu qu'après de longues recherches. « Je... rôde jusqu'à la nuit dans d'extraordinaires
ruelles pleines d'hôtels borgnes ou louches » écrit Gide [2].
Entre son horreur puritaine de l'hypocrisie et l'attrait du
clandestin, s'est établi un compromis, que Gide a introduit,

1. *Journal.*
2. *Si le Grain ne meurt.*

habilement voilé, dans son œuvre. Dans le *Journal,* Alexandre, « à peine un peu moins beau qu'à quinze » ans, vit
des hommes, des femmes. des « trucs » : — « Comme il
serait intéressant, déclare Gide, s'il ne mentait pas constamment ! » A Alexandre, il demande des nouvelles de son
frère cadet, un frère plus ou moins supposé : — « Il est à
Madagascar, répond-il. » Gide ajoute : « La dernière fois
que, moi, je l'avais vu, il sortait de la Petite Roquette. »
Ainsi incline-t-il fréquemment de l'aîné au puîné, de Bernard à Caloub, — dans cette recherche incertaine, dans ce
besoin de saisir la silhouette de la beauté fuyante. Une fois,
il laisse échapper ces mots : « Je ne sais quand cette poursuite est la plus avilissante et la plus vaine ? Quand on
rencontre le plaisir, ou qu'on le cherche sans le trouver » [1].
Il note cela à cinquante-huit ans, à Marseille, et ajoute :
« Et demain je recommencerai. » Mais peu à peu, il a
appris ; il est parvenu à intégrer cette « poursuite » du
plaisir dans sa vie comme dans son art, et le plaisir véritablement assouvi lui a apporté ses moments de certitude.
Son inquiétude est venue d'ailleurs.

« Qu'advient-il, écrit Gide, lorsque la fonction sexuelle
se trouve amenée, pour s'exercer, à quitter l'objet de son
désir... ? » Dans ses périodes de chasteté, il connaît le
malaise. La confession apparaît voilée en divers endroits de
ses écrits. Après son aventure de Sousse, sa première aventure, cloîtré dans sa chambre à La Roque : « Rien qu'un
désert affreux, plein... d'épuisants rêves, d'exaltations imaginaires... je me dépensais maniaquement jusqu'à l'épuisement. »
Rousseau, pour d'autres motifs, raconte qu'il s'est livré

---

1. *Journal.*

à ces pratiques secrètes, mais, Rousseau nous laisse entendre, sous ses allusions poétiques, qu'il s'en est fort bien
accommodé. Rien de plus innocent en apparence, de plus
facile ; ce n'est qu'une sorte de paresse [1]. Mais la facilité
même crée le danger. Il suffit de se laisser aller, comme on
se soûle, comme on augmente les doses dans la drogue. Le
besoin crée le besoin, et puis le manque. Au début de la
guerre de 1914, à Cuverville où Gide fait des séjours répétés,
il écrit quelques-unes des pages les plus désespérées de son
Journal : il parle d'un état « dans lequel je n'ai que trop
de tendance à retomber » ; le 15 juin 1916 : « J'ai déchiré
une vingtaine de pages de ce carnet... On eût dit les pages
d'un fou » ; ou bien : « Il ne me reste plus que juste
assez d'intelligence pour constater que je deviens idiot [2]. »
Mais, même pendant cette crise, la force de sa lucidité lui
permet précisément de reconnaître un « état maladif » qui
compromet son équilibre nerveux. Et lui qui aime tant la
vie et la maîtrise de soi, prend ce « désordre d'esprit » en
horreur.

S'il s'abandonne au lieu de résister, son désespoir augmente : espérant peut-être « exténuer mon démon... et
n'exténuant que moi-même ». Alors que ses plaisirs avec
des êtres de rencontre le rendent à lui-même, léger et
dispos, ou ravi, et lui paraissent le bien, ses « retombements » l'épuisent ; il les appelle : le « vice ». Le vice
devient le démon. La lutte se présente, à un moment pour
lui, comme un choix à la croisée des chemins, dont l'un

1. Dans *les Faux-Monnayeurs*, Edouard s'amuse à citer cette
maxime de La Rochefoucauld sur la paresse : « Il faut dire que la
paresse est comme une béatitude de l'âme, qui la console de toutes
ses pertes et qui lui tient lieu de tous les biens. »
2. A cette époque l'emprise puritaine l'amenait à des notations
comme celle-ci : « Pourtant cette nuit je ne m'abandonnai pas complètement au plaisir ; mais, ne bénéficiant même pas ce matin de
cette répulsion qui le suit, je doute si ce semblant de résistance
n'était pas pire. » (Journal 1917.)
Il semble qu'il ait cru, dans sa jeunesse, que chaque fois qu'il ne
poussait pas le plaisir jusqu'à son achèvement, qu'il interrompait
brusquement sa poursuite, il évitait ainsi le péché.

serait censuré et l'autre ouvert ; l'un le bien et l'autre le
mal, comme dans une imagerie religieuse. Le mécanisme
de la lutte apparaît toujours le même, aussi longtemps
qu'on cherche à résister de front, qu'il s'agisse d'une passion dont on se promet de se défaire sans le pouvoir :
— « Demain, demain, tout cela finira ! » dit le Joueur de
Dostoïevski — ou qu'il s'agisse d'une manie comme le
besoin de fumer (« Troisième jour sans fumer » (1921) ;
« Ne me souvenais plus de mon âge. C'est là ce que j'avais
été chercher aux bains. — Mais je me laisse aller à fumer
beaucoup trop » (1929) : des notations de ce genre apparaissent de temps à autre dans le *Journal*.) Mais il est vain
de prétendre lutter par le refus d'échappement et Gide
écrit : « Je fumerais moins, si je cherchais moins à moins
fumer » (1929).

Dans sa jeunesse, André Walter s'enorgueillissait du
combat : « C'est sublime cette lutte dans le noir — seul
à seul, corps à corps... Quelle fierté, Seigneur, que vous
m'en ayez jugé digne ! » En 1916, la lutte reprend :
« ... Souvent je doute si j'en puis échapper sans un secours
venu d'ailleurs. » C'est l'époque de sa grande embardée
mystique et de *Numquid et tu...* ? L'homme en détresse
lance un appel : « Je roule aux marches mêmes de l'Enfer. » Mais il n'est jamais complètement dupe. Il a cru un
moment (ou voulu croire) qu'une aide contre l'obsession
pourrait venir de l'Eglise. Il a cherché la paix — sans
oublier que l'Eglise ne pouvait la lui rendre sans le soumettre à sa règle, sans lui imposer l'exercice de l'hypocrisie
et du mensonge. Pour l'Eglise la sodomie est aussi
condamnable que l'onanisme ; Gide, au contraire, les oppose
l'un à l'autre, pensant que l'amour est la véritable délivrance de l'obsession. Dans sa correspondance avec Claudel,
il revendique son homosexualité ; il ne croit pas que l'abbé
F., dont Claudel lui a donné l'adresse, puisse par ses
« exhortations, ses réprimandes et ses conseils », obtenir
plus qu'il n'a pu lui-même. En ce qui le concerne, il ne

lui paraît pas que l'Eglise ait à voir dans ces questions [1].
Et dans son *Journal,* il note : « Il est malséant de chercher
à intéresser Dieu à des défaillances physiques dont une
meilleure hygiène peut aussi bien venir à bout » (1916). Il
est remarquable que, sans le secours ni d'un prêtre, ni d'un
psychiâtre, Gide se soit dégagé seul de cette forme d'obsession sexuelle. Il a aspiré du plus profond de lui à un amour
et voici qu'en 1917, il rencontre, dans son propre milieu,
l'adolescent si longtemps attendu. Il semble que son désir
de le rencontrer l'ait fait apparaître. «... Un pareil calme,
je ne l'avais plus connu depuis des mois, des années. » Il
éprouve un rajeunissement, une sorte de puberté nouvelle,
un élan tel qu'il est prêt à tout sacrifier à cet amour. Il
comprend que par lui il a trouvé sa joie et l'équilibre, qu'il
a toujours appréciés comme les biens par excellence.

Plus tard quand il cherchera à analyser la nature de l'instinct sexuel « non assouvi directement », il expliquera qu'il
« est susceptible... de multiples hypocrisies » ; il divise la
conscience et la déchire. « ... Quand l'assouvissement de la
chair n'entraîne aucun assentiment, aucune participation de
l'être... Quelles vengeances secrètes peut alors se préparer
la part de l'être qui n'a pas trouvé place au festin ? [2] » En
créant le personnage d'Armand, un des plus curieux des
Faux-Monnayeurs, Gide a présenté dans cet être divisé,
contrefait, qui exerce ses « vengeances secrètes » sur sa

1. Pour l'Eglise, seul est méritoire l'acte de chair avec l'épouse
dans le but de la procréation. Il y a un demi-siècle, Mgr Bouvier
écrivait : « Il n'est pas permis de refuser le devoir conjugal dans la
crainte d'avoir un trop grand nombre d'enfants ; les époux doivent
se confier à Dieu qui donne la nourriture aux animaux et à leurs
petits lorsqu'ils l'invoquent... » Point de vue qui s'est considérablement assoupli aujourd'hui Dans un recueil intitulé *Limitation
des naissances et Conscience chrétienne* (1950), les auteurs, considérant qu'un trop grand nombre d'enfants, n'est pas nécessairement
un bien pour la famille ni pour le pays, cherchent à indiquer,
— (en plus de la pratique recommandable mais difficile de la conti-
nence dans le mariage), — des méthodes pour éviter la conception :
« *méthode Ogino* », « *étreinte réservée* », sans recours aux artifices
qui, selon l'Encyclique de 1930, « offensent la loi de Dieu et la loi
naturelle ».
2. *Journal.*

famille, un cas extrême d'hypocrisie sexuelle. Les expressions de son obsession reproduisent parfois quelques notations du *Journal,* surtout de 1916. Sans doute rien n'est dit dans le roman de la vie secrète d'Armand [1]. La cause de l'obsession peut avoir des origines différentes ; elle revêt parfois des formes d'expressions voisines les unes des autres. Mais alors que les crises même « terribles » de Gide sont toujours maintenues à l'arrière-plan d'un moi qui se veut harmonieux, le comportement d'Armand est mis en pleine lumière et les traits de ce personnage poussés dans le roman à la limite font de lui un raté, contorsionné et impuissant. Peut-être l'hypocrisie sexuelle apparaît-elle également, mais vue sous une autre face, chez le Pasteur Vedel, père d'Armand dans les *Faux-Monnayeurs* : son désir qui s'exerce à vide lui a donné le besoin de s'étourdir en s'agitant continuellement dans la pratique de son ministère ; distrait de lui-même par l'ineffable illusion d'une vie toute adonnée aux œuvres, il représente pour l'auteur l'exemple de l'inconsciente malhonnêteté [2].

Gide constate dans cette obsession le leurre et la division de la conscience. Mais le « mal » véritable, c'est d'être seul ; c'est d'éprouver sa solitude, qui conduit à une solitude plus grande encore. L'homme seul n'existe pas, et l'amour est précisément la première manifestation de l'acte social. Cet « horrible dégoût de tout et de moi-même » [3] exprime la honte de la solitude. La honte qui suit le plaisir solitaire, c'est d'avoir rayé l'espèce humaine. « Je ne sens pas en moi beaucoup d'inavouable, écrit Gide, si ce n'est

---

1. L'Armand du roman est également tiré d'un personnage réel dont Gide parle dans *Si le grain ne meurt :* Armand Bavretel, camarade de jeunesse de l'auteur, et qui finit par se tuer. Cet Armand ne nous éclaire guère davantage : nous le voyons seulement exercer son ironie et ses sarcasmes contre les siens et particulièrement contre sa sœur qu'il cherche à faire pleurer, ou si les mots n'y suffisent pas, à brutaliser, à pincer, et qu'il doit adorer néanmoins.

2. Dans son Journal, le pasteur Vedel cherche à se détacher du « honteux esclavage » qu'est pour lui le besoin de fumer, mais nous savons que le mot « fumer » est mis là pour autre chose. Voir page 90.

3. *Journal,* 1916.

dans le domaine de la chair. » Remarque qui peut surprendre de la part de celui qui dans ce domaine paraît
avoir avoué sans réserve. Mais alors qu'il a placé en plein
soleil ses aventures d'Algérie, il a cherché à voiler ses
nuits désespérées par un sentiment de pudeur qu'il n'a
jamais pu complètement vaincre et la pudeur ici, c'est la
crainte d'apparaître seul, de n'avoir rien à cacher de sa
nudité.

Cependant quand Gide se dégagea peu à peu de l'inquiétude religieuse, il se dégagea par là même de l'obsession
du désir sexuel « non directement assouvi ». Ses allusions
voilées au besoin « d'exténuer son démon » sont notées de
plus en plus rarement dans son *Journal* et à partir de 1925
n'y figurent presque plus : il a cessé de connaître après le
plaisir solitaire les « retombements », le « dégoût de tout
et de soi-même ». « ...Savoir si j'ai raison de triompher
de ce désir », de ne plus lutter, ce sont des « questions, du
reste, que je ne me pose plus jamais » [1]. De quelque façon
que le désir se satisfasse, la satisfaction lui apparaît comme
un repos, nécessité physique pour son équilibre moral. Et
la fin de la hantise puritaine met naturellement fin à l'excès.

Il semble aussi, quoiqu'il n'y ait pas d'aveu bien net,
que Gide ait pris son plaisir à des caresses dont il ne
demandait pas la réciprocité et que l'écart lui ait paru peu
à peu moins net entre ces caresses et les pratiques secrètes.
Sans doute peut-il paraître surprenant que la jouissance
dans le plaisir solitaire soit de nature différente de la jouissance par le plus furtif contact avec autrui ; mais la jouissance avec autrui, même dans l'obscurité, s'accompagne
de sa présence et de sensations précises. Sensations plus
ou moins fortes qui peuvent faire varier l'intensité de la
présence de l'autre. Sa présence est d'autant plus réelle
que l'assouvissement est profond. Il arrive qu'il n'y ait que
dégoût dans une rencontre de passage : alors le dégoût peut

1. *Journal,* 1927.

ramener au sentiment de la solitude. Quelque fondamentale que soit la différence, dans le plaisir, entre la présence
et l'absence, la frontière n'est cependant pas précisément
tracée. La présence de l'être aimé peut déborder le temps
de sa présence physique : *après* une nuit de plaisir à Biskra
avec le jeune musicien arabe, Gide raconte que sa « jubilation » est telle que, resté *seul : « ...* Je ravivai nombre de
fois encore mon extase » [1]. Ou bien, quand il note, en
1918, époque de sa passion pour M., qu'il ne doit revoir que
dans quelques jours : « ... Assouvissement médiocre et qu'aucune détente ne suit », le souvenir et l'attente de l'être aimé
sont tels qu'il ajoute aussitôt : « Je parviens néanmoins à me
maintenir en état de joie. »

Et cependant pourquoi tant de souvenirs et tant d'at-
tentes, et si peu de présence réelle, ou dans la présence
même des plaisirs si brefs, si épisodiques ? L'assouvissement, quelque joie qu'il ait donnée, n'est jamais qu'éphémère. Il semble que, dans l'amour pour l'adolescent, l'enlacement suive trop rarement l'étreinte.

L'amour peut-il donner une joie complète et dans l'instant durable ? Il semble qu'il aspire à cette contradiction
qu'est toute possession, qui en apportant la personnalité à
un être la lui enlève au même moment, qui donne à
l'homme le sentiment d'une volonté qui s'oppose à lui et
d'une volonté qu'il domine, qui est proprement l'acte de
vaincre et de créer — un dépassement. « Prends-moi donc
et étreins-moi durement ! » dit Marthe dans l'*Echange*.
Etreindre un être, c'est à la fois affirmer son existence et sa
liberté — et se soumettre à la nécessité du désir ; c'est
s'insérer dans l'existence d'un autre — et la nier ; c'est

---

1. *Si le Grain ne meurt.*

réellement ou symboliquement pénétrer dans la masse d'une chair et lui donner l'existence et l'autonomie ; c'est dans la lutte de deux forces confondues, faire son œuvre.

On pourrait croire qu'un inconscient besoin d'imitation incite les invertis à conformer leur comportement à celui du couple traditionnel. Mais la sodomie paraît loin d'être la règle. Même l'amour pour l'adolescent, qui semble le plus près de l'amour pour une femme, en reste fort éloigné. La possession dans le couple traditionnel prend un sens si différent de celui que lui donne le couple inverti qu'un homme et une femme, même s'ils ont pris leur plaisir, ne déclarent pas avoir fait l'amour lorsqu'il n'y a pas eu acte de possession. Cette manière de parler correspond à une certaine réalité pour eux, mais elle traduit toujours inconsciemment une conception traditionnelle de l'amour. Dans les amours réprouvées, la conception rituelle du plaisir prend moins d'importance ; la représentation du plaisir, davantage ; les mots « faire l'amour » correspondent à presque toute la réalité, mais à une réalité de plus en plus difficile à cerner. L'enlacement de deux corps nus en contact par tous les pores de la peau, sans qu'il y ait possession dans le sens habituel de ce mot, peut paraître à ces amants, dans l'ivresse de leur désir, la forme accomplie de la réalisation. Ou bien les préambules, les caresses peuvent être pris pour fin. Alors les amants ne trouvant plus dans le plaisir même un critère précis aux mots « faire l'amour », décident parfois qu'ils ne l'ont fait que lorsque l'un *ou* l'autre ont pris leur plaisir[1]. Mais il arrive que le plaisir prenne des formes encore plus incertaines : un contact, un acquiescement sous-entendu peuvent conduire à l'assouvissement. Ou parfois dans l'attente d'une rencontre la nuit, à la lueur d'un réverbère, l'impression d'être traqué, adjuvant au plaisir, devient tout le plaisir.

---

1. Une femme au contraire dira souvent qu'elle a fait l'amour si elle a été possédée même en restant insensible au plaisir.

Sans doute chaque couple réinvente le plaisir ; chacun éprouve à sa façon le sentiment d'une possession. Mais revient toujours la contradiction : comment faire de l'être désiré une chose possédée, puisque l'être aimé est lui et pas moi ? Pour nous rendre maître de l'objet aimé, il nous faut parvenir tantôt à dominer sa personnalité, tantôt à nous assurer qu'il nous désire ou l'un et l'autre à la fois.

Gide a cherché le plaisir dans la docilité de l'enfant, mais plus encore dans la croyance d'être aimé par lui. Il ne veut être aimé ni par vanité, ni par orgueil, mais pour se rassurer, pour rassurer sa timidité, mû par une sorte de nécessité intérieure, qui rejoint son besoin d'éprouver la sympathie d'autrui. Devant ses amis, il ne retrouve ses moyens dit-il — pour parler ou pour lire à haute voix — que lorsqu'il se sent attentivement suivi.

Le désir d'être aimé aboutit parfois à la méprise. En Egypte, dans les jardins de son hôtel, il voit un peuple de petits jardiniers qui s'offrent avec facilité, à l'affût d'un bakchich [1], mais dans l'instant où il constate leur cupidité, il peut l'oublier aussitôt, parce qu'il demande très peu de chose à l'enfant. Je m'en suis tenu aux caresses, écrit Gide et « le petit s'en montrait encore plus ravi que moi-même ». Dès sa première aventure à Sousse, qu'il a racontée dans une forme d'une rare pureté poétique, l'initiative vient de l'enfant : c'est lui qui « invite », lui qui, lorsqu'il croit que Gide refuse ses avances, prend « une expression de déconvenue », lui qui, dans un mouvement d'impatience, défait son vêtement et nu, « en riant, se laissa tomber contre moi ». En 1942, dans son dernier *Journal,* Gide raconte avoir connu « deux nuits de plaisir comme je ne pensais plus en pouvoir connaître de telles à mon âge », et précise : « Il dit avoir quinze ans... Il n'était pas question de complaisance de sa part, car il prenait au jeu autant

---

1. *Pages de Journal* dans la revue 84 (1949).

d'initiative que moi-même... Tout son être chantait merci. »

L'être aimé a une volonté d'être ; c'est pourquoi il faut le conquérir, le circonvenir, mais précisément la certitude d'être aimé rend la conquête inutile, enchaîne l'objet aimé, le fait prisonnier. Alors le désir est libéré. La conquête paraît préétablie et tout acquiescement, amour.

Que peut d'ailleurs signifier : être aimé d'un enfant ? L'enfant peut être flatté d'avoir été distingué, d'intéresser un adulte qui lui consacre son temps, avoir le sentiment qu'il devient un personnage, s'en targuer — sans que ces sentiments s'associent directement à son plaisir. Un enfant se rend parfois si peu compte de ce qu'est véritablement la sexualité que, tout en répondant aux invitations d'un aîné, il lui arrive de nier qu'il s'agit de gestes « d'amour » — et si un camarade lui disait : — Il t'aime. — Il m'aime ? répondrait-il avec surprise. Tout se déroule pour lui sur le plan du jeu, dans une atmosphère de gratuité (c'est d'ailleurs peut-être au contact des enfants que l'idée d'acte gratuit a pris naissance chez Gide). C'est la forme du jeu que revêt l'amour de l'adolescent : « ... *en riant,* se laissa tomber contre moi » [1], les « *riantes* avances de l'enfant » [2], « il apporta dans le plaisir une sorte de frénésie *amusée* » [3]. Le plaisir n'est qu'un ébat parmi d'autres, sans plus d'importance que les ébats du collège dont on ne parle pas ; et la volupté est cueillie « en passant, comme furtivement ; délicieusement pourtant » [1].

Et Gide répète : « Pour moi... que souvent, pareil à Whitman, le plus furtif contact satisfait. » Le rôle du toucher s'aiguise, — le rôle de la vue devient plus important comme s'il était à lui seul tout le plaisir ; — la naissance du bras au poignet, — la vue d'un genou nu, qui permet d'imaginer la ligne du mollet et de la cuisse. Il semble que chez Gide, l'amour ait pris la forme de la caresse la plus

1. *Si le Grain ne meurt.*
2. Revue 84.
3. *Journal,* 1942-1949.

légère, se fasse aperçu, évocation, insinuation et corres-
ponde dans son art à ces indications à peine marquées, à
ce goût si connu de l'ambiguïté et de l'allusif.

A la possession, il préfère « le mystérieux attrait éma-
nant de l'aspect d'un corps »[1], ou « certains visages de
rencontre — et j'abandonnerais tout pour les suivre »[2], —
un coin de joue apparu, une silhouette par opposition à
l'éclatante allure d'un beau type d'homme, et même quand
la santé d'un « petit corps » l'attire, c'est avant tout d'une
tache de soleil sur ce corps qu'il s'éprend. « Je préfère, précise-t-il, mon désir même et ce simple plaisir des yeux
qui..., en soufflant sur la convoitise, à la fois l'avive et
l'apaise »[2]. Dans toute son œuvre, le désir prend la forme
d'une étoile fluide. Quand il parle de sa rencontre tel soir,
avec le jeune batelier du lac de Côme, « l'enchantement
brumeux », « les parfums humides » enveloppent son
« extase »[3]. Dans les *Nourritures,* c'est « au tournant
creux du ruisseau », à travers « un peu d'air tiède » qu'il
évoque « un sourire et une caresse au petit garçon de la
forge... » ; c'est dans la nature et ses « voluptés réservées »
que s'exprime son « désir même », un désir diffus qu'il
semble préférer à l'objet de ce désir et qui finit par s'identifier avec l'être. Certains des traits caractéristiques de son
œuvre s'éclairent, et cet état de convoitise perpétuelle se
traduit par une perpétuelle curiosité. Devant le petit corps
nu et très beau d'un tout jeune démon, Saül, « affriandé »,
demande : — « Ah ! il y en a d'autres ? — Où donc ? »
Les Faux-Monnayeurs s'achèvent par ces mots : « Je suis
bien curieux de connaître Caloub », le petit Caloub, frère
de Bernard, qui représente pour Edouard la perspective
d'une aventure nouvelle. Répondant à l'auteur d'un roman
équivoque, il écrit, en se gardant de le juger : — Je voudrais bien savoir qui est ce personnage dont vous parlez

1. *Journal.*
2. *Revue 84.*
3. *Si le Grain ne meurt.*

page x... L'art de Gide c'est d'avoir donné à sa curiosité
une forme amusée et humaine.

Il est parvenu à dégager le désir des veto, des commandements et d'une arbitraire hiérarchie. C'est naturellement
vers la plus intense joie que se dirige l'homme libéré.
Certes la satiété crée la tristesse qui est mauvaise, car le
désir comporte l'excès. Mais seul l'homme connaît lui-
même l'étendue de son désir qu'aucun être, ni aucune
morale ne saurait lui mesurer, son désir, expression même
de son être.

On sait qu'aussitôt après les *Nourritures,* Gide écrivit
Saül. Saül est retombé dans l'inquiétude : c'est par une
suite d'étapes opposées que Gide s'est progressivement
libéré. Les curiosités de Saül tournent autour d'un secret.
Il ne dira rien, mais si nous savions ce qu'il sait... Il a fait
tuer les sorciers d'Israël pour qu'aucun autre que lui ne
sache. Son secret l'oppresse ; parfois il le rejette en des
« paroles égarées ». Il ne le reconnaît pas pour sien ; il ne
l'a pas encore pris en charge ; il ne peut jouer qu'une sorte
de comédie pour dissimuler son inquiétude. Mais plus tard
quand le secret sera proclamé, Gide se sentira délivré : le
désir aura retrouvé la voie libre.

Le personnage du *Roi Candaule* aussi repose sur une
équivoque. Mais son secret est celui d'un manque, le
manque de jalousie, dont il s'enorgueillit comme d'un
« courage ». Il ne veut pas la reine uniquement pour lui :
« Je souffrais trop de la connaître seul... — Je me semblais
comme un cupide accapareur. » Son besoin d'appropriation
est si peu marqué que l'appropriation lui paraît parfois
n'exister que dans la connaissance qu'en ont les autres.

L'Immoraliste, dit Gide dans son *Journal,* est « un homosexuel qui s'ignore ». Lui également paraît avoir un secret
et Ménalque cherche à révéler l'Immoraliste à lui-même :
« — Il y a là, lui dit-il..., un sens qui semble vous manquer... — Le sens moral, peut-être... — Oh ! simplement
celui de la propriété. » C'est peut-être finalement l'absence

du sens de la propriété qui caractérise le désir furtif. Le désir de la possession ne dure que le temps du désir, s'évanouit et renaît, toujours fugace. Le désir n'aboutit pas à posséder en propre ; il n'est ni désir de l'avare, ni désir de conquête. Il ne s'agit pas de posséder un être comme on possède une chose, une terre, pour en faire *son* bien.

Pourtant l'idée de possession est accompagnée généralement de l'idée de propriété que le Code définit par le *droit de jouir, d'user et d'abuser*. Au Roi Candaule précisément s'oppose le pêcheur Gygès. — « Je peux tout sur cette femme », dit-il en parlant de *sa femme*. — « Elle est à moi », et dans ce moment, par jalousie, la tue. L'acte de tuer apparaît ici comme l'aboutissement extrême et presque symbolique du désir de possession exclusive, — le plus éloigné de la caresse furtive.

Du Sentiment d'Amour.

Quand l'aspiration charnelle s'est évanouie, que reste-t-il ? La présence sans convoitise suffit. Comme le petit Sadek [1] ne sait pas le français, Gide se contente de regards et de gestes, et les gestes se réduisent à « cette tendre façon... de me prendre les mains,... de sorte que nous continuions de marcher, les bras mutuellement croisés, silencieux comme des ombres ». Ombres semblables à celles qui peu-

---

1. *Si le Grain ne meurt.*

plaient l'enfer souterrain, de vivants après leur mort. Les gestes et les regards prennent un sens figuré ; les mouvements ne sont que d'effusion. Dans les violentes passions charnelles, il y a de merveilleux moments de silence, mais c'est du silence même que se nourrissent les ombres : « Quand nous aurions parlé la même langue, écrit Gide de Sadek, qu'eussions-nous dit de plus... ? » Le désir s'est peu à peu subtilisé en une sympathique attention, en un attendrissement. Parlant de Guido, un enfant de Roquebrune, qu'il raccompagne chez lui, en lui donnant la main : « Il entre à peine là du désir... » L'affection vague et diffuse s'étend jusqu'aux êtres primitifs. Gide s'amuse à assimiler Athman, « cette petite boule tendre et chaude » qui a dormi à ses pieds sur son lit, à un petit animal. Plus tard il parlera de « la grande amitié » qui l'occupera pour lui. Mais dans l'amitié de Gide pour les enfants, comme dans son affection pour Dindiki, le paresseux, ou pour le sansonnet, c'est son propre sentiment pour autrui, son désintéressement, qui le touche. Alors inutile d'être aimé. Ces effusions sentimentales, ces caresses platoniques conduisent elles-mêmes à un paisible et souriant repos, dans un renoncement à la conquête.

Cependant, ce désir paisible s'attache parfois à un être particulier. C'est la passion, une passion sans obsession sexuelle, mais qui lutte dans le domaine des réalités morales. Dans cet amour aux formes apparemment défuntes, ce que cherche Edouard, c'est à « jauger son crédit dans le cœur et l'esprit » de l'autre. Minos soupèse les âmes des amants et juge de leur amour selon leurs mérites. Sans doute les âmes revêtent encore la forme de leur corps ancien et désirable. Dans les *Faux-Monnayeurs* rien n'apparaît plus en Olivier du « duveté blond » de la peau, c'est le souvenir de sa beauté charnelle qu'Edouard admire en lui. Mais la sensualité ne le hante plus.

Elle a fait place à la conscience morale. Le débat s'élève et, sur ce plan, peut rester le même quel que soit le sexe

de l'objet aimé. La jalousie, anxiété de tout l'être qui donne
le plus souvent sa réalité à la passion, ne se manifeste pas.
La passion lutte contre la honte ou l'indignité.

L'amour, dans les *Faux-Monnayeurs,* apparaît comme
la crainte d'une méprise. Edouard se méprenait au silence
d'Olivier au moment où « il eût voulu [le] serrer dans ses
bras » et Olivier : « J'ai peur que vous ne vous mépre-
niez. » Olivier ne peut supporter la « mésestime »
d'Edouard, et Edouard : c'est pour « conquérir son
estime » qu'il écrit les *Faux-Monnayeurs.* C'est un jeu que
l'esprit accueille avec gravité. A la méprise s'ajoute la
gêne. Toutes les nuances de la gêne sont éclairées dans ce
roman : la gêne de feindre par vertu, ou la gêne par
pudeur, par amour. Olivier rougit « énormément » quand
il rencontre Edouard pour la première fois et tout à coup
Edouard lui dit : « Je suis bien plus gêné que toi. » Les
grands moments d'amour sont peut-être, pour Gide, ceux
qui permettent de surmonter la gêne, de supprimer le jeu.
Mais chacun, par timidité ou forfanterie, par désir de la
perfection, devient factice. Il y a une distance entre l'être
et ce qu'il veut paraître, la réalité et la réalité idéale : c'est
le thème central des *Faux-Monnayeurs.* — « Imaginez une
pièce d'or de dix francs qui soit fausse, dit Edouard... Si
donc je pars de cette idée que... — Mais pourquoi partir
d'une idée? interrompit Bernard... » et, saisissant dans sa
poche une vraie petite pièce fausse qu'il fait sonner sur la
table devant Edouard, il dit : — « Je vois, hélas ! que la
réalité ne vous intéresse pas. — Si, dit Edouard ; mais elle
me gêne. »

Comment rester naturel ? La jalousie, transposée également sur le plan moral, prend la forme d' « un trouble
malaise : dégoût ou dépit ». C'est surtout crainte de la
solitude, envie devant un couple : « sentiment affreux...
de demeurer en marge ». Finalement le désir, désincarné,
trouve à se satisfaire dans une rencontre de passage qui,
dès qu'elle se prolonge, engendre l'ennui, « rançon du

plaisir ». Le sentiment, de son côté, cherche, dans une approbation mutuelle, une communauté, un parallélisme de souvenirs et, à l'extrême, à faire coïncider deux vies. Mais au
même moment chacun se déforme en prenant modèle sur
l'autre, dans l'épuisant espoir d'atteindre à cette coïncidence
par la perfection.

Pourtant la véritable force d'une passion tient peut-être
à l'imperfection, parfois à l'indignité de l'objet aimé. « On
ne doit jamais aimer, écrit Corneille, en un point qu'on ne
puisse n'aimer pas... », comme si les hommes étaient sans
défaut. Ce sont souvent leurs faiblesses qui nous attachent
le plus. « Si l'on n'en vient jusqu'à là, reprend Corneille,
c'est une tyrannie dont il faut secouer le joug[1]. » Mais un
amour sans tyrannie est plus proche de l'amour intellectuel
de Dieu que de l'amour des créatures humaines. « L'amour,
dit Spinoza, est la joie accompagnée d'une cause extérieure. » L'être aimé appartient au monde des choses qui
nous résistent. Nous ne pouvons en être maître. Par opposition à l'amour-estime, c'est le drame de toute possession.
Il ne suffit pas de posséder, nous voulons être payés de
retour, nous rêvons de l'amour réciproque : d'où la rareté
des grandes passions et des grands romans d'amour, les
romans exclusivement consacrés à l'amour. Nous cherchons
dans l'amour une certitude de droit et nous n'avons jamais
qu'une certitude de fait, sans cesse remise en question. C'est
la projection d'une possession qui suscite l'espoir de la
coïncidence. Mais comment peuvent coïncider deux êtres
différents et souverains, deux êtres inégaux. — « Je te comprends ! » déclare la Vierge Folle, et il hausse les épaules.

Quand l'amour reprend un contenu sensuel et affectif et
qu'il se heurte au monde extérieur, apparaît son caractère
de fatalité, de philtre, de poison. L'attirance devient un
délire et le mépris n'y peut rien : — « J'ai attrapé la
peste », s'écrie Karamazov. Mais Grouchégnka, qui rit des

1. Cf. Dédicace de la *Place Royale* (cité dans la présentation par
Roger Caillois du *Cid*, éd. Hachette).

uns et des autres impitoyablement, reste une fillette pure
au regard d'enfant, une fillette irresponsable. La malédiction de l'amour, issue du monde de la nécessité, peut alors
rejoindre l'innocence.

Ce caractère de fatalité prend parfois des inflexions plus
accentuées dans l'amour pour l'adolescent et qui tiennent à
l'éphémérité de sa nature, à l'inégalité accrue. L'adolescent
doit échapper quand cessera son adolescence et l'aîné pressent cette échéance. L'extrême jeunesse de l'adolescent établit un déséquilibre dans le couple, et c'est en vain que
l'aîné se penche vers lui, cherche à imposer à ses amis celui
qu'il vient d'adopter, qui accepte cette consécration et sent
que ce n'est quand même pas à lui seul qu'elle est accordée.
L'âge de la puberté est une explosion ; l'adolescent veut
retrouver son moi épars ; sa personnalité devient « terrible » comme celle de Douglas faisant des scènes à Wilde
« d'une voix sifflante, méprisante, haineuse [1] ». Rimbaud
ricane, puis pleure : — « Je te jure que je serai bon... » A
Bruxelles, hargneusement, il scande : — De l'argent ! De
l'argent !... La question d'argent s'enfonce comme un coin
dans ces couples dissociés. On pourrait croire qu'il ne s'agit
pas de Bosie ou de Rimbaud, mais de quelque garçon qui
trafique de ses charmes, tant ces questions d'argent, au
milieu des heurts et des violences, se répètent suivant une
même ligne de fatalité. Cependant cet amour exaltant
devient parfois inspiration ou voyance. Entre Rimbaud et
Verlaine, il y a eu cet engagement pris de rendre son
pitoyable frère « à son état primitif de fils du Soleil »,
il y a eu les *Romances sans paroles,* les *Illuminations.*

Pour Gide, la vie de Rimbaud est une « banqueroute
affreuse [2] » — par opposition sans doute à une vie bien
menée, heureuse, qui s'achève dans la sérénité. Certes,
Gide a admiré, mais en la ramenant à la dimension hu-

---

1. Une de ces scènes est rapportée par Gide dans *Si le Grain ne
meurt.*
2. *Feuillets d'Automne* : Rimbaud.

maine, ce génie si opposé au sien. Mais l'amour romantique
lui reste étranger et même le classique : Phèdre, malgré
les beaux cris de sa passion, lui paraît un peu encombrante :
« *Et Phèdre au labyrinthe avec vous descendue — Se
serait avec vous retrouvée ou perdue.* Mais la passion l'aveugle, écrit Gide ; au bout de quelques pas, en vérité, elle
se serait assise... »

Sans doute nous retrouvons au départ, dans la passion
d'Edouard, le sentiment de la fatalité. Cependant Edouard
ne peut s'attacher qu'à des adolescents qui ne s'opposent
pas à lui, ou, du moins, dont la rébellion atténuée n'est que
la forme charmante d'une nature « répondeuse », qu'à
des adolescents capables au plus de quelques détours. Avec
eux, pas de graves mésentente. La question d'argent n'est
jamais pressante pour eux. Quand Bernard quitte sa famille, il n'envisage qu'une vie de bohème amusante et
gratuite : « Alors où vas-tu vivre ? — Je ne sais pas. — Et
avec quoi ? — On verra ça. » La chance pourvoira à ses
besoins, à la condition qu'il respecte les règles du jeu et
qu'il ne fasse pas le marlou : — « Ça, je te le promets. »
L'argent plus que tout fausserait le jeu : quand Olivier
propose d'aider Bernard, celui-ci répond : — « Non... Il
me semblerait que je triche. » De même, dans sa *Conversation avec un Allemand,* Gide raconte, avec cette franchise
déconcertante qui n'appartient qu'à lui, — craignant que
l'Allemand le « tape » : « Ma phrase est prête : Si je
vous aidais, vous ne m'intéresseriez plus. »

L'adolescent de Gide, même le prodigue ou le bâtard,
continue à appartenir à son milieu. L'amour ne le déclasse
pas. Gide est parvenu à introduire dans un roman l'amour
pour l'adolescent sans qu'il y ait rupture entre les personnages et leur milieu bourgeois. C'est que cet amour se joue
sans trop de fulgurance, presque en entier sur la carte de
la tendresse. Et quand il aboutit à son dénouement,
Edouard « regarda dormir son ami ». Mais, alors que pour
Proust : la regarder dormir n'est qu'une « heure de rémis-

sion » dans la souffrance et l'angoisse, — pour Verlaine
une terreur : « Va, pauvre, dors ! Moi, l'effroi pour toi
m'éveille », Edouard s'absorbe dans la contemplation du
visage clos et énigmatique d'Olivier. Il veille, il préserve. il
attend son éveil pour l'ouvrir à la vie.

L'amour devient finalement pour Gide un besoin d'éduquer, mais « avec quel amoureux respect » d'autrui, quelle
crainte d'un « enveloppement sans scrupules » ! Introduire l'adolescent dans un nouveau milieu, le transplanter
implique déjà un risque, et Gide se demande s'il n'infléchit
pas la personnalité de l'enfant au moment où elle se forme,
s'il ne l'accapare point. Il semble hésiter à lui laisser prendre du champ, ou à le modeler conformément à son image :
ici réside peut-être l'ambiguïté propre à toute éducation, et
particulièrement dans cette pédagogie amoureuse, il y a partage entre le désir de rendre le disciple tantôt différent,
tantôt un autre soi-même. Gide est ému de voir l'enfant
mûrir, de suivre son « attention toujours plus vive, à
mesure qu'elle est plus instruite » ; il est heureux de ses
succès comme des siens propres. Il éprouve une sorte de
fierté quasi paternelle. Plus tard ce qu'il cherchera en sa
fille Catherine, c'est d'abord la joie de se reconnaître, de
retrouver ses propres traits en ses mots d'enfant ; bientôt il
écrit des « lettres à Catherine » ; il se réjouit « immodé-
rément » des leçons qu'il s'apprêtait à lui donner, mais
« j'ai vite dû déchanter... » Il a pris plaisir à lui offrir
tel livre ; mais il ne pense pas qu'elle l'ait seulement ouvert.
Serait-ce une sorte de loi ? « J'ai connu de pareils déboires
avec Marc ; il suffisait que quelque chose vînt de moi pour
que la curiosité qu'il en marquait retombât aussitôt. C'est
comme si l'un, puis l'autre, avait à se défendre de moi [1]. »
Alors il ne peut pas ne pas se rappeler qu'ils sont pareils
aujourd'hui à ce qu'il était jadis. Pour se retrouver dans le
disciple, il faudrait que le maître se retrouve lui-même

[1]. *Journal*, 1939-1942.

dans son passé ; il cherche au contraire à l'attirer vers son présent, croyant ainsi se rapprocher de lui, mais leur présent n'est pas le même. La contradiction paraît insoluble.

Dès sa jeunesse, Gide enveloppait Nathanaël de conseils : « Je t'enseignerai... Je veux t'apprendre... Je te le dis en vérité... » En vain ajoute-t-il : « Que mon livre t'enseigne à t'intéresser plus à toi qu'à lui-même... » Quand il constate plus tard que Catherine « ne s'intéresse qu'à elle-même... cela ne [l'] intéresse pas ». En éduquant, est-ce moi que je cherche à éduquer — ou toi ? Peut-être l'amour est-il avant tout un point de départ pour le maître, un point d'appui, un « collaborateur »[1], qui lui permet de s'initier progressivement — quitte à l'objet aimé à emboîter le pas, s'il le peut. « Eduquer ! Qui donc éduquerais-je, que moi-même ? » L'amour qui m'a tant occupé pour toi, je me le « suis surfait ».

En dernière analyse, le thème de la surestimation de l'amour achève cette œuvre qui paraissait toute vouée au désir et à l'adoration éperdue. « La glorification de *l'amour*, écrit Gide, aura été une des pires et des plus ridicules erreurs de ce temps. » C'est la confusion du plus noble et du plus vil. L'amour a été pour Gide le guide, le tremplin qui, dès le début de sa vie, le « souleva si loin au-dessus de [lui-]même ». Sous toutes ses formes, l'amour a été pour lui un besoin de don : « J'aimerais te donner une joie... »; et plus tard, dans le *Journal* : « C'est pour lui [Marc], pour conquérir... son estime, que j'écrivis les *Faux-Monnayeurs*, de même que, tous mes livres précédents, c'était sous l'influence de Em. ou dans le vain espoir de la convaincre[2]. » Mais précisément puisqu'on n'arrive pas à convaincre, cela valait-il la peine de se livrer à tant d'efforts ? *La peine de...* ? Le grand amour joue au grand amour, et tout cela n'est que comédie. Certes une admirable comédie, mais une comédie seulement. « Pour obtenir

1. Platon.
2. *Journal.*

de nous de la grimace, aussi bien que beaucoup d'amour,
un peu de vanité suffit, » déclare Edouard. Mais alors,
à quoi bon ? « Ce que je peux admirer dans *l'amour,* c'est...
le sacrifice ; mais ce sacrifice même devient piteux si l'être
qui le provoque est indigne. » L'amour vaut-il un prix si
élevé ? Cela valait-il la peine de naître ? La peine de... Il
arrive qu'un ami vous demande : — Ça vaut-il la peine
de se rendre à tel spectacle ? Quelle que soit la pièce, je
réponds toujours : — Non. Je pourrais aussi bien répondre :
— Oui. La peine de... ? Cela signifie, je pense, le prix
d'une place pour ceux qui la paient. Si l'entrée était gratuite, la question aurait-elle plus de sens ? Payons-nous
jamais notre place ? La société reçoit-elle son dû quand
le criminel lui paie sa dette ? Le sacrifice en amour est-il
payé de retour ? Il y a dans ce langage, implicitement
contenue, la représentation du vieux drame de la faute et
de l'expiation. Gide n'a jamais pu s'empêcher de s'y laisser
prendre. Il rêvait jadis d' « agir sans *juger...,* [d'] aimer
sans s'inquiéter si c'est le bien ou le mal ». Mais dans le
même temps « supprimer en soi l'idée de *mérite...,* il y a
là un grand achoppement pour l'esprit. »

Alors il attribue la contradiction de l'amour, à l'idée
d'un devoir qu'il n'a pas rempli ou d'obligations que l'être
aimé n'a pas respectées. Le profit de l'amour est resté insuffisant. Caractéristique, son attitude, à soixante ans, envers
le petit Emile D. : il note dans son *Journal :* « Avec ce
petit m'a quitté ce qui me restait de jeunesse, » mais le
surlendemain : ces sentiments « me paraissent exagérés
jusqu'au bord de l'insincérité ». Le gosse, retenu par sa
famille, sentant à la fois qu'il aime encore le maître et ne
veut plus l'aimer, ne voit d'autre issue que dans la pensée
du suicide. Allons ! Tout ceci n'a rien de réel. Sans doute
la lettre de l'enfant lui est « cruelle », mais quel gonflement de l'amour tout au long de cette histoire. On en
fait une affaire, l' « affaire du petit Emile », alors que
l'amour n'est qu'un jeu, auquel Gide s'est laissé prendre

« d'une manière bien ridicule », parce que cette fois encore
il n'a pas consenti à considérer l'amour pour ce qu'il est,
simplement « comme un jeu ».

Un jeu ? Il entre aussi du grotesque dans le grand
amour. Que signifie, écrit Montaigne, la « ridicule titil-
lation de ce plaisir, les absurdes mouvements écervelés et
étourdis de quoi il agite » ? Et Gide : c'est le « boscule-
ment irraisonnable de nos pensées » que nous appelons
« mouvements du cœur ». Si l'amour est un jeu, ce n'est
qu'un jeu pour petits garçons, qui fait de l'homme viril un
valet ou un diseur de fadaises.

L'état de convoitise où Gide a vécu presque tout au long
de sa vie s'est éteint. Et cependant le monde ne lui paraît
pas désenchanté. N'a-t-il pas eu une femme, une fille, un
disciple — n'a-t-il pas laissé une œuvre ? Il ne proférera
pas que tout est poussière des vents. S'il a renoncé à croire
à l'amour, ce n'est pas pour ce mysticisme platonicien, d'où
est sorti le chrétien. Vieillard, il continue, comme d'autres
grands vieillards, Hugo ou Gœthe, à satisfaire son désir,
sans souci des interdictions, ou des censeurs, naturel devant
les plaisirs qu'il appelait autrefois « frelatés », affirmant
qu'il faut prendre l'amour pour ce qu'il est, qu'il rassemble
l'être et qu'il permet avant tout de travailler dans de
bonnes conditions « hygiéniques ».

L'amour, commodité hygiénique... : c'est dans ces termes
que le petit bourgeois en parle souvent quand il se rend
dans un mauvais lieu, de même qu'il appelle laïus, un
développement lyrique. Cette volonté de dépoétisation que
Gide a appliquée à l'amour, il l'applique également à la
poésie : « Peu s'en faut, dit-il dans son dernier *Journal*,
que l'état lyrique ne me paraisse un état d'enfance. » Mais
ce n'est qu'en s'éduquant « interminablement » et en
prenant l'amour comme une sorte d'exercice spirituel, qu'il
est parvenu à le vider de son contenu inspiré, à se garder
de l'inspiration même, où il a craint de voir, comme dans
ses embardées mystiques, une forme de la tromperie. Ce

triomphe de la raison s'appuie finalement sur un goût
fondamental du bonheur. S'il n'a jamais aimé le sale gosse,
s'il a éprouvé toujours « quelque pointe d'hostilité » à
l'égard d'un contentement de femme ne comportant pas
« un peu de résignation », c'est qu'il n'a pas voulu que la
douleur empiète sur lui ; quand elle l'a mordu, il a tout
fait pour lui tordre le cou ; l'ennui s'est progressivement
atténué dans sa conscience, comme la force du mot dans
le langage. Et cette résolution, il l'a tenue, que son *Journal*
« ne sera pas le confident de [ses] tristesses », ni sa vie la
figure du chagrin.

CHAPITRE II

L'écrivain dans la Société

Quand, à soixante-trois ans, Gide entra dans le communisme, on pouvait penser qu'il s'y maintiendrait, ayant concilié en lui le communisme avec l'individualisme. Mais on était en droit de croire également que ce qui l'avait heurté dans les institutions bourgeoises : famille, justice, colonisation, ne serait pas aboli d'un coup et qu'il rencontrerait bientôt, — se substituant à l'autorité du père et au dogmatisme religieux, — l'autorité de l'Etat, qui lui semblerait aussi haïssable. Ses retentissantes déclarations, dans son *Journal* de 1931 (que l'on peut prendre comme date de son adhésion au communisme), impliquent l'utopique conception d'une société « sans religion »... « sans famille »... Il imaginait un communisme idéal, répondant à sa grande nostalgie de l'état anarchique. Il faut se rappeler que l'U. R. S. S. pouvait, à cette époque, prêter encore à un tel malentendu : la cellule familiale, dans le nouveau régime, paraissait véritablement dissociée ; le mariage, réduit à une sorte d'union libre, prenait le caractère d'une rupture antibourgeoise ; la religion était représentée comme une grossière superstition et à la solde de prêtres cupides ou de capitalistes intéressés. A la condition qu'ils fussent orientés dans un sens révolutionnaire et marxiste, les courants de pensée les plus divers se manifestaient librement et chacun pouvait espérer de l'avenir ce qui lui était le plus cher.

Pendant quatre ans, Gide resta enfermé dans cette erreur, ou du moins dans ce qui nous apparaît tel aujourd'hui ; ce n'est qu'au contact direct de la réalité, en 1936, en U. R. S. S. même, qu'il en prit conscience. A son retour, comme je lui demandais s'il reprendrait à présent une position évangélique :

— Oh, c'est trop tôt..., dit-il, il s'agit d'abord de dessiller les yeux de tant de jeunes gens abusés et qui ont pu l'être par moi.

Quinze ans plus tard, la Russie ayant triomphé de l'Allemagne, je fus amené à lui demander où il en était avec le communisme ; il éluda un sujet qui l'avait tant encombré jadis :

— *Je crois, répondit-il, que nous ne sommes pas faits pour ces questions...*

Il était complètement retourné dans son monde intérieur, fermé aux problèmes sociaux ; il semblait avoir oublié son aller et retour, son retour spectaculaire surtout (tirage de *Retour de l'U. R. S. S. :* plus de cent mille exemplaires en 1937 et plus de quinze traductions dans la même année), et les *mouvements divers* de l'opinion.

Ses pages de *Journal* sur ce sujet (de 1931 à 1937) n'ont jamais correspondu, malgré parfois leur caractère anxieux, à une interrogation profonde sur la structure de la société, à une véritable nécessité. Aussi, ce qui nous intéresse, ce n'est pas tant l'aventure intellectuelle elle-même qu'a représenté pour lui le communisme, — que les causes profondes qui l'ont conduit jusqu'à celui-ci : une double évolution s'est produite dans sa vie intérieure : la question religieuse le préoccupe toujours, mais il a perdu la foi de sa jeunesse, en même temps que son ardeur créatrice s'est épuisée ; il espère qu'un nouvel ordre social répondra à la fois à ses préoccupations morales et suscitera une œuvre d'épanouissement qu'il ne sent plus naître en lui. Le communisme lui apparaît comme un renouvellement, une ouverture dans la vie de sa conscience : espoir rapidement déçu, car il ne se détachera jamais complètement de la conception religieuse et artistique du monde de sa jeunesse.

Du point de vue religieux, le communisme lui a fait faire un pas en avant : sa vie est l'histoire de sa libération personnelle, d'un long cheminement vers l'athéisme, où le communisme figure comme un accident, comme une méprise sans doute et quand même comme une étape. Si c'est l'absence d'un dogme religieux qui l'a attiré vers le communisme, c'est une nouvelle convention, un dogme artistique, qui l'en a éloigné : du point de vue de l'art, le communisme lui est apparu stérile ; il est revenu à la position de l'artiste qui écrit pour une élite.

Peu de temps avant sa mort, il a réuni les lettres et les discours de cette période sous le titre de *Littérature engagée*, mais c'est par une sorte de contresens : il ne s'est jamais senti totalement engagé par ses déclarations de 1931, ni, cinq ans plus tard, en reconnaissant publiquement son erreur. Dans son *Journal* de 1942-1949, évoquant *Retour de l'U. R. S. S.* et *Retouches à mon Retour de l'U. R. S. S.*, il les appelle, avec innocence, « deux pamphlets » et déclare que son voyage lui paraît, avec le recul, un des plus attrayants qu'il ait fait ; ils lui rappellent les plus beaux paysages et un des peuples les plus sympathiques. Des faits politiques, des faits historiques, des faits concrets, il semble qu'il n'ait pas voulu garder le souvenir, mais il n'a pas oublié son accusation « portant sur l'oppression de la pensée. Ce que j'en disais reste vrai... » Cette préoccupation ne tient pas seulement à son voyage ; elle est celle de l'individualiste qu'il a été toute sa vie.

C'est avant tout sa position d'artiste qui a rendu Gide si longtemps imperméable à la question sociale. Elle n'a pas à être posée, selon lui, dans le monde de l'art, à l'intérieur duquel l'homme doit trouver réponse à l'art et également réponse à tout.

A la suite d'une évolution qui date du début du xixe siècle, qui s'est affirmée, au long d'une lignée d'artistes pour s'épanouir dans la première décade de notre siècle, les écrivains de la génération de Gide sont arrivés à faire de l'art un univers transcendantal [1] : l'art est le beau, le vrai, le bien, l'absolu, — et le reste du monde apparaît dégradé. Ce qui relie les uns aux autres des écrivains aux tempéraments aussi différents que Gide, Claudel, Valéry ou Proust, c'est une même estimation de l'art, placé au haut de l'échelle des valeurs. Avec eux, l'artiste devient un solitaire qui se comporte comme s'il vivait, tout en les respectant, en dehors des conventions de la société. Valéry n'a que mépris pour les questions de la morale ordinaire, qui pour lui, font partie de l'étiquette... Pour Proust, l'artiste n'a d'autre devoir que celui de ne pas se laisser distraire de son travail : il ne peut servir qu'en écrivant, être utile à son pays « qu'à condition, au moment où il étudie les lois de l'art... de ne pas penser à autre chose — fût-ce à la patrie — qu'à la vérité qui est devant lui ».

Pour Gide également, la création est avant tout l'unique devoir. Mais Gide était engagé dans la religion : il y avait pour lui un devoir religieux plus important que le devoir de l'artiste. Il lui a donc fallu réagir contre son éducation puritaine et échapper, par l'art, aux notions traditionnelles de bien et de mal. Longtemps son esprit s'y est « achoppé »,

1. Cette conception de l'Art-absolu a pris fin avec la disparition de Gide, de sa génération et de la N R. F.

mais il est parvenu, finalement, dans certaines minutes, à
l'extrême limite, à entrer dans une sorte de royaume intérieur : le royaume d'une conscience libérée du soin de
juger... C'est le monde de Lafcadio, de son *Prométhée*
aussi. Là, plus rien ne tire à conséquence. L'artiste n'a plus
à se figurer que le monde veut quelque chose et que chacun doit en débattre et en décider. Le monde reste suspendu et indifférent. L'homme n'a plus à obéir à personne,
sauf précisément aux lois de son art, érigées en règles absolues. A l'intérieur de son refuge idéal, tout devient inspiration, et ce qu'il recrée — le chant modulé d'un oiseau
ou la mort d'un sansonnet — prend une autre valeur que
les plus retentissants événements dans l'histoire ou dans
la religion. Finalement il ne conçoit plus l'acte que comme
un acte gratuit, autrement dit dénué de signification véritable : l'homme s'est évadé de la société.

Cependant cette conception se heurte à des difficultés,
dont l'artiste ne prend guère conscience aux époques de
stabilité : au début de ce siècle précisément, l'ordre social
paraît établi pour toujours par la Providence, qui semble
avoir élu, pour régner, l'Europe et quelques grandes Puissances. Sans doute l'affaire Dreyfus divise et passionne
l'opinion, mais comme un problème théorique qui n'atteint personne dans sa sécurité. Gide signe *pour,* en s'en
désintéressant, et Valéry *contre,* « après réflexion ». L'écrivain, en prenant part à la mêlée, croirait déchoir, s'abaisser
au journalisme, sortir du rôle de pureté qu'il s'est assigné
et se salir dans le monde de la politique, de la vulgarité
et de la ruse.

Dans ces époques de calme, on assiste à ce fait étonnant :
un écart s'établit entre l'œuvre et l'homme. Balzac est un
théoricien conservateur et qui défend la Royauté et l'Eglise ;
pourtant dans son œuvre, il est révolutionnaire jusque dans
sa conception de la femme et de son rôle social. Gide est
attaché profondément au système paternaliste de Cuverville et naturellement conservateur ; et cependant toute son

œuvre tend à saper les institutions bourgeoises. Mais le
conformisme contre lequel l'œuvre s'élève ne paraît lié ni
à une classe, ni à une époque déterminée. C'est un non-
conformisme fait d'une sorte d'essence éternelle : la révolte.
Par la révolte, l'artiste pense qu'il ne s'abaisse pas au rôle
de propagandiste, qu'il reste toujours dans le domaine de
l'absolu. Le révolutionnaire veut détruire pour recréer ; le
révolté, non ; il est, en dehors d'un lieu géographique et de
l'histoire, *contre,* dans l'éternel.

Il arrive cependant que l'agitation des révoltés crée un
climat favorable à la révolution. Les grands écrivains du
xviiie siècle ont préparé les conditions de 89, de même qu'en
Russie, Tolstoï, celles de 1917, quoiqu'aucun d'entre eux
n'ait été révolutionnaire et qu'ils auraient été sans doute
hostiles à la révolution.

Mais quand l'époque entre en convulsion, quand ses fondements sont remis en question, que chacun — et l'artiste
lui-même — se sent menacé, l'écart diminue entre l'œuvre
et l'homme. Il sent tout à coup qu'il est compromis dans
le social, qu'*il est fait pour ces questions,* que sa morale
individuelle d'artiste ne suffit plus, que le droit de jouir
d'une chose ou la défense de tuer ne se conçoivent pas en
dehors des rapports des hommes entre eux ; il pressent l'identité entre sa condition et celle de ses semblables et il est
appelé à se prononcer devant les grands mouvements sociaux
de libération. C'est alors que l'on voit Kant, se détournant
de sa promenade quotidienne, aller au-devant des nouvelles
de la Révolution française ou Höderlin écrire : « Nous
lancerons notre plume sous la table et nous irons là où les
ténèbres seront les plus épaisses. » L'écrivain se sent rejoint
par les lois nouvelles de son époque et il croit que la liberté
du monde ne fait plus qu'un avec la sienne. Quand Marx
déclare que « l'homme est pour l'homme l'être suprême »,
il signifie qu'obéir conformément à soi-même, c'est obéir
au décret de tous et dans cette coïncidence, l'homme entrevoit la liberté. C'est cette coïncidence que Gide a cru décou-

vrir soudain dans le pays où le monde avait tremblé sur ses bases ; c'est ce qu'il a appelé la préoccupation de l'humain et qui l'a amené à remettre en question de nouveaux problèmes : la situation des hommes entre eux, les intentions qui les groupent, l'utilité immédiate de l'action.

Coïncidence presque toujours momentanée et qui dépasse les moyens de l'écrivain. Jeté sur la place publique, il devient l'écrivain-mage et le grand inspiré fait piteuse figure dès qu'il accepte en chaque circonstance, à l'occasion de chaque entreprise publique, d'apporter une réponse précise. Bergson, débarquant aux Etats-Unis et interrogé par des journalistes sur des sujets d'actualité (le système Taylor ou Carpentier), leur dit : — Je peux vous donner mon opinion, mais elle n'a pas plus de valeur que celle du premier débardeur venu ; si vous désirez que ce soit *moi* qui vous réponde réellement, pour chaque question, je vous demande deux ans... Il exprimait par là le besoin qu'éprouve tout créateur d'établir une distance entre le public et lui. Gide a senti la difficulté de distinguer le recul nécessaire à la création du recul devant l'action, qui devient une forme de la désertion ; et, comprenant le danger de s'engager avec légèreté et ignorance dans un monde qui n'est encore que celui de la conjecture, il n'a cessé, pendant toute sa période communiste, de vouloir se reprendre... En vain. Il a introduit, malgré lui, dans son monde intérieur, des résidus de sentiments et d'images sociales plus ou moins tronquées ; il n'est pas parvenu à le préserver du désordre. Il n'a jamais pu accepter la *contradiction* — qui apparaît surtout aux époques d'incertitude — qu'implique la situation réelle de l'écrivain, engagé par les événements et néanmoins irresponsable, appelé à coïncider avec la vie sociale et à retourner quand même à la solitude.

Quelque acuité qu'ait pris ce débat, il était en quelque

18

sorte résolu quand Gide entre dans le communisme. C'est que le début de son activité politique coïncide avec un vide dans sa vie de créateur. Les *Faux-Monnayeurs* datent de 1926 ; *Œdipe,* de 1931. A partir de ce moment, il y a un trou dans sa bibliographie ; aucune œuvre nouvelle ne paraît. Il n'écrira plus d'ouvrage de fiction, même après *Retour de l'U. R. S. S.* Il ne parviendra plus à se débarrasser de ses contradictions par des personnages d'imagination qui les endossent.

Il arrive fréquemment que des créateurs, poètes ou savants, livrent leur message dans leur première jeunesse. Certains, se rendant compte qu'ils n'ont plus rien à écrire ou à découvrir, s'orientent vers une activité nouvelle. On peut dire de Gide que son intérêt croissant pour la question politique est en liaison directe avec cette rupture qui s'est produite dans sa vie.

Le Jeu des Idées

Depuis que nous connaissons le texte actuel de son *Journal,* à le lire attentivement, nous constatons, dès 1932, qu'en même temps qu'il adhérait au communisme, il en sortait ; qu'il en était sorti, avant même d'y être entré. « De cœur, de tempérament, de pensée, écrit-il, j'ai toujours été communiste. » Il n'a pas à adhérer ; il l'a toujours été ; il n'a pas changé ; il n'a pas à abjurer. Aragon a expliqué qu'un bourgeois qui entre dans le Parti doit abjurer, comme il le fit d'ailleurs, — sinon, c'est un homme qui veut rester lui-même, *plus* autre chose : Gide a été un

de ceux qui a voulu entrer dans le communisme avec
toute sa pensée, tout son « gidisme » qu'il refusait de laisser
examiner. Il veut bien sacrifier sa vie au Parti, mais non sa
pensée ; sa pensée, c'est plus que lui : c'est l'écrivain.
Malgré ses grandes professions d'espoir, il veut pouvoir
douter. Il se rappelle la phrase de Charles-Louis Philippe,
que les nouveaux convertis au catholicisme lui citaient souvent : « Sois un homme : choisis. » Il croit avoir choisi
pour le communisme, mais il ne choisit que *contre*... contre
le capitalisme, contre la religion, et peut-être aussi contre
la position désintéressée de l'artiste. Pourtant a-t-il lieu personnellement de se plaindre du capitalisme ? Il s'y est toujours senti bien à l' « abri ». Mais il connaît tous les abus,
les persécutions qui se tapissent à l'ombre de celui-ci. Il
est gêné par sa « situation de favorisé », et cette sentimentalité d'intellectuel ne sera pas une des moindres causes de
son ralliement. De la religion, il a gardé d'ineffaçables
souvenirs d'enfance, mais comment s'incliner devant l'in-
fatuation des croyants ?

Effectivement il doute et poursuit tout au long son examen de conscience. Il a besoin qu'on lui explique le sens
des événements politiques ; il les discute et sait que les
discussions ne servent à rien. Une conversation l'assombrit ;
la déclaration d'Einstein le trouble ; mais deux jours plus
tard un discours de Staline le remet d'aplomb. Il écrit :
« Et j'ai grand'crainte, je l'*avoue*[1]... » ou : « Mais il me
faut bien *m'avouer*[1] à moi-même toute ma pensée... »

L'intellectuel nourri de christianisme s'avoue à lui-même ;
le militant communiste avoue également, mais au Parti.
Ainsi, les convictions de Gide pendant quatre ans se sont
exprimées en conjectures. Il semble jouer avec des idées :
la guerre et la paix, le progrès et la foi, la croix et le capitalisme. Il caresse ses idées avec légèreté ; il ne prend pas
possession de ses idées ; il n'est pas foncièrement pris au jeu

1. Souligné par moi.

et pourtant, aujourd'hui, « le *jeu* n'est plus permis ». Il
s'agit de savoir où vont les hommes.

Le fait le plus surprenant dans l'attitude de Gide, c'est
qu'*après* avoir adhéré, il a cherché à se faire une opinion,
lui qui n'en a jamais eu. Dans le milieu où Gide a été
élevé, on n'a pas d'opinion, ou pas d'autres du moins, que
celles qui nous sont inculquées par lui. Ce que révèle à
Gide son entrée dans le communisme, c'est que, lui, qui
se croyait individualiste, n'a cessé d'être conformiste, du
moins pour tout ce qui concerne les questions sociales. Je
m'en rapportais à l'opinion des « gens de métier, écono-
mistes, administrateurs... » ; je pensais qu'ils devaient être
mieux informés que moi ; « je leur faisais crédit, confiance », écrit Gide à Jean Schlumberger en 1935. Comme
artiste, il pensait qu'il était inconvenant de soulever ces
questions de politique dans une œuvre d'art, de même
qu'il était malséant dans le milieu de Gide, de parler de
questions d'argent, — que l'artiste doit tendre à ne pas
sortir de son domaine intérieur et gratuit, sous peine de
faire œuvre de propagandiste. C'était l'époque où il écrivait *Amyntas,* récit de ses voyages d'Algérie. Aujourd'hui,
il déclare qu'il a bien observé alors l'expropriation des indigènes par les banques et les trusts, mais qu'il s'est volontairement abstenu d'évoquer ces questions pour n'avoir pas
à se prononcer à leur sujet. Ainsi Gide jusqu'à soixante-
trois ans s'est gardé d'avoir une opinion.

Mais, de même qu'on fait de la prose sans le savoir,
n'avoir pas d'opinion en politique, c'est en avoir une
quand même. Le plus souvent, l'opinion de ceux qui n'en
ont pas est réactionnaire. Les réactionnaires déclarent que
les partis politiques, qui représentent précisément les opinions de la pensée publique, sont composés de bavards, et,
ne souhaitant rien tant que de les faire taire, ils acceptent
volontiers un dictateur par horreur du laisser-aller. Gide,
puisqu'il n'a pas d'opinion, a bien souvent emboîté le pas

de ces gens — des gens de l'*Action Française*. « Si j'en
viens à souhaiter pour la France, un roi, fût-ce un despote... » écrit-il en 1918 — et en 1940 : « ... J'accepterais
une dictature qui, seule je le crains, nous sauverait de la
décomposition... » Mais il ajoute qu'il ne s'accommoderait
d'un pouvoir absolu qu'à la condition d'avoir le droit « de
penser et d'aimer librement ». Comme si la dictature
n'impliquait pas toujours la suppression du droit de pensée.
Ou alors il faudrait imaginer être soi-même le dictateur,
avec une pensée libre enfermée en elle-même et le reste du
monde en esclavage.

Son examen critique est dans le communisme poussé plus
loin encore, puisqu'il remet en question les notions traditionnelles qui lui sont les plus chères, auxquelles il est
revenu après *Retour de l'U.R.S.S.* : la liberté de pensée en
régime capitaliste n'est-elle pas une illusion ? Et l'art, cet
art merveilleux auquel il a consacré sa vie, conçu comme
devant répondre à toutes les questions, toutes les remplacer,
ne soulève-t-il pas, en période de crise sociale, d'insolubles
contradictions pour l'artiste ?

Si, parmi tant d'activités possibles de l'esprit, Gide s'est
orienté vers les questions sociales, c'est que celles-ci se sont
présentées à lui comme la suite du problème religieux. De
même que sa vision d'artiste, la foi ardente de sa jeunesse qui
s'est prolongée jusqu'à l'âge mûr et même au delà, l'a fermé
pendant très longtemps à la réalité sociale. Quand cette foi
retombe, la religion lui est apparue proprement comme *l'opium
du peuple,* s'insinuant dans toutes les formes de la vie de la
société : l'établissement de classes, la justice, la guerre... On
sait que la religion, en offrant « une compensation aux maux »
de cette vie, l'espoir d'une vie meilleure après la mort, conduit
les opprimés à accepter les inégalités et les souffrances, le
monde tel qu'il se présente ici-bas. De même que l'existence
du monde est soutenue par l'existence de Dieu, de même
la société. Les choses sont comme elles sont, puisque Dieu

l'a voulu ; le mal est nécessaire, et il faut l'accepter. L'acceptation entraîne l'obéissance : « Rendez la crainte à qui
elle est due, » dit saint Paul, cité par Bossuet, et Bossuet :
« La seule défense des particuliers » ne doit être que « leur
innocence » ; à la puissance publique, il ne leur est permis
d'opposer « que des remontrances respectueuses, sans muti-
nerie et sans murmure ». L'humilité chrétienne permet de
maintenir l'ordre. L'homme est plongé dans l'ignominie
pour être racheté ; il s'agit de l'abaisser pour en faire un
perpétuel mineur. De la grande tragédie de la Faute avec
draperie, larmes, femmes au pied de la Croix n'a surgi
qu'un monde inhumain. Dieu élève les uns et abaisse les
autres ; l'histoire apparaît comme un bouillonnement dérisoire à l'intérieur d'un cercle fermé. Elle n'a plus de raison
d'être. Dans les prétoires, l'injustice comme la justice est
toujours juste, puisqu'elle exprime le jugement de Dieu,
— de même que la guerre exprime sa colère : le dieu chrétien défend la « *juste guerre* » et les prêtres qui la représentent, les intérêts de chaque camp ; aux survivants reste
l'usage des prières pour les morts.

Quand survient la guerre de 1914, Gide croit encore,
tout imprégné qu'il est de puritanisme, que la guerre va
purifier la France jusqu'au point d'avouer qu'il *souhaitait*
« presque » la guerre pour cette régénération : auprès
d'Emmanuèle en prière, il s'agenouille. Dans son œuvre,
il n'a cessé de compenser ce qui pouvait y paraître impie
par des mouvements de piété, de prier dans « *Les Nourritures Terrestres,* de s'agenouiller, les yeux pleins de larmes,
dans l'introduction de l'*Enfant Prodigue,* de faire lutter
Bernard, dans les *Faux-Monnayeurs,* avec son ange gardien,
comme lui-même, au début de son *Journal :* « Seigneur,
donnez-moi la force... Seigneur, instruisez-moi ! » Dans sa
jeunesse, il écrivait : « Les pensées sont des tentations » et,
plus tard, se retournant vers son passé : « On eut dit que
ma propre pensée me faisait peur... »

Cependant «... ces tourments, ces luttes, ces débats gratuits, chimériques... » peu à peu se dissipent. A soixante ans enfin, il écrit, parlant de la religion : « Je ne comprends même plus qu'à peine *de quoi il s'agit*. »

Il ne comprend qu'à peine, mais il comprend encore et, à la même époque : « Ce qui m'amène au communisme, ce n'est pas Marx, c'est l'Evangile. » C'est qu'en se séparant de la religion, il a voulu garder le Christ ; il le juge encore si beau qu'il en parlerait volontiers aux camarades s'il ne considérait comme mal venue cette tentative. Mais l'Evangile n'est-ce pas la charité ?... Et la charité, la négation même de l'indépendance du travailleur ? A la limite, la charité est une notion absurde, puisque si tout le monde mendiait, personne ne pourrait rien recevoir. C'est pourtant l'idée d'une charité parfaite qui a éloigné si longtemps les hommes de l'idée de justice sociale, qui est effectivement à l'opposé[1].

En entrant dans le communisme, Gide a dû renoncer à cette croyance. Les croyants sont des idolâtres, fait-il dire à X... dans son *Journal*, et X..., dont il parle si souvent, c'est lui-même[2], il l'avoue en cette page précisément, mais il préfère attribuer à X... ce qui lui paraît encore, tout au fond de sa conscience, un blasphème. Si la statue du Commandeur levait le bras... Le mystique est un aveugle. Toute croyance aveugle... Le prêtre Tirésias est aveugle. C'est au moment où Œdipe voit clairement les choses qu'il se crève les yeux. Au moment où Gide découvre que la foi religieuse est une tricherie, va-t-il à nouveau s'aveugler ?

Il a besoin d'une foi nouvelle. « La foi, c'est la fois pour

---

1. C'est cette contradiction, cette absurdité incluses dans la notion de charité qui apparaît dans la célèbre scène du mendiant dans le *Don Juan* de Molière. Elle apparaît également dans la légende, aux Etats-Unis, des milliardaires comme Rockfeller : ils ont fait leur fortune en étranglant leurs concurrents et sont appelés néanmoins des *philantropes*. Rockfeller « a tant donné..., a toujours été immense et strict comme lui-même » B. Fay). Dans nombre d'ouvrages anglo-saxons, des écrivains et des savants, après avoir discuté tout au long de leurs livres de philosophie ou de théories scientifiques, ajoutent en dernière page : — Comme nos conclusions sont incertaines, je vous conseille néanmoins, cher lecteur, d'aller au temple le dimanche.

2. *Journal*, 1932.

toutes... [1] » Le plan quinquennal, l'ampoule électrique, au lieu de la Croix, sont-ils le symbole de sa foi présente [2] ? A peine s'est-il lentement « *déconvaincu* de tout *crédo* » qu'il écrit : « La première condition pour que ce projet réussisse [le plan quinquennal], c'est de croire obstinément qu'il réussira. » La révolution joue, entre autres rôles, celui que jouait jadis la vie éternelle. Il soupçonne déjà dans le communisme un dogmatisme, qui lui est insupportable. *Il est écrit...* est une formule qu'il n'accepte ni de la Bible, ni de Marx.

A la suite de ses oscillations, une image s'éveille dans son esprit désemparé par l'intrusion de tant d'idées sociales nouvelles, à quoi il se raccroche, qui n'est pourtant que la vieille image du XVIIIe siècle, l'image du Progrès. Dans le moment présent, son esprit désencombré de personnages de fiction se dessècherait s'il ne se sentait pas rajeuni par un « cœur plein d'amoureuse espérance ». Il rêve éveillé ; il rêve émerveillé et dans son *Journal* : « Je sais que quelque part... mon rêve est en passe de devenir réalité. » Dans ses déclarations publiques le ton devient plus catégorique encore : Jeunes gens de l'U.R.S.S. « grâce à vous sera... » Ce sera dans l'avenir, mais l'avenir est certain.

Le monde de Bossuet s'est effondré dans son esprit, en même temps que l'Eglise qui ne varie jamais. L'idée de progrès est restée si longtemps étrangère aux hommes que dans le moment même où elle naît, Montesquieu, continuant Montaigne, écrivait : « Le meilleur de tous [les gouvernements] est ordinairement celui dans lequel on vit. » Tout bouleversement révolutionnaire paraît à la fois inutile et entaché de mensonge. Pour le sage, il n'y a de progrès que dans son monde intérieur.

1. René Crevel.
2. En 1934, de jeunes communistes-spiritualistes faisaient paraître une revue, *Terre Nouvelle*, qui portait sur la couverture une grande croix rouge sur les bras de laquelle se croisaient, en noir, la faucille et le marteau.

Mais voici que, dans l'idée de progrès du xviiie siècle, s'est brusquement introduit, bousculant les idées toutes faites, intégrant l'idée de progrès graduel à la réalité révolutionnaire, le mouvement d'une conception dialectique de l'histoire, conduisant les hommes à la limite de leur marche en avant, vers un état sans classe sans institution, à une association où individualisme et communisme se rejoignent. Entre le présent et l'utopie des philosophes de jadis s'élève un chemin en lacets, qui permet d'atteindre le sommet, mais « petit à petit » dit Marx.

On comprend que Gide, tout imprégné encore d'immobilisme, se soit lancé avec une sorte d'ivresse dans ce chemin ardu. Mais est-ce bien le marxisme qu'il a fait sien ? Sa conception du progrès n'est-elle pas restée plutôt celle toute abstraite du xviiie siècle, née de l'espace cartésien, où chaque homme semblable à un point mathématique, avance en ligne droite. La révolution marxiste entre dans la réalité de l'histoire ; elle détruit pour créer. Mais Gide n'est pas destructeur ; il répète souvent : « Je ne suis rien moins que révolutionnaire. » S'il a gardé son vocabulaire religieux, s'il parle toujours de « secourir » les « indigents », il accorde pourtant au communisme une vertu qu'il refuse désormais catégoriquement au christianisme. Quand au cours d'un entretien [1], Jacques Maritain déclare : « ... Le christianisme seul pourrait réussir... » Gide interrompt : « — Pourrait ? », Maritain reprend : « — Pourra... », et Gide explique : « ... Je crois que c'est l'imparfait qu'il fallait employer : *pouvait* » : Mauriac répond : — Qu'est-ce que 2.000 ans d'existence pour le christianisme ? Mais Gide pense qu'en deux mille ans le christianisme a démontré qu'il a fait faillite et que, s'il est une chance nouvelle, elle est à accorder au communisme ; et pourtant, quand Gide se rendra en U.R.S.S., le communisme sera instauré depuis dix-neuf ans et il lui refusera cette chance.

1. « Entretien à l'Union pour la Vérité. » Voir plus loin, page 272.

Si les causes profondes qui ont conduit Gide au communisme sont de nature artistique et religieuse et de ce fait contradictoires, le panorama que lui présentait le monde à cette époque, — chaotique et flamboyant, — devait l'inciter à manifester. Il y a toujours une minute où de simples préoccupations de l'esprit, qui ne sont encore que des distractions, se transforment presque nécessairement en adhésion, où il faut somme toute passer à l'action. Jusqu'aux environs de 1932 précisément, il n'était pas concevable que Gide ait pu participer au communisme : le Parti était si fermé que les intellectuels bourgeois qui y entraient, étaient amenés à rompre toute relation avec leurs anciens amis. Mais en juillet 1932, le Parti a commencé d'accueillir les intellectuels de « gauche » (par l'*A.E.A.R.*) [1]. C'est un mois plus tard que paraissent dans la *N.R.F.* les pages du *Journal* de Gide de 1931, où il exprime sa sympathie pour l'U.R.S.S. et dont nous avons parlé. Il n'y a pas de rapport direct entre ces deux faits, néanmoins 1932 est l'année où le communisme commence, modestement encore, à s'élargir.

Le capitalisme était pris d'une convulsion telle qu'il n'en avait encore jamais connue. Sur l'Europe s'étendait une crise qui avait commencé trois ans auparavant aux Etats-Unis. C'était dans l'euphorie de la prospérité : la production n'avait cessé de croître à un rythme accéléré, grâce à un nouveau phénomène qu'on appelait respectueusement la rationalisation. Il suffit qu'un jour un léger souffle pénétrât dans Wall-Street pour qu'il se transformât en ouragan : le jeudi 24 octobre 1929 fut nommé le jeudi noir. Depuis un siècle, quand baissaient les prix, les producteurs réduisaient la production. Dans ce système, le déséquilibre économique se rétablissait spontanément. On déclarait que les crises étaient dans la nature des choses, voulues par Dieu, pour l'établissement d'un ordre supérieur qui était le capitalisme.

1. *Association des Ecrivains et Artistes Révolutionnaires.*

Cette fois Dieu resta absent ; un grain de sable dans le système : la guerre de 1914... — Laissez faire ; Dieu se manifestera. Cependant toute la machine à prospérer resta brusquement en suspend et 12 millions de chômeurs, en Amérique seulement, s'enfoncèrent dans la détresse et dans l'hébétude.

Sur le chômeur pèse la honte, comme sur le mendiant [1]. Devant le chômeur, Gide a mauvaise conscience, qui rejoint celle du chômeur. La « nacre de [sa] coquille » ne le protège plus. « Je sens aujourd'hui, gravement, péniblement, écrira-t-il bientôt, cette *infériorité,* — de n'avoir jamais eu à gagner mon pain, de n'avoir jamais travaillé dans la gêne. » Puisque le capitalisme s'est détruit lui-même, Gide s'est porté à l'extrême opposée : au communisme. Des lectures, la rencontre d'amis, militants du Parti, l'y ont encouragé également. Le capitalisme ne se défend plus ; on peut l'attaquer de tous côtés.

Gide faisait un pas de plus en avant, sans avoir néanmoins de porte à forcer.

Dans le Communisme.

Un pas de plus en avant...

Ce fut un étonnement, du côté de la bourgeoisie comme du côté des militants lorsqu'on vit apparaître à la tribune

---

1. La honte apparaît dans *Germinal* déjà, devant les pancartes : *pas d'embauche.*

le grand écrivain dont la figure était encore presque inconnue et qui n'avait jamais parlé aux masses. Il venait,
avec son œuvre d'individualiste derrière lui, s'expliquer si
naturellement qu'il remplissait l'espace qui sépare l'homme
public de l'écrivain exigeant, dont chaque mot est pesé :
il était parvenu à la coïncidence que cherche si souvent
l'écrivain entre son monde intérieur et le monde social.
Dans ce nouveau milieu, il restait fidèle à lui-même avec
l'espoir de « se dévouer à une noble cause » ; il apportait
cette présence qu'il avait donnée à tant d'hommes personnellement rencontrés. Ce n'était pas sa situation d'orateur
qui ajoutait à son prestige ; c'était l'homme, au contraire,
qui grandissait l'orateur. Sa phrase restait la même, avec,
dans le discours, un ton d'affirmation plus net, plus constant, et parfois une image d'orateur qui cherchait à échapper au conventionnel.

La première apparition de Gide à la tribune coïncide avec
le premier grand tournant du Parti, qui s'explique avant
tout par la nouvelle politique étrangère de l'U.R.S.S., plus
que tout autre puissance, menacée par la montée du
fascisme. La paix qui, tant bien que mal, s'était établie
depuis 1918 en Europe, semble devoir prendre fin. Une
crise internationale se développe parallèlement à la crise
économique. Les nazis s'installent en Allemagne et Hitler
ramasse ses millions de chômeurs pour les enfourner dans
les usines d'armement, — tandis qu'à l'autre extrémité
des frontières russes, le Japon se jette sur la Chine. L'U.R.
S.S. se sent contrainte de sortir peu à peu de son isolement ;
elle soutient, en accord avec les démocraties, toutes les manifestations pacifistes, politique qui aboutira à son entrée à la
Société des Nations. (Arrivée de Litvinov à Genève en 1934.)
A l'intérieur du Parti, c'est le même tournant. En 1932,
l'*A.E.A.R.,* bientôt transformée en une *Maison de la Culture,* fait appel à la vieille garde des écrivains de gauche,
qui aussitôt s'y bousculent. Les anciens militants se sentent

au début désorientés ; puis, de part et d'autre, l'idée d'une démocratisation progressive du communisme est acceptée, que renforcera la nouvelle Constitution russe de 1936. C'est l'ère des illusions. On espère un passage possible, presque sans révolution ou avec une révolution atténuée, entre les vieux régimes démocratiques et l'U.R.S.S.

Dès que Gide eut fait paraître ses premières déclarations dans la *N. R. F.*, il est sollicité par le Parti et par toutes ses organisations annexes et élargies. Sans doute ne s'y attendait-il pas : le mot « sympathisant » n'existait pas encore ; il pensait rester, de loin, un spectateur qui approuverait.

Mais, dès 1932, Félicien Challaye lui demande son adhésion au *Grand Congrès mondial contre la Guerre* [1] dont les communistes ont réussi à former un Comité d'initiative, composé de personnalités internationales. Ici, Gide est décidé à se montrer actif ; il entraîne Roger Martin du Gard ; il s'adresse à Valéry. — « ... Nous, pacifistes... » affirme-t-il d'un ton neuf. Le pacifisme des communistes est également nouveau : jusqu'à l'époque du *Congrès d'Amsterdam* — tout en dénonçant les guerres impérialistes issues des contradictions capitalistes, — ils prévoyaient ces guerres en escomptant qu'en sortirait la « révolution mondiale ». C'est non en la douceur mais dans la violence qu'ils croyaient. A présent l'évolution de l'U.R.S.S. est le résultat d'un compromis : pour se défendre contre l'hitlérisme, l'U.R.S.S. est devenue pacifiste, mais pas tout à fait à la manière que Gide souhaiterait et qui lui permettrait de parler des objecteurs de conscience avec qui il sympathise, de soutenir une politique de non-résistance, issue de son évangélisme et qui est la sienne profondément, mais secrètement depuis 1917 [2].

1. Congrès appelé d'abord *Congrès d'Amsterdam*, puis d'*Amsterdam-Pleyel*.
2. Sollicité par les étudiants d'Oxford, qui venaient de voter la motion suivante : « *L'assemblée en aucune circonstance ne combattra pour son Roi et son Pays,* » Gide tourne longtemps le problème en tous sens, se prononce finalement pour l'insubordination

A l'entrée de l'année 1933, Hitler a pris le pouvoir ; le Reichstag est incendié ; Thaelmann [1], arrêté. A la suite du Procès du Reichstag, surgit une figure d'une puissance individuelle étonnante, Dimitrov, représentant du communisme sans doute, mais symbole également de l'individu contre l'arbitraire du pouvoir absolu. Gide n'hésite pas à le féliciter pour son retentissant acquittement (octobre 1933). A Paris, il préside un meeting, en faveur de Thaelmann, retenu en prison (novembre 1933), réclame avec Malraux, sa libération à Berlin même (janvier 1934) ; accepte, au moment de la création du comité Thaelmann, de le présider (avec Malraux et Langevin).

Après l'arrestation de Thaelmann, Gide a publié une protestation individuelle dans l'*Humanité* Le communisme s'identifie désormais aux revendications de l'individu contre l'injustice et c'est contre elle que les premiers actes de Gide sont dirigés, plutôt que directement en faveur du communisme ; c'est contre le fascisme qui suspend les libertés individuelles qu'il s'élève. Son premier discours (21 mars 1933), porte précisément sur le *Fascisme ;* dans le communisme comme dans le fascisme, il y a dictature, mais Gide distingue : « Pourquoi et comment j'en suis arrivé à approuver ici ce que là je réprouve, c'est que, dans le terrorisme allemand, je vois une reprise, un ressaisissement du plus déplorable, du plus détestable passé. Dans l'établissement de la société soviétique, une illimitée promesse d'avenir. » Et Gide en acceptant la promesse, accepte les moyens qu'elle implique.

Devant les sollicitations de plus en plus nombreuses des communistes, son attitude est cependant de défense comme celle de l'écrivain envers les admirateurs qui l'encombrent. Les événements deviennent plus pressants : il a refusé d'entrer à

et fait paraître quelques lignes, non dans un organe du Parti, mais dans *Le Semeur*, organe de la Fédération française des Associations chrétiennes d'Etudiants (février 34) : « C'est en raison de son inopportunité apparente qu'un tel geste prend sa pleine valeur. Déclarer qu'on ne se battra pas, qu'est-ce que cela signifie, s'il n'est pas question de se battre ? »

1. Chef du Parti communiste allemand.

l'A.E.A.R. (— « Non, chers camarades... » ; il craint d'être embrigadé, de parler selon une « charte »), mais il accepte d'être présent ou de présider les réunions de cette « ligue » ; c'est malgré lui qu'il adhère à l'*Association Ouvrière Anti-Fasciste d'Europe* (mai 1933), mais il ne reprend pas sa signature. Parfois son embarras est grand ; quoique président d'honneur d'un congrès, il refuse sa présence : — « Ne m'annoncez pas, je vous en prie..., écrit-il à Barbusse... Je ne suis pas fait pour les réunions publiques. »

C'est contre le fascisme avant tout qu'il a agi ; à présent, il est entraîné à répondre aux appels qui lui viennent directement de Russie : il adresse une *Lettre à la Jeunesse de l'U.R.S.S.* (mars 1933) ; — en avril 1934, répondant à une demande par télégramme d'U.R.S.S., quelques lignes sur l'épopée du *Tchélioukkine ;* — un *Message au premier Congrès des Ecrivains soviétiques :* l'U.R.S.S., « l'exemple de cette société nouvelle que nous rêvions... » (août 1934) ; — à une autre demande par télégramme de la *Société des Relations Culturelles entre l'U.R.S.S. et l'étranger,* un texte pour le quinzième anniversaire du cinéma soviétique (décembre 1934) ; — sollicité en 1935, un message à l'U.R.S.S. pour l'anniversaire de la Révolution d'Octobre. Aucun argument de sa raison ne l'arrête « sur la pente du communisme », et il ajoute : « Sur cette pente qui m'apparaît comme une montée... » aujourd'hui ; il se conduit en militant strict et fidèle.

Désormais, il accepte de joindre sa signature aux noms de tous ces écrivains de gauche, parmi lesquels on trouve socialistes et radicaux, idéalistes et nouveaux quarante-huitards, artistes, savants, professeurs, étudiants, comédiens, journalistes, dont certains ne semblent avoir d'existence que parce qu'on les retrouve immanquablement de tract en tract. Il craignait en apposant son nom sous tous les manifestes collectifs, de le démonétiser ; il s'était promis de ne jamais signer de textes non rédigés par lui. Mais il signe l'*Appel aux Travailleurs* (avril 1934), qui donne naissance au *Comité de Vigilance* (avril 1934) ; — l'Adresse à Thaelmann pour son cinquantième anniversaire (avril 1935) ; — le télégramme à la *Maison du Peuple* de Madrid en faveur des « héroïques combattants » pour la « victoire finale du peuple espagnol » (1936).

Aragon, de Moscou, lui propose de tirer un film russe des *Caves du Vatican,* qui serait transformé en un film de propagande anti-religieuse. Cette fois, Gide refuse « amusé par la proposition », dont « je comprends de reste sa raison d'être... » Cependant l'*Humanité* reproduit en feuilleton le texte fidèle de la sotie. En 1935, il envoie aux *Jeunes Gens de l'U.R.S.S.* ses *Nouvelles Nourritures,* accompagnées d'une lettre : « Camarade de la Russie nouvelle... C'est vers toi que je me suis tourné en achevant [ce] petit livre... » Gide avait commencé de l'écrire en 1917, inspiré par sa rencontre avec Marc ; il en a donné des fragments dans ses *Morceaux Choisis* en 1921. Les thèmes sont souvent les mêmes que dans *Les Nourritures ;* son aspiration au bonheur devient une propagande contre cet « état flasque de l'âme » : la mélancolie. Et celui qu'il appelait autrefois d'un nom qui lui paraît aujourd'hui trop plaintif Nathanael, il l'appelle camarade : « Camarade, ... Ne sacrifie pas aux idoles. »

Le Parti continue à s'élargir. En juillet 1933 se fonde une nouvelle revue littéraire, *Commune ;* dans le comité directeur, André Gide s'associe à Vaillant-Couturier, Barbusse et Romain Rolland ; — Barbusse qui conçoit l'art comme moyen de propagande politique et pour lequel il ne peut avoir d'estime littéraire ; Romain Rolland qu'il a jadis si vivement attaqué dans son *Journal* de 1918, allant jusqu'à écrire : « Il ne peut que gagner au désastre de la France..., à ce que la langue française n'existe plus... [1] » Toute la revue est animée par Aragon.

_____

1. Dans mon premier livre sur Gide, paru en janvier 1933 (livre I

Toutes les prises de position de Gide dans le communisme sont relatives à la politique extérieure ou à des événements qui ont lieu hors de France : en Russie, au communisme même ; « cette expérience, écrit-il dans son *Journal,* c'est en Russie qu'elle devait être tentée... » ; — en Allemagne, au procès de Leipzig ; — ou à l'inefficacité des sanctions de la S.D.N. ou à la libération des poètes grecs (janvier 1936). Ce n'est pas que la solidarité internationale, que l'idée d'une justice nouvelle, qui tend à aboutir à un droit de regard sur la juridiction du voisin, soient établies ; Gide déplore, au contraire, leur disparition progressive, mais il lui faut bien reconnaître qu'elles sont dépassées par les événements : les coups de force se multiplient en Europe (Assassinat de Dollfus en 1934. — Agression italienne contre l'Ethiopie en 1935. — Occupation de la rive gauche du Rhin en 1936. Le fascisme est installé en Pologne, au Portugal, en Bulgarie... ; le rexisme menace la Belgique ; bientôt l'Espagne sera atteinte). Dans la confusion des alliances contradictoires se prépare le pacte anti-komintern ; jamais les forces des démocraties qui paraissaient en 1918 triompher partout, n'ont été plus faibles, plus en désarroi, malgré l'appui que la Russie leur donne et l'appui qu'elle en attend. La conférence du Désarmement se transforme en autorisation d'armer ; successivement le Japon, puis l'Allemagne se retirent de la S.D.N.

Gide ne s'exprime véritablement, ne prononce d'importants discours que sur la question de l'art ; pour tout le reste, somme toute, il suit. C'est à l'A.E.A.R. siégeant au milieu d'un présidium, que Gide prononce un de ses discours les plus importants, *Littérature et Révolution.* La grande, la constante préoccupation de Gide, c'est de chercher un accord entre l'artiste et le révolutionnaire. Ici Gide

du présent ouvrage), j'avais écrit qu'un autre grand esprit, Romain Rolland était arrivé, comme Gide, à associer communisme et individualisme ; et j'avais aussitôt reçu une lettre de Rolland protestant contre ce parallèle entre Rolland, vieux militant, et Gide, nouveau venu. Quelques mois avaient suffi cependant à les rapprocher.

19

insiste : « Que l'art [puisse] servir à la Révolution, il va sans dire, mais il [l'écrivain] n'a pas à se préoccuper de la servir. » Son raisonnement dès qu'on l'analyse apparaît simple : l'artiste doit devenir un homme vrai et l'homme vrai, c'est le communiste. Dans ce discours, Gide prend presque toujours un ton d'affirmation ; il établit un postulat : « La cause de la vérité se confond dans mon esprit avec celle de la Révolution... » La culture même classique cachait sous le masque des conventions, sous le factice, l'homme naturel, d'où le caractère amer, douloureux, « impie » de sa littérature. Mais le masque doit tomber, l'homme naturel réapparaîtra et on peut attendre une littérature « triomphante et joyeuse ».

Dans ses textes, dans ses entretiens privés, dans le *Journal,* la question est posée avec plus de nuances et beaucoup plus d'anxiété. Gide se demande si toutes ces conventions de la société bourgeoise, qu'il a combattues dans son œuvre, ne lui ont pas été néanmoins nécessaires pour créer, parce que, peut-être, par suite d'une longue habitude prise, il ne conçoit l'artiste que placé à contre-courant dans la société. Il se sent parfois comme dépouillé et à nu, n'ayant plus rien à dire.

C'est en 1935 que se tient, sur l'initiative de Ramon Fernandez, l'entretien, devenu célèbre, à l'*Union pour la Vérité,* entretien contradictoire. Gide est invité à venir discuter librement ses idées nouvelles avec Mauriac, Daniel Halévy, Gillouin, Gabriel Marcel, Thierry Maulnier, Maritain et son plus grand ennemi de jadis, qu'il n'a pas revu depuis vingt-trois ans, Massis. On peut dire qu'il est sorti de cette surprenante rencontre plus glorieux qu'auparavant, ayant su préciser sa position envers des adversaires de haute tenue ; il a expliqué que ce qui l'a amené au communisme, c'est bien la conception d'un humanisme fondamentalement chrétien, dont il ne voit plus, dans le catholicisme, aucune chance d'épanouissement.

Néanmoins lorsqu'il traite de l'art dans cet entretien, on

constate, malgré la forme assurée de son expression, une
profonde inquiétude en lui. Cette coïncidence, dont il a
parlé dans ses discours, entre l'artiste et le révolutionnaire,
c'est en U.R.S.S. qu'il la croit possible, et non en Occident.
« Mais si, maintenant, j'ai besoin pour écrire, d'avoir l'approbation d'un parti... je préfère ne plus écrire, encore qu'ap-
prouvant le parti. » Il craint de « faire cavalier seul », mais,
d'autre part, ne conçoit pas que l'artiste puisse obéir à des
mots d'ordre. Peut-être n'y a-t-il plus d'art véritable en
période révolutionnaire. Gide accepte ce sacrifice intellectuel, ce sacrifice personnel pour — malaise plus considérable
encore — ne plus se sentir un privilégié ; il accepte même
que le sacrifice devienne général s'il doit permettre le bien-
être de tous.

Ces problèmes prennent dans le *Journal* un caractère
d'obsession ; il ne peut plus penser qu'à cela ; tout le
ramène à ce sujet : y a-t-il vraiment union entre l'U.R.S.S.
et l'humain ? entre son individualisme et sa grande « espérance » ? entre le matérialisme et son désir de « le spiritua-
liser » ? Avec une émouvante bonne volonté, à l'entrée de
la vieillesse, il ouvre Karl Marx, dont la lecture le rebute.
Mais quand il parvient à reprendre ses lectures, c'est avec
Zola qu'il établit une sorte de compromis, Zola le romancier pour qui la vie collective est réelle. Dès qu'il veut cerner
sa pensée sur un des problèmes du communisme, elle lui
échappe. Il lui arrive de juger absurde sa participation aux
manifestations collectives : au lieu d' « aboyer » avec les
autres, il regrette de n'avoir pas, — ce qui eut été dans
la ligne de sa vie — fait inviter en France Einstein exilé
par les nazis, et son abstention le hante soudain pendant
plusieurs jours. Il se sent si harcelé par ses doutes et par
les appels publics du Parti qu'il écrit : « Je voudrais tant
ne pas y être », et lui qui n'a pas « souvent souhaité mourir
(deux ou trois fois seulement) » songe à la mort. C'est au
moment de son entrée dans l'action, en 1932, — que l'obsession devient une crise de dépression.

Mais l'action guérit de la pensée. Pendant qu'il parle,
qu'il envoie télégrammes ou messages, son esprit s'apaise.
Ses plus grandes joies sont celles qu'il éprouve avec ses
nouveaux amis, intellectuels ou jeunes ouvriers quand il
croit sentir « cette sorte de sympathie subite et violente, qui
bondit par-dessus les barrières factices ». Il découvre ce
qu'est cette camaraderie si particulière du combat, et que
tout un nouveau public inconnu l'accueille, l'adopte.

Au début de l'année 1934, il s'échappe pour se recueillir ;
on le retrouve à Syracuse, où il se sent presque heureux ; il
a repris ses lectures, s'est remis au piano [1]. Avec le recul
dans l'espace, il se sent capable de reprendre *Geneviève*.
Mais aussitôt il est embarrassé. Il souhaite que ce livre ait
une signification sociale ; il ne veut pas déserter l'action,
mais écrire pour « avertir ». Il ne parvient pas à terminer
l'ouvrage qui paraîtra inachevé : la position d'artiste mora-
lisateur le gêne, lui est insupportable. Il ne se sent plus
inspiré. *Robert ou l'intérêt général,* pièce de théâtre qu'il
compose à la même époque, est un ouvrage « engagé » [2],
qu'il essaiera de désengager après sa rupture avec le
Parti, mais qui sous sa première ou sous sa nouvelle forme
sera toujours jugé par lui comme le plus faible de ses
écrits.

En réalité, depuis 1935, il n'agit plus que parce qu'il a été
entraîné. Aucune allusion dans son *Journal* au Pacte franco-
russe, ni surtout aux événements politiques français : au

1. C'est aux environs de cette époque que l'on retrouve dans le
Journal des notations sur son mode de vie, qui n'a d'ailleurs jamais
beaucoup changé. Maxime Gorki a invité les écrivains dans tous
les pays à décrire une de leurs journées choisies d'avance au hasard,
La Journée du 27 septembre. Dans celle que Gide a racontée, nous
retrouvons les thèmes de sa vie ordinaire : lecture de Ronsard ;
désœuvrement ; visites au cinéma ; conversation politique sans intérêt ; souci de « ne pas tricher » en racontant la journée de la
veille ou du lendemain peut-être mieux employée ; «... un jour
perdu... Je n'en ai pourtant plus tant à vivre... »

2. La pièce a été traduite en russe par Elsa Triolet et aurait été
jouée à Moscou si Gide n'avait pas rompu avec l'U.R.S.S. La version
« engagée » n'a jusqu'à présent pas été publiée en français. Voir
plus loin Bibliographie générale.

Front Populaire. Mais la question de l'art, il ne peut plus l'envisager d'un point de vue désintéressé.

**
**

C'est cette question qui est évoquée, en 1935, au *Congrès International pour la Défense de la Culture*. Trente-huit pays y sont représentés ; Gide et Malraux président la première séance. L'*Humanité* qui en rend compte, écrit : « Dans la salle comble de la Mutualité, une foule ardente où la jeunesse dominait, représentait les masses laborieuses... [1]. » Mais voici qu'au cours de ce congrès s'introduisent des questions politiques inattendues, qui semblent mettre en cause la tactique du régime et le régime même de l'U.R.S.S. Les surréalistes d'abord protestent contre l'habitude de « truquer les faits » [2] qui conduit, prétendent-ils, les communistes à ne voir dans les plus grands poètes que leur rôle de propagandistes ; exemple, déclarent les surréalistes, d'une politique générale de l'U. R. S. S., qu'ils combattent. C'est également là question de la vérité et du mensonge que posent Magdeleine Paz, Poulaille et quelques autres écrivains. Question qu'ils ont préparée avec obstination et qu'ils veulent à tout prix, comme fait Breton de son côté, soulever durant cette vaste assemblée. La question de Magdeleine Paz se concentre sur un point précis : *que devient l'écrivain Victor Serge ?* C'est à l'occasion du cas Victor Serge que Gide eut à choisir, non plus entre capitalisme et communisme, mais entre le régime autoritaire

1. Le congrès dura plusieurs jours. On entendit notamment les discours d'Aldous Huxley, E.-M. Forster, Henrich Mann, H. Lenormand, Paul Nizan, Emmanuel Mounier, Paul Éluard...

2. *Position politique du Surréalisme.* Le Sagittaire, 1935. C'est pendant ce Congrès que René Crevel, tiraillé entre surréalisme et communisme, ne voyant pas d'issue, s'est tué.

de l'U.R.S.S. et les partisans de la pensée libérale. Victor
Serge, écrivain d'origine belge et anarchiste, devenu citoyen
soviétique, un des premiers combattants de la Révolution,
avait été déporté, sans jugement, pour propagande trotz-
kyste [1]. Il était accusé, en outre, de divers crimes d'autant
plus indéterminés qu'il n'avait jamais été jugé, de machi-
nations et de participation à un complot qui aboutit à
l'assassinat de Kirov, ce que ses défenseurs déclaraient
matériellement impossible. Qu'il fût de pensée trotskyste, le
fait n'était nié par personne, et la délégation d'écrivains
russes déclara que ce fait suffisait à rejeter Serge de la communauté soviétique. Quant aux imputations de complot, les
Russes s'en remettaient à leurs dirigeants : au fond peu
leur importait, puisque Serge n'était plus pour eux un
véritable communiste. Interpellé par les amis de Serge,
sommé en quelque sorte de se prononcer, on vit Gide,
quittant la tribune, avancer vers le public et, au lieu d'un
discours qu'on attendait, prononcer avec force quelques
mots : « Dans un cas pareil, notre confiance est la plus
grande preuve d'amour que nous puissions donner à
l'U.R.S.S. » Telle fut, dans le moment, son attitude publique, mais il n'en éprouva pas moins un « indicible malaise » et, le lendemain, se tournant vers l'Ambassadeur
de l'U.R.S.S. à Paris, réaffirmant sa solidarité, il lui adressa
une lettre prudente, où il lui demandait, en vue même du
bien de la patrie idéale des communistes, que soit éclaircie
une affaire troublante. Il prit alors soin de ne pas se placer
sur le plan de la liberté abstraite et des droits de l'écrivain.
Implicitement il demandait des preuves.

Mais des preuves de quoi ? Le trotskysme de Serge était
un fait. Ce qui heurtait la conscience occidentale, et même

---

1. Les mots « pour propagande » ne prennent pas exactement le
même sens en U.R.S.S., où la presse est dirigée, qu'en France, par
exemple. Les conversations en pays de dictature restent en principe
le seul mode d'expression non contrôlé de la pensée et, de ce fait,
peuvent prendre une importance beaucoup plus grande que dans
les pays de démocratie.

dans une certaine mesure la conscience russe puisque des
imputations calomnieuses étaient ajoutées au fait, c'était
d'assimiler ce qui paraissait alors une opinion personnelle
à une hérésie, et l'hérésie à une donnée objective portant
atteinte à la sûreté de l'Etat. Mais toute société se défend
contre ce qui paraît *dangereusement* s'opposer à ses institutions de base. La liberté résulte de la marge laissée libre
autour de ce qui est réellement fondamental dans le régime.
Mais, entre le fondamental réel et le fondamental mythique, s'établit un passage graduel, une sorte de va-et-vient,
objet d'une lutte entre l'individu et le social, qui dure aussi
longtemps qu'ils ne coïncident pas. Ici commençait pour
Gide l'angoissant problème de la liberté, d'autant plus angoissant encore dans un régime où toute l'économie, avec
ses ramifications innervant tout le pays et chaque individu,
est devenue une institution nouvelle et, de toutes, la plus
importante [1].

---

1. Dans le « cas Victor Serge », les imputations calomnieuses n'ont
finalement pas été retenues puisque Serge a été libéré. Ces sortes
d'imputations sont des excroissances qui apparaissent dans les périodes
de trouble, de changement de régime, aussi longtemps que le fait
condamnable n'est pas encore déterminé et reste l'objet d'une lutte
de forces. Quand apparaît un fait criminel nouveau, d'un sens contraire au précédent auquel il se substitue, un gouvernement révolutionnaire pour l'imposer à la conscience collective, cherche à l'accompagner dans chaque cas particulier de faits tirés de l'arsenal du droit
commun qui n'a pas changé. Le « Cet homme doit régner ou mourir » de Saint-Just garde un caractère bouleversant parce qu'il détache
le fait objectif de toute idée de responsabilité. Il ne s'agit pas de
chercher l'intention de nuire : cet homme est nuisible. Saint-Just met
en lumière la signification d'un fait social *nouveau*. Dans un régime
républicain bien établi, la condamnation d'un « tyran » ne pourrait
émouvoir. Toute justice politique implique le principe de rétroactivité.

Retour de l'U.R.S.S.

Quand Gide, en 1936 est invité en U.R.S.S., il part, accompagné de plusieurs amis [1], fort exalté. Partout il est attiré par l'homme russe, par les foules qu'il sent heureuses, même quand elles sont misérables ; tout au long de son voyage, il restera à l'extérieur, spectateur, avec la nostalgie d'une impossible solidarité. Dès son arrivée, sur la Place Rouge, devant le catafalque de Gorki, il assiste à un morne défilé d'hommes, « un *tout-venant* douloureux », qu'il voudrait presser entre ses bras, aimer jusqu'aux larmes. Il a écrit dans son *Journal* : « Dans *communisme,* il y a bien aussi *communion.* » Mais Gide cherche à communier dans l'unanimité, et il éprouve le sentiment d'un appauvrissement, d'une dépersonnalisation ; le communiste, lui, communie, par le sens du collectif, avec une *masse organisée ;* il prend place, au sein de la plèbe.

On fait visiter à Gide les « parcs de culture », les garderies d'enfant ; toutes ces œuvres collectives attachées aux usines et aux kolkhoses, qui doivent élever l'adulte et l'enfant, le séduisent ; elles lui paraissent mieux organisées que les œuvres de bienfaisance dans les familles protestantes. Les distractions y sont décentes ; les enfants en bonne santé manquent d'humour et de sens critique. A Léningrad, il admire les dômes des églises, expression de l'art russe traditionnel. Presque partout, il est accueilli chaleureusement, avec des banderolles glorieuses.

Cependant commence la déception, quand il constate la misère générale, la rareté et la laideur des étoffes fabriquées, les vitrines presque vides. Avec la découverte du pays, ce sont en réalité les impressions d'un touriste de bonne volonté

---

1. Herbart, Dabit, Jef Last, Schiffrin, Louis Guilloux.

qu'il nous donne, — tandis que s'accroît sa difficulté à comprendre la marche d'un système économique qui englobe un homme nouveau, presque étranger pour lui. Ses critiques sur la standardisation des produits à un bas niveau peuvent nous rappeler, sur l'Amérique avant la crise, *Scènes de la Vie future*, où Duhamel déplorait la réduction des produits à quelques types. Ses remarques sur le stakhanovisme restent fragmentaires, parce que Gide n'a pas saisi la signification de cette nouvelle méthode de travail, qui en est encore à ses débuts en U. R. S. S. et mal appliquée, parce qu'il ne soupçonne pas le rôle révolutionnaire de la rationalisation, qui s'est introduite peu à peu aujourd'hui dans tous les pays du monde. Si Gide est frappé du retard de l'ouvrier russe par rapport à l'ouvrier français, c'est qu'il juge dans l'absolu, oubliant les réserves qu'il a faites sur les modes de vie encore primitifs en Russie ; c'est qu'il a imaginé l'U.R.S.S. comme l'enivrante cité de l'utopie et qu'il n'a pas pu, pendant cinq ans, se représenter son espoir sans le croire réalisé. L'inégalité des salaires le trouble particulièrement dans son goût évangélique d'un dénuement généralisé ; il ne défend, certes pas, « la doctrine de la parfaite *égalité* » c'est-dire« de l'antiindividualisme... », mais le rétablissement des classes de voyageurs en bateau ou en train, les interminables banquets qui lui sont offerts par les écrivains officiels du Parti, prennent à ses yeux une signification symbolique de renaissance des privilèges, de défaite du régime, de retour au passé. Alors, rien n'est changé ? Il y a toujours une hiérarchie sociale, quoique d'une autre sorte ?

Gide veut abandonner à d'autres les questions économiques pour s'en tenir à des critères psychologiques, qui seuls sont de son domaine, mais lorsqu'il évoque, même brièvement les institutions de l'U.R.S.S., il touche encore à des questions économiques dans un régime où même la famille et la religion ne sont établies qu'en fonction d'elles. Cette subordination de l'homme au *système* commence à créer en lui une sourde hostilité, dont il ne prendra que peu à peu conscience. Quand il visite le musée anti-religieux de Moscou, il devrait être satisfait, mais il l'est au delà de ses espérances ; il est sentimentalement gêné par un anticléricalisme primaire auquel il a été hostile pendant toute sa vie. L'absence d'esprit critique et la naïveté du patriotisme russe, jusque chez les enfants, l'irrite. La reconstitution de la famille le heurte plus profondément avec les restrictions à l'avortement, au divorce, le rétablissement de l'héritage... qu'il ne parvient pas à intégrer dans la vie collective, à concilier avec son point de vue individualiste.

Ses déceptions successives ne sont que les aspects d'une déception plus profonde, dont la signification le dépasse. On peut dire que toutes les impressions de Gide, dans *Retour de l'U.R.S.S.,* correspondent à des critiques de détails, parce qu'il n'a pas saisi que le point central du régime, le cœur de l'organisme nouveau est le Plan. Sans doute Gide a évoqué dans son *Journal,* avant son voyage, le Plan, mais d'une manière abstraite, comme une image symbolique du communisme ; en U.R.S.S. même, il n'est pas en contact direct avec lui, avec les « planificateurs ». Mais il commence à soupçonner le caractère du Plan, par nature autoritaire. Et pendant tout son voyage, Gide sent, inconsciemment mais de plus en plus, le Plan peser sur son esprit.

Le Plan, indiscutablement, supprime les biens de luxe inutiles ; le chômage ; la guerre économique. Mais le Plan est une dictature, parce qu'il faut assigner un ordre de valeurs à la production, décider des besoins à satisfaire (métro ou bicyclette) et de l'importance des réinvestissements. Dans un pays arriéré comme la Russie, où les réinvestissements sont considérables (« rattraper et dépasser le capitalisme... »), le Plan peut paraître plus inhumain encore, en sacrifiant, provisoirement au moins, les biens de consommation[1]. Mais si le Plan dirige tout, qui dirige le Plan ? Le prolétariat sans doute, mais par quel moyen ? Même dans un Plan rationnel, il y a des erreurs à corriger et l'on voudrait, comme Gide l'a pressenti en U.R.S.S., qu'il ne s'imposât pas à l'homme comme un appareil, mais comme un vêtement souple taillé à sa mesure. Une synthèse est-elle possible pour l'élaboration du Plan, entre le système autoritaire et le système représentatif occidental ? Ce n'est pas sous cette forme que la question s'est posée à Gide ; c'est d'elle pourtant que sont sortis pour lui les problèmes de la liberté de pensée et de l'art, qui décidèrent de sa désaffection.

Gide découvre l'oppression de la pensée et s'élève contre elle d'un ton dur, catégorique : « ... La moindre protestation, la moindre critique est passible des pires peines, et du reste aussitôt étouffée. Et je doute qu'en aucun autre pays aujourd'hui, fût-ce dans l'Allemagne de Hitler, l'esprit soit moins libre, plus courbé, plus craintif (terrorisé), plus vassalisé. »

Les Russes ne nient pas qu'ils vivent dans un régime de dictature, conséquence nécessaire de la planification, et de

---

1. L'homme, dans toute société, est appelé, ne serait-ce que « pour subsister, jusqu'à la saison nouvelle », à économiser. Quand Julien Sorel, la veille d'être guillotiné, veut rassurer son père : — « J'ai fait des économies », lui dit-il. Dans le capitalisme, chacun épargne selon son bon plaisir. En U. R. S. S., les réinvestissements planifiés aboutissent à une production qui doit « rattraper et dépasser le capitalisme » et qui effectivement ne cesse de croître sur un rythme accéléré. Mais que devient l'homme ? Dans *L'Economie de l'U. R. S. S.* par Pierre George, petit livre entièrement sympathique à l'U. R. S. S., l'auteur, après avoir signalé avec admiration le nombre de tracteurs, de Kombinats, etc., que produit la Russie, écrit : « *Ajoutons que* les conditions de vie des ouvriers et des paysans avaient été améliorées ». Il semble ici que la production soit considérée pour elle-même et que des adorateurs y trouvent le Verbe en soi. L'individu y semble *ajouté*, alors que certains imaginaient que le progrès économique irait droit à lui, l'enrichirait directement.

la construction même du communisme, impliqué dans la
lutte des forces mondiales. Encore prétendent-ils que dans
les démocraties, les libertés restent abstraites : à quoi sert
à un chômeur le *droit* de parler quand il meurt de faim ?
Que signifie la reconnaissance théorique de ce droit si, pratiquement, il n'est pas établi ; si, par exemple, un journal,
dans les pays capitalistes, ne peut vivre qu'avec l'appui des
grands industriels ? Le capitalisme est assez stable pour,
en temps de paix, s'offrir le luxe de laisser paraître quelques feuilles d'opposition, — peu gênantes parce que, faute
d'argent, elles n'ont qu'un petit tirage. On arrive ici à la
distinction établie par Marx entre les libertés abstraites et la
liberté concrète.

Quelle que soit cependant la valeur relative des libertés
démocratiques, Gide n'a pu accepter les restrictions qui les
limitent en U.R.S.S. Alors se pose la question : la liberté
concrète, c'est-à-dire le droit au travail pour tous, le droit
à la répartition pour tous, cette liberté ne peut-elle être
établie qu'au détriment des autres libertés ? L'accession
généralisée des hommes à une plus haute condition mérite-
t-elle le sacrifice que représente l'acceptation d'une dictature, même provisoire ? Des opprimés se sont associés et
ont fait la Révolution. Peut-on estimer son prix, un prix
qui ne serait pas à dépasser ?

C'est à une contradiction analogue que Gide s'est heurté
quand il a découvert la nature de l'art en U.R.S.S. Presque
tous ses discours, au cours de son voyage, portent sur ce
sujet. Dans le premier, il déclare : « Aujourd'hui, en
U.R.S.S., pour la première fois... en étant révolutionnaire,
l'écrivain n'est plus un opposant. » Gide croyait alors la
coïncidence établie entre l'artiste et le communiste, entre
l'artiste et le peuple entier, et « ce qui est le plus admirable, ses dirigeants ». Aux étudiants de Moscou, le 27 janvier 1936, il explique que s'il est resté, pendant des dizaines
d'années, solitaire, inconnu, et en marge de la bourgeoisie,

avec de petites plaquettes, comme les *Nourritures Terres-*
tres, invendables, c'est qu'il a « toujours écrit pour ceux
qui viendront ». S'adressant aux « jeunes gens de la Russie
nouvelle » : « Mon mérite, leur dit-il, est d'avoir su vous
attendre. J'ai attendu longtemps, mais avec confiance, avec
cette certitude que vous viendriez un jour. A présent vous
êtes là... » En cet instant, la coïncidence, c'est en lui-
même que Gide l'éprouve et *il en tire la plus grande joie de*
sa vie.

Un mois plus tard, ayant découvert le conformisme en
U. R. S. S. et que l'écrivain obéit à des mots d'ordre, il
craint la naissance d'une nouvelle convention dans l'art
révolutionnaire, aussi grave, aussi anéantissante pour l'art
que la convention bourgeoise. C'est ce risque qu'il s'est
proposé de dénoncer dans une allocution, devant la Société
des Gens de Lettres de Moscou, mais qu'on ne lui laisse
pas prononcer. Pour Gide, c'est l'étape finale de sa désillu-
sion [1].

Retouches.

A son *Retour de l'U.R.S.S.,* Gide déclare qu'il se serait
résigné à la disparition de l'art et même à l'oppression de la
pensée si la Révolution avait poursuivi sa marche ascen-

---

1. Cette obéissance à des mots d'ordre, cette sorte d'engagement ne
gênent guère plus l'artiste russe que les conventions du régime capitaliste ne gênent l'artiste occidental.

dante, si elle avait continué à gravir l'escalier, au lieu de
le redescendre. C'est dans ces termes que s'expriment toujours ceux qui désespèrent de l'aboutissement de cent cinquante ans de socialisme, des plus grands bouleversements
de pensée et de vie qui ont fait trembler le monde depuis
des siècles. En réalité, tout heurte Gide dans cette civilisation de temps de crise, alors que le satisfait cette société
bourgeoise où il a été élevé, avec ses abus mêmes contre
lesquels la raison d'être de Gide a été de s'élever. Tout ou
rien, pense-t-il alors...

Sans doute la Révolution s'est grisée un moment du
« tout » pour revenir au « peu à peu ». En 1917, le jour
de sa prise du pouvoir, Lénine, dans un discours au Soviet
de Pétrograd, affirmait : — Et demain nous commencerons
à instaurer le socialisme. En 1922, annonçant la N.E.P., il
déclarait : — Le socialisme ne sera pas pour nous ou nos
enfants, ni pour les enfants de nos petits-enfants... Le but
était projeté dans un avenir indéterminé, mais la transformation économique maintenue en mouvement. Il est vrai
que le « peu à peu », c'était, et c'est encore la religion
tolérée, les chars de l'Armée rouge portés en triomphe au
même titre que les tracteurs, et tout un appareil reconstitué.
Cette révolution qui fait marche avant et marche arrière
représente-t-elle le progrès ?

Au progrès, idée abstraite, Gide veut continuer de croire
— mais en fait, il n'y croit plus, puisque pendant tout son
voyage, il est resté insensible aux bienfaits les plus indis-
cutables de l'économie planifiée, et plus généralement à cette
tendance du monde moderne à introduire un peu d'ordre,
appelé dirigisme, dans une économie complètement anarchique.

Alors cherchant à masquer, non pas sa déception en
U.R.S.S., mais qu'il est redevenu indifférent, comme jadis,
à la question sociale, il déclare que c'est l'U.R.S.S. qui
a changé et non pas lui ; il prend la position de ces intellectuels absolutistes qui, en 1918 déjà, prétendaient la société

sans classe perdue, parce que Lénine avait introduit une légère différence entre la rémunération du manœuvre et celle du spécialiste[1]. Comme eux, Gide s'interroge : La Révolution valait-elle la peine de... ? Cela valait-il la peine de naître ?... La peine de ... ?, Nous retrouvons toujours la même question — absurde — qui relève d'un finalisme mystique.

L'absolutiste est le plus souvent un révolté ; parfois imprégné même de la grande nostalgie anarchiste. Son but ultime est le même que celui du marxiste : le dépérissement final des institutions de l'Etat, le passage de l'homme au régime de la liberté. Mais tandis que pour le révolté, même inconscient de sa révolte, le but paraît à la portée de la main, qu'il pense qu'un effort et qu'une rupture suffiront pour l'atteindre, — pour Marx, le but n'apparaît qu'à la fin d'un immense développement au cours duquel il avance du pas régulier de sa dialectique.

Mais au fur et à mesure que l'homme approche, le but recule. Le but n'a pas à être atteint. Cette grande doctrine propose un effort qui, par nature ne peut pas être accompli ; elle indique une direction vers un état limite toujours hors de notre portée : — Fais-toi dur comme la pierre... — Vivez comme les oiseaux du ciel qui ne sèment, ni ne moissonnent... — Le libre développement de chacun [sera] la condition du libre développement de tous... Ce qui exalte l'homme, c'est l'ordre impossible à réaliser, ou la nécessité d'un processus historique avec lequel il doit s'identifier. Le but n'est pas atteint, mais il modifie la condition de l'homme, à travers des cycles de luttes et de guerres. Il est difficile de savoir si l'ouvrier en blouse de jadis absorbait plus ou moins de calories que l'ouvrier d'aujourd'hui. Ce qui les différencie n'est pas seulement quantitatif ou statistique. Si, à d'autres époques, c'est le retour à la liberté individuelle qui fut libérateur, aujourd'hui, c'est l'inter-

---

1. Plus ils sont de bonne foi, plus souvent les révolutionnaires sont amenés à s'écrier un jour ou l'autre : — La Révolution est trahie !

vention de l'Etat qui a modifié les conditions de vie, cette intervention repoussée par la classe des dirigeants sous le nom de tyrannie et d'inquisition parce que cette intervention s'exerce contre eux [1].

Avant son voyage en U.R.S.S., déjà Gide écrivait : « Fuir ! » Pouvoir s'abstenir « de juger sans trahir ni déserter pourtant aucune cause ». On ne vit pas dans le Parti sans le quitter le cœur déchiré, avec le sentiment d'une nouvelle solitude. Quand *Retour de l'U.R.S.S.* est sous presse, plusieurs de ses amis communistes interviennent, comme firent les catholiques à la veille de la sortie de *Corydon,* pour le dissuader de faire paraître ce livre, déclarant que sa publication était d'autant plus inopportune que les fascistes menaçaient davantage, et envoyaient, malgré la politique de non-intervention, des troupes à Franco. Jef Last s'est engagé dans les brigades internationales ; Schiffrin parle de sa « *déception en* U.R.S.S. et de celle de Guilloux » ; Dabit est mort en Russie et Gide, comme défroqué, sent son cœur s'enfoncer dans l'angoisse.

Cette fois ce n'est pas la vertu de l'insoumission qui le conduit à se désolidariser. Ce n'est pas à cause, mais malgré l'inopportunité du moment qu'il dénonce le mensonge, parce que « la vérité, fût-elle douloureuse, ne peut blesser que pour guérir ». Si la vérité est d'un côté, et l'U.R.S.S., de l'autre, il choisit la vérité, mais il écrit : « Je reste malgré tout l'ami de l'U.R.S.S... »

Les critiques communistes furent dans l'ensemble pleines d'égards, mais certaines quand même plus acerbes qu'il n'at-

---

1. Pour les mesures « insuffisantes », mais « indispensables », Marx proposait (avec l'instruction publique et obligatoire, la protection du travail des enfants, la nationalisation du crédit et des transports...), un « impôt fortement progressif », autrement dit : impôt sur le revenu, que le journal de la grande bourgeoisie de cette époque, *Le Temps*, appelait « inquisitorial ».

tendait. Les attaques de Romain Rolland ou de Bergamin, qu'il estimait comme hommes, le touchèrent péniblement. Peu à peu son nom disparaît de tel comité directeur, de tel groupe de jeunes communistes. Alors il se pique au jeu et publie *Retouches à mon retour de l'U.R.S.S.* Il est rare que celui qui sort du Parti reste simplement un sortant et ne se rebiffe pas sous les coups. Les adversaires de Gide ont prétendu qu'il n'avait parlé qu'au nom de la culture. On veut des chiffres ; il en donne, ou plutôt donne ceux des trotzkystes et des renégats : *Retouches* n'est qu'un ramassis de témoignages anticommunistes et a perdu ce qui faisait la valeur et la portée de *Retour,* la spontanéité des impresions vécues. C'est « un immense, un effroyable désarroi » en lui — qui atteint à nouveau l'obsession ; il ne parvient pas à « désengager » son esprit : « J'ai désappris de vivre... Je savais si bien ! »... jusqu'au moment où quand même l'emporte son goût de vivre, plus fort que tout, son bonheur et sa sagesse. *Retour de l'U.R.S.S.* n'aura été finalement ni un cauchemar, ni une rupture, mais un rétablissement des choses, une réconciliation de lui avec lui-même.

L'Homme sans son Œuvre.

Une longue vie est avant tout une jeunesse qui s'affirme. Gide a connu la passion de l'adolescence dans l'âge mûr et l'âge mûr dans la vieillesse ; il semble avoir été en retard d'une saison ; ce fut là sa jeunesse.

Les visages successifs d'un homme au cours de sa vie sont parfois si différents qu'ils représentent chacun un autre homme. A vingt ans, le visage de Gide garde un contour incertain et mou, qu'il cache sous un air sombre et maniéré ; il pose devant la vie. Puis apparaît, signe d'une hésitante virilité, sa barbe en pointe, qu'il fait couper à la première connaissance de lui-même, à vingt-quatre ans, avant de partir pour l'Algérie ; restent des moustaches à la gauloise, comme des moustaches postiches, jusqu'à ce qu'apparaisse enfin le visage nu, avec un sourire contraint, qui se détend peu à peu jusqu'au naturel.

Chacune de ses expressions successives n'a été qu'une sorte de tentation. Gide ne s'affirme ni par son visage d'adolescent, sa barbe ou sa cape ; mais par tous ces traits et quelque chose de plus : un visage vraie, celui de l'homme.

Ce qu'il représente avant tout pour nous, aujourd'hui, c'est un style de vie, un mode de pensée. Sans doute lui-même s'irritait d'entendre si fréquemment parler de son influence et, par contradiction, par souci de ce qui lui échappait, il prétendait qu'il fallait se placer, pour le juger « sainement », du point de vue esthétique, qui est le seul qui ne convienne pas précisément. On ne peut juger son œuvre comme celle d'un Balzac, d'un Flaubert ou d'un Proust. Ce qui nous intéresse en lui, c'est, contrairement à ce qu'il a cru, son action directe et immédiate sur les hommes, sa position de moraliste. L'attitude de Gide en tant qu'homme dépasse de beaucoup ses mérites de créateur. De l'œuvre proprement créatrice de Gide, il est difficile de dire ce qui survivra, peut-être aucun livre, peut-être des fragments, des formules seulement, des épigrammes. Une œuvre légère, une vie lourde de sens. Une grande figure d'entre les deux guerres, figure et non écrivain.

Depuis vingt-cinq ans, son œuvre ne s'est pas accrue, sinon son *Journal;* mais le dessein de sa vie n'a cessé de se prononcer. Le *Journal,* c'est l'homme, un essai presque ininterrompu sur lui-même, l'œuvre de synthèse qu'il a voulu longtemps donner en un roman et qu'il a composée comme à son insu. Les *Correspondances,* récemment publiées, sont des documents directs sur son passé ; chacune d'elles retrace le cycle d'une amitié, dont il reste le centre. C'est toujours lui. Les préfaces, qui ont accompagné les réimpressions de ses livres, les interprétations qu'il n'a cessé de leur apporter, font converger de nouveaux éclairages sur sa personnalité. Les miettes d'œuvres sont souvent plus importantes que l'œuvre même, et ses courts essais, tel souvenir, telle plaquette, une note dont il a pris soin à juste titre de ne pas laisser perdre une page, ne cessent de témoigner pour l'homme.

On peut se demander finalement ce que signifie pour un écrivain être un homme sans son œuvre. Etre un homme a toujours été rare ; l'existence même d'un homme est un scandale[1]. Etre un homme qui agit conformément à soi, qui répond à ce qu'il y a en lui de plus valable, prêt à jouir loyalement de lui-même, à s'acceptet tel qu'il est et non tel que les autres le veulent, c'est croire que chacun est le détenteur *individuel* d'une sagesse qui doit tendre vers la joie — que chacun ne cesse d'apprendre à ses dépens que la liberté se refuse constamment et qu'il faut parfois « passer outre ». Aspiration vers la liberté que Gide a atteint à des moments exceptionnels, où sa vie et son œuvre ne font qu'un (dans la création du personnage de Lafcadio, dans sa *Conversation avec un Allemand,* dans certaines pages de son *Journal*) et par un perpétuel apprentissage, qui est son art même de vivre.

C'est vers une certaine forme de liberté que Gide n'a cessé de tendre. Liberté de quoi ? Il n'est pas de mot plus fulgurant et de contours plus incertains. Il mobilise la passion du poète : « Le seul *mot* de liberté est tout ce qui m'exalte encore », écrit André Breton, et Eluard : « Et par le pouvoir d'un mot — Je recommence ma vie. » Puissance magique du mot. Isolé, il garde sa vertu, mais dès qu'on veut le cerner, il échappe ; incarné, il se détruit. Pour le philosophe, la liberté, c'est coïncider avec son contraire, comprendre la nécessité, et pour le révolutionnaire, c'est : « Toute liberté sauf contre les ennemis de la liberté. » Dans une société, c'est la contrainte qui établit la liberté, et l'individu ne peut se sentir libre que dans la mesure où il coïncide avec une loi, avec un ordre.

Rien n'est plus étranger à Gide, ne lui fait plus horreur que le : « Fais ce que voudras », qu'un état d'anarchie passionnel. Ce n'est pas de la liberté en soi qu'il a rêvé ; c'est la liberté de pensée qu'il a voulue, d'où il a *cru* que découlaient les autres : « Une liberté de pensée, dit-il,

---

1. C'est le sens de la célèbre réponse de l'*Œdipe* de Gide :
« ... Le seul mot de passe, pour ne pas être dévoré par le Sphinx, c'est : l'homme... »

c'est ce à quoi j'attache plus d'importance qu'à tout le
reste. » Par éducation et par modération, il sait qu'il n'y
a pour lui de liberté que dans l'esclavage consenti ; mais
aussi qu'un homme qui peut penser librement est ce qu'il
y a de « plus dangereux et redoutable ». Ce ne sont pas
tant les actes qui effrayent que le sens qu'ils prennent.
La pensée libre devient libre pensée ou défi aux pouvoirs
constitués. Le pouvoir, qu'il s'agisse du père, du prêtre ou
d'un chef, règne par le dogme, les tabous, la censure et
l'index. A toutes les époques des bibliothèques furent dé-
truites et, hier encore, les étudiants se livraient avec joie à
des autodafés de livres. Au xixe siècle libéral, les célèbres
Ordonnances de Juillet 1830 déclarent qu'il est dans la
nature de la liberté de presse « de n'être qu'un instrument
de désordre et de sédition... ». « Il n'est pas de progrès
de la pensée, écrit Gide, qui n'ait d'abord paru attentatoire
et impie. »

A l'origine de toute liberté, il y a révolte. Bien avant
que Gide n'ait découvert Nietzsche, la lecture du *Zeus* de
Gœthe — un des plus surprenants poèmes du grand olympien — provoqua un déchirement dans sa vie studieuse. Le
choc intellectuel lui fit prendre conscience du caractère dis-
tinctif de pieuses familles comme la sienne, où la discrétion
sans borne est de règle, où l'on se tait sur toutes les choses. « Le nombre de choses, écrit Gide, qu'il n'y a pas
lieu de dire augmente pour moi chaque jour. »

La révolte, c'eût été la pipe au bec, les grands cheveux,
les poèmes fous, la rage au ventre. Gide prend un « air
sentimental », porte « une redingote qu'avait réussie [son]
tailleur ». Ce sont là moins les marques d'une rébellion
que les attributs de l'artiste. La révolte de Gide à dix-huit
ans, ce n'est pas son air retranché et supérieur ; c'est le
cœur qui lui bat à certaines lectures, c'est la rougeur qu'il
cache. Sa révolte marche à pas feutrés. C'est un malaise,
une névrose. Sa mère pèse sur lui, par « une sollicitude
sans cesse aux aguets, un conseil ininterrompu, harcelant ».

Et Gide ajoute : « Elle avait une façon de m'aimer qui parfois m'eût fait la haïr. » Gide n'osera jamais la quitter. Il reste attaché. Il rêve du Prodigue. Il en rêvera toute sa vie.

Le Prodigue doit partir. En vain. Bernard échoue de nouveau chez les siens et Lafcadio épousera probablement quelque oie blanche. Mais le cadet partira. C'est d'une résistance dont Gide a besoin. Dès qu'il n'a plus à s'opposer à sa mère, il lui faut une autre chaîne. Quand sa mère meurt, il épouse sa cousine et reste dans une tradition qui le « contraint de revenir » en arrière. L'amour de la famille le ramène à la révolte, et le célèbre cri lui échappe : « Familles, je vous hais ! Foyers clos, portes refermées... » Mais cette famille n'a jamais été la sienne ; sa famille, son orgueil la défend ; sa mère, il ne veut la voir que belle. Quoiqu'il n'ait guère connu son père, il ne doute pas que ses parents ont formé « le ménage le plus uni », foyer évangélique, tutélaire et puritain. Mais les autres familles lui paraissent puer l'hypocrisie et l'égoïsme, ou plutôt une sorte de famille, symbole du dogmatisme.

De même le Prodigue, dont il a tant rêvé et sur qui est centré son œuvre, reste une figure idéale, mirage d'un individu sans lien avec le reste du monde et qui satisfait son besoin d'une liberté merveilleuse qu'il sait impossible et qu'il craint. L'adolescent de Balzac conquiert Paris par les femmes ; celui de Stendhal les conquiert par sa désinvolture. L'adolescent de Gide est celui qui se détache, c'est le sans-famille ; c'est Lafcadio, fils d'une demi-mondaine, qui, dans son enfance, n'a pas de père, mais cinq oncles ; c'est Bernard, fils de l'adultère petit bourgeois, autre bâtard ; c'est aussi Œdipe, le bâtard glorieux ou qui s'est cru tel. Et tous ces bâtards sont prêts à tenter la prodigieuse aventure. Cette association entre le Prodigue et le Bâtard, par opposition aux images pieuses de l'Ecriture et à celles de la famille indissoluble, crée pour Gide l'image-choc de l'affranchissement, l'appel d'une liberté contradictoire en elle-même.

Gide n'a pas développé ces contradictions dans son œuvre ; c'est sa vie d'homme qui les traduit. Entre son point de départ et son point d'arrivée, la distance parcourue est considérable ; ils sont presque à l'opposé l'un de l'autre. Entre Gide tel qu'il s'est pris en charge dans les premières pages du *Journal* et ce qu'il a fait de lui, la somme des efforts, leur constance représente un immense cheminement, au cours duquel il n'a cessé de tendre à se modifier pour intégrer en lui des aspirations contraires.

L'*Amateur de Lettres*.

Si nous faisons un retour en arrière [1], Gide apparaît au départ au plus loin de nous, au plus loin de lui, du véritable Gide, lié à une autre époque, comme à un autre monde : la fin du XIXe siècle. Il représente un des derniers types de l'amateur de lettres et un mode d'existence à peu près révolu aujourd'hui.

C'est avant tout un homme complètement dégagé du souci de gagner sa vie et à qui l'oisiveté donne, parfois jusqu'au malaise, le sentiment d'une liberté abstraite infinie. Le travail paraissait encore, à cette époque, comme depuis l'origine de l'histoire, maudit, ou du moins le plus souvent avilissant : de même que dans l'antiquité, où selon Platon ou Cicéron, un homme libre qui se livrait au

---

1. Voir : *Sa vie*. (Première partie du Livre I.)

négoce risquait d'être rendu à la condition d'esclave, ce
préjugé s'était maintenu dans le milieu de Gide : la sœur
d'Alissa, en épousant un marchand, fait une mésalliance
qui consterne ses proches. Lorsqu'il s'est décidé pour la
littérature, Gide a moins cédé à une vocation que choisi,
d'accord avec les siens, une de ces carrières, peu rémuné-
ratrices, mais qu'une certaine bourgeoisie libérale se réservait pour le rôle de direction sociale et intellectuelle qu'elle
se croyait appelée à jouer grâce à ses privilèges d'argent et
de culture.

« Un jeune homme de 30.000 livres de rente... », cette
expression, qu'on rencontre dans certains romans de Flaubert ou de Balzac, avait gardé un sens précis en 1890.
Gide était un jeune homme appelé à disposer du même
revenu jusqu'à la fin de ses jours — du moins s'il ne se
livrait pas à des prodigalités. Et ni son Prodigue, ni lui-
même n'ont jamais songé à dilapider leur fortune. Le libéralisme est bien assis dans un monde bien solide ; rien de
suspect à l'horizon. Sans doute Gide a-t-il le goût d'une
certaine bohème ; il tient à paraître dénué ; il sait que le
confort peut amener un auteur à trop bien écrire, que certaines œuvres « puent le confort... » ; pour se donner le
change, il s'est défait de certains signes extérieurs et encombrants de la richesse. Mais quoi qu'il fasse, sa bohème est
une bohème d'homme riche. Il n'a jamais connu même
un peu de « détresse matérielle ». A certains moments, il
lui arrive, comme écrivain, de considérer la misère de la
zone pour son aspect « *exotique* » ; s'il rencontre un jeune
vagabond, il est violemment « intéressé » : « Curieux,
curieux, écrit-il, la psychologie du vagabond, » qui lui
paraît un être d'une espèce inconnue, comme le chena-
pan, comme le malandrin (expressions de l'époque). Parfois, il entre dans la « contemplation » des pauvres, sans
honte, parce qu'il est établi qu'il y a des pauvres et des
riches, comme aujourd'hui des chômeurs et des travailleurs ; et s'il se penche sur le « labeur des pauvres », c'est

pour y trouver un moyen d'excitation au travail, pour apprendre, lui qui est dégagé de toute contrainte, ce qu'est le travail *dans* la contrainte ; et en garder un peu pour lui.

A vingt ans, Gide est donc totalement libre de son temps. Plus d'examens à préparer ; il n'envisage pas d'études universitaires. Sa timidité l'éloigne des salons ; il n'a aucune ambition d'homme du monde. Devant lui, rien à faire ; la page est blanche : rien à dire encore, sinon tenir son *Journal*. Il lui reste à s'examiner lui-même. On croyait volontiers alors qu'il fallait du temps pour s'analyser dans le rôle d'amant [1], pour faire sa cour, mais Gide n'a pas, à cette époque, de véritable passion amoureuse. Pas de passion pour le jeu non plus, ni pour aucune sorte d'excitants. Seuls les sens l'appellent et seul le préoccupe, en conséquence, le problème religieux, mais il ne veut pas encore en discuter. Ce sera par là pourtant que sa vie s'ouvrira plus tard directement sur le réel.

A présent, il se referme sur lui. Sa liberté, il ne cherche qu'à la restreindre, qu'à la « compromettre » : puisque la société a complètement renoncé à l'obliger, il a été amené à imaginer des obligations de lui envers lui-même. D'où ses minutieux emplois du temps, épinglés au mur, dont il se moquera bientôt avec humour dans *Paludes,* ou ses études détaillées des conditions pratiques du travail, faute d'un travail continu précisément. Obligations assez dérisoires...

L'oisiveté, ce n'est pas tant ne rien faire que faire des choses non nécessaires. Pour beaucoup, c'est manier des cartes ou des dés, tant que le jeu ne soulève pas une émotion profonde ; ce sont les mots croisés ou les mots d'esprit. Pour Gide, c'est continuer à se cultiver, sans méthode, mais avec quel art ! La culture était limitée avant tout pour lui aux humanités greco-latines et classiques ; il ne s'agissait pas de faire le tour des connaissances de son temps, et

1. Certaines pièces de l'époque s'intitulaient : *Amoureuse* (de Porto-Riche), *Amants* (de Maurice Donnay)...

moins encore d'une spécialisation. Il voulait vivre en honnête homme : « Le vrai honnête homme, écrivait La Rochefoucauld, est celui qui ne se pique de rien. » Gide ne
manque ni une exposition, ni un Salon ; chaque matin, il
se rend au Louvre et il est « tout désœuvré le lundi ». Il y
a également le Bois de Boulogne ou le Musée Guimet, ou
le Musée paléonthologique, et les « Zoo » de Suisse, de
Hollande ou d'Allemagne, où il prend goût à observer bêtes
et plantes ; il y a les lettres à répondre, les papiers qui
s'accumulent, et le rangement des papiers, et les visites à
ces dames (les femmes d'écrivains) pour qui le fait insignifiant prend, plus encore que pour l'écrivain, une importance démesurée. A Cuverville, il y a le jardinage. A Paris,
les discussions dans les cénacles symbolistes, et le banquet
de Paul Adam, le banquet de la *Phalange,* « où nous pou-
vions être cent cinquante », et où il est flatté d'être invité
à la place d'honneur, à la droite de Royère ; et les bavar-
dages de littérateurs, « inanité sonore » ; et les rencontres
avec les écrivains étrangers célèbres de passage dans la
capitale. Il s'applique à faire comme il faut, ce qu'il faut
pour être un artiste. Il en porte les signes vestimentaires
distinctifs, comme les médecins de jadis le chapeau pointu,
pour montrer au dehors talent ou génie. La littérature
n'avait pas encore pris un sens péjoratif ou dérisoire.
C'était l'époque des préraphaélites et de Whistler, des femmes aux longues chevelures dépliées, du *grand* François
Coppée, du maniérisme, et de d'Annunzio, aux compli-
ments duquel, chaque fois qu'il le voit, il ne reste pas
insensible, mais qui représentera plus tard pour lui le haïssable même.

Cependant il est pris d'un peu de vertige devant tant
d'heures vides. Se cultiver ou vivre en artiste, c'est toujours une manière de *tuer le temps,* une des plus satisfai-
santes sans doute ; néanmoins, c'est trouver au temps une
raison d'être au lieu de la trouver en soi. Les thèmes de la
disponibilité, du voyage, du départ, que Gide s'est ingénié

à développer, n'avaient peut-être de signification que pour
justifier son désœuvrement.

Pour d'autres, cette liberté idéale dont jouit l'amateur
de lettres, « presque aussi complète que la peut souhaiter
être qui vive », finit par fausser les perspectives ; elle détend
le moi, qui ne colle plus au réel. Cette raison d'être que
Gide cherche : — Pourquoi être un homme ?, il sait finalement qu'il ne la connaîtra que par le travail de création,
mais celui-ci l'occupe fort peu de temps. Il lui arrive de
rester des années sans écrire. *L'Enfant Prodigue,* il le
conçoit et l'achève en trois semaines ; *La Porte Etroite,* en
quelques mois ; le dernier acte de *Saül* en un jour, parce
qu'il a porté longtemps ses sujets en lui. Alors il relit ses
propres livres, même traduits, et, tel jour, l'un d'entre eux
l'émeut jusqu'aux larmes : les larmes sont comme un
embellissement d'une vie d'artiste... Entre ses petits récits,
il fait paraître des articles, qui dans ses *Œuvres Complètes,*
occuperont une place considérable.

Sa brusque rupture avec le symbolisme sera une manière
de tenter d'échapper à ce mode de vie, mais ce n'est que
beaucoup plus tard qu'il se rendra compte que nous sommes
entrés dans une ère nouvelle, où le travail est réhabilité.
Ce sera là, peut-être, la signification profonde de son adhésion au communisme. Il est vrai qu'aujourd'hui le travail
est lié à des notions de rendement, de rationalisation, de
productivité, qui tendent à déformer la personnalité autant
que, jadis, en un sens contraire, la vie oisive. Cependant
le travail, au moins quand il n'est pas trop abrutissant, est
accompagné désormais de loisirs, qui ne sont que la forme
fragmentée de l'oisiveté à perpétuité d'autrefois. Par leur
forme même, les loisirs prennent un sens nouveau.

Le Lecteur.

Dans sa vie d'homme cultivé et en soi presque irréelle, Gide est peut-être parvenu à donner un sens à certaines de ses occupations, plus particulièrement au piano et à la lecture, qui ont joué pour lui le rôle d'une sorte de second métier. Il a poursuivi ses études de piano, tout au long de sa vie, parfois cinq ou six heures par jour. Les lectures tiennent une place plus considérable encore, notamment dans son *Journal*. Ce qui nous intéresse en elles, ce ne sont pas tant les jugements de l'auteur que la manière dont il lit, l'accueil qu'il fait à un livre. Les jugements sont laconiques. Parfois le livre est cité sans être accompagné d'aucune notation. Mais au fur et à mesure que nous avançons dans le *Journal,* les titres relevés sont de plus en plus nombreux ; c'est comme un engouffrement de lectures : romans, poésie, essais, classiques, latins, œuvres étrangères. La distraction qu'est la lecture devient alors une si intense curiosité, un si insatiable besoin de connaître qu'elle reprend un caractère humain.

Au début de sa vie, Gide y cherchait avant tout un moyen d'entraînement pour écrire. Le travail créateur lui ayant paru toujours difficile, il savait n'obtenir l'inspiration qu'après un exercice de l'esprit, qui lui donnait l'élan. Fréquemment pour se mettre en train, il prenait un auteur classique : « Une page y suffit, une demi-page si seulement je la lis dans la disposition d'esprit qui convient » ; il veut y trouver moins un enseignement « que le *ton*... », comme le *la* en musique. A cette époque, s'il lit tout ce qui lui tombe sous la main, il aspire néanmoins à une discipline, si futile et si arbitraire qu'elle soit : il déclare par exemple qu'il reprend chaque automne Leibniz ou Dickens ou Eliot, qu'il a des lectures pour la fin de la journée ou pour le matin ; il est d'autres livres qu'il lit couché ; plusieurs commencés à la fois, qu'il lit à petites doses réglées, chaque livre gardant son signet, « que par instants je déplacerai de quelques pages ». La manière d'entamer la journée est une question qui l'a toujours préoccupé : faut-il se mettre, sitôt levé, au « délicieux travail du matin » ? Sinon, en commençant par ouvrir des livres, n'éparpille-t-il pas ses forces ?

« Lire un livre de bon matin, au lever du jour, en pleine fraîcheur d'esprit, en pleine aurore de la force, écrit Nietzsche, j'appelle cela du *vice*. » Mais pour Gide la lecture n'est jamais un vice ; elle est devenue, il est vrai, très vite, un besoin touchant presque à la manie. Il lit Tacite en marchant ; *les Frères Zemgano*, « sur l'impériale du *Trocadéro-Gare de l'Est* » ; il lit *Guerre et Paix* et Schopenhauer en visitant les grottes de Han, et « je m'irritais d'avoir arrêté ma lecture pour regarder un paysage » ; il lit en auto ou dans les jardins publics, achève quiètement Ferrero dans sa baignoire et, quand plus tard il se rend à Oxford pour recevoir le titre de docteur *honoris causa*, il poursuit l'*Enéide*, sauf à Reading, pour demander où est la prison. La lecture est comme la drogue, à la fois un apaisement — (« ... N'ayant jamais eu de chagrin qu'une heure de lecture n'ait dissipé... », écrit Montesquieu) — mais plus encore un excitant. A quarante ans, Gide se lance dans Milton et dans Shakespeare pour apprendre l'anglais ; à cinquante, pour l'étude de l'allemand, dans le texte original de *Faust* et sans cesse il reprend Virgile pour se remettre au latin. Il faut également qu'il puisse de chaque lecture tirer un profit, le profit ne serait-il que négatif : il lit les Goncourt « pour apprendre comment il ne faut pas écrire ».

Sans doute, avec l'âge, il se demande si cette habitude qu'il a prise de lire à tous moments, « de ne pouvoir rester sans lire » n'est pas finalement une forme de la paresse. Il arrive alors que lire soit, au lieu d'une aide, un empêchement pour écrire, en favorisant la fuite devant la page blanche, en retardant le moment de la création véritable. D'active, la lecture devient passive, ce qu'elle est d'ailleurs pour la majorité des hommes, même quand l'ouvrage qu'ils ont en main est de qualité. Elle n'est plus qu'une simple distraction ou qu'une rumination de l'esprit. « Depuis combien de temps, écrit Gide en 1932 quand il fait cette remarque, n'ai-je plus vraiment travaillé ! » C'est à cette date précisément qu'il constate en lui une sorte d'épuisement, qu'il espère momentané.

Cependant tout au long de sa vie, quelle que soit la manière dont il ait lu, Gide a eu l'art de rendre captivantes ses notes de lecture. Nous le voyons lire. Le livre apparaît comme la rencontre de sa journée ou de l'heure ; et le jugement se borne à une remarque faite comme en passant, à une précision donnée comme par surcroît. Ses jugements ont la même légèreté et la même brièveté que ses caresses furtives. Ils ne dépassent guère deux ou trois lignes : un seul mot parfois suffit. Comme Stendhal dit d'une femme qu'elle est *belle,* d'un jeune homme qu'il a du *caractère,* sans plus, il parle de « l'*excellent*... Stevenson », de « l'*admirable*... *Journal* de Darwin », de son « *ravissement* » à la lecture d'*Armance* ou de Musset. Il lit « avec tremblement... » (Chtchedrine) ; « avec grand amusement... » (*Les silences du Colonel Bramble*) ; à haute voix, « dans les sanglots... » (*Athalie*). De même qu'il paraît ne pas choisir ses lectures, il ne se soucie pas de classer ses auteurs, de les faire figurer sur une échelle de valeurs ; il se garde de faire de la critique ; il ne cherche pas à motiver ses notations, ni à s'expliquer ; il nous donne sa première impression, intacte, toute de fraîcheur, qui correspond à son humeur même. C'est l'expression personnelle d'un esprit non prévenu. Parfois il ne dit rien : le récit d'une visite qu'il a rendue à Bourget, à Mirabeau doit suffire à les juger. Le plus souvent, il nous dit simplement qu'un livre l'a passionné ou rebuté, qu'il a « *achevé Jane Eyre* », ou au contraire qu'il

n'a « *pas achevé* les *Mémoires* de Retz ». Il semble correspondre avec nous par un code secret : il dit « consternant »
parce qu'il a été déçu ; « complaisant » quand il a été
heurté au plus profond de lui ; « Aimerais traduire » est
une marque d'attachement. Ses lectures sont, somme toute,
une autre manière pour lui de se raconter, de se confesser.
Parfois, comme au cours d'une conversation, il aboutit à
quelque trait, à une formule lapidaire : de France, encensé
par toute la bourgeoisie et qu'il a placé résolument au
second rang, il dit qu'il est « incapable aussi bien de
musique que de silence » ; de Voltaire, que « sa plume est
trop fine ; il ne réussit que les déliés ». Le plus souvent, il
garde un ton familier ; entre les grands auteurs du passé et
lui, c'est un rapport amical et personnel qu'il cherche à
établir. Ne l'intéressent vraiment que les amis, parmi les
contemporains également. Pas un mot, — ou presque rien
— dans son *Journal,* sur Giraudoux, ou Aragon, ou Breton,
qu'il ne rencontre guère dans la vie privée, mais il parle,
(assez sévèrement d'ailleurs) d'un roman d'Abel Hermant,
qui fait partie de sa génération. De même que dans une
confidence, on ne dit jamais tout, il est des auteurs que
Gide ne revendique pas, les théologiens par exemple, qu'il
a dû pourtant beaucoup pratiquer dans sa jeunesse. Mais
les ouvrages cités restent si abondants qu'ils constitueraient
une importante bibliothèque et il n'a, rue Vaneau, que
quelques rayonnages. Il achète n'importe où, à Paris ou en
voyage, sans aucun souci de bibliophilie.

Sans doute il arrivait qu'il se contentât de feuilleter, et
quand on le poussait un peu sur un ouvrage récemment
paru, il répondait facilement : — Je dois vous avouer que
je l'ai seulement parcouru. Mais souvent, il lui suffit de
humer un livre. Il en est d'autres qu'il lit « lentement,
patiemment, diligemment, avec presque autant d'amour et
de foi que l'Evangile ».

Il est curieux de mettre en parallèle un de ses essais de

critiques — sur Dostoïevsky — avec ses notes de *Journal*, où il compare souvent, comme il le fait pour Zola et pour d'autres, les qualités respectives des différents ouvrages du même auteur : « à *l'Idiot* », nous dit-il, « je préfère *les Possédés* et *les Karamazov*, peut-être même *l'Adolescent...* » Ses impressions de lectures sont aussi différentes de sa critique qu'une conversation d'une étude.

Cependant chaque conscience étant un juge unique qui rend des verdicts intimes, il déclare que sa position « à l'égard de La Rochefoucauld ne saurait être maintenue sans injustice », autrement dit implique un procès en révision. Ses impressions les plus brèves sous-entendent qu'il donne une note : « Lu avec intérêt » peut signifier : 5 sur 10, et quand il dit : « Je n'emporte avec moi — » en voyage que tel ou tel livre, il semble décerner une récompense.

Dans les jugements de lecture, les extraits de motifs, les citations qu'il fait sont en rapport avec les thèmes qui dominent sa pensée du moment. S'il dissocie si volontiers le fond de la forme, c'est qu'il ne s'intéresse finalement qu'au « fond », comme en peinture d'ailleurs. Il aime les *Elégies* de Gœthe, les poèmes de Whitman, les *Sonnets* de Shakespeare pour la liberté que le poète a pris avec son sujet. En sens contraire, il serait captivé par Mérimée, si Mérimée nous faisait connaître la position religieuse de ses personnages, mais il considère Mérimée — Proust également — comme des *analystes du cœur* impies, parce que les sentiments d'amour profane sont, dans leurs livres, vaincus sans la résistance des sentiments religieux : c'est ce qu'il nomme « scepticisme », et c'est ce secpticisme qui l'éloigne d'une partie de la poésie, des livres d'histoire proprement dits, des philosophes, dont il ne parle guère que dans sa jeunesse.

Cependant, parmi tant de rencontres, il y a celles qui furent pour lui décisives. Ce que Nietzsche appelle en parlant de Stendhal « l'un des hasards les plus beaux de ma vie », Gide aurait pu le dire de Montaigne, de Blake, de

Dostoïevsky. Ils l'ont encouragé avant tout dans sa propre pensée, lui donnant plus d'audace pour traiter plus librement certains sujets. C'est le sens même de sa critique.

Le Critique.

En un certain sens toute l'œuvre de Gide est de critique : critique littéraire dans *Paludes,* critique des mobiles de l'action dans *Les Caves du Vatican,* critique (celle-ci, la plus importante) de l'introspection et des conventions nécessaires au romancier dans *Les Faux-Monnayeurs.* Ce ne sont pas les récits de Gide par eux-mêmes qui nous intéressent, ni ses personnages assez inconsistants, mais les hypothèses qu'ils suggèrent. Le récit est de critique parce qu'il aboutit à une question. L'abnégation (dans *La Porte Etroite*) doit-elle se résoudre en duperie ? La charité (dans *La Symphonie Pastorale*), en une involontaire escroquerie ? La sincérité (dans *L'Ecole des Femmes*) conduit-elle inconsciemment à l'insincérité ? Chaque sentiment a-t-il pour répondant, et comme lié à lui, caché derrière lui, un double qui est son contraire ? L'acte intéressé a-t-il pour refuge l'acte désintéressé ? Chacun doit-il se trahir ? Il semble que Gide remette en question la vie psychologique telle qu'elle a été découpée et étiquetée par la morale et la religion du XIXe siècle — et le principe d'identité même qui la gouverne.

Blake marie le Ciel et l'Enfer, et Dostoïevsky, l'amour

et la haine au même instant, en un même personnage. Gide s'est attaché à ces écrivains dans la mesure précisément, où ils ont été, avant tout, des critiques de la vie intérieure. Dans ses grands essais, il ne les étudie pas d'un point de vue proprement littéraire. Gide est un critique, non un critique littéraire... C'est comme moraliste et connaisseur des hommes, c'est-à-dire comme critique que s'explique son rôle si important d'animateur de la *Nouvelle Revue Française* ; comme critique littéraire, ce sont ses goûts qui décident de ses jugements et ici nous avons souvent peine à le suivre.

Dans sa jeunesse, Gide s'est livré, pour une large part, à une critique de polémiste, s'attaquant (contre Maurras, Barrès...), à des valeurs traditionnelles (nationalisme, littérature moralisatrice...), valeurs assez ébranlées aujourd'hui pour que ces articles de combat, parus pour la plupart dans *Incidences* et *Prétextes,* ne soient plus appelés à prendre place, malgré leur esprit vif, juvénile et libéral, que dans une histoire des idées.

Si l'on s'intéresse aux livres dont Gide a rendu compte, particulièrement dans ses *Billets à Angèle,* de nombreux noms d'auteurs qu'il a retenus, nous surprennent : François de Curel, Camille Mauclair, Henri de Régnier, Saint-Georges de Bouhélier, Louis Dumur et bien d'autres, dévalorisés ou oubliés (quoique les auteurs, qui ne servent ici que de « *prétexte* », donnent lieu souvent à d'excellentes remarques).

Considéré comme critique littéraire uniquement, Gide ne laisse pas de déconcerter. En art il ne cache pas sa faiblesse pour le joli, parle du « délicieux » Boylesve, découvre Duvernois [1] ou déclare de Banville : « J'aime jusqu'à

---

1. Plus exactement, Gide s'est pris pour *Edgard* d'une sorte d'engouement, qui ne s'est pas maintenu pour les livres suivants de Duvernois ; engouement qu'explique sans doute son ignorance d'une certaine littérature boulevardière aux qualités souvent charmantes, mais de si peu d'importance. Il y avait beaucoup d'*Edgard* qui paraissaient, mais que Gide ne lisait pas ; une circonstance l'ayant mis en présence de l'un d'entre eux, il s'émerveille...

l'excès cet esprit délicat, perspicace et charmant. » Qu'il
ait admiré Signoret et qu'il ait dit de ses vers : « Dans
notre langue, je n'en connais pas de plus beaux », ceci
peut être considéré comme un accident amical. S'il fait des
réserves sur Anna de Noailles, qui représentait pour la
critique unanime la *grande* poésie, il appelle « un chef-
d'œuvre » (en 1905) : *Le Visage émerveillé.* Rien de plus difficile que les reconnaissances en littérature contemporaine,
où s'entrecroisent tous les courants : Proust qui, comme
artiste, a si remarquablement compris et recréé Flaubert ou
Saint-Simon, admirait, les yeux fermés, Madeleine Lemerre,
Boldini ou Reynaldo Hahn, non seulement pour leur position mondaine, mais parce qu'il ne cherchait pas à remettre
la valeur de leur œuvre en question, ni l'admiration du
monde pour elle.

Chez Gide, ce sont souvent ses premières impressions de
jeunesse qu'il ne remet pas en discussion : d'où son amour
pour Lamartine et ses effusions larmoyantes, ou pour le
Hugo conventionnel et religieux des *Contemplations.* D'où,
également, son choix si décevant dans l'*Anthologie de la
Poésie Française,* qu'il a publiée peu de temps avant sa
mort et qui aurait dû apparaître comme l'expression complète de ses goûts de critique : il s'est souvenu, dans cet
ouvrage, des poèmes qui avaient ému son enfance puritaine
et qui l'avaient touché par leur *sujet religieux.* S'il y fait
figurer, par ailleurs, des poèmes qui ne sont que des réus-
sites d'acrobaties verbales, *Les Djinns,* par exemple, (qui
le plongent, à la relecture, « dans un gouffre d'admiration »),
c'est que les questions de prosodie le passionnent, et qu'il
y revient dans sa vieillesse, songeant même à transposer
en français le système grec ou allemand des longues et des
brèves ; c'est qu'il croit, comme l'a prétendu Poë par défi
(en construisant *Le Corbeau* sur des données quasi-mathéma-
tiques) que la perfection d'un poème tient à sa technique
avant tout.

On pourrait penser que Gide n'a pas saisi l'importance de

la révolution que les surréalistes ont introduite dans la
poésie moderne, et dans la compréhension de la poésie
même, en dépréciant précisément la valeur anecdotique
d'un poème et les questions purement formelles, — en
faveur de l'inspiration. Les surréalistes, qui représentent incontestablement le plus grand mouvement poétique d'entre
les deux guerres, n'ont pas pris place dans cette *Anthologie,*
ce qui s'explique parce que Gide en a écarté les écrivains
vivants, mais il ne traite pas mieux leurs grands devan-
ciers. S'il admire Lautréamont et Rimbaud, il aime avant
tout le conteur chez l'un, le poète symboliste chez l'autre [1].
C'est qu'il est, lui, l'amateur de lettres et l'homme de goût,
trop éloigné de ces poètes maudits, révoltés et scandaleux.
Il le reconnaît d'ailleurs : « La lecture de Rimbaud, du
VIᵉ Chant de Maldoror, me fait prendre en honte mes
œuvres, et tout ce qui n'est qu'un résultat de la culture, en
dégoût. » N'est d'ailleurs pas un véritable critique littéraire, celui qui, comparant l'œuvre qu'il admire à la sienne,
ne trouve dans cette admiration qu'un motif, — même s'il
n'est que momentané — de sous-estimation de soi et de
désespoir.

Et cependant Gide a attiré autour de lui, à la *Nouvelle
Revue Française,* presque tous les grands écrivains de son
époque. Comment expliquer cette opposition entre les jugements de Gide et la valeur du groupe qu'il a créé, entre
Gide critique et Gide animateur d'un des mouvements les
plus importants de notre littérature ?

A un article de Gaston Deschamps prétendant qu'il n'y
avait plus de Balzac, de Daudet, de Georges Sand inconnus,
Gide, dans son *Journal,* répondait : « Et il n'a jamais parlé

---

1. De Rimbaud, il n'a retenu que le sonnet des *Voyelles* et les
premiers vers ; à peine quelques-unes des extraordinaires poésies
aériennes de la « voyance » et de la *Saison en Enfer.* Lautréamont
ne figure pas dans l'*Anthologie* parce qu'il n'a pas écrit « en
vers » et que Gide, par conséquent, le considère comme un pro-
sateur ; il nous dit, par ailleurs, dans son *Journal* que l'a séduit
l'histoire de l'enlèvement par Maldoror d'un enfant de sa famille !

de Paul Valéry, ni de Paul Claudel, ni d'André Suarès, ni de Francis Jammes ni de moi. » Cette remarque date de 1905, c'est-à-dire d'une époque où ces écrivains étaient loin d'avoir écrit le plus important de leur œuvre [1]. Si Gide ne doutait pas que Claudel et Valéry, comme plus tard Valéry Larbaud, Martin du Gard, Proust, étaient les écrivains les plus importants de son temps, c'est qu'il avait découvert en eux une certaine *qualité humaine* irremplaçable, qu'il jugeait la condition nécessaire et peut-être suffisante pour qu'un écrivain s'affirme grand écrivain ; elle correspondait à une exigence, à une volonté de perfection, poussée parfois jusqu'à l'intransigeance, de l'homme envers lui-même et elle rendait ce *son probe et pur* qui devait émouvoir Gide au long de sa vie. Cette qualité humaine qu'il avait reconnue en eux était une qualité morale, expression d'un sens moral qui lui paraissait plus décisif, plus déterminant que des qualités strictement artistiques, souvent éphémères et les impliquant d'ailleurs. Elle sous-entend, à priori, qu'il n'y a pas de génie vil, et qu'un être de génie a une volonté d'être — d'être ni plus, ni moins que lui-même : c'est en ce sens que l'on peut affirmer que l'expression de sa personnalité dans l'œuvre ou dans l'action est ou sera authentique.

En art, la qualité humaine peut s'exprimer par la volonté de ne faire aucune concession au public pour atteindre la renommée, de maintenir à travers toutes les incompréhensions une ligne de conduite, de trouver même parfois dans cette incompréhension une exaltation, de ne pas céder à la facilité, aux flatteries, aux promesses fallacieuses, à l'encensement et surtout à la solidarité de clan, de milieu ou de camaraderie. Cette manifestation de l'exigence, qui fut proprement celle de Gide et des écrivains de la *Nouvelle*

1. Sauf Francis Jammes. Mais Claudel n'avait publié que trois pièces ; sont bien postérieures à 1905 : *L'Otage, L'Annonce faite à Marie, Le Pain dur, Le Père humilié* ; quant à Paul Valéry, il n'avait guère écrit de poèmes avant 1905, (sauf *Narcisse*), rien en prose non plus, (sauf *La soirée avec M. Teste*).

Revue Française, nouvelle sous cette forme, n'est véritablement apparue qu'à la fin du xix⁰ siècle, — en même temps
que se fragmentait le public en petit et en grand public,
public de chapelle et public d'élite, public présent et public
idéal projeté dans l'avenir. L'écrivain a le choix possible
de son public ; le choix s'impose plus ou moins consciemment, mais nécessairement à lui ; en plaçant le débat à
une certaine hauteur, souvent avant qu'il n'ait commencé
d'écrire, l'écrivain se situe lui-même. C'est par leur situation avant tout que Gide a reconnu la qualité des écrivains
dont il s'est entouré, indépendamment, dans leur diversité,
de leur caractère, de leurs aspirations, de leurs goûts, et
même de leurs livres [1].

C'est sans doute pourquoi Gide n'a jamais étudié, ou
presque jamais, l'œuvre de ces écrivains. Nous n'avons
guère d'articles de lui sur Claudel ou sur Valéry, sur Valery
Larbaud ou Martin du Gard. Dans son *Journal,* il nous
entretient de ses relations personnelles avec eux. S'il les
juge non plus comme amis, mais comme poètes ou romanciers, c'est souvent du livre le moins important de leur
œuvre qu'il nous parle, préférant à *La Jeune Parque* les
poèmes « plus courts » de *Charmes,* ou *Les Plaisirs et les
Jours,* (que Proust a pourtant reniés) au reste de son œuvre.

---

1. Sans doute, dans le domaine de la pensée, il y a toujours eu
des clercs et des hommes de cour, des hommes de rigueur et des
courtisans, comme il y a un clergé séculier et un clergé régulier.
(Ce n'est pas par hasard que le mot « régulier » est appliqué à
l'homme des milieux hors-la-loi, qui reste, quoiqu'exclu, l'homme sur
qui on peut compter.) Cette opposition entre celui qui cède lâche-
ment aux compromis et celui qui les refuse apparaît au long de
l'histoire ; elle est symbolisée par exemple, au xvi⁰ siècle, par la différence de hauteur entre la pensée de Leibniz et celle d'un Spinoza,
qui correspond à la différence de hauteur entre leur manière de
vivre : l'un travaillant comme archiviste pour toutes les cours d'Allemagne, l'autre refusant une chaire à Heidelberg de l'Electeur Palatin
— ou une rente de Louis XIV, auteur de l'Edit de Nantes. Cette
opposition entre rigueur et facilité prend un sens renforcé et
presque complètement neuf, dans le domaine de l'art, quand cesse
la concordance entre l'écrivain et son public : jusqu'alors l'écrivain
était rarement méconnu ; la publicité n'avait pas d'objet. Mais, au
cours du xix⁰ siècle, l'écrivain est amené à se demander pour qui
il écrit...

Dès qu'apparaît chez Gide le critique littéraire, son goût est incliné par des sentiments subjectifs ou des circonstances, qui ne concernent plus l'œuvre. De l'œuvre, il n'a véritablement rien à dire ; mais avec quel art il parle de l'homme[1].

Quand s'est créée La *Nouvelle Revue Française,* Gide a aussitôt compris que le succès de la revue dépendait de la collaboration de ces trois ou quatre écrivains, complètement inconnus du public (sauf Jammes qui sera d'ailleurs une erreur). Avec quel zèle, quelle persévérance ne s'est-il pas efforcé d'obtenir qu'ils se libèrent d'engagements qu'ils ont pu prendre avec d'autres revues. Mais il est sûr d'eux ; depuis quinze ans, il les a soutenus de toute sa foi, sans réserve, à travers les petites revues, l'*Ermitage* surtout, dont il s'est occupé ; il les a déjà distingués, en pleine effervescence symboliste, en plein mouvement naturaliste, quand ils étaient tous trop jeunes encore pour avoir écrit quelque chose, et que ce choix pouvait paraître tenir de la magie. En janvier 1909, à la veille de la publication du premier numéro de la *N.R.F.,* il écrit à Francis Jammes : « Les deux seuls noms qui nous importent vraiment, c'est celui de Claudel, c'est le tien... » Et à Claudel qui est à Tientsin : « ... Sans vous, il me semble vraiment que notre revue n'a presque plus de raison d'être. » Il insiste : Si vous pouviez disposer encore d'une de vos nouvelles *Odes* « ne fût-ce que partiellement et si vous consentiez en notre faveur... ah ! qu'un mot de vous aussitôt, qu'une dépêche au besoin... me rendrait heureux... ! » C'est lui,

[1]. Ainsi quand il veut étudier de front l'œuvre de Proust, dans un *Billet à Angèle,* il ne trouve rien à signaler, sinon qu'elle est la plus grande de notre temps, après celle de Valéry ; par contre, lorsque, dans son *Journal,* il s'attache à l'homme (à qui il en veut d'avoir évoqué, et si mal évoqué *Sodome,* sujet qu'il se sent mieux qualifié que quiconque pour traiter), il fait de Proust, à plusieurs reprises, et en quelques traits, de prodigieux portraits, qui le disqualifient du point de vue moral précisément et qui, par là même, doivent, selon Gide, déprécier son œuvre.

personnellement, qui agit. Ainsi, avec ses plus proches
amis, en cinq ans, de 1909 à 1914, il a pu former, créer et
lancer la revue. Sans doute n'a-t-il jamais été livré seul à
la direction de celle-ci, où ses brusques écarts, ses emballe-
ments, ses erreurs par impulsion, l'importance qu'il attachait aux « flots d'infamie » dirigés contre lui l'auraient
conduit à quitter sa ligne de conduite. En 1909, tout à
sa tâche nouvelle, il avoue : « ... Je ne prends pas offi-
ciellement la direction... mais c'est tout comme, et c'est
mieux — » ajoutant : « ... Car je laisse *l'apparence* [1] de la
Direction à trois amis plus jeunes... [2] ». Les bons secré-
taires de rédaction (Schlumberger, Copeau et Ruyters
d'abord, qui portaient le titre de directeurs, puis, après des
remaniements successifs, Jacques Rivière, enfin Paulhan)
sont toujours rares ; leur rôle fut décisif, d'autant plus qu'à
partir de 1921, Gide a, en quelque sorte, rompu avec la direction : il a d'ailleurs envoyé une lettre à Rivière pour s'expliquer, qui a bouleversé celui-ci et dont les motifs nous paraî-
traient aujourd'hui un peu légers... A la même date, dans
un *Billet à Angèle* du 1er avril 1921, Gide écrivait dans la
revue : « Plus je me retire de la *N.R.F.,* plus on croit que
c'est moi qui la dirige... C'est toujours dans [les initiatives]
qui diffèrent le plus de ma façon de voir, que le public se
plaît à reconnaître le plus mon esprit. »

Cependant, même sans agir directement, Gide n'a cessé
de participer à ce vaste mouvement littéraire : il a été au
centre dans la mesure où il a été aimé, admiré : ce n'est
pas Gide qui a choisi ; on l'a choisi. C'est parce qu'il était
entouré qu'il était le centre. Son mérite est d'avoir su être
et rester un pôle d'attraction, d'avoir su prendre et se
donner de l'importance, une importance justifiée d'ailleurs.

Parmi les premiers collaborateurs, on peut dire qu'il y
avait deux types d'hommes : les amis et les intrus. Les
amis, c'est-à-dire les quelques grands créateurs, formaient

1. C'est moi qui souligne.
2. *Correspondance* Gide-Claudel.

le noyau. Autour, il y avait Thibaudet qui eut de la difficulté à s'imposer, à l'époque même où il faisait paraître
son *Mallarmé*. Par Valery Larbaud est venu Saint-Léger-
Léger, Giraudoux, un indépendant, s'était proposé. D'autres,
comme Bachelin, Edouard Pilon, Louis Laloy... ne représentent à peu près plus rien aujourd'hui. Ceux qui venaient
de la grande *Revue Blanche* étaient généralement assez mal
accueillis : Léon Blum ou Tristan Bernard n'ont jamais
collaboré ; on résistait à Jarry et à Apollinaire ; on résistait
également à un auteur étranger : Dostoïevsky, que Gide n'a
aimé que beaucoup plus tard. La *N.R.F.,* à ses débuts, était
avant tout néo-classique.

Mais bientôt Gide s'est pris d'admiration pour quelques-
uns dont le génie était le plus éloigné du sien, non seulement par leur art, mais par leur situation sociale, tel Charles-
Louis Philippe, dont le père était cordonnier et ne savait
pas lire. Devant Philippe, Gide éprouvait une sorte de
complexe de la pauvreté, qui l'amenait à désirer davantage
encore son estime. Il voulait que Philippe l'estimât pour
lui-même, malgré l'apparence d'amateur riche et cultivé
qu'il présentait.

Ce n'est pas par hasard qu'en 1910, un numéro d'hommage pour la mort de Philippe contribua au lancement de
la revue. En sens contraire, l'exécution que Gide avait faite
de Catulle Mendès au moment de sa mort avait précisé également la position de la revue. Si en Philippe, Gide admirait l'homme authentique, en Catulle Mendès, il con-
damnait l'absence de « *tenue* », le « triste poète, avilissant,
galvaudant ou salissant tous les genres... » Dans l'un
comme dans l'autre cas, Gide précisait que l'art est non
seulement un problème d'expression, mais de morale et de
signification, et il introduisait dans l'art même une critique
de l'art.

L'orgueil.

Il est naturel quand l'œuvre est écrite que l'écrivain cherche à l'imposer. Flaubert ou Proust s'en firent un devoir. Mais on peut dire que Gide attend la gloire avant l'œuvre faite ; il l'a préparée comme si l'œuvre devait sortir d'elle. Pour écrire un chef-d'œuvre, il pense qu'il faudra, certes, de la « circonspection », des précautions, ne rien fausser en soi. Il s'occupe de déblayer le terrain avant de construire.

Dès le début de sa vie, il a pris conscience de sa valeur, avant d'avoir commencé d'écrire, — malgré parfois des doutes cuisants. Il ne lui reste qu'à s'accomplir. Pour être un homme de valeur, il faut un ensemble de données matérielles (fortune, indépendance...), de conditions morales qu'il sent réunies en lui : l'œuvre n'en sera qu'une conséquence. « Mon travail... n'avancera pas davantage tant que je ne serai pas plus convaincu que c'est un chef-d'œuvre que j'écris. » Autrement dit, il s'agit de s'appliquer constamment à faire valoir ses qualités, de parvenir à l'estime de soi — pour conquérir celle des autres. Cet exceptionnel orgueil aboutit à la modestie, à un examen perpétuel de ses faits et gestes, à une auto-critique.

Que fera-t-il au juste ? Quelque chose d'extraordinaire ? Une action dont il pourra dire : « — « Celle-là seule, je peux la tenter. » Il y a pensé souvent dans sa jeunesse et à tout âge, sitôt après la mort de sa mère, quand, grisé de sublime et de générosité, il a cru se grandir dans le mariage, ou, plus tard en publiant *Corydon,* — plus tard encore, en entrant dans le communisme. Mais il s'est efforcé, aussi bien, par de menus actes quotidiens, de donner un sens à sa vie.

Conduire sa vie... Dès vingt ans, il n'a pas conçu de plus beau projet, s'y appliquant avec ardeur, avec intelligence, soutenu par cette conviction que « ... toute action de moi

tournerait toujours... à la plus grande glorification de ma
vie... » Les dieux l'ont élu, le protègent. — « Ce qui est,
m'apparaît toujours comme ce qui devait être. » Tout ce
qui lui arrive est pour le mieux. Pas de résignation devant
l'événement, ni de griserie. Il ne faut être, ni au-dessus,
ni au-dessous de soi ; quand les actes deviennent la juste
expression de la personnalité, l'homme ne sait plus si c'est
lui qui dirige sa vie ou si c'est sa vie qui le dirige : ils ne
font qu'un. Conduire sa vie prend la forme d'un accomplissement, d'un destin. C'est cela même, pour Gide, la
sagesse. Pas de regrets, quoi qu'il ait fait ; pas d'angoisse
profonde, ni durable. S'il a connu de longues crises répétées de doute et de remords, il revient toujours, comme
l'aiguille de la boussole, à la même position : être soi,
pour atteindre le bonheur. Encore veut-il que ce bonheur,
expression de son ambition, s'impose aux autres ; il faut
qu'on le sache heureux.

Conduire sa vie l'amène à comparer la sienne à celle
des autres, à celle de Valéry ou de Claudel, par exemple.
Et toujours à son détriment, la sienne ne lui paraissant
jamais parfaite. « Devant Claudel, dit-il, je n'ai sentiment
que de mes manques » et devant Valéry : « Il l'a si bien
menée que la mienne, auprès, ne me paraît plus qu'une
triste suite d'impairs. » Il n'admire rien tant que coller
à la vie, de l'équilibrer jusqu'à apprendre aux autres « à
bien nous sentir ».

Ici la durée est nécessaire. Gide a misé sur une longue
vie. Ce n'est pas parce que le succès ne devait venir qu'avec
le temps, mais parce que sa figure ne devait se dégager
qu'à la suite de tentatives nombreuses, de livres que nul
autre que lui, pensait-il, n'aurait pu écrire. A cette question qui a tant préoccupé les écrivains d'entre les deux
guerres : — *Pourquoi écrivez-vous ?* — la véritable réponse
de Gide est celle qu'il donne dans son *Journal* : pour
« mettre quelque chose à l'abri de la mort », c'est-à-dire
moins pour prolonger sa vie que pour la placer hors du

temps [1]. On comprend qu'il ait appréhendé, si longtemps, une mort prématurée. Imaginons Gide disparaissant en 1914, son œuvre de fiction, (sauf par *Les Faux-Monnayeurs*) n'eût guère été changée, mais bien toute sa figure d'homme. « Par quelle témérité, par quelle présomption de longue vie, ai-je gardé toujours le plus important pour la fin ?... »

« Chacun de nous, écrit Gide, et même inconsciemment, travaille au piédestal de son buste, presque autant qu'au buste lui-même. Il s'agit de se placer *sous un bon jour*, » c'est-à-dire de s'imposer aux autres. L'individu, pour s'accomplir, a besoin d'eux, et ce grand individualiste qu'est Gide nous laisse entendre que, lorsqu'il est seul, il n'est plus lui-même, il n'est plus rien. En faisant cette remarque, il reste sur le plan affectif, mais il est amené à tenir compte de la vision et des jugements de ses contemporains. Il s'occupe, presque autant qu'à écrire, à rétablir les fausses interprétations qu'ils ont pu tirer de lui. Il veut qu'on le reconnaisse, mais pour ce qu'il est, — qu'il y ait identité entre ce qu'il est et ce qu'il paraît être, non seulement en lui, mais dans son entourage. Puisque son œuvre est autant un ensemble de livres qu'une position morale de l'homme, chaque trait des critiques peut le défigurer, rester attaché à lui. A soixante ans encore, il craint que des échos de journaux, qu'il appelle « ignominies », que des *mots* sur lui mal rapportés ne déforment sa personnalité. En attachant de l'importance à ces choses insignifiantes : — Ne touchez pas, ne retouchez pas, semble-t-il dire, à ce que j'ai fait de moi [2].

1. A la revue dadaïste *Littérature*, qui, en 1919, avait ouvert cette enquête, Gide répondait sur un tout autre ton : « Quant à moi, j'écris surtout parce que j'ai une bonne plume, et pour être lu par vous... Mais je ne réponds jamais aux enquêtes. » Valéry répondait plus brièvement : « Par faiblesse. » Et Paul Morand : « J'écris pour être riche et estimé. » Il ne faut pas confondre cette enquête avec celle qui a été ouverte quinze ans plus tard par Aragon dans la revue *Commune : Pour qui écrivez-vous ?* — et dont nous avons parlé plus haut.
2. Déjà avant la guerre de 1914, comme animateur de la *N. R. F.*, il se sent constamment attaqué par le groupe des *Cahiers de la*

Une faute d'impression, même banale, le trahit. C'est aux fautes d'impression qu'il attribue parfois l'incompréhension du public à son égard [1]. Il lui faut rétablir les fausses citations que l'on a tirées de ses livres, prendre tant de précautions pour ses œuvres posthumes, — (car il sait trop bien comment les proches tripatouillent ces textes) — que finalement il n'en restera guère après sa mort. C'est pourquoi il considère aussi que le livre une fois publié ne se suffit souvent pas ; il éprouve le besoin de l'accompagner ou de le faire suivre de préfaces, de justifications. Il est vraiment *l'auteur* autant des interprétations du livre que du livre même [2].

Quel épuisant souci dans cette nécessité de « se placer sous un bon jour » ! A Rouveyre, qui prépare une étude sur lui, il demande des modifications : ceci est exact, ceci l'est moins ; il le supplie de changer quelques lignes : « encore une fois, ce que j'en dis me paraît des plus impor-

---

Quinzaine. Les ragots courent, s'entrecroisent. S'il répond à Sorel, ne croira-t-on pas qu'il défend des positions qui ne sont pas les siennes, ne le prendra-t-on pas pour un « défenseur de *la laïque* » ? Au cours de l'année 1912, Claudel, à qui il se confie à ce sujet, lui répond le 9 janvier : « Je crois que le mieux pour vous serait de garder le silence... » Le 15 janvier : « Etes-vous brouillé maintenant avec lui [Péguy]. Pourquoi ?... » Le 3 août : «... cher ami, si vous vous mettez, avant d'agir, à réfléchir sur l'impression que vos actes peuvent faire sur celui-ci ou celui-là... » Le 27 janvier 1913 : « Cher ami, Quelle idée absurde ! Mais non, mes sentiments pour la *N. R. F...* sont ce qu'ils ont toujours été. » Le 22 septembre : « Non, cher ami, impossible. Je vous aime bien, mais ne me demandez pas d'entrer en polémique avec les journaux... Vous n'êtes visé ni directement, ni indirectement... » Le 17 novembre : « ...Votre nom n'est pas cité dans l'interview de Jammes... Je vous en supplie, laissez cette histoire de Jammes où elle est ! »

1. « ...Tant de raffut pour les fautes d'impression dans les livres de Proust » alors que lorsqu'il s'agit d'un livre de lui, Gide, « l'on s'inquiète si peu de me citer exactement ». Il semble qu'une faute d'impression, même ordinaire, mette son œuvre en jeu.

2. La plupart des textes que Gide n'a pas livrés immédiatement au public ont été d'abord publiés par lui à quelques exemplaires hors commerce. (Voir *in fine* la *Bibliographie*.) Il en protégeait ainsi la version authentique. On sait que dans la législation actuelle, les héritiers peuvent disposer à leur gré, couper et même détruire les papiers que laisse un écrivain après sa mort. (Cf. mon étude : *Les Droits de l'Ecrivain dans la Société contemporaine*. — Les Cahiers de la Quinzaine.)

tants. » A Iseler, qui publie des extraits de sa correspondance avec Pierre Louys, il écrit : « Les grandes qualités
de votre travail m'encouragent à vous parler davantage.
— Et même, ne seriez-vous pas tenté d'écrire une histoire
plus complète... » autrement dit : sur lui. Dès qu'il sent
un admirateur en puissance, il use de sa séduction pour
l'attirer. S'il cherche le tête-à-tête, c'est que ce timide y est
plus à l'aise pour parler de lui. Il faut qu'il éprouve la
sympathie de chacun, ce qui l'oblige lui-même à se sentir
irréprochable. Le besoin d'être aimé, si caractéristique
déjà dans ses relations amoureuses, devient ici un besoin,
poussé jusqu'à l'angoisse, d'être aimé de tous, approuvé
par eux.

On comprend qu'il ait pu être amené à confondre la
conduite de sa vie avec la stratégie littéraire proprement
dite. Car, pour que sa vie prenne un sens et s'impose, il
faut, d'abord comme écrivain, qu'il atteigne le succès. Mais
s'il le cherche par des flatteries, il jette, par là même, son
personnage à bas ; il le défigure encore plus que ne le font
les racontars. Aussi, chaque fois qu'il fait le fat, il s'en
veut, comme Lafcadio prêt à s'enfoncer un canif dans la
cuisse. Lorsqu'il cède à la vantardise, au désir de se gonfler,
de se mettre en avant, à une crise « d'orgueillite », en vain
cherche-t-il à se ressaisir ; il sent un être odieux et grimaçant prendre sa place, qu'il ne peut désavouer, « car c'est
soi-même ». Ces crises « d'orgueillite » le rendent litté-
ralement malade pendant plusieurs jours. Cette lutte entre
son désir de s'affirmer et son désir de ne s'abandonner à
aucune complaisance se prolonge très tard jusqu'à l'époque
de sa gloire.

Ce qui rend la conduite de Gide si difficile, c'est la
hauteur où il se place et l'éloignement de son public. On
a de la peine à se rappeler aujourd'hui qu'à l'entrée du
vingtième siècle, Gide était encore totalement inconnu ou

seulement l'objet de quelques dénigrements [1]. La distance
entre son orgueil et son insuccès ne cessait de le torturer.
Son orgueil souffrait d'un « véritable désespoir ». « Je
commence à être las de ne pas être », écrit-il à l'âge de
trente-sept ans. Dans son *Journal,* il déclarera préférer
« l'admiration d'un seul honnête homme, à celle de cent
journalistes ». Mais il ne pouvait s'empêcher de compter
une à une les coupures de presse (toutes injurieuses) qu'il
recevait d'Allemagne, en 1907, à l'époque où son *Candaule*
était joué. Les attaques dans la presse, qu'il déclare dédai-
gner lorsqu'elles viennent de critiques qu'il n'estime pas,
le démolissent par ce qu'il appelle « la persistance de la
haine ». Très caractéristique est son attitude envers Paul
Souday : alors que Proust malgré sa politesse se rebiffe
sous les attaques du critique, contre-attaque et raille [2], — que
Claudel accueille les éloges comme les réserves en fonction-
naire discipliné, — que Valéry, encensé, répond : « J'aime
mieux être lu plusieurs fois par un seul, que de l'être une
fois par plusieurs », — Gide, qui lui aussi a conscience de la
notion d'élite — la seule même qui lui importe, caresse
le grand critique officiel, le félicite d'avoir loué Voltaire
et lui écrit : « Nous ne sommes pas aussi loin l'un de
l'autre... » Cependant l'histoire d'un article sur l'ensemble de son œuvre que Gide attend de Jammes, nous
fait connaître son véritable comportement : à la fois l'importance qu'il attachait à cette étude de Jammes qu'il
plaçait alors très haut dans son estime, et son courage plus
grand encore que son désir de renommée. La correspondance entre Jammes et lui a pour objet, pendant dix ans,
avant tout cet article. Au moment de la publication de
chacun des livres de Gide, la question est posée : Jammes

1. Voir plus loin, page 521, dans *Morceaux choisis :* Devant le
grand public, à l'entrée du xxᵉ siècle.
2. Gide a parlé des « flatteries éhontées » de Proust dans ses lettres
à Madame de Noailles, ajoutant qu'elles discréditaient son jugement
et mettaient en doute sa sincérité. Mais on sait que Proust ne cherchait pas à juger les livres des autres, préférant en parler en homme
du monde ; il s'occupait des siens et, alors, savait se montrer agressif.

fera-t-il l'article ou non ? Mais chaque fois le nouveau
livre de Gide paraît trop scandaleux à Jammes converti,
même l'*Enfant Prodigue*. Quand, après *La Porte Etroite*,
Jammes entreprend l'article, croyant Gide pris d'inquiétude
religieuse, Gide l'arrête, et par un effort de tout son être
poussé jusqu'à la mortification : — Tu te méprends à mon
sujet, lui écrit-il ; il prend sur lui de renoncer à ce à quoi
il tient si profondément, par un besoin plus profond encore
de vérité : c'est le Gide de grand format, qui ajoute ici un
trait de plus à sa figure. Lorsque l'article finalement paraît,
en 1909, il pleure de joie comme un enfant, proposant à
Jammes d'aller lui rendre visite dans les Pyrénées.

Chaque fois qu'il entreprend un livre, il pense qu'il risque
gros comme si son œuvre entière, toute la conduite de sa vie
étaient remises en cause. Il répète fréquemment qu'il « faut...
de [la] précaution pour délivrer son propre message... », à la
fois de la hardiesse et de la prudence. « *Prudence* » était la
maxime de Spinoza ; elle signifie : intelligence appliquée
à toutes les formes de l'action. Il s'agit de savoir jusqu'où
un homme placé dans la société peut avancer. Très loin
en vérité... Mais avec prudence. A une époque où les
athées étaient brûlés en place publique, Spinoza est parvenu à exposer un système du monde sans Dieu créateur,
mais où le mot Dieu et les termes traditionnels du langage
des théologiens sont repris, quoique détournés de leur sens
ordinaire. La prudence a été pour lui, comme pour Gide
et pour tous ceux qui ont quelque chose d'audacieux à
dire, un art véritable.

Sans doute il est une fausse prudence — forme de
l'hésitation ou lâcheté des faibles. Il arrive que Gide passe
de l'une à l'autre. Parmi toutes les positions littéraires,
morales et politiques successives qu'il a prises, il n'en est
peut-être pas une qui ne comporte une restriction, une

contrepartie, un revers ; il semble chaque fois laisser un blanc pour pouvoir se reprendre et repartir. Ce n'est que dans *Corydon,* qui est pourtant un dialogue, qu'il a pris une position complètement assurée, brûlant derrière lui ses vaiseaux. La prudence, image même de sa vie, s'explique par une approche continue de la vérité, qui permet de la mieux cerner.

A certains moments, il écrit : « Ah ! j'ai vécu trop prudemment... », et il se reproche alors ses manques de hardiesse. On pourrait croire qu'il a cherché à éviter les grands risques, les violences. Sa force consiste à savoir rompre au moment voulu pour mettre sa raison d'accord avec lui-même. Il sait que sa valeur s'exprime par les *Non* qu'il prononce. Il dit : *Non,* quand il quitte le *Centaure,* la revue parnassienne de Pierre Louys ; *non* à Ducoté à qui il doit tant, mais qu'il refuse pour sa médiocrité de faire entrer à la *Nouvelle Revue Française ; non,* pendant la dernière guerre, lorsqu'il a cessé de collaborer à cette même revue ; *non,* à ceux de ses amis avec qui il n'est plus d'accord, quand il se sépare de leurs livres, en 1925, au cours d'une vente publique ; *non* au catholicisme ; *non,* au protestantisme ; *non,* au communisme après son retour de l'U.R.S.S. [1].

La rupture, mais non la révolte. La révolte, dit, un de ses personnages des *Faux-Monnayeurs,* provoque, chez les jeunes surtout, le défi, la jactance, déforme le caractère. La révolte est effectivement une résistance passionnelle, un obscurcissement momentané de la conscience, une sorte de colère, semblable au geste de l'enfant qui, se heurtant à une table, la frappe. La révolte ne s'élève d'un degré que lorsque l'accompagne une revendication (chez Gide, contre la famille, la religion). Mais quelle que soit sa forme, elle aboutit à une impasse. La révolte ne veut pas changer le monde, mais se heurter passionnément à lui. Dans les

---

[1]. Nous avons vu que même lorsqu'il a été *pour* le communisme, il était, en réalité, avant tout, *contre* la religion, le capitalisme...

ruptures de Gide, il y a au contraire un désaccord fondamental. Il dit *non* à ceux qui déclarent par exemple : si
Dieu n'existait pas, les hommes vivraient comme des chiens ;
ou bien : il n'y a que des vices, pas d'inclinations de la
nature. Gide ne peut pas fermer les yeux : la lucidité l'oblige
à se manifester.

Nous trouvons du rigorisme puritain dans cette attitude,
défensive avant tout, qui se manifeste également dans sa vie
quotidienne, parfois même de la dureté. Quand il rencontre
le nom de Wilde sur le registre d'un hôtel d'Algérie, il biffe
le sien ; quand Douglas, plein de gentillesses et de pré-
venance, l'invite à sa table, il refuse maussadement. Son
premier mouvement est de méfiance, de rechignement ;
mais alors le second est d'accepter. Il n'a refusé que par
timidité : le timide est celui qui ne se montre pas tel
qu'il est parce qu'il croit avoir quelque chose à cacher [1].
Mais les refus véritables de Gide, ceux qui donnent un
sens à sa vie, sont au contraire d'audace, pour montrer son
cœur à nu.

La sévérité puritaine.

La timidité et l'orgueil peuvent s'expliquer par l'em-
preinte d'une éducation puritaine. Gide en est marqué

[1]. Gide insiste d'ailleurs fréquemment sur sa timidité, qui le conduit à toutes sortes de « balourdises », d'impairs, de distractions, dès
qu'il est en visite dans le monde, et qu'il raconte ensuite avec humour.

quoiqu'il veuille et ne cessera de se débattre contre elle :
« Il faut que j'ose franchement le reconnaître : c'est mon
enfance solitaire et rechignée qui m'a fait ce que je suis. »
Dans cette éducation, tout prend facilement la couleur de
l'ennui et l'ennui devient le critère du bien.

Par opposition, Gide a dépeint en *Lafcadio* les traits qu'il
peut aimer dans un adolescent et qui lui font précisément
défaut, — avant tout la désinvolture, ce que Stendhal
appelle le *caractère* : un être qui n'hésite jamais, qui ne
revient pas en arrière, qui coïncide avec l'événement ; quand
le détachement est poussé assez loin, il donne au caractère de la hauteur. Gide a rêvé de Lafcadio avec amour, le
prenant souvent pour modèle : et il en est devenu un pour
la génération de 1918, en rupture de bourgeoisie.

Cet être d'inconséquence est désintéressé. L'esprit puritain, au contraire, s'attache à tourner « *tout à profit* ».
« D'inappréciable profit », écrit Gide, en parlant d'une
lecture, ou de son expérience de juré aux Assises de Rouen,
d'une rencontre amicale ou amoureuse. Il veut que l'événement l'enrichisse ; il veut le profit engrangé pour l'avenir. Même dans ce qu'il appelle la débauche, il a parfois
besoin de « s'appliquer », de se donner « de la peine » :
c'est qu'il lui faut faire un effort pour perdre l'estime de
soi, qui le retient dans le désir.

Effort caractéristique également dans son *travail*. Il n'est
évidemment pas de création sans une certaine discipline :
Hugo, le phénomène de la puissance d'inspiration, écrivait
tous les matins, un nombre déterminé de vers. Mais la discipline ne suffit pas à Gide ; il est d'ailleurs incapable de
travail régulier ; ce qu'il cherche c'est l'obligation en soi :
« Je devrais... me forcer à écrire... chaque jour quelques
lignes, » dit-il au début de son *Journal*. Puis tout au long :
je ne le fais que « par devoir » (1912), « par discipline » ou
« pour ne pas lâcher prise » (1939). Le travail doit prendre

un caractère triste, sévère et souvent d'exercice ; il dit
même « rebutant » à propos d'une traduction ; tout doit
être, surtout dans sa jeunesse, prévu jusque dans les positions physiques pour écrire. Le travail n'apparaît chez Gide
ni comme une nécessité, ni comme une distraction ; souvent
Gide n'a rien à dire ; il n'est même pas intéressé. Dans
sa chambre de travail, ornée seulement d'objets graves,
rien ne doit sauver de l'ennui, que le travail ; c'est le travail
forcé, mais dans cette chambre où, malgré tant de précautions prises, il se met à rêver, le démon s'est enfermé avec
lui.

Cependant les meilleures pages de Gide sont conçues et
écrites d'un jet, sans ratures ; il ne trouve de difficultés
qu'à ordonner l'ensemble, dans ce qu'il appelle les « join-
toiements ». Mais quand la phrase se présente avec aisance,
il se force à écrire avec lenteur, avec patience. Il arrive au
contraire que lorsque cet esprit continuellement tendu a
décidé de noter, au jour le jour, des sensations immédiates,
au cours d'un voyage, en Andorre ou en Turquie, — ces
notes sur un sujet déterminé, qu'il s'est imposé à l'avance,
apparaissent comme un devoir de français. Parmi les nombreux volumes que forment ses œuvres complètes, il est
peu de pages qui correspondent à un mouvement spontané.
Très souvent, il s'étonne de parvenir si vite à la fin de son
sujet. Le travail forcé implique généralement un souffle
court, mais surmontant ce régime de contrainte, il atteint
soudain la liberté dans un fragment inattendu.

Quand Gide relit son *Journal* pour le publier, il est surpris
d' « y retrouver si longtemps et si tard la contrainte morale
et l'effort ». Sous l'influence de son éducation chrétienne,
il a été incité à se refuser aux invitations les plus aimables
de la vie. Toute son enfance l'a dressé contre les voluptés
faciles. On sait que la révélation du plaisir sensuel provoqua en lui, à l'âge de vingt-quatre ans, une première

rupture affective, qui le libéra de la religion. Mais il ne
put se maintenir dans cette position avancée, conquise trop
soudainement. Son mariage, ses amis, son milieu le font
battre en retraite, et le développement de son esprit sera
pendant longtemps l'histoire, non d'un progrès, mais d'un
retour sur lui-même. Il ne lui faudra rien moins qu'un
demi-siècle pour parvenir au détachement complet de Dieu,
vivre réellement ce détachement au cours d'arrachements
successifs. Encore ne retrouvera-t-il jamais plus le premier
éblouissement de ses vingt-quatre ans. Il avance, avec bien
des ballottements, des allers et retours — pour parvenir
devant la mort à des balbutiements, à des banalités, à la
conviction de notre ignorance, à la séparation de l'erreur, et
finalement à la forme d'une plénitude. Dans ses dernières
années, il avait gardé le langage spiritualiste de son enfance,
parlait encore de l'âme et du corps, mais c'était pour dire : je
ne sais pas ce que signifie ce dualisme.

Dès qu'il a commencé de rompre avec la religion, sa position intellectuelle n'est que faiblement étayée, sinon par
quelques lectures philosophiques de rencontre et quelques
thèmes vaguement panthéistes : avec des subtilités et des
craintes, il appelle Dieu tout ce qui est, ou plutôt dans des
formules équivoques, il nomme Dieu, ferveur et amour. Il
n'a jamais eu de goût pour l'intelligence abstraite et il préfère, à un raisonnement, chanter la « Ronde des belles
preuves de l'existence de Dieu. » Tout lui paraît sophistiqué dans les raisonnements qu'il a ressassés en tous sens :
« la preuve du premier moteur » ou « la preuve par les
causes finales », la preuve par l'absurde ou la preuve par
les miracles, ou les preuves du cœur : Tu ne me chercherais
pas... Mais si Gide dédaigne le raisonnement, encore
tient-il à s'appuyer sur la raison. La position des dévots et
celle des convertis, qu'il apprend peu à peu à connaître,
le heurte par la pauvreté de leurs arguments [1] chaque fois

1. Quand Claudel lui communique, en 1905, à la suite des conversations qui l'ont tant troublé, un cahier, recueil de citations pieuses.

qu'il cherche à les approfondir, et leur position ne lui paraît pas renforcée par leur dogmatique intransigeance qu'il appelle leur « *orgueil incommensurable* ». Au nom de qui prétendent-ils juger les autres et rendre des verdicts ?

« ... Quoi que vous puissiez dire, écrit Claudel à Gide, il vous sera impossible de me décourager, de me scandaliser. Les fantaisies les plus désordonnées ne me gênent en rien. » Mais deux ans plus tard, en 1914 : vos mœurs, « les mœurs dont vous me parlez ne sont ni permises, ni excusables, ni avouables... », ce qui signifie : vous trouverez dans la religion une liberté complète, étant entendu que vous ne ferez rien de ce qui va à l'encontre des lois naturelles et divines établies...

Puisque rien ne lui paraît plus vain que les discussions idéologiques, où d'ailleurs Gide se sent mal à l'aise, il quitte, dès qu'il le peut, la métaphysique pour l'éthique. L'éthique, c'est pour Gide le monde des réalités, le seul monde réel ; l'éthique seule donne du relief aux êtres et aux choses ; sans elle l'univers n'est plus qu'un ensemble de signes et rien n'est plus à déchiffrer dans le cœur de l'homme.

Cependant l'éthique elle-même, dès qu'interviennent les théologiens et leurs raisonnements, pose des problèmes embrouillés et contradictoires, dont l'esprit clair sort difficilement. Comment l'esprit peut-il se tirer du piège qu'est le péché dans la doctrine chrétienne ? Gide a toujours eu de la peine à reconnaître la réalité du mal : « J'aime, écrit-il, que la cécité pour le mal vienne de l'éblouissement du bien. » Autrement dit, le mal n'existe pas en soi ; le bien est à lui-même son propre critère : un homme qui vit dans le mal peut ne pas savoir qu'il y vit, comme un rêveur ne pas savoir qu'il rêve ; mais un homme dans le bien est un homme éveillé et qui sait qu'il ne rêve plus. Le mal

---

en vue de le convaincre définitivement, Gide le lui rend, frappé par leur niaiserie, par leur faiblesse intellectuelle qui le convainquent soudain en sens contraire.

est négatif. Souvent Gide dit du diable que sa plus grande
force est de nous faire croire qu'il existe par lui-même.
Dans la mesure où le mal est, il est en nous ; résister au
mal, c'est le signe d'une volonté privatrice : « Je n'aime
point cela », écrit Gide ; c'est toujours résister à une partie
de nous-mêmes, à des désirs refoulés, dont on sait qu'ils
dégagent une « odeur pestilentielle ». Accepter l'idée de
bien et de mal, c'est accepter la mythologie chrétienne, avec
ses péchés bien définis, ses tentations, ses repentirs, qui
forment comme un jeu savant auquel les croyants se laissent
prendre. Il y a là quelque chose d'enfantin dans cette figu-
ration, dans cette lutte simplifiée, aussi contraire à toutes les
découvertes récentes de la psychologie que l'univers de la
Bible l'est des conceptions nouvelles de la science.

Dans les subtilités qui différencient le bien et le mal,
Gide en voit une, fondamentale : *l'hypocrisie*. Il y a d'abord
ceux qui travestissent simplement la vérité. Gide éprouve
une sorte de malin plaisir à les saisir sur le fait. Fréquemment il avoue lui-même ses petites roueries et quand il se
rend chez Natanson pour une réclamation d'argent, il dit :
« J'avais appris ma phrase par cœur. » Viélé-Griffin fait
un mot à propos d'un fait qu'il prétend exact : « J'ai pu
vérifier, écrit Gide, ce n'est pas vrai » ; il l'a collé ; il est
ravi. — Je veux qu'on soit sincère, s'écrit Alceste, mais
comment l'être tout simplement ? Chacun vit dans le pas
vrai, se guinde, se force, se surestime. Dans le *Journal,*
quand La Pérouse dit : « Ma femme ment toujours. Dès
qu'elle ouvre la bouche, je pense : Allons ! Cela ne va pas
être vrai ! », le mensonge prend déjà un caractère plus
grave ; il indique la duperie généralisée de la plupart des
hommes et particulièrement de ceux qui cèdent aux
notions traditionnelles du bien et du mal. Dans les *Faux-
Monnayeurs,* La Pérouse dit : — « ... Tout le monde m'a
roulé ; ... Dieu m'a roulé. Il m'a fait prendre pour de la
vertu mon orgueil. » C'est alors la perpétuelle comédie de

celui qui veut être le maître de ses désirs et qui devient leur esclave. Saül déclare qu'il a vécu trop longtemps chaste et succombe à tous les jeunes démons. Le mensonge devient une tromperie inconsciente de l'homme sur lui-même.

Ce caractère de jobardise apparaît surtout chez les pasteurs de Gide, on peut dire chez *le Pasteur,* dont il fait une grande figure symbolique. Le Pasteur vit dans un étourdissement de bonnes et pieuses paroles, aveuglé sur lui-même, sur les siens et leur véritable conduite. « A chaque difficulté, dit de lui son fils, il tombe en prière et laisse Rachel se débrouiller. Tout ce qu'il demande, c'est de ne pas y voir clair. » Le Pasteur ne cesse de se « blouser » ; c'est son état naturel, — pour Gide, un état « ineffablement alpestre », une « moralité de conifères », qui est l'état du puritain. Quand le Pasteur découvre la vérité, perdant le contrôle de lui, il blasphème : apprenant que son fils n'a pas vécu chaste : « Plût au ciel, s'écrie-t-il, qu'il fût mort à la guerre ! »

Ce n'est pas dans la religion seulement que les hommes se blousent ; sans cesse ils posent devant la vie, ils sont en représentation, découvrant de faux secrets, montrent leur jeu truqué, ne tiennent pas leurs promesses envers eux-mêmes ou envers les autres. Autrement dit, ils n'ont pas de conscience ; êtres sans foi ni loi, ils vivent en mécréants. Effectivement, pour Gide, qui n'a jamais pu échapper à l'influence mystique du climat de son enfance, la conscience, c'est toujours la conscience morale. Comment sortir de cette impasse ? *La conscience ment et les êtres sans conscience sont inhumains.*

Comment trouver un être « qui ne *ferait semblant* de rien », c'est-à-dire qui serait vrai, qui oserait avouer l'inavouable ? « *Un homme en qui l'on ne pouvait trouver de fraude.* Cette parole de l'Ecriture, déclare Gide, [a] dominé ma vie. » Un homme sans feinte et sans tactique, un homme sans raideur et sans déformation passionnelle, un homme authentique et naturel. Ce serait l'existence d'un tel homme qui prouverait la vérité. Lorsque Gide au long de sa vie s'est posé ou reposé la question : croire ou ne pas croire, ce ne sont pas, nous l'avons vu, des preuves qu'il cherchait. Vers la fin de sa vie, il témoigne, sous une forme plus catégorique encore, sa méfiance des preuves : « La preuve que vous vous trompez, c'est que... [1] » L'erreur, dit-il, est une geôle ; la vérité aussi. Sur l'athéisme, il n'a finalement pas d'opinion. De même qu'il n'y a pas de vérité en soi, il n'y a pas d'athée. La vérité n'est jamais à établir ; elle se cherche ; la recherche de la vérité est plus importante que la vérité même. Chercher à être vrai, c'est chercher à être d'accord avec soi-même, c'est être soi.

Les Crises

Lorsqu'on ouvre le *Journal* de Gide au hasard, il nous donne presque toujours l'image d'un homme qui se cherche, — sans soulever les grands problèmes, mais en s'interrogeant sur les petits actes de la vie journalière. Presque à chaque page, il paraît se demander à lui-même : — *Comment vas-tu ?* et, impliquées dans la réponse à ces simples mots, nous découvrons fréquemment des crises intérieures, dans la mesure précisément où les états intellectuels sont liés à des états physiologiques. Le *Journal* se présente comme une analyse quotidienne, — véritable exercice spiri-

1. *Journal*, 1933.

tuel — de son état de santé et de bonheur. Gide prend chaque matin sa température pour la journée. Dans sa jeunesse, il écrivait : « Ce matin je vais bien », c'est-à-dire : « Je m'éveille dispos à tout ; l'esprit prompt, la tête légère... [1] ». A soixante ans, à la même question implicitement posée qui correspond à un débat moral, il répond : — Je ne sais pas. A d'autres moments, et le plus souvent, il parle de malaises, de vertiges, de troubles nerveux, de gouffres d'indolence... Mais alors que Nietzsche raconte qu' « au milieu des tortures provoquées par un mal de tête qui dura trois jours sans répit, accompagné de vomissements de bile, je conservais une lucidité parfaite et j'approfondissais posément des problèmes pour lesquels en période normale je manque de finesse, de sang-froid et des vertus de l'alpiniste », Gide au contraire est heureux de pouvoir imputer au corps les défaillances de l'esprit et de noter par exemple : « Mon plus ou moins de bonheur, aujourd'hui, tient presque uniquement au fonctionnement plus ou moins parfait de mon corps. »

C'est la revanche du corps contre le puritanisme. Les méthodes d'entraînement ou d'excitation au travail, dont il s'est saoulé dans sa jeunesse, demeurent impuissantes, au cours de ses crises d'apathie accompagnées d'étourdissements physiques. S'il veut à tout prix se mettre au travail, forcer l'inspiration ou biaiser avec elle, rien n'y fait. Il ne suffit pas de commander : — Que le travail soit ! — le travail n'est pas, et il ne fait ni nuit, ni jour après une nuit d'insomnie. Il constate que l'état de grâce lui-même est lié à notre corps, cette guenille selon les saints, et dont il découvre chaque jour, avec étonnement, l'importance grandissante. Si certains inspirés sont parvenus à faire bon usage des maladies, à tirer parti de leur état pathologique (Dostoïevsky, de l'épilepsie ; Nietzsche, des menaces de sa folie), c'est non pas comme le pensent les croyants par la

1. *Journal*, 1902.

volonté, mais par l'intelligence uniquement. La volonté n'est sans doute qu'une abstraction. Mais si la volonté ne décide pas, la vie de la conscience perd toute signification pour la religion. C'est pourtant cela : une vie intérieure où la volonté est incapable d'intervenir, que Gide constate par l'observation exacte de lui-même.

Après son mariage, en 1895, Gide reste absent, comme on le verra plus loin, pendant six ans de son *Journal*. Quand il le reprend, en 1902, nous assistons jusqu'au milieu de la guerre de 14, à une suite de crises, états de détresse morale liés à des détraquements physiologiques. Il y en a généralement une ou plusieurs par an. La plus grave est celle de 1916, dont nous avons déjà parlé [1], crise mystique inséparable de l'obsession de la chair et du plaisir solitaire. Mais pour n'être pas aussi intenses, les autres n'en sont pas moins significatives ; elles s'éclairent d'ailleurs à la lumière de celle de 1916.

Les signes physiologiques sont presque toujours les mêmes : un grand sommeil l'alourdit. Il a des tremblements, des « torpeurs », qu'il éprouve surtout à Cuverville. En 1904, il constate qu'il n'a plus travaillé depuis plusieurs années [2], qu'il végète. En 1905, il perd pied à nouveau, s'amollit, sent partout la volupté s'insinuer en lui et c'est dans ces moments-là qu'il est tenté de céder à une conversion : « J'aurais un confesseur, j'irais à lui... » Il aspire si profondément à une discipline morale, que, fut-elle même absurde, il accepterait cette protection contre lui-même, mais aussitôt il ajoute : « Vienne un jour de santé, je rougirai d'avoir écrit cela. » Les années suivantes (1906-1907), les crises s'aggravent. Ses nuits sont atroces jusqu'à la détresse, l'égarement. Il est à la merci de la moindre contrariété. L'insuccès de ses livres, les attaques d'un critique l'empêchent de dormir au point que, pour se justifier, il se lève au milieu de la nuit et écrit une préface à la

1. Voir Livre II, chapitre 1.
2. C'est-à-dire depuis l'*Immoraliste*.

Porte Etroite — qu'il ne publiera d'ailleurs pas. Puis il ajoute : « J'ai trop longtemps pris mon parti de ces fatigues et de cette diminution de vertu. » Sans doute appelle-t-il « *diminution de vertu* » l'abandon de lui-même, seul dans la nuit, à la pratique secrète du plaisir, espérant selon une formule qui lui est familière « que la fatigue viendrait à bout de l'insomnie. » En mai 1906, à bout de nerfs, il écrit : « Impossible de continuer comme ça. » Puis : « Il faut que je me décide à aller consulter. » Suit une ligne de points ; les lignes de points apparaissent très rarement dans le *Journal,* précisément dans les moments de « détresse,... égarement,... atroce fatigue », quand le surmenage de lui-même et l'obsession atteignent une acuité insupportable.

Si l'on suit, pas à pas, les démarches de Gide dans son *Journal* le long d'une année entière, choisie *au hasard* parmi celles d'avant 1914, l'année 1912 par exemple, elle reproduit ces cycles de dépression et d'envolées. Les deux premiers mois occupent en nombre de pages les trois-quarts de l'année : pendant cette période de « retombement », où il s'appesantit sur lui si longuement, il se force à écrire presque chaque jour, quitte à donner de lui une image « pitoyable ». L'insomnie est devenue, dit-il, « une forme même de perplexité ». C'est la crise avec indécision et « *vagabondance du désir* ». Il se sent incapable de se ressaisir. Peut-on, à quarante ans encore, prendre des décisions, décider de ne plus rôder, de ne plus poser son regard sur de jeunes êtres de rencontre, « ... dans le métro entrer par la première porte qui se présente, sans chercher mieux... [1] ». Comme à vingt ans, il se promet de « petites victoires », dont l'addition représentera une ligne de conduite. Il veut se prendre en charge — mais son « détériorement » intérieur est tel qu'il pense à nouveau avec soulagement à se convertir, autrement dit à jeter les rênes.

1. Toutes les citations jusqu'à la fin du chapitre sont tirées du *Journal* de 1912.

Comme tout serait simplifié : le problème de *Corydon* et le drame de son mariage aussi ; n'avoir plus à s'assumer ; mais comme toujours, dès qu'il va un peu mieux, il prend honte du lâche abandon de la partie et, par là même, se réserve prudemment pour l'avenir du reproche d'une défaillance. Presque dans le même moment, les terribles avertissements de Claudel le font trembler ; il voudrait se boucher les oreilles, « n'avoir jamais connu Claudel », mais il sait qu'il doit un jour s'affirmer contre lui. Il lit l'ouvrage d'un évêque condamné par l'Eglise, ce qui l'amène à des « Variations sur la peur de l'Index » et ce qui l' « éclaire un peu sur la secrète cause de [son] mal » : il sait qu'il travaille dans le sens de l'interdit et s'y sent encouragé.

Sa vie lui paraît une impasse. C'est sans doute à sa femme qu'il pense quand il écrit : « Savais-je ce que je faisais à vingt ans », quand il voulait concilier avec soi le « plus différent de moi même... » ? Le voici incapable de créer ; il ne notera plus que minutieusement, presque heure à heure, l'emploi de son temps : sorties, visites, lectures, piano, lettres à répondre, piano, lectures... Le morceau s'achève par : « Laisser-aller atroce..., dispersion de tout l'être », et ces mots dont nous connaissons le sens : « réclamation de la vertu », mots qui lui rappellent *André Walter,* qu'il évoque en cet instant : il mettait alors sa « fierté à n'échapper de nulle part ». Nous savons quelles étaient les luttes d'*André Walter* contre les pratiques secrètes : « Quelle n'eût pas été ma force, précise-t-il, si bientôt je ne m'étais donné congé... » Ici, le *Journal* ne porte plus de date, mais les jours de la semaine, dont aucun n'est omis. Dans son total désœuvrement, la lecture et le piano ne jouent plus le rôle d'un second métier, mais de secours ; que ferait-il sinon lire ou jouer du piano, puisqu'il n'écrit pas, n'attend rien de l'amour et de la gloire, qui ne viennent pas à lui. A la fin de la semaine, il note : « Rien encore », c'est-à-dire, toujours incapable de travailler ;

aucun événement, aucune distraction ; « Je vis dans l'attente de moi ». Alors, pendant plusieurs jours, il cesse de se raser par besoin de se sentir laid. pour accentuer son dégoût de lui, parce qu'il s'abandonne. La lutte continue, sournoise, où il observe chacun de ses mouvements, chacune des allées et venues de sa vie intérieure. Il est là, mais est-ce bien lui qui guette ?

Toute cette période est d'atonie, de « *désintéressement* », avec ses maux de tête habituels ; il se sent nié par lui-même. Dans cet état d' « équilibre... sur la corde raide », un minime événement prend une importance disproportionnée : une lettre de Copeau tonifie son orgueil pour un jour ; le moindre élément hostile l'accable. A peine reste-t-il maître de ses nerfs, et dans une loge de théâtre où il s'est rendu avec sa femme et des amis, devant un malotru, au lieu de s'expliquer avec lui, il a envie : « de cogner, de crier, de pleurer », comme l'enfant de jadis, à crises nerveuses, qui se roulait par terre : « ... Je quitte la loge tout tremblant et je rentre seul à Auteuil. »

Pourtant, au cours de ces deux mois, la vie continue : parfois il cherche la présence d'un ami, et, ne trouvant pas Jean Schlumberger chez lui, va chez Copeau, et comme Copeau est absent, va chez Laurens, puis chez Ruyters, dans l'impossibilité de se supporter seul. Il se rend à des réunions de la N.R.F. Comme il s'est proposé lui-même, au cours de l'une d'elles, de remplacer Rivière pour une lecture d'un texte à haute voix, il s'en veut de s'être mis en avant, se sent gêné, accablé, et cet accablement ajoute à son effondrement.

Cependant depuis quelques temps un projet de voyage « électrise toutes [ses] pensées ». Un voyage a toujours été pour lui une entreprise difficile, car il s'agit chaque fois de partir sans sa femme. A peine a-t-il conçu ce projet qu'il se laisse reconquérir par la joie et qu'il fait la remarque générale et curieuse sur la nécessité de nettoyer la conscience des monstres et des hydres que le christianisme y a déposés. Sans doute sait-il déjà ce qu'il attend de son voyage et il est prêt à tout. Depuis deux mois, il a vécu dans une sorte de constant désespoir. Soudain le *Journal* est suspendu de mars à mai. A son retour, après des remarques diverses, il parle, comme accidentellement, en une page, de son voyage à Florence : tout allait si bien qu'il n'a rien à en dire. Ni églises, ni musée, travail régulier, « et, le soir, un peu de vadrouille ». Ces derniers mots expliquent sa métamorphose. Enfin, dit-il, *le 16 avril* (1912), il est allé chercher Ghéon à Pise, l'a ramené à Florence et les deux compagnons mènent « dix jours durant, une prodigieuse vie irracontable, d'inappréciable profit ». Une date seulement nous est donnée, relevant le caractère exceptionnel des faits : sous l'allusion se cachent des rencontres aussi importantes pour lui que celles de son premier voyage en Algérie.

De retour à Cuverville, il a presque aussitôt perdu l'élan, l'esprit flasque, la phrase « complètement retombée ». Ici suit immédiatement un retour aux Evangiles, où il s'élève contre les « sceptiques et [les] esprits forts ». Puis, nouvelle coupure dans le *Journal* de juillet à octobre, au cours de laquelle il passe huit jours à Florence et quinze « *admirables* [1], à Acquasanta ». Rien n'est dit, mais quelques années avant sa mort, Gide a publié une plaquette intitulée précisément *Acquasanta*. Il s'agit du même voyage, car quoique par une fausse prudence les dates ne soient pas données, il précise, dans la plaquette comme dans le *Journal,* qu'il lisait à cette époque *Le Paradis perdu* et un livre d'Edmond Gosse. Dans la plaquette, il raconte qu'il a découvert dans une piscine un de ces enfants d'Italie à qui il a ouvert « un nouveau ciel ». Gide a retrouvé toute son ardeur. En novembre, autre « nuit *admirable* », à Narbonne qui, dit-il, par le surmenage des sens, « m'a remis d'aplomb de corps et d'esprit ». Ce qui lui paraît *admi-*

---

1. C'est moi qui souligne.

rable, c'est sa facilité à trouver le bonheur si vite après le désespoir. Ce qu'il *admire,* c'est qu'il puisse se dégager si facilement du puritanisme, dont pourtant il ne s'affranchit jamais complètement. Le lendemain (c'est la ligne suivante dans le *Journal*), il entend la réclamation de la prière. Il aspire à être complètement dégagé des sens pour revenir uniquement au Christ. Enfin, les sens et l'esprit à la fois satisfaits, il travaille dans un état voisin de la « béatitude ». Il écrit *Les Caves.*

Vers la fin de l'année, il est retombé en partie dans l'ennui, note à nouveau l'insignifiant et ne travaille plus seulement que par l'élan acquis. Quand il reçoit la visite de Claudel, il n'a plus le temps de parler de lui, sinon de sa bêtise. Les dénigrements des critiques, au lieu de l'abattre comme jadis, maintenant l'exaltent ; naturellement il répond quand même à une critique de Pierrefeu par une lettre qu'il n'envoie pas, mais qu'il publie en note dans le *Journal.* Puis reviennent des journées dissolues. Dans la dernière page de l'année 1912 : « Ne prenant pas mon parti de me coucher déjà... » Mais il ne va pas rôder ; il se remet à lire du Conrad, « ce qui gâte considérablement ma nuit ». Il ne parvient pas à s'endormir et s'abandonne. Suit une ligne de points.

Au cours de cette année, la rareté de ses exploits lui paraît si remarquable qu'il éprouve le besoin de les dater ; ils suffisent cependant, pour un temps, à l'éveiller, à le redresser : c'est le Gide des *Nourritures Terrestres* qui apparaît alors, qui a retrouvé ses moyens et son équilibre, enivré par la création. Mais ces moments heureux se détachent sur un fond gris de jours monotones, au cours desquels il reste au-dessous de lui-même.

CHAPITRE IV

« L'EXPLICATION DE MA VIE... »

Son mariage.

Ces périodes de chasteté, d'indécision, de retours à Dieu — et soudain ces appels des sens, brefs, impératifs, qui font de lui un autre homme — donnent l'image d'une double vie. Alors qu'il aspire par-dessus tout à la probité, à l'unité de la conscience, il a dû organiser sa vie dans la contrainte et le secret, se heurtant, malgré la publication de *Corydon,* à l'hypocrisie. Seul éclaire ces contradictions son amour pour sa femme, dont il a déclaré lui-même qu'il est *l'explication de toute ma vie.*

Dans les *Cahiers d'André Walter* et dans le *Journal,* il l'a nommée Emmanuèle [1]. Dans le *Journal,* il écrit : « ... De tout ce qui touche à Em., je me défends de parler ici [2]. » Son visage devenait soucieux dès que la conversation abordait ce sujet ; et lui qui a entretenu si volontiers les autres de lui, ici, brusquement, rompait. Il est des écrivains qui n'osent pas traiter du drame essentiel de leur

1. Son nom de jeune fille était, rappelons-le, Madeleine Rondeaux. En la nommant dans le *Journal*, Em. (en abrégé), cette abréviation rappelait l'initiale de son prénom véritable.
2. *Journal,* 1912.

vie par pudeur, ou parce qu'il leur est trop douloureux.
Gide a dit qu'il n'avait pas le droit de compromettre le
repos de ses proches, mais c'était là une de ces mauvaises
raisons que suggère le diable ; il savait bien que toujours
l'artiste « gêne », qu'il tire toute création de sa propre
chair, ou des morceaux de chair des créatures vivantes qui
l'entourent.

Si Gide s'est livré par étapes à des aveux partiels, dont
chacun a fait momentanément scandale, le scandale s'est
chaque fois apaisé, et la main qui s'est ouverte a pu paraître
n'avoir laissé couler qu'un peu de sable. Sans cesse il a
reculé devant l'aveu complet, qui eut réuni en un seul livre
les formes divisées, disons même compartimentées de sa
vie. Dans sa plaquette posthume, *Et nunc manet in te,*
Gide a abordé de front son drame le plus profond, celui
de son mariage ; encore cette brève et déchirante confession,
et la plus audacieuse, reste-t-elle, elle aussi, fragmentaire.

Cependant Gide a tout dit, ou presque, mais selon l'art
qui lui est propre. Sur ce mariage, nous n'avons que très
peu de documents directs. Les lettres que Gide a adressées
à sa femme, elle les a brûlées, comme nous le verrons plus
loin. Quand Gide a publié son *Journal,* il a constaté qu'il
l'avait « pour ainsi dire *aveuglé* [1] », et si à la fin de *Et
nunc manet in te,* il a rétabli quelques pages coupées dans
le *Journal,* il n'a pu nous donner tous les morceaux qu'il
s'est retenu d'écrire ou d'achever, expliquer toutes les allusions et tous les recoupements. Néanmoins, si rapidement
qu'il parle d'elle, dans *Si le grain de meurt* ou dans le
Journal, en la nommant ou sans la nommer, en disant *je*
— ou en disant *il,* par pudeur ou précaution, à propos d'un
projet de roman ou d'une remarque anonyme placée entre
deux blancs, c'est toujours elle qui l'occupe. Sa figure se
dévoile peu à peu dans la pénombre. Quoiqu'elle reste le
plus souvent à l'arrière-plan, il n'a pris, dans presque tous

---

1. *Journal,* 1939.

ses récits, qu'elle pour modèle, qu'il s'agisse de la première Emmanuèle des *Cahiers*, d'Angèle, ou de Marceline, d'Alissa ou de Laura, et l'on retrouve dans leur expression quelques mêmes traits fondamentaux : une figure abstraite, dont la vertu propre est de modestie et que Gide a comme désincarnée.

Ce mariage peut paraître une tentative incompréhensible, naïve ou sublime. Gide a cru prolonger, dans l'âge adulte, une émotion issue de l'ardeur mystique de leur enfance et poursuivre avec elle, ou plutôt auprès d'elle, une vie de chasteté, sans se rendre compte qu'il espérait trouver dans ce mariage blanc un accommodement. Ce qui importe, dira-t-il plus tard, « n'est pas le fait d'être uraniste, mais bien d'avoir établi sa vie, d'abord, comme si on ne l'était pas » [1].

Dans les *Cahiers d'André Walter,* il croyait encore au cheminement parallèle de deux âmes, qui éviteraient jusqu'aux serrements de mains par dégoût des réalités charnelles, par crainte, de défaillance en défaillance, d'en arriver à la possession. — Ton caractère de femme est hors nature, lui disait Pierre Louys, après la lecture des *Cahiers,* que par ailleurs il admirait. Gide avait écrit ce livre « comme une profession d'amour », pour vaincre l'opposition des parents. Ses proches appréhendaient ce mariage, pressentaient qu'il ne serait pas heureux. Dans *André Walter,* Gide rend sa mère plus clairvoyante que lui, en lui faisant dire : « Votre affection est fraternelle, ne vous y trompez pas [2]. » Ils s'appelaient : frère et sœur ; frère et sœurette ;

1. Lettre à André Rouveyre. 1924.
2. Dans *Si le grain ne meurt,* l'oncle de Gide, Charles Gide, écri-

et déjà dans les *Cahiers,* comprennent bientôt que ces jeux ne sont plus de mise. Pendant le restant de leurs vies, ils s'appelleront : — Mon ami... — Ma pauvre amie...

Si Gide désire sa main, obstinément, patiemment, avec la « confiance absolue » qu'il l'obtiendrait, c'est qu'il ne doutait pas de se grandir par ce mariage. Elle était sa cousine et il avait juré de la protéger contre le mal ici-bas, de l'initier à la vie de l'esprit, attitude pédagogique qui lui était chère. Il sentait qu'elle devait le conduire loin au-devant de lui-même, et son orgueil se satisfaisait d'autant plus qu'elle devenait pour lui « la vertu même ».

Leur estime était réciproque, mais non identique. — « C'est que toi tu es fort », lui dira-t-elle plus tard, même à l'occasion d'un acte ordinaire ; elle l'acceptait pour le grand homme qu'il voulait être, l'admirait, sans prendre conscience qu'elle le désirait charnellement, et elle se dupait, elle aussi.

Sans doute Gide pressentait-il la réciproque méprise : — « Pauvre Jérôme, fait-il dire plus tard à Alissa, il n'aurait qu'un geste à faire. » Il le savait, mais croyait, en ne le faisant pas, qu'ils allaient vivre une aventure extraordinaire, former l'un et l'autre, par leur renoncement au désir, un de ces couples légendaires, grands parce qu'ils représentent une entreprise impossible, Rien de plus exaltant que ces entreprises qui proposent à l'homme un but qui dépasse ses forces, mais ce sont elles, précisément parce qu'elles sont irréalisables, qui conduisent l'homme à accepter le plus facilement les compromis, à confondre l'exigence de l'esprit avec les mobiles intéressés. Gide n'a sans doute pas entrevu que dans son mariage serait étroitement liée au sublime, une pénible, parfois sordide, hypocrisie.

Il connaissait pourtant suffisamment la nature particulière

vait : « Il n'est pas dit que ce mariage soit heureux. Toutefois, s'il ne se fait pas, l'un et l'autre probablement en seront sûrement... malheureux, en sorte qu'il n'y a guère que le choix entre un mal certain et un mal éventuel ».

de ses désirs pour savoir qu'aucune femme ne l'attirait. Et
la sienne moins encore que d'autres. Avec une autre, il
aura plus tard une fille. C'est qu'Emmanuèle représente pour
lui la spiritualité et qu'il n'éprouve de plaisir sensuel
qu'avec des êtres de chair uniquement, dénués de toute vie
intellectuelle et morale. Gide a toujours séparé les sens de
l'esprit : dans les romans du moyen âge, le chevalier partait à l'aventure pour conquérir par ses exploits l'estime
de sa Dame, ne satisfaisant son désir, au long de son par-
cours, qu'avec des êtres de rencontre, simples et primitifs.
Ici l'opposition traditionnelle entre Don Quichotte et Pança
devient une sorte de dédoublement de la conscience[1]. A
Bernard, un tout jeune homme, agenouillé en adoration
devant Laura, Laura, une femme avertie, répond : « ... Le
reste aura ses exigences qui devront bien se satisfaire ailleurs. » Gide, à cette époque, semblable à Bernard, parle
des sens tantôt avec enivrement, tantôt avec dégoût. Il
éprouve une sorte de vénération pour Emmanuèle ; il répète
qu'il l'aime plus que lui-même, mais il ne veut pas penser
qu'il existe des « saloperies indispensables[1] », et que sa
femme est destinée à devenir et à rester jusqu'à sa mort une
vieille fille.

L'année qui précède ses fiançailles, il a serré dans ses bras
le corps d'un adolescent, avec une ivresse, qui l'a, dit-il, révélé
à lui-même. Cependant au moment où il se fiance, il veut défier sa nature : « J'étais hypnotisé par cet élargissement sans
fin où je souhaitais entraîner [Emmanuèle] à ma suite, sans
souci qu'il fût plein de périls. » Dans un oubli total de ce
qui ne lui apparaît pas fondamental en lui, et qu'il appelle
tantôt son « délire », tantôt son « enfer », il écrit : « Je
l'omettais à l'instant même... et ce que je ne consentais
plus à voir avait cessé pour moi d'exister. »

---

1. Dans *Le Voyage d'Urien* : « ... Angaire dit alors qu'il n'aimait les
femmes que voilées, mais que même ainsi il craignait qu'elles ne
devinssent impudiques... » Et déjà dans *André Walter* : « ... Je ne te
désire pas. Ton corps me gêne et les possessions charnelles m'épou-
vantent. »

Dans *Et nunc manet in te,* il avoue même, avec une déconcertante naïveté, qu'il ne soupçonne pas que les femmes (sauf celles de *mauvaise vie*) puissent souhaiter le plaisir. Il les croit toutes semblables à sa mère, confondant ainsi la vertu chrétienne de résignation et d'humilité avec une représentation de la femme conforme à ses désirs, ou plutôt à son absence de désirs. Que cette conception ait pu se maintenir dans son esprit à l'âge d'homme prouve comment il est parvenu à accommoder ses goûts particuliers à son puritanisme, — combien il s'est « blousé », plus complètement que le Pasteur. Et l'on peut se demander si l'importance qu'il a attachée, dans toute son œuvre, au Pasteur et à la jobardise, ne tient pas précisément à l'erreur sur laquelle il a établi sa vie —, à sa propre duperie. Celui qui veut dénoncer la duperie, comme le pire des maux, devient lui-même dupe d'un mal pire. Le but de *Corydon* perd sa signification. L'hypocrisie, en apparence déchirée, s'est refermée sur elle-même.

Aussitôt après la mort de sa mère, Gide se sent pris d'élans mystiques, de transports de générosité et d'amour. Il est seul, orphelin, n'a ni frère, ni sœur. Alors il ne lui reste « à quoi se raccrocher » que son amour pour sa cousine ; elle lui est plus que tout ; il se sent l'aimer « plus que je ne m'aimais moi-même ». Sa mère avait été tyrannique, intervenant dans sa vie, lui mesurant son argent, s'opposant à ses projets, et néanmoins il a besoin d'une autre chaîne. La solitude lui apparaît avant tout comme la crainte d'une liberté éperdue dont il ne sait que faire, comme un « gouffre de détresse » où il sent s'abîmer tout son être. Que serait-il devenu sans Emmanuèle ? Si jadis c'est lui qui la protégeait, c'est elle maintenant qui le protège — contre lui-même, contre son indécision, contre sa trop grande facilité à céder aux appels des sens. Elle pourra le juger ; elle sera sa conscience.

Le célibat est un défi et presque inhumain. Rares sont ceux, dans l'histoire de la pensée, qui l'ont tenu, qui ont trouvé, dans leur œuvre ou dans l'action, le sentiment total d'obligation que la plupart des hommes connaissent avant tout par l'engagement du mariage. — « Il n'est pas bon que l'homme soit seul, » dit Jéhovah dans la Genèse. Sans doute, dans son amour pour Emmanuèle, Gide a satisfait son besoin de s'intégrer dans un ordre social. Sans doute a-t-il éprouvé aussi la nostalgie d'un rite accompagnant la présence d'une femme, imaginant Emmanuèle, non pas sous son visage réel et quotidien, mais sous la forme du mythe de l'amour, de l'*idée* d'amour qu'elle devait incarner, de « l'amour admirable [1] ». S'il l'a tant aimée, il n'explique rien ; il répète seulement : « De cela seul, j'étais sûr... Je me sentais l'aimer plus que je ne m'aimais moi-même [2]. » *Plus que moi-même, plus que ma propre vie*, ces mots se retrouvent dans ses confessions, ses pièces et ses romans, leit-motiv qui entrecroise dans l'idée d'amour l'impossible union de soi avec le non-soi.

A peine fiancé, son exaltation retombe. Il commence « un infatigable repos auprès de la plus tranquille des femmes [3] », écrit-il à Francis Jammes, qui trouve ce repos un peu prématuré. En fait, il ne l'a jamais regardée : dans ses livres, il ne fait d'elle aucune description physique. Il l'a toujours vue grandir à son côté : choc et surprise ont disparu. D'elle, il ne connaît que deux sourcils arqués, l' « interrogation à la fois anxieuse et confiante » de son

1. André Breton.
2. *Si le grain ne meurt.*
3. *Correspondance* Francis Jammes et André Gide, 23 octobre 1895.

visage. Un charme émouvant, autre que celui de la simple beauté. Dans l'*Immoraliste,* il écrit : « Marceline était très jolie... Je me reprochais de ne m'en être pas d'abord aperçu. » Qu'Alissa fut « jolie, c'est ce dont je ne savais m'apercevoir encore [1]... » Ils partent, en voyage de noces, pour l'Italie et l'Algérie. Et voici qu'il observe Emmanuèle pour la première fois. Ils semblent rester séparés ; leurs couchettes sont l'une au-dessus de l'autre ; mais il est amené à se dire — évoquant cette scène dans l'*Immoraliste* : « Marceline, ma femme... » Elle a sa vie propre et réelle ; il doit désormais en tenir compte ; il a charge d'une âme, se sent désemparé, comme pris au piège. Il s'est marié, sans penser que quelque chose de sa vie pourrait être changé. C'était pour lui la fin du « monologue ». Peut-on se marier comme distraitement ?

A leur retour, entre Biskra et Alger, dans le train, il joue devant elle avec quelques garçons d'un compartiment voisin, frôlant par la fenêtre leurs bras nus, attouchements si légers qu'à peine prennent-ils la forme de caresses furtives. Ce n'est pas par provocation, trait qui n'est pas dans son caractère, ni même pour se prouver son indépendance qu'il se livre ainsi devant elle, mais parce qu'il est pris, comme malgré lui, par un irrésistible attrait. A leur arrivée à Alger, elle lui dira : — « Tu avais l'air d'un criminel ou d'un fou [2]. » Ces mots doivent résonner en lui d'autant plus qu'il se sent coupable.

Mais qu'a-t-elle pu comprendre ? Que pouvait représenter pour elle la séduction sensuelle d'un « lycéen » ou, à Rome, d'un « ragazzo » de quinze ans à peine ? C'est l'agitation, l'étonnante excitation de Gide qui la surprennent. Si Gide s'était expliqué à ce moment, aurait-elle pu le suivre ? Est-ce qu'une jeune fille imagine ce que sera sa première nuit d'amour ? Le langage reste ici impuissant, et plus encore s'il s'agit d'une forme de débauche

1. *La Porte étroite.*
2. *Et nunc manet in te.*

qu'Emmanuèle ne peut même pas se représenter, qui lui
est totalement étrangère, inconnue dans son milieu. Peut-
être Gide, sentant déjà toute explication impossible, espérait-il ainsi inconsciemment l'initier par le fait. Eût-elle
soupçonné la réalité, que son horreur de tout ce qui est
louche, sa croyance que la volonté peut diriger le corps
l'en eût éloigné davantage encore. Elle lui aurait dit simplement : — Il suffit de ne pas céder, il ne dépend que de
soi.

Ce voyage de noces où ils s'enfoncent vers le Sud, où
il l'entraîne à Florence, Naples, Syracuse, par étapes successives, jusqu'à Biskra, reprenant le même itinéraire que
celui qu'il avait tracé, seul, trois ans auparavant, lorsqu'il
découvrait en Algérie l'attrait « terrible »[1] du plaisir, ne
cessa d'être cette fois, pour Gide, déception et déchirement. Dès qu'il la quitte, en Algérie, pendant quelques
heures pour suivre des enfants, il s'inquiète de l'avoir
abandonnée. C'est une partie de ce sujet qu'il a transposé
dans l'*Immoraliste*. Mais il figure déjà, sous de discrètes
allusions, dans *Feuilles de route* (1895) du *Journal*, qui est
le récit du même voyage. Tel soir, Emmanuèle souffrante
se couche sitôt après le dîner ; alors, il se met à rôder
par les rues, puis s'attarde, dans le hall de l'hôtel : « on
joue aux petits jeux » ; il y a des danses et des cris ; « vers
minuit, une assez irrésistible tristesse me prend... de ce
qu'Em. n'y soit pas près de moi. » C'est un remords,
qui se présente à lui sous la forme de l' « absence de
sérieux de tout cela », de sa vie dans ce moment. Il a
perdu son assurance et même sa volonté de ne pas avoir de
tristesse.

Peut-être avait-il espéré, sans bien se rendre compte, faire
d'elle une complice, précisément parce qu'il n'attachait pas
d'importance à ces jeux et que ni « mon cœur ni mon
esprit ne s'y engageaient...[2] » Mais elle le juge, non tant

1. Le mot est de Wilde.
2. *Et nunc manet in te.*

avec intransigeance, que parce qu'elle l'aime et qu'elle
souffre ; et c'est pourquoi il y a dans son incompréhension
une volonté préméditée de ne pas savoir.

*
* *

Ici commence ce que Gide était loin d'avoir prévu ; sa
sorte de double-vie. Il a le sentiment de l'échec de son
mariage ; et prudemment il note, à la troisième personne :
« L'ami, à qui il avait confié ses rêves de jeunesse sait bien
que c'est là une forme de banqueroute. »

Pendant six ans, Gide cesse de tenir son *Journal*. Il le
reprend en 1902. De 1902 à 1914, ce seront ces années mor-
nes dont nous avons parlé, dont nous comprenons mieux à
présent les crises de torpeur, au cours desquelles il se sentait
nié par lui-même, et, soudain regaillardi par des plaisirs
clandestins, cueillis surtout au cours de ses voyages en
province ou à l'étranger.

Les voici donc mariés. A Paris, il fait construire, pour
l'habiter avec elle, sa villa qui sera plus qu'une erreur
architecturale. Emmanuèle ne l'habitera presque pas, mais
de plus en plus souvent Cuverville, dont le nom s'identifiera
bientôt avec le sien. Auprès d'elle, le flot monotone des
jours s'écoule. A Cuverville, Gide sent son esprit s'engourdir,
s'assoupir. Un élan le pousse chaque fois vers elle mais, en
même temps, il se sent, là-bas, entrer en léthargie. Quand
il arrive de Paris, il trouve parfois Emmanuèle achevant
« d'endormir Cuverville[1]. » Là-bas, ce ne sont que décon-
venues ; les espèces les plus rares de ses rosiers dépérissent.
Le climat de Cuverville lui paraît « rétrécissant », « sopo-

1. *Journal*, 1912.

rifique ». Il y végète. Il incrimine son régime de chasteté :
« Et comment mon esprit tout stagnant eût-il triomphé de
mon corps ? » « Je m'abrutissais » dit-il. C'est chaque fois
un déchirement pour lui de quitter Cuverville, mais il ne
connaît là-bas que le malaise ; ou encore, écrit-il dix ans
plus tard, qu'une « sorte de détresse [1]. »

Emmanuèle s'affirme par une volonté d'effacement ; elle
se replie, elle ploie. — « N'abuse pas de ta faiblesse », lui
dit-il souvent. Dans une salle, devant le sans-gêne d'un
voisin qui s'étale, elle se résigne « si naturellement qu'il
ne lui paraît plus qu'elle se résigne [2] ». Elle craint le bruit
des enfants et avance l'heure des pendules pour les faire
coucher plus tôt. Comme dans son enfance, elle aime s'isoler avec un livre et il lui prépare ses lectures. « Lu à haute
voix avec Em... » Mais il semble qu'il s'enlise avec elle.
Dans son *Journal,* il note : « Eté voir avec Em... » le
musée du Louvre, une classe enfantine, Paris illuminé par
la visite d'un roi. En montagne, le neveu de Gide, Gérard,
lui dit : — « Tu irais tellement plus loin si tu consentais
à aller seul. » Mais lui : — « Parbleu, je le sais bien ;
mais ce qui m'importe ce n'est pas d'aller loin moi-même,
mais bien d'y mener autrui [3]. »

Il arrive cependant que, « comme il veut qu'elle l'accompagne partout, il n'ose plus aller nulle part [4]. » Quand il
va rôder. souvent seul, le soir, elle l'attend, elle veille. Il
le sait et il l'accuse dans une remarque générale : « ... Toujours une femme s'attarde, s'inquiète... écrit-il. Elle tire
en arrière Thésée... [5] » Il pense : « Qui se dirige vers l'inconnu, doit consentir à s'aventurer seul... » « L'inconnu »
représente le plaisir ; ce sont les rencontres de hasard.

1. *Journal,* 1915.
2. *Journal,* 1912.
3. *Journal,* 1919.
4. *Journal,* 1923, sous forme d'une note anonyme entre deux lignes
blanches.
5. *Journal,* 1927.

La quitter devient une brusque nécessité pour lui : et
chaque départ, l'objet d'une scène. Certaines d'entre elles
sont racontées discrètement dans le *Journal*. Il a décidé de
partir, mais semblable au *Prodigue* qui n'accepterait de
quitter la Maison qu'avec la bénédiction du père, il exige
qu'elle l'approuve, qu'elle comprenne son besoin d'éloignement, qu'elle l'y incite même et, cela, il ne l'obtient pas. Il
veut qu'elle soit sa bonne conscience ; elle se refuse à cette
complicité. Indifférente à ses explications, à ses justifications,
elle prend une attitude silencieuse d'abnégation. Alors il
se sent désemparé jusqu'à l'angoisse. En 1903, dans le
wagon qui le conduit à Rouen, comme il vient de quitter
Cuverville, il note : « J'aurais perdu tout ce que j'ai, tout
ce qui m'est cher sur la terre, je ne m'en sentirais pas
moins heureux ce matin. [1] » Suivent entre deux blancs
deux lignes isolées : « Même à l'instant de la quitter, tu
n'as pu lui cacher ta joie. Pourquoi t'es-tu presque irrité
qu'elle n'ait pu te cacher ses larmes ? [1] » Cependant à
mesure qu'il s'éloigne d'elle, l'inquiétude renaît en lui et
il se demande : « Suis-je en règle avec mon destin ? [1] »

Dès qu'il voyage, le *Journal* s'interrompt, remplacé par
la « lettre à peu près quotidienne à Em. » En 1904, il est
parti, seul, une fois de plus, pour l'Algérie, mais après un
mois, il l'appelle auprès de lui. Quand elle arrive, que
peut-il lui offrir, sinon des lectures en commun ? A Alger,
il lui lit le matin du Boyslève, et le soir, « sitôt à Biskra [2] »,
un livre de Tieck. Le lendemain soir, à voix basse et
chacun de son côté, un dialogue sur le tragique, puis à
Rome, sans reprendre haleine, ils attaquent courageusement
un autre ouvrage allemand, « que nous n'achevâmes qu'à
Paris et pour prendre aussitôt après *Die Marquise von
O...* [2] » Les lectures sont ce qui les rapprochent au plus près ;
elles jouent un rôle de substitution.

Cependant rien n'équivaut à un élan charnel ; aucun

1. *Journal*, 1903.
2. *Journal*, 1904.

échange intellectuel ne peut le remplacer. Il implique une
réalité profonde, cette complicité surtout que Gide a vainement cherché à obtenir. L'encouragement qu'Emmanuèle
lui donne reste distant ; elle ne peut qu'approuver ses projets ou les condamner. Dès qu'il tente seul une entreprise :
« *Je te dois bien cela* » lui dit-elle avec un visage « si triste,
si grave qu'aussitôt [il] ne songe plus qu'à renoncer [1]... »
C'est l'accouplement qui atténue la contradiction dans le
couple. Ici elle s'aggrave au contraire puisque «... l'amour
le plus fervent, le plus fidèle, dit Gide, n'a pu obtenir
aucun acquiescement de ma chair [2]. »

La contradiction est parfois si impérieuse, si intolérable
que Gide ne voit de solution qu'en supprimant la question.
Chacun tue ce qu'il aime, écrit Wilde, les uns avec des
mots, les autres avec une épée. La tuer représente une résolution imaginaire et idéale à une situation qu'il entrevoit
parfois comme désespérée ; la tuer est dans le même temps
une accusation qu'il porte contre lui-même. Puisqu'elle
est encore avec lui quand il est loin d'elle — en sa présence, il éprouve parfois une intolérable angoisse... Je songe
« à la vie que peut me promettre Cuverville et à laquelle
je ne vois pas comment pouvoir échapper, sinon en rompant les liens et me dégageant des obligations les plus
vénérées et les plus chères [3]. » Dans la même page : « Je
suis tout étonné d'avoir su parfois voyager », ce qui signifie d'avoir voyagé seul.

L'obsession du crime apparaît à maintes reprises dans
son œuvre de fiction. C'est, liée à l'obsession de cet amour
même, le sujet de l'*Immoraliste ;* c'est une partie du sujet
de *Saül.* Saül est si profondément distrait par ses désirs
qu'il a cessé d'être jaloux. Le serait-il cependant du jeune
musicien David ? — « Jaloux, peut-être ! — Vous ! ! »

1. *Journal,* 1916.
2. *Correspondance* avec Claudel, 1914.
3. *Journal,* 1915.

lui dit la reine avec mépris. C'est alors qu'il la frappe de
plusieurs coups de javelots. Les personnages de Gide deviennent des boucs émissaires sur qui il se débarrasse de son
sentiment de culpabilité. Dans ses moments de création
artistique, peut-il prévoir jusqu'où l'entraînera l'imagination et le subconscient ? Dans des images où on ne se
reconnaît peut-être pas plus que dans les névroses, qui
s'expriment en des rêves affreux et qui restent étrangères à
l'individu dans la vie ordinaire. Cependant, en 1918, après
un nouveau drame dont nous parlerons plus loin, il note :
« L'admirable sujet de roman que voici » et qui serait la
reprise sous une autre forme de l'*Immoraliste ;* cette page
s'achève par ces mots : « C'est la raison pourquoi il y a
souvent si peu de bonheur dans le crime — et ce qu'on
appelle « repentance » n'est parfois que l'exploitation de
cela [1]. »

Le crime devient le symbole de la rupture de l'engagement et du reniement de soi, le symbole également de
la cruauté devant un être faible, de la cruauté de sa pensée quand il se détache de la foi religieuse. Dans le *Jour-*
nal, il écrit : « Quand la voie dans laquelle l'esprit s'engage contriste jusqu'à la mort des êtres qui vous sont
infiniment chers, on peut tout à la fois croire que c'est cette
voie-là qu'on doit suivre, et pourtant ne s'y avancer qu'en
tremblant... Ce n'est pas la constance qui me fait défaut ;
c'est la férocité. » A présent, il sait qu'il la tue chaque
jour un peu. Le 20 janvier 1918 : « Le vent déjà tiède...
soulève tous mes désirs. Je suis excédé de tranquillité, de
confort... » et *aussitôt* après ces mots, suit sans transition
un paragraphe qui commence par : « — Oh ! je te com-
prendrai toujours, mon ami — et quand bien même tu
tuerais. Mais il est pour le crime également une sorte de
virginité qui ne se peut plus jamais ressaisir... On sait à
présent, *une fois pour toutes,* qu'on est capable de le com-

1. *Journal*, 1918.

mettre. » Elle le comprend, non parce qu'elle entre dans les
mobiles de l'acte, mais parce qu'elle l'aime comme une
mère et ne veut pas comprendre, parce que même le
crime ne le ferait pas autre que ce qu'il est ; il est lui.

Dans son œuvre d'imagination, ce sont parfois d'autres
sentiments destructifs qui l'animent. *Candaule,* que Gide
a sans doute dû écrire à l'époque où il se plaisait à
partager un adolescent avec un ami, est l'histoire d'un roi
qui, par une sorte de générosité chrétienne poussée à
l'absurde, offre sa femme au pauvre pêcheur Gygès. Cependant cette pièce peut comporter d'autres interprétations. On
peut croire que Candaule n'agit pas seulement par besoin
de se déposséder de tout, mais qu'il se dégage de son devoir
envers sa femme pour maintenir, en restant seul, le bonheur
parfait qu'il a atteint. — « Courage, se dit-il au moment
de la profanation ! ... Et maintenant, que tout autour de
moi soit heureux. » Mais de sa femme, Candaule est quand
même épris ; il en est quand même jaloux, et lorsque la
reine lui apprend qu'elle a passé sa plus belle nuit avec
Gygès, il court à Gygès pour lui demander comment il s'y
est pris. Sous l'assurance apparente du non-conformisme
en amour, il y a la nostalgie d'un véritable foyer.

Dans cet amour, Gide trouve néanmoins des instants
« d'une extraordinaire douceur » et à Cuverville, au sein
même de crises qui lui paraissent sans issue, parfois trois
jours avec elle, qui « ressemblaient encore à du bonheur [1] ».
A Cuverville, il entend le moindre mouvement de leur
cœur. Dans la journée, Emmanuèle se tient parfois dans
la salle à manger ; lui, dans son cabinet de travail. Quand
le jour baisse, chacun allume sa lampe et le soir « nous
réunissons nos lumières [2] ». C'est à quoi se réduit leur
amour. Il arrive que Gide attende que les invités soient
partis pour avoir la joie de se sentir seul avec elle. Alors

1. *Journal,* 1906.
2. *Journal,* 1902.

il n'y a entre eux, comme entre deux amis, qu'à nouveau des lectures, qu'une « des meilleure conversations », qu'une promenade nocturne où Gide sent son cœur « tendre et prêt à fondre [1] ». A l'imitation des grandes passions charnelles, les paroles deviennent inutiles : en hiver, ils regardent « le presque imperceptible... travail du vent sur la neige [2] » ; pendant la guerre de 1914 où Gide a séjourné à Cuverville plus longtemps qu'auparavant, sur un banc devant la maison, il reste seul « près d'Em. à éplucher des haricots ». Un grand « silence autour de nous, en nous, s'emplissait malgré nous de bonheur... » C'est ainsi que s'exprimait cet amour ethéré, incertain.

Il pourrait s'en satisfaire, mais elle, ne le peut ; elle sait qu'il n'est jamais totalement présent. Du mariage, elle attend autre chose que ces soirées, que ces après-midi délicieusement tranquilles. Depuis leur mariage, le serment de la *Porte Etroite* n'a plus le même sens ; les lectures de l'Apocalypse où ils conversaient « avec les anges » et revêtaient « leur âme de suaires blancs », ne peuvent plus leur apparaître que puérils.

Dès lors elle accentue ce mouvement de fuite qu'elle a toujours eu par pudeur, par modestie. A Cuverville, elle n'est presque jamais présente ; elle glisse comme un oiseau ; un rien la terrifie : un rat pris au piège, elle se sauve ; une discussion tumultueuse à table, elle se retire. Quand elle pourrait disposer de son temps, elle a toujours à faire : les soins ménagers l'occupent « tout le long du jour, tous les jours [3] ». A peine parvient-il à la rencontrer. Pour la voir à Cuverville même, il est obligé de lui donner un rendez-vous. Celui-ci est fixé pour le lendemain matin, à 8 heures, en vue d'une lecture des lettres de Dupouey. Il s'y rend, le cœur battant, avec l'élan d'un jeune homme de vingt ans qui court vers sa maîtresse. Elle n'est pas là ; il

1. *Journal,* 1906.
2. *Journal,* 1917.
3. *Journal,* 1916.

attend. Cependant la voici dans le vestibule, s'affairant à remonter une grande pendule à poids. Il n'y tient plus. il va vers elle, mais elle lui dit : « ... Tu vois que j'avais à faire. Quand cette pendule n'est pas à l'heure, toute la maison est en retard... » Mais il pense : « Ma pauvre amie, tu trouveras toujours, sur ta route, des pendules à remonter, chaque fois qu'il s'agira de me rejoindre [1]. » Pourtant lui aussi se dérobe, mais autrement ; il ne cherche pas à se nier ; simplement à Cuverville, il n'est plus lui-même.

Devant leurs amis, leur éloignement reste masqué. En apparence, ils n'ont pas changé : elle a toujours son sourire un peu moqueur, lui, sa simplicité. Ils posent malgré eux au couple uni. En fait, ils vivent sur un compromis qu'enveloppent, dans la vie quotidienne, les traditions bourgeoises : les jours « où l'on fait la chambre [1] » — les housses maintenues dans le salon. Cuverville a pu apparaître aux autres le lieu idéalisé du naturel, du familier, c'est-à-dire de la famille. Il y a «... l'article *Dons* » [2] qui absorbe le quart de leurs dépenses, les soupes pour les pauvres que prépare Emmanuèle, la vieille paysanne qui répète, quand une femme vient de mourir : « Quel bonheur encore que ces dames aient été là ! », les fermiers, les bonnes, les parents, la gaîté des amis et de leurs enfants.

Si Gide étouffe sous l'hypocrisie, c'est qu'il n'y a jamais eu, c'est qu'il ne peut y avoir, maintenant moins encore qu'autrefois, d'explications entre elle et lui. Parfois, il note : « Par instants, j'ai envie de me plaindre... » Mais : « Il y a par trop d'arriéré [3]. » Elle n'a jamais voulu se confier à personne, pas même à une de ses sœurs, et quand Claudel, en 1913, lui propose de s'entretenir avec elle de Gide, elle lui répond qu'il faut faire confiance à Gide, et qu'on ne peut rien d'autre que prier pour lui.

1. *Journal*, 1916.
2. *Journal*, 1918.
3. *Journal*, 1927.

***

Lequel s'aveuglait le plus ? Elle n'avait pas compris, puisqu'elle croyait n'être pas désirée par manque de beauté ou d'esprit : « Ah ! si seulement j'étais plus belle et savais mieux le charmer, se disait-elle. » Cette interprétation qu'elle donnait à l'absence de désir chez Gide, cette accusation qu'elle portait contre elle-même, c'est la révélation la plus importante de *Et Nunc*. Elle s'est crue comme répudiée. Alors elle n'a plus cherché qu'à se « désornementer ». « Les mains les plus exquises..., dit-il en parlant des mains d'Em..., elle les a déformées en en mésusant », en les soumettant aux travaux les plus ordinaires. Ensemble ils vont consulter un médecin. Dans le *Journal* aveuglé, Gide n'en dit pas plus : mais dans *Et Nunc,* il nous révèle qu'elle s'est abîmée elle-même jusqu'à négliger de soigner des ulcères variqueux aux jambes ; elle s'est déformée ; elle a vieilli au point que dans un hôtel, Gide s'entend dire par un chasseur parlant d'elle : — Madame votre Mère vous attend. Elle ne s'intéresse plus à la musique, ni à la poésie, comme si elle n'y avait pris goût jadis que pour lui.

Pendant longtemps Gide a cru que chez Em. « l'humilité naturelle », l' « abnégation » se confondaient avec des raisons vertueuses. Et il en était venu à prendre « l'esprit de sacrifice en horreur [1] ». En réalité cette défiguration par elle-même, cette dépossession d'elle-même, ce « dépouillement progressif », elle ne voulait pas devant Gide le reconnaître, parce qu'elle s'y était appliquée avec toute sa volonté. Ses moyens de vengeance étaient misérables, mais

---

1. *Journal*, 1931.

elle usait des seuls moyens qu'elle avait en sa possession.
C'est alors que Gide connaît une atroce douleur, presque
un sentiment d'horreur devant ce drame auquel il assiste
impuissant. Ce n'est plus le sentiment symbolique de tuer
qu'il éprouve, mais pire : il sent qu'il ne l'aime plus, qu'il
la hait. Plus tard, dans les *Faux-Monnayeurs,* quand il sera
éclairé, parlant de Laura, il écrit : « ... Son amour dédai-
gné, n'employait plus sa force qu'à se cacher et à se
taire [1]. »

Ce drame du réciproque aveuglement atteignait en 1917
un point culminant. Une lettre de Ghéon ouverte par
Emmanuèle [2] lui apporte sur le passé des précisions devant
lesquelles elle ne pouvait plus reculer. Ce dévoilement du
réel, Gide l'avait toujours appréhendé. Dans *Saül* déjà :
« Ton secret, dit la reine en mourant... Je ne le croyais
pas si redoutable. » Il n'y a toujours pas de paroles décisives entre eux ; mais le bonheur n'apparaît plus concevable. L'année suivante, en pleine guerre, Gide va rejoindre Marc en Angleterre, poussé comme toujours par

1. Cependant cette défiguration d'Emmanuèle par elle-même, dont,
dans *Et nunc,* il s'avoue le responsable, à d'autres moments, il en
accuse elle seule : dans le *Journal :* « Qui donc aurait cru cela ? ... Eh
quoi !... cette humeur un peu vagabonde, cette ferveur, cette curiosité, tout cela n'était donc point d'elle-même ? Quoi ? ce n'était que
par amour pour moi qu'elle s'en revêtait ? » (1926). Dans *Les Faux-
Monnayeurs :* « J'admirais son goût, sa curiosité, sa culture et je ne
savais pas que ce n'était que par amour pour moi qu'elle s'intéressait,
si passionnément à tout ce dont elle me voyait m'éprendre. » Ici, ce
n'est plus Gide qui dans cet amour se serait abominablement dupé ;
c'est la duperie de l'amour même qui expliquerait le drame. L'amour,
— imaginaire, — cache l'être véritable ; ce qu'était chez Emmanuèle
l'être véritable, ce qu'il a vu d'elle à certains moments, peut-être le
dit-il dans les *Faux-Monnayeurs* et avec cruauté : « ... Elle ne savait
rien découvrir. Chacune de ses admirations, je le comprends aujour-
d'hui, n'était pour elle qu'un lit de repos où allonger sa pensée contre
la mienne ». Il est à remarquer avec quelle facilité Gide passe de la
position d'accusé, qu'il assume dans *Et nunc,* à celle d'accusateur qu'il
a prise dans le roman. Mais dans l'un ou l'autre cas, l'être qu'il presse
contre son cœur n'est plus « qu'une parure déshabitée, ... qu'un souvenir, ... que du deuil et du désespoir ».
2. Voir plus loin Livre III : *Entretiens avec...*

l'irrésistible force de son désir, mais cette fois avec une puissance mettant tout son être en jeu. A cinquante ans, il a les violences d'un adolescent en pleine crise de puberté. Abandonnée seule à elle-même dans sa grande maison de Cuverville, elle relit une à une toutes les lettres qu'il lui a écrites depuis trente ans : la « lettre à peu près quotidienne » de ses voyages — et elle les brûle. Quand elle lui en fait l'aveu, il se met à pleurer comme un enfant. Il pense d'abord moins à l'écroulement qu'implique pour elle cette vengeance désespérée — qu'à son manuscrit anéanti, qui entraîne la disparition de toute une part de sa personnalité, désormais faussée pour toujours ; il ne restera de lui que l'image d'un homosexuel et non pas celle d'un homme qui a voué sa vie à l'amour d'une femme admirable. En vain cherche-t-il à la convaincre alors de son amour, mais ils ne peuvent guère parler : ce ne sont que silences et sanglots. Il écrit cela dans *Et Nunc,* mais déjà dans le *Journal* il évoque, en des termes incompréhensibles pour le lecteur, ces moments qui provoquèrent la plus grande rupture entre eux : « Je ne tiens authentiquement plus à grand chose depuis que j'ai perdu ce à quoi je tenais le plus (mais ceci depuis douze ans seulement [1]). »

Gide a très rarement pensé au suicide (il aimait trop la vie) ; deux ou trois fois pourtant, une fois précisément au cours de la période qui suivit 1917, « depuis le jour où... je n'ai pas repris conscience parfaite de ma continuité morale [2] ». C'était pendant les années qui suivirent la guerre ; il semble n'avoir même plus le courage d'écrire régulièrement dans son *Journal* pour se raccrocher quand même à la vie. « Je suis comme si j'étais déjà mort depuis longtemps, » écrit-il, « comme si ce n'était déjà plus de moi qu'il s'agit... [1] » « X... qui voulait se suicider, en arrive

1. Il écrit ces lignes en 1929 : « ... depuis douze ans seulement ». Il s'agit donc bien du drame de 1917.
2. *Journal*, 1921. Les points de suspension sont de Gide.
3. *Journal*, 1921.

parfois à se demander si, en réalité, il ne l'a pas déjà fait... » X, c'est évidemment lui ; souvent il parle de lui sous le nom de X, par crainte d'avoir à se désavouer ou de blasphémer ; parfois il précise : « X... (moi plus tard [1]). » Dans les *Faux-Monnayeurs*, La Pérouse parle également de lui à la troisième personne et presque dans les mêmes termes : « M. de La Pérouse est mort... M. de La Pérouse n'a pas de fièvre. Il n'a plus rien. Depuis mercredi soir, M. de La Pérouse a cessé de vivre. » Or La Pérouse fait ici précisément allusion au jour où il avait décidé de se tuer, mais où il n'en a pas eu la force. Si dans le roman, ce projet est diversement motivé, il apparaît avant tout comme l'échec affreux de la vie en commun. Quand Edouard lui demande des nouvelles de sa femme, il répète d'abord : « Madame de La Pérouse... interrogativement. On eut dit que les syllabes avaient perdu pour lui toute signification. »

Désormais Emmanuèle vit à Cuverville comme retirée dans un couvent, repliée totalement sur elle-même. Elle cesse de lire ses livres, ou elle n'en connaît que quelques fragments qu'il veut bien lui communiquer. On pourrait croire qu'elle n'est plus l'Emmanuèle des livres de Gide, mais, vieillie, Madeleine Rondeaux. On l'appelle : tante Madeleine ; la religieuse. Elle trotte, recueillant des bêtes errantes ou parcourant Cuverville avec une grande bassine pour distribuer la pâtée aux chiens et aux chats du village, avec des manies, des entêtements.

Gide est comme un homme qui aurait perdu sa femme, qui se sentirait seul, mais au plus profond de son chagrin, soulagé, libéré malgré lui. Il a perdu Emmanuèle sans même l'avoir jamais gagnée, mais un des plus pénibles problèmes de sa vie personnelle paraît résolu, solution illusoire sans doute et qu'il remettra sans cesse en question. Désormais il sait qu'elle a soupçonné la réalité : aussi croit-il pouvoir

1. *Journal*, 1911.

la quitter plus facilement que jadis, et ces années de 1917 à
1921, en même temps qu'à des crises de désolation, correspondent à une sorte de rajeunissement, de renaissance de son
être, et de vitalité nouvelle : c'est l'époque où, à Paris, il sort
presque constamment avec Marc, où il prend contact avec les
mouvements littéraires nouveaux et bientôt prépare les *Faux-
Monnayeurs* [1].

Nous savons que les sentiments les plus contraires peuvent coexister en une même conscience : dans *Et nunc* qui
n'évoque que le drame de son amour pour sa femme, Gide ne
parle pas des élans de joie qui l'habitaient pourtant à cette
époque ; dans son *Journal*, non plus, où ces années figurent
en raccourci et où nous ne trouvons notées, dans quelques
pages, que des crises semblables à celles de jadis, mais encore
aggravées.

A Cuverville cependant, l'atmosphère est pour Gide plus
étouffante qu'auparavant, parce que s'y ajoute l'inconsciente
méfiance d'Emmanuèle. Elle suspecte parfois ses intentions
les plus innocentes. Elle craint l'influence de Gide sur ses
proches. « Elle me supplie de ne rien faire pour attirer
Jean. J'ai dû promettre de lui battre froid », et Gide
ajoute : « C'est absurde. » De beaucoup de ses actes, elle
dit à présent : « Il n'en peut résulter rien de bon... [2] »
Quand elle soupçonne quelque irrégularité dans une famille, quand elle imagine « du peu [qu'il] ose lui en dire »
le drame d'El. auprès de laquelle il est appelé sans qu'elle
entrevoie un instant qu'il y est directement intéressé :
« J'ai toujours pensé, dit-elle, qu'il était fâcheux qu'El.
fût élevée sans religion [1]. » Gide fait allusion ici à Elisabeth,
la mère de sa fille, une jeune fille qui avait désiré de lui un
enfant. Emmanuèle ne soupçonnera donc pas la naissance de
Catherine. Dans les *Faux-Monnayeurs,* Gide évoque une situa-

1. Voir plus haut *Sa vie*, pages 53-61.
2. *Journal*, 1927.
3. *Journal*, 1923.

tion analogue, en parlant de Laura, qui accouche clandestine-
ment en montagne et qu'Edouard va rejoindre.

Au moment de la « campagne » de Massis, Emmanuèle
écrit à Gide : « ... C'est la force de ta pensée et son autorité
qui... déchaînent [cette campagne]... Mais tu es vulnérable,
et tu le sais ; et je le sais. » Gide ajoute alors dans son
Journal : « Vulnérable... je ne le suis, je ne l'étais, que
par elle. Depuis, tout m'est égal et je ne crains plus
rien [1]... » Rien effectivement ne le retiendra de publier
Corydon et *Si le Grain ne meurt*.

Vers 1932, le fossé s'élargit encore entre eux. Il constate
que semblable à une gangrène, la religion a atteint en elle
des régions « plus profondes, plus secrètes, inguérissables
à jamais [2]. » Elle est entourée de parents et d'amis qui la
soutiennent et dont il ne peut plus la séparer. Et Gide,
parlant d'elle, est amené à écrire : « Ils... [3] » « Ils veulent
faire de moi un être affreusement inquiet. » Gide parle face
au clan des croyants. Et pourtant quand sa pensée anti-
religieuse s'affirme, quand il incline vers le communisme,
il a l'impression de la piétiner. Tout en s'enthousiasmant
pour une société sans famille, sans religion, il se demande
dans le même instant si : « ... sans vouloir me l'avouer...,
je n'aurais jamais cessé tout à fait d'y croire. Oui, de
croire en Lui... [4] », de croire dans le Christ.

Mais désormais l'échec de toute sa vie, dont il a eu le
pressentiment très tôt après son mariage, s'accuse : « La
partie est perdue que je ne pouvais gagner qu'avec elle. »
Ou bien sur un ton d'ironie acerbe qui ne lui est pas cou-

---

1. *Journal*, 1922.
2. Dans l'*Immoraliste*, il avait déjà parlé presque dans les mêmes
termes de la maladie qui l'habitait désormais, « la marquait, la
lâchait ». Dans le *Journal* (1926) il transpose : protestantisme en catholicisme, écrit : X..., au lieu de dire : je, si bien que la notation,
presque anonyme, pourrait correspondre, même dans le *Journal*, aussi
bien à une remarque générale qu'à une notation sur Emmanuèle.
3. *Journal*, 1927.
4. *Journal*, 1933.

tumier : « Tu devrais te marier. Cherches à faire le
bonheur d'un autre être... Tu verras comme on s'y rend
malheureux. Tous les deux : oui, tous les deux. Mais ça
instruit. »

Cependant « le surprenant, écrit-il dans le *Journal
des Faux-Monnayeurs,* c'est qu'il se sent l'aimer encore
éperdument. J'entends par là d'un amour désespéré. » Il
éprouve à présent une jalousie qu'il n'a jamais connue :
« Il est jaloux de Dieu qui lui vole sa femme. » Jadis, il
était avec elle associé en Dieu ; aujourd'hui, il se sent
« vaincu d'avance ». Il voudrait l'arracher à ce rival, l'enlever à son milieu et aux « ils » qui la défendent. Dans
ce vain espoir, il continue à l'instruire, s'efforce encore de
la protéger comme du temps de leur enfance. Pour qu'elle
puisse se rapprocher de lui et comprendre ses préoccupations nouvelles, il lui lit les *Discours* de Rousseau ou des
critiques sur Saint-Just, dont elle s'écarte avec « une horreur toute chrétienne. »

Alors que par orgueil il a toujours affirmé que tout événement qui était dans sa vie devait être, il s'accuse à présent
de présomption et l'accuse de n'avoir pas eu confiance dans
l'union qu'il lui a proposée, comme si la confiance pouvait
se donner sans l'irremplaçable connaissance de la chair, sans
abandon de l'être entier, sans impudeur.

Pour se justifier, il considère d'autres couples, des êtres
admirables parfois, dont les différences s'accusent par le
vieillissement et qui, après de longues années de vie commune, ne cessent de se heurter affreusement l'un à l'autre,
— sans penser que, malgré l'adaptation naturelle que produit le temps, c'est la disparition progressive du plaisir
pris en commun qui rend si difficile la fin d'une longue
union. Gide continue à croire que la vie conjugale est avant
tout représentée par des liens affectifs et qu'il n'est pas de
caractère de femme véritablement chrétienne où n'entre
« un peu de résignation », autrement dit un peu de renon-

cement au plaisir. S'il s'est « blousé », sa vie durant,
comme dans sa jeunesse, *Et nunc* est un démenti tardif qui
remet en question la thèse qu'il a constamment soutenue :
en 1907, il écrivait que « *l'alcôve* » ne peut jamais enfermer
le bonheur [1] et, vingt-cinq ans plus tard [2], il répétait avec
Tolstoï que « de toutes les tragédies, celle de *l'alcôve* était
de beaucoup la plus affreuse ». Le plaisir, dans le mariage,
dit-il, est rarement pris en commun, et le plus souvent il
se présente comme un *devoir* pour l'un ou l'autre des
époux. Dès lors : « le mariage ne peut-il pas devenir un
enfer lorsqu'il n'apporte que *cela* ? » Cela, c'est la satisfaction des sens. Par là, Gide rejoint sans s'en rendre compte,
un point de vue qui lui est complètement étranger, celui
de Claudel : « Le paradis, dit Claudel, qui consisterait
dans la possession totale d'une femme et dans la prise
comme fin suprême de ce corps et de cette âme ne me
semble en rien différent de l'enfer. » La position de Claudel, elle, du point de vue catholique, se justifie. Si l'amour
terrestre pouvait conduire à la béatitude, Dieu n'aurait plus
de raison d'être.

Après le drame de 1917, il y aura encore vingt ans de
vie commune entre eux, vingt ans de contradictions constamment douloureuses dans un amour que l'esprit seul
commande. Ses désirs physiques sont ailleurs ; sa pensée
se développe dans un autre univers, son attachement pater-
nel doit rester secret. Et pourtant « chaque fois que je la revois,

1. Dans son *Journal*, à propos du livre de Léon Blum : *Le Mariage.*
2. En parlant de la pièce de Bourdet : *La Prisonnière.*

c'est pour sentir à neuf que je n'ai jamais aimé qu'elle ;
et même, parfois, il me semble que je l'aime plus que
jamais [1]. » Mais c'est toujours pour repartir. Il ne peut
vivre avec elle, ni sans elle, d'où sa « vie errante », cette
vie disloquée, combien « préjudiciable » pour lui. Au loin,
Cuverville lui paraît une sorte d'Eden, mais quand il
revient, un Eden aux fleuves glacés, aux arbres rabougris.
Inhabitable Cuverville, « où tous les fruits de mon verger
avortent [2] », dit-il au sens propre. Néanmoins les allées et
venues continuent entre Cuverville et le reste du monde.
« Le vrai, écrit-il, c'est que je ne puis prendre mon parti
de m'éloigner d'elle. »

Dans les dernières années de leur union, ils étaient parvenus à mieux se comprendre. Il faut sans doute, a-t-elle
dit un jour à un ami de Gide, lui pardonner sa nervosité
à cause de son génie. Elle évitait les grands mots, et
qu'elle ait prononcé le mot « génie » était de sa part la
reconnaissance de tout un ordre de faits. Que voulait-elle
dire par « nervosité » ? Elle entrevoyait probablement tout
un monde dans lequel elle n'était jamais entrée. De son
côté, Gide reconnaissait qu'il lui avait proposé une union
inhumaine. Ils s'accordaient de nouveau, l'un à l'autre,
comme au début de leur vie, — mais après quel drame —,
une estime aveugle.

Qu'avait-elle été pour lui ? Au long de sa vie ? Il n'a
peut-être pas pu lui parler de ce qui le touchait réellement,
ni de son œuvre, ni de sa fille, ni de son compagnon le
plus cher ; il n'avait pas pu se motiver. Elle avait été sa
conscience. Parle-t-on à sa conscience ? Elle sait. A-t-elle à
répondre ? La conscience est muette. Elle entend, comme
on entend dans un rêve, des paroles qui ne sont pas prononcées. La recherche d'un autre soi-même, de son propre
double est une illusion. Mais la conscience, une réalité. On
peut tuer sa conscience ; elle est indestructible. On ne la

1. *Journal*, 1927.
2. *Journal*, 1933.

quitte pas ; on ne se quitte pas soi-même. Il avait voulu être libéré du souci de juger, mais la conscience juge ; elle était devenue son remords.

Gide était loin de Cuverville quand Emmanuèle mourut en 1938. Elle mourut seule, comme mourut Alissa [1]. Dans sa douleur, ce n'est pas tant la solitude qu'il éprouve que le sentiment d'avoir « perdu ce *témoin de ma vie* qui m'engageait à ne point vivre *négligemment* [2]... ». Plus tard, il écrit : « Pour un sourire d'elle aujourd'hui, je crois que je quitterai la vie, ce monde où je ne pouvais pas la rejoindre [3]. »

Dans les dernières pages de son dernier *Journal*, il se pose cette étonnante question, qui semble mettre en échec le principe de la réalité. « Elle était, dit-il, ce que j'aimais le plus au monde... Oh ! Peut-être ne parlerais-je pas de même si je l'avais charnellement aimée. Et comment expliquer cela : c'était son âme que j'aimais ; et, cette âme, je n'y croyais pas... »

1. « Je voudrais mourir à présent, vite, avant d'avoir compris de nouveau que je suis seule. » Tels sont les derniers mots du Journal d'Alissa.
2. *Journal*, 1938.
3. *Journal*, 1942.

CHAPITRE V

LE REPOS

C'est des années les plus douloureuses et secrètes de sa
vie conjugale et de sa passion pour Marc, où il semble avoir
touché la réalité au plus près, qu'est sorti le grand Gide,
— le Gide d'entre les deux guerres, le créateur des *Faux-
Monnayeurs*. La publication du *Journal,* son entrée dans
le communisme et son *Retour* prennent place à la fin de
la même époque.

Pendant sa période communiste — (on se le rappelle)
— Gide a écrit ce petit récit, qui fait suite à l'*Ecole des
Femmes* et à *Robert : Geneviève*. De même que Nathanaël
a pris une forme vivante, trente ans plus tard, sous les
traits de Marc, il est permis de penser que c'est Lafcadio qui s'est incarné dans cette jeune fille pure, ignorante
de la vie, décidée et révoltée : Geneviève. Mais alors que la
révolte de Lafcadio est spontanée, le cynisme de Geneviève est
plein « d'idées artificielles » : — « Je m'y forçais, dit-elle, ...
en triomphant... de ma réserve. » Geneviève s'est libérée de
la société, mais d'une société déterminée, celle du XIXᵉ siècle.
La fillette prend son défi au sérieux et veut passer à l'action.
Défier la société pour elle, c'est avoir un enfant en dehors du

mariage, enfant qu'elle revêt des plus merveilleuses qualités.
— « ... Faut-il vraiment que le père soit un mari, demande-
t-elle, pour aimer son enfant ? » Elle n'a plus qu'à choisir
le père et à le bien choisir.

Il n'est pas possible de savoir, ni de dire dans quelle
mesure *Geneviève* est une transposition, une préfiguration
ou un souvenir de la réalité pour Gide. Quoi qu'il en soit,
Geneviève est le seul de ses personnages qui représente la
révolte abstraite, mais efficace. Pour la première fois, l'enfant que désire Geneviève, en rupture avec les siens et
avec le monde, n'est plus envisagé comme le Bâtard ou
le Prodigue symbolique, mais entre dans la réalité sociale,
par l'union libre. La femme légitime et traditionnelle, inutilement aimée, ne peut plus que transformer sa jalousie
en résignation, mais cette résignation, cette soumission de
la femme a perdu, ici, pour l'auteur, sa vertu et sa valeur.
C'est qu'en dehors de la femme légitime, il est des femmes
indépendantes qui, sans aimer, envisagent la maternité, qui
ne croient pas possible la réunion en un seul homme de
l'amour et des qualités de père, qui ne croient pas en
l'amour, ou pas encore... « L'oncle Marchant » ne trouve
pas cela « très mal », mais « très imprudent ». Il est
marié ; il n'a pas d'enfant. « Oncle Marchant, dit Geneviève, au cours d'une scène habilement commencée, il faut
que je vous dise... Je voudrais avoir un enfant... Mais je
ne veux pas me marier... » — « Tu as quelqu'un en
vue ? » Et Geneviève, dans un grand effort, murmure :
— « Oui : vous. — Ah ! ça, par exemple !... » s'exclame
Marchant. Son premier mouvement le conduit à dire :
— c'est une absurdité, « parce que j'aime ma femme ». Nous
ignorons son second mouvement, parce que l'ouvrage est
resté inachevé, comme si Gide n'avait pas eu la force d'assumer par la fiction les contradictions qui le déchiraient,
de recréer la réalité par une œuvre d'art, qui eut peut-
être expliqué ce fait déconcertant que fut la naissance de
sa fille en dehors de son mariage.

Presque aussitôt après la mort d'Emmanuèle, Gide
adopta sa fille, — qui jusqu'à ce moment s'était appelée
Catherine van Rysselberghe — pour lui donner son nom.
Dès lors, il n'eut plus à dissimuler ses rapports avec sa
fille ; il déclara avoir toujours souhaité être père ; il n'était
pas fâché qu'on le photographiât avec elle. De même qu'il
avait connu avec sa femme un fragment de foyer, il en
recréait un autre avec sa fille ; de son côté l'enfant retrouvait toute sa famille. Il s'intéressait à son éducation, passionnément, comme il fit pour Emmanuèle, comme il fit
pour Marc, chaque fois avec d'autres nuances. Heureux
de découvrir dans sa fille un optimisme foncier, un naturel,
une sincérité auxquels il attachait tant de prix. Mais il est
tout déçu qu'elle ne désire pas se créer, comme lui
jadis, des devoirs. « Tout l'effort d'attention, dit-il, c'est
moi qui le donnais, non pas elle, qui ne faisait que se
prêter... »

En 1939, parut le *Journal,* qui s'étendait de 1889 à 1939.
Cinquante années (avec très peu d'années manquantes) en
1.300 pages : c'est ici où la concision de la forme, qui rend
souvent linéaires les petits récits de Gide, devient saisissante.
La liberté à laquelle il a tant aspiré, il semble l'atteindre par
la liberté dans le choix du sujet, presque à chaque moment.
Dans le *Journal,* il se sent complètement à l'aise...
Sans doute les événements les plus importants de sa vie
n'y figurent pas. Presque rien sur ses amours et ses plaisirs : « Je ne peux écrire dans ce carnet rien de ce qui me
tient à cœur... » Mais même lorsqu'il paraît écrire n'importe quoi, il donne un irremplaçable sentiment de spontanéité ; il parvient à être le plus personnel en notant de
minutieux détails quotidiens, — comme si jamais au long
des jours n'intervenait le drame. Par là son journal est,
comme toute confession, une trahison, trahison par tout ce
qui n'y est pas dit. Dans l'omission plus ou moins inconsciente Gide est passé maître. Avec quelle savante hypo-

crisie, avec quel art il a su masquer ou aveugler [1]! Quoique la partie la plus importante de sa vie soit délibérément omise, le *Journal* a joué éminemment le rôle d'une délivrance pour Gide : tout au long de sa vie il y écrit par « devoir », par « discipline ». « Je me cramponne à ces feuillets », dit-il, ou encore « Vite quelques lignes... pour ne pas lâcher prise », comme si en ne notant que l'insignifiant il s'attachait à la recherche du plus important de lui-même.

Dans le *Journal,* il se fait des promesses ; il rougit en le relisant. Le *Journal* donne l'image de sa conscience morale ; il apparaît peu à peu comme une chose qu'il s'est donnée, qui originairement lui était étrangère, qui l'épie à l'intérieur de lui, qui le dédouble. Il y a son *Journal* et lui : ils dialoguent, délibèrent et à certains moments, quand la vie intérieure lui devient intenable, nous croyons entendre les disputes d'un vieux ménage. Mais Gide en reste le maître. Ce qui fait sa beauté, c'en est précisément la retenue, qui va croissant au fur et à mesure que la force créatrice s'épuisant l'incite à s'abandonner davantage. Le *Journal* n'a pas débordé sur toute sa vie ; il n'est pas devenu le vampire. Symbole de la maîtrise de soi, il donne un visage à sa vie.

Après sa sortie du communisme, Gide fut ramené à ses

---

1. Emmanuèle (*Em.*) ne figure même pas à l'Index des noms cités : Marc se présente à nous sous le nom de Michel ou de M. (qui n'est d'ailleurs pas le même M. que celui qui apparaît avant 1914). Gide lui-même parle de lui en disant : *je,* — ou *il,* — ou *X,* et, au cours d'un passage caractéristique en 1917 sous le nom de Fabrice. Il s'agit là d'une sorte de jeu d'ombres et de précautions, d'un dévoilement lent et progressif, qui donne de la profondeur au déroulement uniforme des pages.

problèmes intérieurs. Cependant, si représentatif qu'il a continué d'être de son époque, l'ayant même orientée, un certain écart a commencé de naître entre le siècle nouveau et lui. Les ouvrages qui ont ému tant de générations successives, comme les *Nourritures terrestres,* touchent moins souvent en profondeur les jeunes gens de 1933 et des années suivantes.

1933, date de la crise économique en France, marque un tournant, plus nettement que la guerre de 1914. Malgré l'absence d'une révolution, des préoccupations nouvelles apparaissent, peut-être aussi nouvelles qu'après une révolution. C'est la fin d'une certaine conception de la littérature considérée comme une valeur absolue, des chapelles littéraires, des revues d'avant-garde. Le surréalisme prend une *Position politique.* La N.R.F. ne vivra plus que sur l'élan acquis. Un goût du document précis, du témoignage a commencé de naître qui se développe encore de nos jours.

Nous sommes déjà dans une avant-guerre. De quelque côté que cela soit, c'est à l'opposé de l'individualisme pur que s'orientent les forces nouvelles. Gide, tout en restant maintenant détaché des événements, parvient à maintenir hors du temps, comme un modèle de beauté, son art de vivre. Au milieu des mouvements contraires qui vont se succéder, il ne prendra pas position, sinon en refusant de se laisser « enrôler », pour penser « librement ».

Il se réjouit d'abord, avec la bourgeoisie et une partie du pays, des *accords de Munich,* parce qu'il croit encore à la force de la non-résistance, — pour revenir presque aussitôt, — dès que quelques amis attirent son attention sur le sens véritable de l'événement, — au sentiment du danger.

Quand la drôle de guerre est là, — « pour échapper à son obsession, je repasse et apprends de longs passages de *Phèdre* et d'*Athalie*... » Cette fois, il n'a pas honte, comme au début de la guerre de 1914, de continuer à mener sa vie propre, d'ouvrir son piano, de se laisser émouvoir par la perfection de La Fontaine. Cependant, comme les grands écrivains de sa génération, il déplore, dans son *Journal,* la fin des valeurs de culture, c'est-à-dire de la vieille civilisation chrétienne, inspirée d'humanités gréco-latines. Dans l'hitlérisme, il ne voit alors que la négation de cette civilisation, — et ses déclarations rejoignent la propagande officielle.

Au moment de l'armistice, Gide est ressaisi par sa sentimentalité religieuse et l'esprit conservateur de son milieu : si la guerre accroît la moralité, c'est l'absence de moralité qui explique la défaite. « L'esprit de jouissance, déclare Pétain, l'a emporté sur l'esprit de sacrifice... » « On ne peut mieux dire, » écrit Gide, que ces paroles « consolent ». Dans la panique de la défaite, le soldat comme le civil cherchent un responsable, pour jouer le vieux rôle de bouc émissaire, et c'est d'abord un homme, un chef qui est choisi ; — Nous sommes trahis — ; puis, derrière, il y a Dieu, qui punit les méchants. La défaite ne peut jamais avoir pour cause des causes militaires seulement ; il faut aussi des causes morales : la démoralisation, la dépravation, la perversité étaient représentées, en 1914, par le cubisme et le tango qui venaient de s'introduire en France ; en 1940, par la littérature dite moderne. Quand Gide juge « admirable » le premier discours de Pétain, il est loin de se douter qu'il sera lui-même bientôt considéré comme un des principaux représentants de « l'esprit de jouissance [1]. »

Il est vrai que le second discours de Pétain lui paraît un reniement. Finalement, en 1942, il considère que le Maréchal « s'en est tiré pour le moindre dam de la France... ».

Aussitôt après la défaite, quand il se rend à Paris, ceux qui lui parlaient de de Gaulle avec conviction ne lui parais-

---

1. En 1941, la *Légion française des Combattants* interdisait à Gide de tenir une conférence littéraire et Gide s'inclinait par souci d'unanimité : « Pas de discorde entre les Français ». (Voir plus loin, *Morceaux Choisis : La guerre de* 1939.)

saient pas sérieux. La certitude de la victoire alliée restait pour lui irréelle. Il comparait ceux qui partaient pour Londres à des « bateaux ivres », et l'attitude de Paulhan ou de Politzer, il la jugeait pour le moins inconsidérée. Il pensait rester, lui, dans les limites d'un point de vue paysan, qui se maintient solidement sur sa terre. Les autres étaient dans le rêve.

A l'époque du plus grand triomphe d'Hitler, il ne s'est pas caché d'une certaine admiration pour lui. Peut-être a-t-il été attiré par cette forte personnalité et a-t-il même songé, dans un moment de rêve, sans en rien dire, ni rien écrire, — qu'il ne lui aurait pas déplu de le rencontrer, comme Goethe, Napoléon, à ce grand moment où la main de Napoléon était serrée par tous les peuples de l'histoire. Mais Gide a manqué ses rencontres historiques, aussi bien avec Staline qu'avec Hitler, et s'il est plus tard, à Alger, présenté à de Gaulle, il ne racontera que ses « bévues » au cours de cet entretien particulier. Dans son *Journal*, il déclare que Hitler a agi « avec une sorte de génie » (à Mers-el-Kébir), avec une « habileté consommée » en proposant aux Français la collaboration, à quoi, lui, Gide ne croit pas, tout en affirmant cependant que rien ne lui paraît plus vain que « la révolte impuissante » du vaincu. Dans la conversation, il va plus loin : il dit que Hitler rêve un rêve grandiose, et alors qu'il l'accusait, en 1939, de menacer notre civilisation, aujourd'hui il le félicite d'avoir débarrassé l'Allemagne de l'humanisme chrétien qui s'est manifesté surtout par l'Inquisition.

Ce sont là les opinions de Gide, auxquelles, nous le savons, il n'attache guère d'importance. Opinions flottantes avec les mouvements même de l'opinion. Pour le *Figaro*, il écrit un article où il rappelle assez inopportunément qu'il prôna l'entente franco-allemande, puis remanie si complètement son article en sens contraire qu'il devient impubliable. Devant la succession désordonnée d'événements politiques et d'idées contradictoires depuis sa sortie du communisme, Gide accepte bien de n'avoir pas d'idées du tout (les siennes le mettent mal à l'aise), mais non de jouer avec les idées : cela implique une absence de sérieux qui soudain lui fait horreur. Et pourtant c'est là sa grande tentation : « En politique... je comprends trop bien l'adversaire. »

Son attitude envers la *Nouvelle Revue Française* après l'occupation allemande, témoigne également de ses hésitations. En mai 1942, Valéry, venu de Paris, le rencontrait à Marseille et, au cours d'un déjeuner, lui dit : — Il n'est pas possible de laisser plus longtemps la *Nouvelle Revue Française* à Drieu ; il faut que nous la reprenions nous-mêmes ; toi, moi, si tu veux, avec Louis Gillet... Gide garde le silence, et comme Valéry insistait, Gide, d'un geste de la main écartant l'actualité : — Tu sais que je m'embarque demain pour Tunis. *Après* mon retour ; oui, on verra *après mon retour*... Gide était surpris par l'intransigeance nouvelle de Valéry, qui, vivant à Paris, ne supportait plus qu'avec impatience les méthodes de l'occupant, et son intrusion dans la revue. « La revue, écrira Gide l'année suivante, somme toute, se maintient, en dépit des absences, aussi bien qu'il se peut. Certes, je me flatte de m'en être retiré... »

En réalité, il ne s'en était pas séparé sans quelque repentir. Pour lever les scellés apposés par les Allemands dans la maison de la *N.R.F.,* Paulhan, qui avait pris avant l'occupation déjà des positions marquées très nettes, fut amené à quitter la Revue. Après quelques mois d'interruption de la *N.R.F.,* Drieu la Rochelle, comme nouveau directeur, — poste qui lui avait été en quelque sorte imposé, — s'adressa d'abord aux anciens collaborateurs de la Revue. — J'ai dit, expliqua Malraux après avoir refusé l'offre, que c'était à cause de Clara [sa femme]... Il y eut tout une époque d'hésitation. Même les réponses catégoriques : — Inutile, lui dit Queneau dès 1940, car je vois les Ecossais

défiler bientôt sous l'Arc de Triomphe — ne déconcertaient
pas Drieu : — Vous êtes resté un surréaliste, lui répondit-il. N'avait-il pas reçu, au départ, pour la création d'une
nouvelle *N.R.F.,* l'approbation de principe de Gide et
même de Valéry ? Approbation qui n'avait été suivie, il
est vrai, d'aucun acte. Drieu se rabattit sur les tiroirs de
la Revue, où il trouva de brefs *Feuillets* de Gide, qui, publiés
en décembre 1940, amenèrent de Gide une protestation,
platonique d'ailleurs. Trois mois plus tard, redevenu favorable aux amis de Drieu, Gide remit d'autres feuillets à la
Revue (parus en février 1941). Il lui fallut un certain temps
pour se replacer dans les justes perspectives du moment,
— quelques mois encore pour rompre, en silence d'ailleurs
et sous le plus mauvais prétexte. En 1942, Drieu sentit son
échec, et au début de 1943, c'est Blanchot qui dirigea la
N.R.F. Gallimard avec habileté créa toutes sortes d'empê-
chements pour retarder la publication des numéros. Malgré
l'importance intellectuelle que les Allemands attachaient à
la Revue, ils se rendirent compte bientôt que la partie était
perdue pour eux. Le dernier numéro parut en juin 1943.

Si la Revue ne fut pas reprise après la guerre, c'est peut-
être par suite d'une certaine réglementation de la presse,
mais surtout parce qu'elle avait achevé sa carrière, après
avoir répondu, avec une continuité et une intelligence remarquables, à toute une époque de littérature désormais
révolue. Gide l'avait si bien senti lui-même, qu'avant la
guerre déjà, il songea, à un moment, à créer une petite revue
à lui seul dont il eut été le seul collaborateur.

En Tunisie Gide languit loin de ses amis, soucieux du
bienséant et du malséant au milieu des péripéties de la
guerre. Il fut surpris à Tunis par l'occupation allemande,
puis, dès la libération de la ville, se rendit en Algérie
(mai 1943), au Maroc (octobre 1943), voyagea en Egypte,
ne cessa, dans la mesure où il put, de se déplacer en Afrique
du Nord et dans le Bassin Méditerranéen (Biskra, Naples.

Louqsor, Assouan...) avant de rentrer à Paris après quatre
ans d'absence.

A la Libération, nous le retrouvons soudain lui-même,
s'opposant partout à ceux qui pensent « comme il faut »,
prenant une position nettement hostile à l'*épuration* des intellectuels : — « Le monde, dit-il, ne sera sauvé, s'il peut
l'être, que par les *Insoumis* [1]. »

Alors que dans le communisme et la guerre la position
de Gide, si courageuse qu'elle ait été, pouvait paraître dépassée, — bornée aux problèmes moraux, elle répond
toujours à nos préoccupations ; mais si Gide continue à
poser ses problèmes, l'intensité de son interrogation a baissé
de ton.

A soixante ans, il appelle fatigue sa vieillesse, « dont rien
ne peut reposer que la mort ». Mais il ne croit pas encore
à sa vieillesse ; n'a-t-il pas toujours parlé de fatigue, à chacune de ses crises ? Dix ans plus tard, quand il connaîtra
véritablement la vieillesse, il ne parlera plus de fatigue,
puisqu'elle sera irrémédiable : « Mais non, mon pauvre
vieux, ce n'est pas de la paresse ; tu es réellement très
fatigué. »

Cependant, il se sent encore et plus que jamais attiré
par le plaisir : « Il est une certaine félicité de la chair que
poursuit et toujours plus vainement, le corps vieillissant,
s'il n'en a pas été saturé dans sa jeunesse... » Dans son

1. C'est en 1946 qu'il fait paraître son *Journal* 1939-1942, c'est-à-dire
au moment où certaines déclarations d'admiration pour Hitler, dont
nous avons parlé, pouvaient paraître les plus inopportunes, en pleine
période de réaction anti-hitlérienne.

regret de vieillir il n'y a pas vieillissement seulement,
mais un phénomène de nature morale : que n'a-t-il mieux
tiré parti du plaisir à vingt ans ! il renoncerait plus aisément. Le plaisir ne se présente pas encore à lui complètement pur ; c'est toujours un devoir : il s'y donnait jadis
avec *peine* pour lutter contre l'idée de péché, aujourd'hui
avec un regret, qui prend « la sombre couleur du repentir ». Mais ce n'est pas un repentir religieux : « Les jeunes
mains, dit-il, sont faites pour la caresse et l'amour. C'est
pitié de les faire trop tôt se rejoindre dans la prière. »
Ce sont là ses dernières protestations contre son enfance
trop sévère.

Au fur et à mesure que s'appesantissent sur lui les années,
il approche du repos. Comme il a gardé une surprenante
jeunesse, c'est le désir dans sa réalisation qui est pour lui
la forme même du repos, un désir exactement ajusté à son
besoin. S'il constate qu'il n'a pas pendant quelques années
rencontré le plaisir, il n'hésite pas à le provoquer. Tout est
pour lui devenu fort simple ; il suffit de dire : — Allons-y !
« J'ai souvent éprouvé que mon cerveau n'est jamais plus
lucide... que quand la veille, j'ai surmené ma chair jusqu'à
l'excès, » écrit-il. L'excès même ne lui paraît plus jamais
un mal, puisqu'il se connaît assez bien pour savoir qu'après
le surmenage d'une nuit d'amour, il retrouve son équilibre intellectuel, la lucidité et l'apaisement. Il n'a plus de
tremblement religieux devant l'appel de la chair. Il le
dépouille aussi bien de l'inquiétude que de l'élan passionnel. Le plaisir est réduit à ses justes proportions et la
vie n'est cependant pas désornementée. Il est athée en ce
sens qu'il a finalement trouvé le bonheur dans le repos, qui
est une sorte de béatitude sans mysticisme et proprement
la fin du débat moral. Devant l'enchaînement des effets et
des causes, des joies et des peines, il ne cherche pas à les
transformer en abstractions qui se combattent, ni à se dur-
cir ou à s'abandonner ; il reste dans le mouvement de la
vie ; il est naturel.

Comme un éternel retour, il redécouvre l'*Enéide,* ré-
apprend les fugues qu'il a oubliées ; lectures et piano sont
devenus, certes, des refuges, mais il les pratique parce qu'il
ne pourra *jamais cesser de s'instruire.* Il refait un exercice,
non pour apprendre à mieux jouer, mais pour l'exercice
même, puisqu'il ne peut plus espérer assouplir encore sa
main. Les règles de grammaire retiennent son attention et
une de ses dernières œuvres, *Thésée,* est faite d'acrobaties
de la langue, dont il s'amuse. La vie est sans attrait pour
lui, quand il cesse de progresser ; il s'abandonne alors à des
méditations vagues, dégoûté parfois par l'aspect de la feuille
imprimée ; il a tout dit, n'a plus rien à dire, entre dans
des somnolences, dans des orgies de néant : « Jadis j'ai
rêvé que je tombais dans un gouffre ; à présent simplement
que je manque une marche... » De ses fatigues, il ne parle
plus ; il les associait autrefois — souvenir de son puritanisme — à des formes de la paresse, qu'il fallait combattre ;
à présent il s'accepte.

Dans le même temps, ses insomnies s'aggravent : — Si
je pouvais dormir, disait-il, j'écrirais peut-être un nouveau
Thésée. Il compare le projet de sa mort, telle qu'il l'envisageait jadis dans les *Nourritures terrestres,* à l'approche
de sa mort. Il constate que ce ne sont pas tant ses forces
qui diminuent que tout son être et qu'un équilibre s'établit entre la vie qui lui reste et la mort qui approche. Il
attend de la mort un ordre, sachant qu'il devra alors
« *tout* laisser ». S'il a déjà dû consentir, sans beaucoup de
peine, à la disparition de ceux qui l'ont entouré, c'est
qu'il est prêt, — et tranquille, — devant la mort. « Tout
m'invite à croire, écrit-il à la fin de son *Journal,* [que ces
lignes] seront les dernières... » Il écrit ces mots en janvier
1950. Au cours de l'année qui lui reste à vivre, il continue à prendre des notes. Elles feront partie de cet ouvrage
posthume auquel il a donné le titre : *Ainsi soit-il.* Il a
accepté la vie ; il a accepté la mort, et tout est pour le
mieux, sans pensée de l'au-delà. Dans ses écrits, dans ses

propos, tout fait apparaître qu'il a vécu, depuis longtemps, et jusqu'à la dernière minute (c'est la vérité historique, écrit Roger Martin du Gard) dans une incroyance reposante. Ainsi soit-il...

S'il juge comment il a conduit sa vie, elle lui apparaît comme une odyssée avec des errements, des détours, des retours, mais qu'un fil conducteur unit aujourd'hui les uns aux autres. Le remous des louvoiements s'est effacé et, au lieu, s'est substitué un sillon idéal. Quand une longue vie prend un sens, elle se boucle ; dans une vieillesse heureuse, il semble que la terre ait achevé sa révolution.

Gide a bien sculpté son buste. A présent il y apporte les dernières retouches ; il parfait sa légende : il revient, dans ses dernières causeries à la radio ou dans quelques notules, sur quelques-uns de ses jugements, les adoucit, devient indulgent, embellit son passé. Il a cessé de lutter sur le champ littéraire également ; ses anciens rivaux deviennent de grandes figures.

Le plus grand écrivain français, telle fut la position de Gide, qui fut celle de Valéry, dans les dernières années de sa vie — celle d'Anatole France après l'autre guerre. L'époque se découvre en un homme — reconnaît en lui la charge de son passé : mais les époques changent. Si nous voulons juger l'œuvre de Gide, ce ne sont pas ses petits récits qui nous intéressent, mais bien selon nous les *Faux-Monnayeurs* où apparaissent quelques personnages consistants : Armand et La Pérouse.

Il est un point considéré comme indiscutable, c'est la perfection du style de Gide, et c'est cependant cette perfection qui pèsera sur toute une partie de son œuvre. Il n'y a pas un, mais de nombreux styles de Gide. Quelle étonnante évolution entre les *Cahiers d'André Walter* avec leurs tirets, leurs points de suspension, leurs surabondances

de virgules et le style heureux, apaisé, affermi malgré l'âge,
de son dernier *Journal*. Lorsque Gide n'est encore que
l'amateur de lettres, il s'efforce souvent de n'écrire que
pour décrire : sa préciosité dans les *Nourritures terrestres*
par exemple, n'est pas tant le besoin de trouver une forme
nouvelle à une pensée nouvelle que le désir, dans la forme
même, d'éviter la monotonie. Dans sa première époque,
Gide, encore guindé et sévère, a cherché à rompre l'effet de
ses phrases trop bien scandées par l'introduction en elles de
tournures archaïques, de mots familiers, d'élisions pour
retrouver la spontanéité absente. Il avait tout son temps
pour bien écrire, s'assurer de l'exactitude de sa syntaxe,
mais il savait que même ses efforts de concision, sa volonté
de dire le plus par le moins risquaient d'aboutir à une
forme *trop bien* écrite et qui apparaît effectivement aujour-
d'hui désuète. Mais lorsque débarrassé des questions
abstraites, des soucis d'ordre moral, il ne s'est attaché qu'à
raconter l'histoire de *Dindiki,* d'un oiseau, une scène familière, il est alors demeuré le peintre animalier, aspect sous
lequel il est le moins connu, le peintre de la vie simple et
intime. Il sait déshabiller moralement un personnage, faire
apparaître sa maladresse et, débordant son sujet comme
par surprise, il atteint à l'humour sans lequel il n'est pas
de grand écrivain. Gide s'est souvent exprimé par des
formules où il est maître : « Le difficile n'est pas de monter,
écrit Michelet, mais en montant de rester soi », mais Gide,
plus brièvement et de façon plus frappante : « Suis ta pente,
mais en montant. »

Dans ses dernières années, à l'aise avec lui-même, moins
préoccupé de prudence, nous retrouvons dans sa phrase
l'expression juste et authentique de l'homme qu'il est.
Sa forme est décantée ; une sorte d'apaisement règne quoique le grand vieillard n'ait renoncé à rien, ni à ce perpétuel
souci d'une vie avant tout dégagée. Il veut se tenir droit
jusqu'au bout, sans se cramponner à la vie.

A l'âge de quatre-vingt-un ans, après avoir écrit depuis l'âge de vingt ans, Gide meurt entouré de ses plus proches ; c'est à Cuverville, près de sa femme, qu'il a été enterré.

L'année précédente, dans la clinique où l'avait frôlé une première fois la mort, il a écrit quelques-unes des pages où s'affirme le mieux sa hardiesse, sa soudaine ouverture sur les choses. Il y parle d'un enfant mort-né, d'une extraordinaire beauté, parce que l'âme n'avait pas encore habité son corps : les mots corps et âme, chair et esprit, échappant aux définitions traditionnelles, ne se dissociaient plus en lui et ne se rejoignaient pas non plus. Son esprit a voulu mettre ici en échec le dogme chrétien, et également, le temps d'un éclair, la croyance et sa logique, pour laisser entrevoir ce que pourrait être certaine forme de la liberté.

« J'ai pris congé, j'ai mon congé... » Débordant toutes les formes de la pensée qui s'enrôle, il s'agit, écrit Gide dans les dernières pages de son dernier *Journal,* « non point d'être ceci ou cela — mais d'être ». Gide a voulu être, — être un homme qui est au monde.

LIVRE III

ENTRETIENS AVEC GIDE
ET SES CONTEMPORAINS

ENTRETIENS...

Je donne ici les notes prises à la suite de mes premiers entretiens avec Gide ; j'ai été amené à les lui lire, il y a deux ans, en vue de leur publication. A l'évocation de ces souvenirs, il parut vivement intéressé et les écouta avec une vigilante attention.

J'ai également fait figurer ici des notes de la même époque (1926-1931), qui correspondent à des entretiens avec des amis et des contemporains de Gide. Beaucoup d'entre eux sont morts. Les autres ont bien voulu se reconnaître dans les propos qu'ils ont retrouvés ainsi vingt ans après.

La guerre dont il est parfois parlé ici, sans que soit précisé de laquelle des deux guerres mondiales il s'agit, est toujours celle de 1914.

Seules quelques notules finales datent de 1950.

... AVEC ANDRÉ GIDE

1926.

Dans le hall du Grand-Hôtel. Gide est rejoint par Curtius, puis par Marc et Yves Allégret. Ayant passé un certain temps à me chercher, il s'excuse. Nous sommes assis dans des fauteuils, autour d'une table.

Gide entouré de familiers, ce qui le met à l'aise et le rend heureux. Sa vivacité d'esprit, son goût pour les manifestations les plus diverses : il vient d'une soirée donnée par Léo Poldès au *Faubourg ;* — il invite des amis au Vieux-Colombier à voir *La Fin de Saint-Pétersbourg ;* — il parle de la nouvelle pièce de Roger Vitrac ; — d'une exposition de peinture ; — et auprès de Curtius, s'informe des manifestations surréalistes à l'étranger. Curiosité inépuisablement renouvelée de cet homme qui, en évitant de se faire remarquer, en craignant souvent d'être reconnu, se rend partout où il croit la satisfaire.

1926.

Je retrouve Gide chez la duchesse de Trévise (aujourd'hui vicomtesse de Lestrange), qui l'héberge durant son absence. La sensibilité de Gide m'apparaît aujourd'hui, en ce lieu, enfermée dans un corps de paysan sec et dur.

Gide offre le thé. Plus exactement, c'est la femme de chambre de madame de Trévise qui l'offre. Gêné de se faire servir. Le cérémonial du thé : les petites phrases rituelles, il semble les réciter par cœur, avec maladresse et d'un ton forcé. Et, naturellement, il s'excuse.

Me parle longuement de mon article sur lui, paru dans les *Nouvelles Littéraires,* approuve mon interprétation, comme il approuve toutes les interprétations, fût-ce les plus contradictoires, quand elles lui paraissent établies sans mauvaise foi.

1926.

Avec Gide, dans une librairie du boulevard Haussmann. Il désire acheter un livre rare sur le Congo. Le directeur étant absent, il s'adresse à la vendeuse. Il se nomme. Elle, sans doute ignorante, ne répond pas. Alors avec timidité, il examine l'ouvrage, un grand album illustré, mais il examine sans voir, inutilement et pour la forme. C'est qu'il attend qu'un dialogue s'engage avec quelqu'un, à défaut avec cette vendeuse presque muette, mais comme rien ne vient, il prend silencieusement le livre, sans discuter son prix élevé, sans demander une remise et sort anonymement.

... AVEC ANDRÉ GIDE
ET
CHARLES DU BOS

1930.

Chez Charlie Du Bos. — Entre les deux amis, l'entretien
se poursuit devant moi sur un ton grave. Du Bos, suave,
le crâne poli, moustaches tombantes, col dur et droit, subti-
lise. Gide est le grand personnage. L'entretien, affectueux
pour Gide, merveilleux pour Du Bos, dure depuis douze
ans. Plus tard, Gide déclarera dans son *Journal* que ces
conversations lui paraissent souvent « un jeu d'une gratuité
totale, où [il s'amusait] comme un gosse ».

Du Bos : — ... Le débat moral est entre ceux qui, comme
vous et comme moi...

Gide : — Vous savez comme je suis loin de toujours
m'approuver...

Du Bos : — Ah ! Cher, votre modestie, qui me paraît la
justesse même de votre ton... (Emotion frissonnante, presque larmoyante de Du Bos.) Vous m'éclairez sur la forme
de votre style dans *La Symphonie Pastorale,* en me contrai-
gnant de préciser, comme je le ferai dans mon étude, que...

Gide se détache courtoisement de la conversation. Avec
simplicité, se tourne vers moi. Ou plutôt c'est son siège
qu'il a tourné. Son regard fixe devant lui un coin sombre

de la pièce. Il semble que c'est de ce point de l'espace qu'il
veuille faire surgir et rendre concret ce qu'il veut dire
de lui. S'excuse à plusieurs reprises de se mettre en avant.
Mais ne déforme-t-on pas constamment sa pensée ? Ne
doit-il pas rétablir la vérité ?

Dès que Gide se livre, il cherche, détournant son regard
de l'ami, à faire apparaître comme à tâtons, puis progressivement, l'être intérieur qui l'habite.

Moi : — J'ai pensé écrire un livre sur vous.

Gide : — Je n'osais pas vous le demander... craignant que
vous n'ayez renoncé à ce projet. (Et il laisse entrevoir d'autres rencontres, d'autres confidences...)

A présent, Gide et Du Bos sont assis, séparés par la bibliothèque grande ouverte. Entre eux, recommence un extraordinaire et nouveau dialogue. Amiel et Benjamin Constant.
Prospection, introspection, analyse. L'analyse d'Henry
James. Gide propose un autre thème : — « Ce mot de Dostoïevski, que je fais mien : *On ne doit gâcher sa vie pour
aucun but.* » Du Bos s'élance : — « Creuser ce mot jusqu'à en toucher le fond, et ici réintroduire Pascal... » Gide
avance de nouveaux prétextes : — « Vous accordez trop
à Pascal. C'est Montaigne qui grandit en moi. » Du Bos
fait varier les thèmes : ... Vivre au plus haut — opposé à : la
perfection interne... La dépréciation de la douleur — au
profit de la sincérité... Du Bos, saisi par la fascination de la
transcendance, gagne les cimes. Le monde extérieur s'est
volatilisé. Seul vestige du réel, la bibliothèque. De sa place,
Du Bos tire d'un rayon *Hyperion,* relié en plein cuir bleu :
— « ...Le principe de la beauté abstraite de Keats... Le
cristal de Novalis, en fonction de votre *Traité du Narcisse...* » Aux thèmes, sont reliés les noms pathétiques de
morts : Whitman, Shelley, William Blake. Du Bos :
— « Ah ! Cher, je voudrais réfléchir avec vous sur ces
morts que j'aime... » Gide est entré dans le jeu : — « Il

n'y a qu'avec vous que j'aime à parler d'eux. » Du Bos
développe des éventails de nuances, soulève des poussières
de subtilités, comme des souffles d'air paradisiaques. Surgit une nouvelle constellation : Browning, Nietzsche, Dostoïevski, « triangle auquel je voudrais vous rattacher, quoique vivant ». Gide accorde sa sympathie. Du Bos se penche
et s'épanche ; s'émeut, s'interroge. Il règne sur les esprits,
range Browning dans sa bibliothèque, reprend Keats, lit
quelques pages d'*Hyperion* à haute voix, qu'il ne peut
relire sans un sanglot... Gide silencieux. Gide pour atterrir,
fait quelques pas dans la pièce.

Moi, poliment : — Je suis surpris par votre aisance à
trouver les livres que vous désirez. Comment les classez-
vous ?

Du Bos (pénétré et supérieur) : — Mais, par affinité.

Gide prend un ouvrage broché qui traîne sur une table,
un livre qui vient de paraître de D. sur l'Amérique. A son
tour en lit certaines pages, à haute voix, admirablement, les
juge avec un esprit non prévenu, critique le style compact
et lourd, l'œuvre mal composée et impure, mais ne rejette
pas tout. A nouveau, il fait bifurquer l'entretien.

Quinze ans plus tard, je lisais dans le *Journal* de Gide :
4 *juin* 1931 : « ...Charlie Du Bos... avouait qu'il ne croyait
pas avoir jamais *vu* d'escargots. »

AVEC ANDRÉ GIDE

Samedi, Noël 1927.

Froid très vif. Voie privée et presque impraticable : les propriétaires, indifférents au repavage.

Je me dirige vers la villa Montmorency.

Les fenêtres de la façade apparaissent comme des lucarnes, étagées en escalier. La porte du jardin, — jardin à l'abandon, — est ouverte ; celle de la maison aussi ; celle qui donne dans le vaste hall, également. J'appelle. Voix lointaine qui donne un ordre : — Fermez les portes ! Je reviens sur mes pas.

Apparition d'un homme en chapeau et en pardessus.

Moi : — Vous sortez ? — Non, j'ai la grippe.

Et aussitôt je retrouve son accueil fait de sympathie : — Je vous attendais.

Il est huit heures du soir. Je crois sentir qu'il se réjouit de me revoir, que son temps est à moi, — sans que rien ne l'exprime précisément, — et malgré une sorte de froideur, mêlée à une ferveur retenue. Le matin, au téléphone, j'avais dû le réveiller et ses : « Qu'est-ce qu'il y a ? Que voulez-vous ? » frémissaient.

Au coin du feu. Une large cheminée de campagne sans trappe, un peu en retrait. De temps à autre, Gide tisonne. Les pièces, qui se suivent obliquement, sont si vastes que le calorifère chauffe insuffisamment. L'éclairage raréfié ne permet pas de distinguer le plafond, ni les toiles aux murs. Pas de tapis ; de la pierre partout. Dans un coin, une table fragile, sorte de table de jeu improvisée, sur laquelle Gide a posé des notes. Deux chaises entre la table et le feu.

Nous parlons des critiques parues sur *Si le Grain ne meurt.*

Coup de sonnette. Gide remet son chapeau, petit feutre mou d'excursionniste, son grand manteau de voyage et part en expédition pour ouvrir la porte.

Aucun domestique. C'est Marc et son frère qui péparent le thé. Marc débarrasse la table, pose les tasses. Gide proteste pour ses notes dérangées. Marc, amusé : — Je referai le désordre !

Ces jeunes gens qui entourent Gide, ce sont ses compagnons, presque une autre famille. S'il joue avec eux, comme malgré lui, parfois à l'aîné, c'est joyeusement, en toute simplicité. Il vit, par sympathie, à travers eux.

Un peu plus tard, lorsque, pendant notre long entretien, Gide sera amené à traverser le hall contigu, laissant la porte ouverte, je les apercevrai groupés dans le fond (ils doivent être quatre ou cinq) autour d'une lourde table de bois.

Au-dessus de cette table, au lieu de lustre, une ampoule nue. Contre les murs, des malles. C'est le camping véritable. L'hôte qui habite cette demeure ne peut être qu'un voyageur de passage.

Sur la table, un tas de bricoles : des bouts de film, des bobines métalliques, la carcasse d'un appareil de projection (Marc vient de rapporter d'Afrique son premier film, tourné avec Gide), des livres, un exemplaire de la *Revue de France,* avec un article de Vandérem sur *Voyage au Congo.*

Quand Gide va chercher, pour m'en faire présent, un exemplaire de *Numquid et tu...?* (dans la première édition, sans nom d'auteur, qui n'a encore été tirée qu'à 70 exemplaires), il remet à nouveau son chapeau et son manteau. Il monte, non par l'escalier principal et glacial, mais par

un petit escalier intérieur. Tout le monde, ici, a pris son
parti de l'inconfort.

A ses mains, des mitaines, elles aussi pour le protéger
du froid.

— J'ai entrepris, me dit Gide, plusieurs travaux à la
fois. Je pense à un complément à mes *Nourritures Terrestres*. Je voudrais faire un livre plus assuré, plus détaché
des contraintes que mes autres livres, plus authentique. Il
correspondra à la véritable plénitude qui m'habite. Je crois
qu'on n'a jamais vraiment parlé du bonheur, ou jamais
assez... J'ai des quantités de notes sur ce sujet si important.

Gide m'en lit quelques-unes.

Gide :
— Je veux écrire également le journal d'une femme qui
naturellement parlera à la première personne. J'évoquerai la
famille, la religion, beaucoup d'autres questions. Il faudra
que l'ouvrage soit assez vaste. (Jeu de lunettes de Gide.) Je
n'ai pas encore précisé le point où je suis arrivé. Quand je
m'analyse, on me dit : — Narcissisme !... Quelle plaisanterie !

Un silence. Une hésitation. Gide rapproche son siège
de moi :
— Avant de vous parler, je dois vous avouer que je
suis gêné... je crains de vous heurter.

Ce qui signifie, si je comprends bien : — Où en êtes-
vous avec la religion ? Je réponds, sans sortir du sujet :
— A treize ans, j'ai eu des « doutes » et dès lors, il
n'y eut plus jamais de religion pour moi. Pourtant j'ai vécu
quelque temps encore, avec un Dieu créateur ; un jour, il
s'est effondré. Aujourd'hui...

Gide, penché vers moi, captivé :
— Parlez, je vous en prie... je vous suis avec pleine
attention.

Moi :

— Tout cela est si ancien que ma vie religieuse me paraît ressortir à ma vie prénatale. Ce sont d'autres questions, aujourd'hui, qui me pressent...

— Alors, vous n'êtes pas *inquiet*... ?

C'était là où il voulait en venir. Pour Gide, il n'y a qu'une question : on est — ou on n'est pas inquiet.

— Pas inquiet du tout, dis-je.

— Moi non plus. Je suis parvenu à ne l'être plus. C'est ce que je veux dire quand je parle de détachement, d'équilibre, d'état olympien. Mais il y a autre chose. Et c'est pourquoi je n'écris rien à ce sujet ; c'est que cette question me révolte, c'est que je ne peux en parler sans passion, sans violence... Si je n'ai rien écrit, sans doute est-ce d'abord pour ne pas peiner certains amis, ma femme...

Je songe, pendant qu'il parle, à la publication toute récente de *Si le grain ne meurt*. Ainsi les confidences du cœur, la vie du corps, les désirs dits « contre nature », le désir des adolescents, le désir solitaire, ceux qui heurtent le plus directement la société, tout cela mis à nu est moins grave, pour lui, que l'aveu de ne plus croire ; tout peut être exposé au grand jour, doit l'être, sauf la négation de Dieu. Peur de tout « perdre » ?

— Et c'est ensuite, continue Gide, parce que je suis outré devant certaines interprétations, hélas courantes, qui ont été données aux Evangiles. C'en est arrivé au point que l'on peut être *catholique* sans être pour cela vraiment *chrétien*. L'interprétation catholique, c'est une seule interprétation, toujours la même, de la Bible, et résolue, — tendancieuse. *L'Eglise contre le Christ* : ce pourrait être, ce serait le titre d'un livre que je me propose d'écrire... c'est banal, trop évident... Et c'est pourquoi je ne l'écris pas. Mais j'ai une chemise de notes toutes prêtes.

Gide en sort quelques-unes qu'il me tend pour lecture.

Il reprend :

— On m'accuse d'interpréter. Je prétends que les Evangiles sont tout de joie... *Heureux ceux qui... Heureux...* :
c'est la première parole du Christ, tout comme son premier miracle est la métamorphose de l'eau en vin. C'est
là, la lumière des Evangiles. On m'accuse d'anarchisme.
Après tout, pourquoi pas ? Mais non, je n'interprète pas.
J'exprime, j'aime les Evangiles ; je vis en eux...

Sonnerie du téléphone, placé dans je ne sais quel recoin
incommode. Marc répond.

Gide :

— Je puis vous l'avouer, un trait domine mon caractère :
je ne sais pas, je ne veux pas « posséder ». Caractère évangélique ? Avez-vous lu un livre de Raphaël sur *Rathenau* ?
Il parle d'une organisation sociale qui aboutirait au « contraire » de la propriété, la propriété ayant été la cause de
tous nos maux. Il est vrai que je n'adhère nullement au
socialisme. A vrai dire, je n'en sais rien ; je me crois incom-
pétent... mais peut-être que je le rejoins par là. Je prends
ma joie à ne rien posséder ; ma joie, c'est de donner. J'aurais
voulu ajouter un chapitre à *Si le grain ne meurt,* parler des
« propriétés foncières ». J'ai vendu La Roque (je le dis
dans *l'Immoraliste*) et, si j'ai gardé Cuverville que j'aimais
moins, c'est par amour pour une autre personne. Cette
ferme, ce morceau de terrain, il faut que je me répète qu'il
est à moi. « Mon » fermier, je ne comprends pas ce que
cela veut dire. Mon bien, mes affaires, il faut qu'on me les
rappelle. Je vis à Cuverville comme un prince consort. A La
Roque, on m'avait nommé maire ; je n'ai cherché qu'à me
dérober à cet « honneur », qu'à échapper à cette effroyable
corvée. Lorsqu'on dit : « Il possède ; c'est un propriétaire »,
je suis affreusement gêné. A Cuverville, je vis enfermé, sans
sortir ; j'ignore le temps qu'il fait ; pluie ou soleil, on me
l'apprend. Prince consort, vous dis-je... — Tenez, ici
même... j'ai quelques tableaux, mais je préférerais les voir

dans des musées ; j'aimerais que des amis en tirent du plaisir... — J'aurais rêvé d'installer dans cette « villa-ci » une sorte de phalanstère, avec des parents, des artistes, des étudiants... Les circonstances ne l'ont pas permis. Je vous ai dit, je crois, que je ne trouve pas de femme de ménage... En vérité, je n'en cherche pas. J'ai horreur de me faire servir. Il m'est pénible de voir les autres travailler pour moi.

Est-ce par timidité ou par suite de son éducation ? Toujours est-il que Gide préfère renoncer au bon ordre dans son ménage plutôt que d'en assumer le souci. Si au début de notre entretien, il m'a offert le thé, peut-être espérait-il que je n'accepterais pas. Il est vrai qu'un peu plus tard, quand Marc, sachant lui être agréable, a proposé de le préparer, il lui a répondu d'un air compétent et un peu malicieux :

— Mais sa saveur ne dépend pas seulement, comme tu le prétends, de la marque de la boîte ; encore faut-il savoir le faire.

Tourné vers moi, Gide :
— On parle souvent de mon avarice : il est vrai que je n'aime pas pour moi m'offrir un bon repas, entrer seul dans un bon restaurant, me faire plaisir matériellement. J'en arrive à croire que ce serait me voler moi-même.

Ses voyages en troisième classe ; ses déjeuners dans le petit bistrot de la porte d'Auteuil ; la crainte d'avoir laissé des pourboires insuffisants qui provoque en lui des débats de conscience, lorsqu'il découvre, après coup, qu'ils ont dû être effectivement insuffisants.

— Votre détachement, lui dis-je en souriant, est-il une étape vers la sainteté ?

Gide sourit à son tour :
— Persuadez-vous que le diable n'y perd rien...

Le goût de donner chez Gide. L'aide matérielle qu'il
apporte à des amis, parfois à des inconnus, et par des voies
souvent détournées, pour ne pas les « gêner ». Comment ce
qu'on appelle son avarice rejoint son désintéressement. Tout
cela entre dans son goût de la « *non-possession* ».

Gide :
— Oui ; mais cela peut mener bien loin. On m'a reproché la dernière page de *Si le grain ne meurt*. Je sais. Je
croyais, en aimant, en épousant « la vertu même », pouvoir
mettre ma nature au défi : je prétendais en me mariant
apporter le bonheur. Evidemment, j'ai dû reconnaître, hélas,
que je m'étais trompé. J'ignorais presque tout de la femme,
je méconnaissais ses besoins réels, les besoins de sa vie propre,
charnelle... Je vous ai dit qu'aujourd'hui, je suis profondément heureux. Et que, sauf quand je me sens mal physiquement, quand mon travail ne va pas, quand je me
sens arrêté par lui, je suis heureux. Il est vrai. Mais il y eut
de ma part, par mon mariage, cette sorte d'engagement pris
imprudemment, — présomptueusement — et je dirai aussi,
presque innocemment, d'engagement que je n'ai pas tenu
et qui reste pour moi le problème le plus grave, constamment
et atrocement douloureux... On ne peut apporter le bonheur que quand il s'échange. Mais comment oser parler
de bonheur... d'un bonheur qui compromet celui d'autrui ?
Mais ne croyez pas que ceci se placerait tout de suite
après la dernière page de *Si le grain ne meurt*. Il y aurait
plusieurs autres chapitres auparavant : vingt ans... Et quand
un jour, j'ai pu trouver un autre bonheur, quand une
immense joie m'appela ailleurs...
Profondément remué, Gide reste quelques moments à
regarder le sol, dans un grand silence.

Gide :

— Je voudrais vous dire encore quelques mots de la jalousie. J'ai longuement pensé à ce sujet. A dire vrai, la jalousie n'est un sentiment violemment ressenti que dans un puissant amour hétérosexuel : c'est la haine du mâle pour le mâle. Dans les autres amours, la jalousie devient d'une nature différente, et je la crois beaucoup plus rare. Ma haine pour C., ma plus grande souffrance, mon besoin de cogner, ma vie complètement déréglée, c'était Pygmalion retrouvant sa statue abîmée, son œuvre saccagée ; mon travail, mes soins d'éducateur, mon esprit complètement galvaudés par un autre : le « gentil » C. Ce n'était pas de la jalousie, c'était autre chose. Il y a beaucoup de cela dans Candaule. C'est à la faveur de ces sentiments que j'écrivis cette pièce.

Gide :

— Oui, à certains moments, j'ai été complètement païen... L'alliance du ciel et de l'enfer... ? Vous n'ignorez pas mon admiration pour Blake.

A présent, je ne lutte pas contre l'attrait du plaisir. Je pense que je ne dois pas lutter. J'ai renoncé à lutter et j'en suis heureux.

Et néanmoins... Comment vous dire ?...

A nouveau un long silence ; puis Gide :

— Connaissez-vous l'histoire de Polycratès ? Je me suis nourri de la Bible et des mythes grecs. Pour l'un comme pour l'autre, vous savez que je ne cherche pas à interpréter, mais à approfondir, comme j'ai fait pour l'*Enfant Prodigue*.

Je vous parlais de l'histoire de Polycratès. Voici ce que j'y vois. Polycratès s'est peu à peu démuni. Et plus il se démunit, plus heureux il se sent. Il s'est appauvri de tout jusqu'à ne posséder plus rien que son anneau de mariage. Dès lors commence son angoisse : c'est son anneau ; ... il le jette à l'eau, mais un poisson le lui rapporte. Un mariage ne se rompt pas.

Il me semble que l'inquiétude ressurgit en Gide sous l'absence d'inquiétude ; que son esprit religieux n'est pas encore vaincu.

Gide se lève. Par la porte entr'ouverte, j'aperçois et j'entends les cinq jeunes gens...

Notre entretien prend fin, certes, moins par défaut d'aliment que parce que les confidences ont atteint une frontière. Il y a aussi l'heure tardive, la fatigue. Silence un peu gêné de Gide. De ses deux mains, il presse fortement la mienne, en souriant, sans desserrer les lèvres, sans plus prononcer un mot.

AVEC JACQUES-ÉMILE BLANCHE
ET
PAUL VALÉRY

1927.

Jacques-Emile Blanche me parle de son mariage, qui eut
lieu à l'époque même où Gide était fiancé. Blanche voit là
une analogie de situation : mêmes scrupules, même indécision ; même attente, — bien que ses hésitations, s'em-
presse-t-il d'ajouter, reposaient sur d'autres motifs.

Ils n'en parlaient qu'à demi-mot, par confidences allu-
sives. Blanche paraît fier d'avoir compris, dès cette époque,
la vie privée d'André Gide.

Entrée de Paul Valéry.

Valéry :

— Gide a été mon ami de toujours et je n'ai, quant à
moi, qu'à me féliciter de cette amitié. Elle est peut-être
d'autant plus étrange que nous n'avions, que nous n'avons
encore, sur aucune question, des idées analogues.

Valéry ne veut pas entendre parler de la « pensée »
d'André Gide.

Valéry :

— Gide me parlait de ses scrupules religieux. Il m'expliquait que nous avions chacun Dieu en nous ; je lui répon-

dais que je voulais bien admettre, à la rigueur, un Dieu, que ceci peut se concevoir, mais je lui disais : — Non, Gide, ça je ne marche pas ; je ne vois pas du tout comment Dieu peut être en nous...

Blanche :
— Mon amitié pour Gide a eu des hauts et des bas. Il s'intéresse longuement à vous, puis semble vous oublier complètement. Ou même, se retourner contre vous.

Mais Valéry proteste de la fidélité de Gide. A son tour, Blanche proteste dans le même sens et se déclare un de ses plus anciens, de ses plus fidèles amis.
Blanche parle, en bredouillant toutes sortes de choses, du caractère et de la nature des désirs de Gide.
— Je dois reconnaître, déclare Valéry, que je ne m'en étais jamais avisé et que je n'ai su cela qu'il y a fort peu de temps.
Etonnement quasi indigné de Blanche :
— Pas possible ! Voyons, vous !... un intime de Gide, qui avez vécu si longtemps avec lui... !
— Je dois avouer, répond Valéry, que toutes ces questions me paraissent bien étranges. J'aimerais citer le proverbe arabe, sans doute assez indécent...
Blanche :
— Je vous en prie...
Visage aux yeux affriolés, concupiscents de Blanche.
Valéry :
— Homme, femme, enfant, brebis, peu importe, ce n'est toujours qu'une affaire de cul. Mais Gide, à ces questions, semblait mêler des scrupules, remuer des soucis moraux et religieux, qui ont dû même profondément le faire souffrir.

Valéry paraît vivre dans un autre univers, sur un autre plan, complètement absent de ces préoccupations, ne pas les admettre...

Valéry :

— Ce qui manque à Gide, c'est une culture scientifique ;
il n'a jamais voulu entrer dans ce domaine ; jamais voulu
le connaître. J'ai toujours eu l'impression qu'il cherchait
à « conserver » son talent par tous les moyens possibles et
qu'il pensait qu'une culture scientifique approfondie aurait
pu le gâcher. Ses livres témoignent souvent du souci de
protéger la source de son inspiration.

Valéry :
— Gide est un *moraliste*.

Qualification qui, dans l'esprit de Valéry, n'est pas un
éloge. Le moraliste est probablement pour lui l'homme
qui vit en dehors du réel. Les opérations mentales, leurs
rouages, leur pouvoir, leur limite, et leur rigueur, cela
seul a de la valeur pour Valéry.

— Ce que j'aime chez Gide, reprend Valéry, ce sont les
moments où il se montre naturel, lui-même et spontané :
dans *Si le grain ne meurt,* les portraits qu'il fait de sa
famille, de ses parents, de son oncle Charles Gide. Mais je
n'aime pas du tout Lafcadio, et toutes ces recherches artificielles autour de l'acte gratuit qui me semblent profondément absurdes.

N'y a-t-il pas pourtant une certaine parenté entre Teste
et Lafcadio ? Ne sont-ils pas l'un et l'autre des personnages créés avec du « possible » ? Des personnages, plutôt
qu'inventés par l'imagination, « *supposés* », et qui agissent
dans l'abstraction, l'un à l'extrémité de la logique, l'autre
de la liberté.

Blanche :
— L'artiste pourtant me semble, chez lui, plus important
que le moraliste ; toujours l'artiste revient au premier plan.

Valéry :

— Ce qui m'intéresse en art, c'est uniquement la question technique. Seule la technique me paraît importante.

Mépris général de Valéry — un peu à la manière surréaliste — pour la littérature. Je pense à sa correspondance avec André Breton.

Jugeant un tableau de Blanche en cours d'exécution, Valéry lui fait remarquer que les personnages du premier plan n'ont pas la grandeur voulue.

Blanche :

— Vous avez sans doute raison, mais ces règles de la perspective ne sont guère observées par les peintres modernes...

Valéry :

— Si l'on abandonne la technique, il ne restera plus rien de la peinture.

Valéry parle de son discours académique en préparation. Il regrette que la tradition ne lui permette pas d'exprimer librement son opinion sur France, d'où la difficulté pour lui d'établir ce discours. Quelques-uns prétendent : — Quel beau sujet ! Mais il pense que c'est « un admirable écueil ».

France lui paraît un mélange de Sardou et de Paul de Kock. Il vient de relire *Les Dieux ont soif* où la partie historique, l'affabulation dramatique lui semblent du Sardou et les personnages, du Paul de Kock.

Il raconte qu'il ne prononcera à aucun moment le nom d'Anatole France, mais au lieu, par jeu et par mépris : « mon illustre prédécesseur », « votre docte et subtil confrère », « le jardinier du Jardin d'Epicure »... Il se propose de parler de l'illusion de la clarté qui donne le sentiment de comprendre sans attention, de s'enrichir sans effort.

Blanche :

— Je crois que vous avez connu la mère de Gide. Elle me paraissait une femme terriblement autoritaire. Il devait en arriver parfois à la détester...

Valéry :

— Détester... je ne sais pas... Elle était, en tous cas tyrannique. Elle ne voulait pas révéler sa fortune à son fils, pour que celui-ci gardât des goûts modestes. A Montpellier, imaginez... elle lui avait trouvé un logement dans un quartier invraisemblable pour qu'il soit moins incité aux dépenses. Quand elle allait le voir, elle se promenait avec sa bonne dans ces rues sordides, sans savoir qu'elle avait été amenée à le loger dans des lieux... fort mal fréquentés, près des bordels.

Que la mère soit « tyrannique », comme celle de Gide ou, au contraire, toute faiblesse, comme celle de Proust, peu importe ; c'est en prolongeant sa protection que la mère prolonge l'enfance de son fils et, par là, son « narcissisme » ; c'est cet enveloppement trop étroitement et longtemps maintenu qui incline peu à peu, fâcheusement, les tendances sexuelles de l'adolescent.

Mais ma séduisante explication tombe d'un coup, quand j'entends Valéry parler longuement, en termes émus, de sa mère, qui vient de mourir :

— Elle avait plus de quatre-vingts ans. Presque aveugle, elle enfilait encore des aiguilles, en faisant un geste extraordinaire, qui consistait à tendre la main vers la lumière en penchant la tête. Elle avait gardé sur moi toute son autorité. Elle me posait encore des questions sur l'emploi de mon temps. Cette autorité, elle a cherché aussi à la prendre sur mes enfants.

Les paroles de Valéry me rappellent ce que m'a dit un jour Valery Larbaud de sa mère :

— J'ai cessé de voyager à cause de maman. Elle est si âgée que je n'ose pas la laisser seule. Dès que j'étais en Espagne ou au Portugal, je ne songeais qu'à revenir. Elle me fixait parfois la liste des villes où passer l'hiver. Je serais devenu sans doute un explorateur, c'était au moins mon désir, si maman ne m'avait retenu. J'ai parfois souhaité qu'un ami lui fasse comprendre que je ne pouvais toujours rester dans la villa Larbaud-Saint-Yorre...

AVEC ANDRÉ GIDE

Décembre 1928.

Nouvel appartement de Gide, rue Vaneau. Plus exactement, il en y a deux, qui n'en font qu'un, réunis par l'entrée. Dans l'un, celui de Mme Théo Van Rysselberghe, qui
doit recevoir en ce moment, j'entends les voix de plusieurs
personnes, une agitation bruyante de neveux et d'enfants.
Je pénètre dans l'autre, celui de Gide, et j'aboutis, par un
couloir développé, aux portes nombreuses, dans un assez
vaste atelier plein de livres, où un petit escalier intérieur
conduit encore à une loggia. Pour travailler, Gide s'est
niché dans un recoin de la pièce, tout contre une minuscule
fenêtre, qui donne sur les jardins de l'hôtel Matignon.

Je retrouve les complications de la « villa » et aussi le
rouge assez laid de la bibliothèque. Je pensais que la
« villa » était une erreur de goût de sa jeunesse ; non, le
goût ne s'est pas modifié ; en vérité, on ne s'installe qu'une
fois dans la vie. — En vérité, déclare Gide, ça ne m'intéresse pas.

C'est madame Van Rysselberghe qui s'est occupée des
plans, de l'ameublement, de ce déménagement qui n'est pas
encore achevé : désordre dans les autres pièces ; tableaux
non accrochés ; des cordes pendent aux murs.

Une vieille bonne alsacienne (au service de Gide ou de
madame Van R. ?) m'a ouvert et me fait tenir debout dans

l'entrée. Quand j'ai découvert Gide, je l'ai trouvé installé dans son coin, entouré de cartons, de papiers, la machine à écrire de sa secrétaire tout près de lui.

Voici que s'ouvre une porte que je n'avais pas remarquée dans le studio ; elle le fait communiquer avec une nouvelle pièce inattendue pour moi, d'où Marc apparaît pour demander à quelle heure ils doivent sortir.

Au début d'une conversation, Gide, gêné, accentue plus qu'à aucun autre moment la profondeur de sa voix, qui traîne sur certaines syllabes.

Gêné aussi dans de simples réponses à une secrétaire de passage chez lui. Elle est prête à partir. Il lui parle avec une amabilité affectée, contrainte.

Au milieu des chemises et des manuscrits qui traînent, il cherche des papiers. La pièce paraît bourrée de tout ce qui représente la vie de l'homme de lettres.

Il me paraît en ce moment occupé à relire ses notes, les pages de son *Journal,* sa correspondance avec Louÿs (— Que je vous ferai lire). Il me parle, en les soupesant, des propos et des critiques à son sujet.

Gide :

— Je viens de lire le *Dialogue* de Du Bos avec moi : la première partie est tellement élogieuse qu'il a été obligé, dans la seconde, de déclarer comme les Massis et les Maritain que je me « déspiritualisais », que je représentais un cas « d'inversion généralisée » !

Je n'ai pas empêché la publication de ce livre, comme le prétend la légende, mais j'ai dit que j'étais peiné, navré de ce qu'écrivait un ami cher ; oui, c'est cela que j'ai dit à Du Bos quand il m'a demandé de juger son livre.

Puis il est revenu chez moi pour que je le console de ce qu'il avait écrit sur moi.

Que voulez-vous ? Mon influence n'a pas dû être si « terrible » puisque tous mes amis se convertissent. Il est

vrai que dans la conversion de Charlie Du Bos, c'est la
maladie qui a dû être déterminante.

— Je l'avoue, déclare Gide : les critiques qui paraissent
contre moi me gênent, non pas tant par leurs attaques que
parce qu'elles m'empêchent d'écrire aujourd'hui librement.
Il y a des moments où je pense en écrivant que chaque mot
sera interprété dans tel ou tel sens faussé et qu'on s'en servira aussitôt pour se retourner contre moi. En France,
je reste mal compris. La légende me trahit. L'étranger me
comprend beaucoup mieux. Il n'y a pas de *préjugés* contre
moi à l'étranger, je veux dire pas de *prejudice* dans le sens
anglais de ce mot.

Vous avez aimé mes *Faux-Monnayeurs*. Votre article,
vous savez que j'aurais souhaité qu'il fût publié en préface.
Eh bien, le succès de ce livre, qui va s'accentuant, devrait
pourtant m'encourager. La vente du livre se rapproche de la
vente des livres de Proust. Même les ouvrages de Valéry
connaissent le succès.

Puis, se reprenant :

— Peut-être mon œuvre, après tout, est-elle de part en
part littérature. Je n'ai pas jusqu'à présent fait véritablement
œuvre d'affirmation. Je me persuade maintenant que j'ai
un message à apporter. Mais il faut que je me hâte, car je
n'ai plus beaucoup de temps. J'avoue que je suis obsédé par
l'idée de la mort. De crainte religieuse de la mort, non, je
n'en ai pas, en dépit du désir de mes amis, les uns cha-
grinés, les autres exaspérés de me savoir tranquille.

Mon obsession vient d'ailleurs : je constate à présent que
j'ai été trop longtemps détourné de ma véritable voie par
la sympathie. Mon époque d'abord m'a détourné de moi-
même : le symbolisme avec son souci d'art ; ma vénération
pour Mallarmé.

Et puis, je peux bien vous le dire : l'amour détourne
aussi beaucoup de soi. Mon mariage... C'est une question
dont je n'ai pas le droit de parler, qui sera probablement

expliquée après ma mort. Je n'ai pas pu écrire ce que j'aurais écrit si ma femme n'avait été là. Il y a des choses que je ne pouvais pas dire à cause d'elle. Je n'en ai presque rien dit non plus dans mon *Journal.* Mon *Journal,* d'ailleurs, je l'ai tenu surtout dans des périodes de calme ou de dépression. Je l'ai rarement ouvert quand il se passait quelque chose dans ma vie.

— Au fond, ce que j'ai à dire, je l'affirmais déjà à dix-huit ans : la plupart de mes idées d'aujourd'hui, je les retrouve dans des notes prises à cet âge. Je les réaffirmerai, mais plus nettement, dans un livre qui s'appellera : *Les Nouvelles Nourritures.* Je défendrai ma position morale actuelle par rapport à la famille et à la religion. Un livre tout entier devra être, selon moi, consacré à la question religieuse, pour qu'elle soit traitée comme il sied.

Au moment où je vais partir, il retrouve les liasses de ses notes de jeunesse et en sort au hasard quelques-unes. Je lis sur l'une d'elles : « Commettre un crime. Recherche de l'absolu. Commettre un crime dans un secret total. » Suit immédiatement ceci : « Ne pas exagérer ou ne pas aller trop loin. » Sur une autre note : « Le vice est passif, la vertu, non. »

Sur une autre : « Se maintenir disponible » et Gide explique :

— C'était la grande idée de l'époque. Elle préoccupait alors Valéry autant que moi : ce qu'on fait n'a aucune importance ; ce qu'on pourrait faire est plus important, plus probant que ce qu'on fait.

— J'achève en ce moment, reprend Gide, un autre livre dont je vous ai déjà parlé. Ce sera le journal d'une femme mal mariée. Je l'appellerai : *L'Ecole des Femmes.* Après, j'écrirai peut-être le pendant : *L'Ecole des Maris.* Je suis préoccupé par l'idée de la sympathie. Combien une femme

peut changer dès qu'elle éprouve un amour ; combien elle
s'intéresse alors à tout ce qui intéresse l'époux. Mais quand
son amour commence à s'éteindre, la femme retrouve sa
première personnalité, qui n'est cependant plus la même, le
plus souvent appauvrie, enlaidie.

L'Ecole des Femmes a pris des formes successives très différentes dans l'esprit de Gide et pendant la composition
même du livre.

AVEC JACQUES COPEAU

Jacques Copeau arrive chez moi, sa maigre et haute silhouette enfermée dans un imperméable très long du bas et qui, vers le haut, le cache jusqu'au menton. Débarrassé de son enveloppe, assis en face de moi, il gesticule continuellement. Pouces dans les entournures du veston. La position des jambes ne cesse de changer.

De temps à autre, il passe la main sur son front complètement chauve comme pour faire appel avec un douloureux effort à des souvenirs anciens. Tout dans cette évocation du passé lui semble pénible ; mais il y a surtout un ou deux événements auxquels il paraît particulièrement sensible comme s'ils étaient d'aujourd'hui. Il hésite à s'en expliquer, il tourne autour d'eux, avec des sous-entendus, comme s'ils devaient être connus de tous. Pense-t-il à sa « conversion ? » Pense-t-il à son Théâtre abandonné ? Les deux événements sont d'ailleurs liés.

Je me rappelle un entretien avec Gabriel Astruc après qu'il eût quitté le Théâtre des Champs-Elysées ; il revenait constamment sur le sujet : les amis qui avaient été pour lui, ceux qui avaient été contre. Les larmes lui seraient venues aux yeux si l'entretien s'était prolongé. Tout datait cependant d'il y a quinze ans. — Pour Copeau, l'histoire du *Vieux-Colombier,* de sa gestion, de son départ, c'est encore sa vie présente.

Copeau :

— Gide n'a jamais aimé le théâtre. Il croit que c'est par amitié que j'ai monté *Saül,* mais je crois, moi, que c'est par gentillesse qu'il m'a dit que le *Vieux-Colombier* l'avait réconcilié avec le théâtre.

Gide n'imaginait, comme Mallarmé, qu'un théâtre idéal, une essence de théâtre projetée dans l'avenir, dont il parlait remarquablement. Mais le théâtre ce n'est pas ça ; le théâtre vit dans l'instant. Connaissez-vous une pièce qui ait été un « four », reprise cinquante ou cent ans plus tard avec succès ?... Moi je n'en connais pas.

N'ayant pas le temps de chercher des exceptions dans l'histoire, je n'ose pas contredire Copeau. Mais j'ajoute :

— On peut quand même écrire une pièce pour cent spectateurs et qui ne sera comprise que par la génération suivante...

Copeau agite les bras :

— Mais oui. C'est ça ! On peut l'écrire, cette pièce. Mais l'on ne peut pas la jouer. Le théâtre n'attend pas. J'ai monté *l'Otage,* il est vrai, comme on tire un livre à cinquante exemplaires, pour quelques représentations. J'en suis fier, mais ça ne fait pas vivre un théâtre. Le théâtre s'adresse à la masse, ou, dans nos petites salles, à une foule qui se renouvelle chaque jour. Je pense que Claudel est le plus grand dramaturge de notre temps, mais on ne pourra le jouer que dans vingt-cinq ans.

Gide m'a toujours suivi avec affection. Mais c'est surtout Ghéon et Schlum qui m'ont aidé au départ. Notre soirée inaugurale attira le Tout-Paris. Nous nous sommes arrêtés quelques mois avant la guerre sur le triomphe de *La Nuit des Rois.* Le *Vieux-Colombier* avait vécu un an à peine. C'est peut-être la brièveté même de son existence qui a fait si vive impression.

Gide lui-même l'a senti profondément. Il y avait chez lui, qui ne connaissait que de petits tirages, comme une secrète

nostalgie du grand public. Peut-être aurait-il voulu pour
la N. R. F., qui avait pourtant une assez vaste audience, la
même ouverture sur le monde, lier davantage le théâtre à
la revue. Il désirait alors écrire une pièce, mais il n'avait
pas de sujet. Il aurait souhaité que je lui en commande une.
Ah, que de projets n'avons-nous pas ébauchés ensemble !
Mais il n'a jamais fait confiance à l'élément d'incertitude
qu'est l' *interprétation*. Il sentait bien la qualité littéraire
des pièces qu'il avait écrites ; mais le théâtre est un acte
de la vie sociale, un échange entre la scène et la salle, une
communion. On n'imagine pas un directeur de théâtre
vivant sans contact avec le grand public.

C'est ce qui a surpris Gide. A notre première rencontre,
il m'a trouvé trop souple, trop armé pour la vie. (Copeau
passe la main sur son front.) Oh ! Cela doit remonter à 1903.
J'étais vieilli par une grande barbe et pas du tout l'adolescent timide qu'il attendait. Il m'a d'abord manifesté une
sorte de méfiance. Plus tard, nous en avons ri. Ma vie lui
paraissait trop aventureuse, je crois...

La vie de Copeau. Ses souvenirs surgissent pêle-mêle : du
faubourg Saint-Denis au Lycée Condorcet. Mariage au
Danemark. Leçons de français. Dirige et coule la fabrique
de son père. Vendeur de tableaux. Critique dramatique.
Collaborateur de la *Grande Revue,* de l'*Ermitage.* Le groupe
de Gide : « ils » étaient déjà presque tous là... Premier
numéro de la N. R. F. : — « Je suis chargé d'expulser le
« capitaliste » Montfort. » Premier comité de la N. R. F. :
— « J'en fais partie. » Directeur de la N. R. F. (1910).
Voyage de propagande aux Etats-Unis (1916) : — « Je
crée là-bas le seul théâtre qui, avec le Théâtre d'Art de
Moscou, ait eu de l'influence. » Le théâtre dans le sang.
A dix-huit ans, avec Romain Rolland, Robert de Flers et
d'autres, il s'occupait d'un théâtre populaire : — « Evidemment sans Gide, j'aurais mêlé toutes les valeurs. »

Copeau décroise ses longues jambes ; une apparence de léger cabotinage sentimental. Il proteste contre les campagnes de Béraud : puissance du journalisme et de la polémique sur les directeurs de théâtre, qui sont des hommes d'action : — « Béraud nous a présentés comme des académiciens se passant réciproquement de la pommade... C'était idiot. A la suite de cette campagne j'ai pu constater l'abstention du public au *Vieux-Colombier*. »

Copeau de ses bras embrasse l'espace :
— Que vous dire de mon amitié avec Gide ? Je le connais depuis presque trente ans. Tant de pays, de figures, aimés ensemble, d'émotions partagées... *L'Enfant Prodigue, Les Caves,* dont j'ai corrigé les épreuves avec lui. Il a toujours aimé essayer sur les autres ses livres en les lisant à haute voix.

Nous allions souvent, ma femme et moi, à Cuverville. Au début de la guerre, nous nous sommes installés là-bas. Cuverville était devenu *notre* propriété de famille ; on y menait la vie la plus régulière, la plus ordonnée, au milieu de confidences et d'entretiens prolongés sur toutes sortes de sujets. En été, on se baignait à Etretat.

Je revois le cèdre, la hêtraie, le perron et je retrouve en vous parlant cette odeur d'encaustique des pièces de la maison. Il y avait le plus souvent des nièces et des neveux, nos trois enfants. Et madame Gide : toujours Alissa, juste de ton, prête à se replier, à céder la place, attentive aux amis, secourable à ses fermiers et même à un chien errant qu'il lui arrivait de recueillir. Je voyais Gide parfois tailler ses rosiers, ou chercher des vers pour son sansonnet.

Après un silence, Copeau :
— Nous étions aussi amis, mais moins intimement liés, quand j'ai quitté le *Vieux-Colombier* en 1922. J'étais harcelé par les difficultés financières, — et puis il y avait ma conversion. Il me fallait, pour continuer à vivre, faire des transac-

tions pour les décors, pour l'interprétation : en vérité, avec
moi-même. Je me sentais harassé et seul. Gide prétendait
que j'avais voulu cette solitude : — Vous êtes un mystique
abandonné, me disait-il. Nous avons interminablement discuté religion. Il prétendait que ça ne servait à rien. Au fond,
quoi ? Je voulais accorder à ma vie intérieure ma vie active,
qui ne correspondait plus à mon état d'âme.

Oui, je l'avoue, ce fut un grand arrachement que mon
départ. J'avais fait constamment espérer à mes acteurs un
avenir brillant et brusquement il m'a fallu les lâcher. Cela
n'eut pas lieu sans crises ni pleurs. J'espérais que Jouvet
reprendrait le *Vieux-Colombier*. Il ne l'a pas fait. Baty, n'en
parlons pas. Dullin aurait pu, avec sa flamme, son dévouement...

En ce moment, je vis avec ma femme en Bourgogne,
dans une petite propriété. J'ai des pensionnaires, de jeunes
catholiques qui paient leur modeste écot. Avant tout, je
continue à les éduquer. Nous jouons dans les villages, ou
parfois à l'étranger. J'espère quand même revenir à Paris.
Je serais prêt à recommencer la lutte. Mais c'est si difficile,
ici, de s'installer dans un théâtre.

Copeau :
— Je vous ai beaucoup parlé de moi et pas beaucoup de
Gide.

Moi :
— Il me semble que la principale question qui préoccupe
Gide aujourd'hui est celle-ci, celle qu'il m'a posée : — Etes-
vous inquiet ?

Copeau :
— C'est passionnant ce que vous me dites...

Copeau est tout ému de ma remarque. Il est debout sur
le pas de la porte, ferme la porte, revient :
— J'ai vu Gide récemment, il est venu passer quelques
jours près de moi en Bourgogne. Comme je savais qu'il
devait rester très peu de temps, nous avons évité d'aborder

les sujets délicats. Il revenait du Congo, et je dois dire qu'il m'a fait l'impression d'un homme complètement équilibré. Avant son départ, ce qu'on appelait communément son « état olympien », m'avait paru pas très sérieux. Je ne pouvais pas y croire. Mais cette fois j'ai été frappé par l'aspect apaisé de son visage. Vous savez que, pendant son voyage en Afrique, il a découvert, stupéfait, des scandales coloniaux. La misère de la population, « l'insuffisance », la cruauté de certains administrateurs ont éveillé, je pense, en lui, des sources d'affectivité nouvelles. Il est peut-être parvenu à une sorte d'humanisme plus social que moral. Oui, il est bien possible que Gide soit, à l'heure présente, tranquille. C'est une grande question...

Par le ton de sa voix, Copeau me semble inquiet de la quiétude de Gide. Peut-être même saisi d'une sorte d'envie. Peut-on trouver la quiétude en dehors de la conversion ?

Copeau :
— Il y a bien des traits du caractère de Gide qui me paraissent des provocations, au fond des enfantillages... Je voudrais vous reparler de tout cela.

Copeau regarde sa montre. Il quitte Paris ce soir.

AVEC HENRI GHÉON

Rendez-vous avec Ghéon au *Vieux-Colombier,* dans un vaste atelier au second étage, presque tout en vitrail. Ghéon étudie avec un fournisseur des projets de décors pour une tournée théâtrale qu'il doit entreprendre les jours de Pâques, à Barcelone.

Nombreuses tapisseries étendues sur des meubles. C'est un saint homme, avec une grande barbe noire, qui lui présente des draperies, des chasubles...

Ghéon enlève, d'un geste précipité, un petit béret basque, qui cachait son crâne chauve. — Tête de potiron, nez rouge du bon curé de campagne. De la bonhomie et une sorte de vivacité acerbe. — Large sourire ; gestes exubérants.

Long préliminaire sur l'heure de notre rendez-vous. (Etait-ce 3 heures ? Ou bien 5 heures ?)

Il s'assoit à son bureau : deux planches réunies et posées sur deux tréteaux. Sur cette table : appliques lumineuses, papiers, crayons, etc... Ghéon a remis son petit béret basque, qui lui barre le front et il enfonce dans les épaules sa tête ronde, à peau luisante.

— Je suis une nature, dit-il.

Sa joie d'être un auteur joué à l'étranger. La Hollande,

l'Espagne, l'Allemagne à présent, montent régulièrement ses
pièces. L'Angleterre a joué trente fois de suite *Le Pauvre
sous l'escalier*. Les ouvriers d'usine, en Angleterre, jouent
du Shakespeare... et du Ghéon. Il faut bien que l'étranger
retienne une des rares manifestations qui se présente à côté
du théâtre officiel (Dullin ou Jouvet mis à part), c'est-
à-dire du Ghéon.

— Nous faisons tout nous-mêmes : décors, costumes,
lumières, couleurs, tout selon mes propres conceptions.
(Ghéon prend son index droit et le porte à son front : les
conceptions sortent de son cerveau.) Il n'y a dans ma
troupe aucun professionnel. (Le professionnel est un scandale pour Ghéon.) Ce sont tous des jeunes gens, — occupés
dans des bureaux ou des administrations (deux ou trois
seulement sont des oisifs), — qui travaillent pour moi —
avec moi — dans leurs moments de liberté. Aussi les seules
tournées que nous puissions faire sont des tournées de
vacances.
Aucune rémunération. Le théâtre est pour eux une vocation. — A Paris, nous perdons de l'argent évidemment.
Songez qu'une salle comme *l'Atelier* nous est louée deux
ou trois mille francs pour un soir. Il n'y a pas *moyen*
(grande intonation de voix profonde sur le mot : moyen)
de rattraper ses frais. En province, par contre, on nous propose des forfaits. Oh ! très modestes, mais garantis — et
nous pouvons lentement nous rattraper et équilibrer notre
budget. C'est donc une sorte d'entreprise de théâtre fervent
que j'ai organisée. Pas depuis longtemps ; depuis deux ans,
environ ; — et maintenant, cela prend tout mon temps.
Je suis débordé.
J'ai écrit, continue Ghéon, une trentaine de pièces depuis
la guerre. Fécondité littéraire ? Je ne sais pas. Il est tellement naturel, dès que l'écrivain est assuré d'un débouché,
qu'il produise. Avant 1914, les théâtres m'étaient complètement fermés et je n'avais absolument aucune issue. Je

ne pouvais donc pas écrire. Je crois qu'une pièce a besoin
d'être jouée, de vivre à l'époque où elle a été écrite. J'ignore
s'il y a dans mon théâtre un élément de pérennité, mais en
tout cas, il vit aujourd'hui dans des conditions suffisantes
pour durer, s'il le doit.

Ce que ne me dit pas Ghéon, c'est qu'il est soutenu, au
moins moralement, par certains représentants et amis de
l'Eglise. « L'œuvre de Ghéon, déclare Maritain, représente
... un étonnant retour aux sources vives de l'art dramatique »
et il ajoute, opposant Ghéon à Gide : — « Ici tout est droit
et pur. » Mais Gide sur ce point (pour différent que soit par
ailleurs son jugement) complète celui de Maritain : Ghéon,
écrit Gide, « se tient pour satisfait si son œuvre est édifiante... ». Et Schlumberger l'appelle : le « compilateur de
miracles ».

— A l'âge de vingt ans, reprend Ghéon, j'ai écrit deux
pièces : *L'Eau de Vie* (je connaissais, je crois, déjà Gide)
et *Le Pain*. Elles ont attendu dix ans. Découragement.
Inutilité d'écrire. L'une d'elles cependant fut prise par le
Théâtre des Arts, où Rouché procédait à une rénovation
scénique, analogue, dans l'ordre du décor, à ce que ten-
taient alors les *Ballets Russes*. Mon autre pièce a été jouée
par Copeau. Ce furent là mes débuts. Oh ! de bien modestes
débuts, vous voyez.

En réalité, je vivais sous l'influence de Gide, — en véritable apprenti. D'où dix ans de réflexion silencieuse. C'est
peut-être ce qui me permet aujourd'hui d'écrire comme
il me plaît, avec sécurité. On me dit : — Ceci est travaillé.
Ceci ne l'est pas... — C'est faux ! Tout est écrit spontanément.

Au cours de ces dix ans, j'ai fait une masse de critiques.
J'étais jeune ; je parlais, dans les revues, de théâtre, de
musique, de peinture, de tout... Mais de grandes choses,
je n'en faisais pas.

En critique, je me glorifie d'avoir découvert Proust. A la
N. R. F., on l'avait lu ; on l'avait écarté. Quand son livre
parut chez Grasset, à compte d'auteur, personne ne voulut
en parler : c'était le livre « ennuyeux » d'un « boulevar-
dier ». On me l'a confié et j'eus aussitôt l'impression d'une
découverte ; je l'ai dit. J'ai fait de nombreuses réserves, et
Proust, plus sensible aux réserves qu'aux éloges (car il avait
la conscience de sa valeur), m'a répondu pour les réfuter.
C'est après mon article que Rivière, à son tour, a lu Proust,
l'a aimé, l'a fait lire à Gide, qui l'a amené à la N. R. F.

J'explique l'incompréhension de Gide en ce sens que la
tentative de Proust fut, si vous voulez, parallèle à la sienne :
l'un et l'autre se sont livrés à une analyse psychologique
et à une étude de la vie sexuelle, sans doute sur des plans
très différents. Mais Gide, dans « son » domaine, eut préféré, je pense, rester seul...

Ghéon :

— Je vois trois périodes dans la vie de Gide. La période
Pierre Louys : la grande période symboliste (1884-94). Les
maîtres étaient Mallarmé, Viélé-Griffin, Henri de Régnier.

Une seconde période, très longue, jusqu'en 1917. Je peux
dire qu'elle correspond à celle de notre amitié, une amitié de
toutes les minutes, de tous les instants.

Puis une troisième période, celle des conversions dans
notre groupe : Claudel dès 1900, puis Jammes, Rivière et
moi pendant la guerre, puis Copeau, puis Du Bos, Paul-
Albert Laurens et Marcel Drouin, beau-frère de Gide. Et
savez-vous que Valery Larbaud, dès avant la guerre et sans
qu'on l'ait su, s'est également converti ? Pour Gide, c'est
l'isolement.

L'unité de sa vie ? Non pas celle d'un homme de lettres,
mais d'un littérateur, dans tous les sens du mot. Les préoccupations religieuses, quoique fondamentales, lui apparaissent comme une sorte d'excitation utile à l'écrivain ; elles
sont une dépendance de sa littérature, une source de beaux

motifs, de prétextes sublimes, de tourments dont on se
libère par l'œuvre d'art.

— Gide a senti de très bonne heure, reprend Ghéon, le moment où il fut opportun de quitter le symbolisme. Celui-ci
n'était que lyrisme pur et musical, — (quoique Henri de
Régnier déclare aujourd'hui que les symbolistes ne compre-
naient rien à la musique et n'étaient d'ailleurs tous que des
imbéciles). Un mouvement antisymboliste commençait déjà
à se former avec Francis Jammes, avec le jeune Proust (alors
inconnu), qui polémiquait avec Mühlfeld dans la *Revue
Blanche*. Mais c'est surtout vers 1900 que la *Revue Naturiste*,
quoique très éphémère, prôna la spontanéité contre le caractère artificiel du symbolisme mallarméen. En firent partie
Paul Fort et Fernand Gregh, le romancier Eugène Montfort, Maurice Leblond, le critique (aujourd'hui une grosse
légume dans un Ministère), et surtout Saint-Georges de
Bouhélier.

Si Gide n'a pas marché avec eux (il était encore trop
attaché à Mallarmé), on peut dire qu'il a coupé dans le
génie de Bouhélier — comme dans celui de Signoret d'ailleurs. Aujourd'hui, je pense que personne ne peut croire en
Bouhélier, même s'il se fait jouer à l'*Opéra* par madame
Ida Rubinstein. Au fond, l'amitié de Gide et de Saint-
Georges de Bouhélier s'explique peut-être par une commune
admiration pour Rimbaud. Il est possible que l'un l'ait fait
connaître à l'autre. Remarquez que si Gide a admiré Rimbaud, Rimbaud ne l'a jamais influencé.

Entre les chapelles symbolistes et le Boulevard, vous savez
que l'opposition était alors beaucoup plus accusée qu'entre
les surréalistes d'aujourd'hui protégés par le snobisme des
salons, — et la littérature officielle. Les symbolistes, au
moins la plupart, débraillés, hostiles aux aînés, fréquentaient
leurs cafés, leurs cénacles, en manifestant pour le reste du
monde le plus profond mépris. Gide était en réaction contre
eux, et d'ailleurs contre tous les mouvements. Il voulait

diriger la littérature vers une forme élargie du roman psychologique français.

Un homme, à cette époque, était déjà entré dans cette voie : Charles-Louis Philippe. Gide admirait profondément son œuvre, la jugeait considérable. Le père de Philippe était cordonnier ; et comme il travaillait pour vivre comme « piqueur » de la ville de Paris, cela ajoutait à son prestige. Sans faire véritablement partie de la *Nouvelle Revue Française*, il a été jusqu'à sa mort, en 1909, un ami de notre groupe.

Gide défendait alors l'assujettissement littéraire à la tradition, ce qui l'amenait à développer avant tout une « morale artistique ». Ce fut par elle qu'il exerça une si grande influence sur ses proches. Elle lui permettait de faire entrer dans ses admirations à la fois un Dostoïevski et un Nietzsche, — moins le Nietzsche prophétique de *Zarathoustra* que celui d'*Humain, trop humain,* épris de classicisme français et qui nous enthousiasma. Contrairement à ce que certains ont prétendu, les *Nourritures* ont été composées avant que Gide ait lu Nietzsche.

Le seul écrivain qui ait exercé une influence libératrice sur Gide, ce fut Wilde. Mais précisément Gide ne l'admirait pas sans réserves. Il aimait ses livres de critique (*Intentions*), son attitude, ses mots. Sur l'ensemble de l'œuvre, son opinion a beaucoup varié ; elle était presque méprisante dans *In Memoriam* ; aujourd'hui il réhabilite l'auteur. Gide l'a rencontré en Algérie avant le procès, tandis que je ne l'ai connu qu'à Paris après son emprisonnement. Saviez-vous que c'est moi, l'ami assis avec eux à la terrasse du Napolitain ? Wilde n'est plus qu'une loque, — épaissi, lourd, misérable et vulgaire. C'est alors qu'il fait, comme au temps de ses grandeurs, le noble geste de payer, pour déclarer ensuite à Gide : — Je suis absolument sans ressources.

Ghéon :
— L'affranchissement de Gide n'est cependant pas dû à

des influences littéraires, mais à l'éveil brusque de sa sexualité, engagée dans une voie si particulière qu'elle l'a mis en opposition avec ses amis, la religion, la société, le monde entier et qu'elle a décidé de lui. D'où un besoin d'affectation, de parade, et depuis la guerre, de scandale.

Dès que nous nous sommes connus, je suis parti avec lui pour l'Algérie, plusieurs fois, puis en Italie, en Espagne, en Grèce, et l'année même de la guerre, en Asie Mineure. Pendant vingt ans, je l'ai accompagné dans tous ses voyages, partout... (Sourire de Ghéon.) A Paris, nous sortions toujours ensemble : théâtre, expositions, banquets, sorties qui se prolongeaient souvent la nuit. Jusqu'à 4 ou 6 heures du matin (en attendant mon train pour Bray-sur-Seine), nous errions autour des Halles, dans des petits cafés louches, au milieu des marlous et des filles, avec des garçons, à qui la jeunesse donnait la beauté, vendeurs de drogue parfois ou repris de justice... Le danger nous excitait. Nous ne nous quittions pas. Je crois que Gide cherchait en moi ce qui lui faisait le plus défaut : un certain allant ; bouillonnement, force, santé, franchise et je l'avoue, hardiesse dans la réalisation des désirs. Epoque de dérèglement, de honteuse et folle dissipation ! Nous avons eu des mardis gras mémorables, où nous nous promenions jusqu'à l'aube costumés en pénitents, masqués par des cagoules...

Ghéon, le sourire béat, figé, les bras étendus tenant dans chaque main un coin de la table, le buste offert, continue de marmonner, mais comme à lui-même, pour se mortifier, sans achever ses phrases... Il laisse entendre... Je comprends qu'il n'y avait pas de plus actif entraîneur que lui, que c'était lui qui accostait avec effronterie, lui qui proposait avec cynisme des rendez-vous et que Gide, émerveillé par son audace, le suivait dans cette quête extraordinaire d'un certain bonheur.

Et brusquement Ghéon redevient présent, sa voix bruyante s'affirme à nouveau. Le passé indigne, évoqué

comme malgré lui, rentre dans l'ombre ; il le supprime. Si
Gide continue de se perdre, lui a suivi la voie du rachat.

— Chez Gide, reprend-il pour changer de sujet, j'ai
connu Francis Jammes, les Charles Gide, les Drouin. Ses
parents, ses amis sont devenus les miens. L'été, j'étais invité
dans le Calvados, à la Roque-Baignard, où habitait madame
Gide...

Soudain, Ghéon se recueille :
— Une sainte, dit-il.

Ghéon :
— Ce mariage a paru inexplicable. Mais il faut comprendre ceci, si important chez Gide, qu'il séparait toujours le plaisir — de l'amour, et les joies du désir — des
joies de l'intelligence. Sans doute à cette époque il n'avait
pas véritablement pris conscience : son mariage est le fait
d'un jeune homme qui s'ignore. On peut dire que son besoin
de ferveur idéale jouait en lui un rôle aussi important que
celui de son désir sexuel, qui s'était encore peu manifesté.
Quelques expériences, en Afrique surtout. Ces deux aspects
de sa personnalité semblent s'être cotoyés en lui, sans aucune
interférence. Il ne voyait pas pourquoi, dès lors, il ne pourrait pas se marier, tout en continuant à mener, séparément
et dans la mesure de son désir, une autre vie, vie qu'il croyait
personnelle plutôt que clandestine.

C'est que Gide n'était pas mû (ton brusquement sentencieux de Ghéon) par une vérité supérieure, une vérité religieuse qui aurait recréé l'unité en lui.

Je réponds à Ghéon que je vois, au contraire, cette dualité
(très rare dans l'antiquité) sortir du christianisme, qui a
séparé la chair de l'esprit. L'amour païen, lui, reste unifié : il
part du désir pour se transformer peu à peu en passion.
L'amour ne se divise que lorsqu'il est retenu par la timidité

d'une éducation trop sévère ou des complexes d'origine religieuse : c'est alors que le sentiment ne parvient pas à
rejoindre l'élan des sens.

— Cette dualité, réplique Ghéon, je l'explique chez Gide
avant tout par des habitudes solitaires, dont il parle lui-
même au début de *Si le grain ne meurt*. Le besoin de l'objet
ne se fait plus tant sentir, la représentation intellectuelle suffit. Le désir une fois satisfait, et satisfait ainsi, il ne reste
place que pour l'amour « platonique » ; et chaque chose
reste à sa place, bien séparée de l'autre.

Un bref silence. Et Ghéon reprend, dans un nouvel élan :
— C'est depuis la fin de la guerre que notre amitié a
perdu sa chaleur ; ma conversion nous a progressivement et
foncièrement séparés l'un de l'autre.

L'Homme né de la guerre est l'histoire de ma conversion, parue dans la *Nouvelle Revue Française,* puis en
volume sous le titre de : *Le Témoignage d'un Converti*.
Remarquez que c'est un ami de Gide qui me détermina :
le lieutenant de vaisseau Dupouey. Depuis longtemps, il
admirait les *Nourritures Terrestres ;* il considérait Gide
comme le héros véritable de ce livre et croyait qu'il vivait
les aventures les plus audacieuses. Il débarquait toujours
chez Gide entre deux voyages aux colonies. Il avait offert de
l'opium à de jeunes écrivains, à Edmond Jaloux par exemple, et à Gide avait proposé la même expérience, mais Gide,
malgré son goût de vivre, ou plutôt : à cause de son goût
de vivre, avait terriblement peur de la drogue. On racontait que Dupouey avait introduit des officiers anglais dans
son sous-marin pour leur faire fumer quelques pipes ; mais
l'Angleterre n'était pas encore notre alliée, et de ce fait le
lieutenant de vaisseau était particulièrement mal noté au
Ministère de la Marine.

Quand vint la guerre, je fus envoyé sur l'Yser ; les fusi-
liers marins également, au moins ceux qui avaient été mobilisés dans l'armée de terre. Gide, qui jusqu'alors n'avait

jamais favorisé ma rencontre avec Dupouey, m'écrivit :
— Tâche de le voir ; il doit être dans le même secteur que
le tien. Je le rencontrai effectivement, au cours de ma première bataille dans le bruit du canon et dans un grand état
d'exaltation. C'était un homme aux yeux perçants dans un
visage mâle, avec un beau corps d'athlète, puissant et décidé.
Il m'avait fait une impression formidable, extraordinaire.

Quelques jours plus tard, au cours de cette même bataille,
il fut tué. Remarquez que je ne l'avais rencontré que trois
fois en tout. Ma douleur, une douleur terrible, me parut tout
de même disproportionnée. L'aumônier me l'expliqua. Dupouey n'était pas qu'un admirateur profane de Gide, mais
un fervent catholique. A la veille de Pâques, comme tous les
grands catholiques, il avait voulu tout oublier pour n'envisager que l'immense joie de la Résurrection ; il rêvait de
cette joie ; il attendait le jour de Pâques avec une fébrilité
anxieuse. Il disait : — Nous allons fêter ce jour en grande
pompe, dans la félicité de Dieu. Et ce fut ce jour-là, au
moment où il sortait de la tranchée, qu'une balle l'a mor-
tellement frappé au front. Ce récit fut pour moi une révélation quasi miraculeuse. Je l'ai cru vrai, vrai pour Dupouey
comme pour moi : je n'ai pas douté un seul instant qu'il
avait ressuscité. — C'est au cours de la correspondance
échangée ensuite avec sa femme, qu'eut lieu ma conversion.

A l'époque de la conversion de Ghéon, Gide se débattait
plus fort que jamais avec le découragement ; il appréhendait
l'obsession du plaisir solitaire, repris à la fois par le doute et
par un besoin de prière. En secret, il écrivait *Numquid et tu*...
Certaines lettres de Ghéon lui parurent alors apaisantes.

Ghéon :
— Il est certain que Gide était, à ce moment, absorbé
par le mysticisme. Mais c'est toujours et avant tout la curiosité qui le pousse. Il s'occupa avec un élan de sympathie de
ma conversion. Puis, sa curiosité épuisée aussi rapidement
qu'elle était née, retomba.

Vous savez qu'avant la guerre, Claudel échangea toute
une correspondance avec Gide, comme il en eut avec Rivière.
Gide se sentait attiré par l'idée de conversion et Claudel
pensait que « ça y était ». Mais bientôt Gide se sent fatigué
et la correspondance prend fin. Claudel fulmine, allant jusqu'à me dire : — Gide m'a roulé ! Je n'y comprends
rien ! Quelle duplicité ! C'était une erreur d'interprétation :
Gide, simplement, n'était plus intéressé. Leur amitié n'en fut
pas brisée et quand Gide, il y a un an et demi, entreprit son
expédition au Congo, Claudel affectueusement alla le trouver : — Vous allez mourir, lui dit-il. — C'est possible,
répondit Gide, et c'est sur cette prophétie irréalisée que leurs
relations s'en sont tenues — jusqu'à présent.

Le prosélytisme de Claudel s'avère inépuisable. Avez-
vous lu sa correspondance avec Jacques Rivière ? Je crois
que Rivière s'est converti, sous cette influence à retardement
de Claudel, pendant la guerre, comme moi. Rivière s'en
est expliqué dans *A la trace de Dieu*. Si, dès son retour à
Paris, il a été repris par l'esprit profane, sa femme déclare
cependant qu'il n'a jamais cessé de faire, matin et soir, ses
prières. Pourquoi ne pas croire sa femme ? Pourquoi ne pas
la croire quand elle affirme qu'il s'est converti une seconde
fois au moment de mourir ? Gide nie complètement les
faits. Craindrait-il une conversion ? Moi, je dis que c'est la
grâce qui a agi...

Je songe, en écoutant Ghéon, que Gide s'est toujours élevé
contre les affirmations des proches parents d'un mort, qui
veulent après sa mort, le ramener à leur croyance. N'a-t-il
pas appelé Isabelle Rimbaud « la tricheuse », tricheuse en
religion ?

— Avez-vous remarqué, reprend Ghéon, combien les critiques de Massis ont affecté Gide ? En un sens elles
devraient le trouver indifférent. Mais Gide y répond. Il
déclare que si tous ses amis, tous, autour de lui se sont
convertis, c'est que son influence n'a pas dû être si mauvaise.

Il répond encore en parlant de son influence sur les jeunes gens. Non, dit-il, elle n'est pas démoniaque. On ne sait pas combien il incite les jeunes à la vie active, à exprimer, à exiger le meilleur d'eux-mêmes... Pourquoi travestit-on alors sa pensée et son action ?

Mais c'est Gide lui-même, lance Ghéon, qui se travestit. Depuis la guerre, depuis qu'il s'est éloigné de moi, il fait ostentation de son inversion ; il la présente, publiquement, il la revendique et s'étonne du scandale qu'il suscite.

Est-ce un jeu ? Non, c'est un drame. C'est là le drame profond qui a éclaté avec sa femme, quand elle a appris, complètement, la vie qu'il menait. Il y eut alors...

Ghéon laisse la phrase en suspens.

— Alors, dis-je... ?

Pour la première fois, au cours de notre entretien, Ghéon élude. Il semble reculer devant l'évocation de ce dévoilement de la vérité. Simplement il ajoute :

— Aujourd'hui, madame Gide vit complètement retirée, déclarant ignorer presque tout des livres de son mari. Cependant elle est bien obligée, certaines fois, de découvrir des textes révélateurs. Ainsi *Le Temps* arrive à Cuverville, et récemment elle est tombée sur l'article consacré à *Si le grain ne meurt* et sur des phrases de Souday comme :

— Les tares que nous exhibe M. André Gide...

Maintenant Cuverville est devenu le lieu d'une pieuse retraite, lointaine et isolée. Gide s'y sent attaché, sans doute plus qu'à aucun autre lieu, mais il y a l'écharde : l'hypocrisie y est presque fatale, alors que c'est contre cette hypocrisie que Gide a tout au long de sa vie protesté. Mais ici sa volonté de sincérité, ou plutôt ce que j'appelle son cynisme, reste impuissant.

Moi :

— Vous parlez constamment de conversion. Au fond, qu'entendez-vous par là ?

Ghéon :

— Il n'est de conversion que catholique. Au sein du protestantisme, Gide peut rester un être religieux, mais qui se
donne toutes les libertés, et les plus dangereuses. Pour moi
la parole de Dieu s'exprime avec moins de clarté dans les
Evangiles que dans les décrets et les encycliques de l'Eglise,
qui la met à notre portée.

Et Ghéon insiste :

— Ce que Gide ne veut pas comprendre, c'est que ses
interprétations ne sont que les erreurs de sa présomption. Il
procède par exemple en attachant une importance démesurée
à un petit fait. Comme aujourd'hui aux « faits divers ». Il
confond le caractère cocasse et exceptionnel du fait divers
avec sa valeur psychologique. Dès sa jeunesse d'ailleurs, il
a été passionné par la lecture du journal : les accidents
curieux, les scandales dans les bonnes familles. Dans les
Evangiles, il retient un petit fait, oublie complètement le
contexte, et échafaude là-dessus une théorie.

Je combats toute son interprétation dans *Numquid et tu...*
Il considère l'Evangile comme un livre de joie : « Heureux
ceux qui... ». Moi, je réponds : « Heureux ceux qui souffrent, heureux ceux qui pleurent. » Gide déclare : La joie
éternelle est terrestre... Moi, je dis : Oui, la joie éternelle
peut exister déjà ici-bas, mais elle n'est que la perspective
ultérieure de la joie éternelle dans un autre monde.

Voyez-vous, ce dont Gide manque le plus, c'est de bon
sens. Il se livre à une interprétation personnelle, qui le perd.

Je pense à Martin du Gard qui m'a dit :

— Ce que je constate chez Gide, c'est, avant tout, un
grand bon sens.

— J'ai été étonné, reprend Ghéon, que la conversion de
Copeau, qui est toute récente, n'ait pas influencé Gide
davantage. Il n'a pas été touché. Il est évident que ce qui lui
a fait défaut, c'est la capacité de souffrir largement et

humainement. Je cherche souvent en lui ce qui pourrait véritablement l'atteindre ; si j'avais trouvé, je crois que je le convertirais. Mais je me demande si Gide, en un sens, n'est pas invulnérable. Peut-être parce qu'il est avant tout, je vous l'ai dit, un littérateur.

J'évoque mon entretien avec Copeau. Aussitôt Ghéon tient à s'étendre sur les mobiles de la conversion de Copeau : l'influence de la mort de sa mère, sa longue retraite à Solesmes...

— Je crois, dit Ghéon, que c'est le Père N. qui l'a converti. Cocteau, c'est le Père Charles.

Je rapporte que Copeau a revu Gide depuis son retour du Congo et qu'il lui semble que Gide a trouvé une sorte de sérénité. A ces mots, Ghéon se redresse en bondissant et, inclinant son buste vers moi :

— Ah ! Ça, ça c'est capital ! Gide a toujours aimé « énormément » parler de son inquiétude. Cela a été son thème favori. Si aujourd'hui, il déclare ne plus être inquiet, c'est quelque chose de tout nouveau.

Je vous crois quand vous me dites que Gide a été ému par certaines atrocités coloniales qu'il a découvertes. Mais c'est beaucoup plus le fait d'être ému par lui-même, d'admirer sa capacité d'émotion qui l'intéresse — que les événements sociaux qui, eux, ne l'intéressent pas du tout, de même qu'il ne peut guère éprouver de sympathie véritable, — désintéressée — pour des nègres...

Moi :

— Pourtant c'est peut-être précisément sa sympathie pour l'homme, son humanisme, qui est, à présent, le fondement de sa quiétude.

Mais Ghéon enchaîne avec vivacité :

— Ah, mais j'oubliais de vous dire que Claudel aussi a une grande part dans la conversion de Copeau. Selon son habitude, il a employé la manière forte, il a saisi l'âme à tour de bras. Imaginez la joie de Claudel après cette conversion ! Et sa joie fut aussi grande quand il a appris, quoiqu'il n'y ait été pour rien, les conversions successives de Péguy et de Psichari.

Ghéon se rejette en arrière :
— Ah ! Quelle grande époque nous vivons ! Puis :
— Pourquoi Gide tient-il à s'en exclure ?

Extraits du *Journal*
de Gide sur Ghéon :

10 *janvier* 1902. — « Encore qu'il... s'amuse à me rendre bête, j'ai le plus grand plaisir à le revoir. »

5 *janvier* 1906. — « Ghéon... plus *entier* que jamais. »

Dimanche. Janvier 1907. — « Ghéon, plus bruyant et brillant que jamais, affirmatif, éclatant, tel que je l'aime... Il crie... sur les grands boulevards, faisant retourner tout le monde... Il a l'air d'un parfait pochard. C'est ainsi... qu'il est *lui*. »

20 *janvier* 1910. — « Henri Ghéon, très paysan du Danube... aux gros souliers crottés, mais, selon son habitude, fort à son aise... »

Jeudi. Février 1912. — « Nous sommes sortis ensemble... »
Dimanche. Février 1912. — « Ghéon... est venu nous rejoindre... » *Samedi 17 février* 1912. — « Emmené Ghéon à dîner... » etc...

Écrit le 8 mai 1912 (à Florence). — « Nous menons, dix jours durant, une prodigieuse vie irracontable, d'inappréciable profit... »

10 *novembre* 1912. — « Sorti avec... Ghéon, à qui je voulais raconter ma nuit à Narbonne... Nuit admirable qui m'a remis d'aplomb le corps et l'esprit. »

1er *juillet* 1914. — « J'accepte volontiers que souvent Ghéon vive à ma place. »

17 *janvier* 1916. — « Ghéon m'écrit qu'il a « sauté le pas ». On dirait d'un écolier qui vient de tâter du bordel. Mais il s'agit ici de la table sainte. »

19 *mai* 1917. — « Ghéon est pour moi plus perdu que s'il était mort. Il n'est ni changé, ni absent ; il est confisqué. »

22 *février* 1918. — « Je lis les carnets de Ghéon avec... un écœurement indicible. Il m'apparaît seulement à présent combien son esprit subissait, hélas, mon influence. »

1ᵉʳ *novembre* 1920. — « Ce que [Ghéon] nous a lu hier est consternant. »

2 *décembre* 1921. — « La désertion de Ghéon me cause un chagrin presque intolérable. »

5 *juin* 1922. — « Assisté... à la première de la pièce de Ghéon... Ghéon joue pour moi le rôle de « l'ilote ivre de Dieu. »

22 *octobre* 1929. — « Le livre de Ghéon me paraît d'une dévotion bien niaise... »

7 *avril* 1929. — « *Abject,* c'est le seul mot qui me vienne à l'esprit en lisant... le fragment du gros roman de Ghéon... La foi comporte un certain aveuglement où se complaît l'âme croyante ; quand elle échappe aux entraves de la raison, il lui semble qu'elle batte son plein. Elle n'est que dévergondée. »

AVEC PAUL VALÉRY

Paul Valéry chez lui. Ameublement xviiie ; tableaux de Berthe Morisot sur des chevalets, entre les cuivres Louis XV et des tapisseries Louis XVI.

Une jeune fille, peu élégante, venue du faubourg Saint-Germain, tend ses vers manuscrits à Valéry, — au moment où j'entre. Depuis qu'il est « de l'académie », il n'écarte plus, ni même ne choisit ses visiteurs ; il accepte — conséquence naturelle, imposée par sa nouvelle position mondaine, — de les recevoir, tous, le matin : il y a les amis de ceux, ou de celles, qui ont favorisé son élection, ou les amis des salons qu'il fréquente.

Avec un peu de gêne, il fait, de-ci, de-là, une remarque sur la prosodie de ces pauvres vers, dont il tient en main les feuillets... Sans doute, pense-t-il, que, d'une certaine hauteur, toute littérature est absurde, et que ce qui différencie la bonne, est une question de degré et non d'essence.

Valéry a rencontré Gide à Montpellier. Gide avait alors une vingtaine d'années, une allure extraordinaire, penchée, un visage sombre et recueilli de pasteur, — et toujours enveloppé de sa vaste et mystérieuse cape. C'était l'époque où il corrigeait les épreuves d'*André Walter*.

Un personnage très différent de celui du tableau de Jacques-Emile Blanche, peint quelques années plus tard.

Valéry :

— Ce que j'aime en Gide, c'est moins l'œuvre ou
l'homme — que l'esprit. Ce qui m'intéresse probablement
chez la plupart des êtres, c'est toujours *l'esprit*. C'est une
certaine volonté de perfection dans l'art, qui nous a rapprochés, Gide et moi. Quoique entre Gide et l'art, il y avait
quelques scrupules religieux. Etant entendu que je suis
complètement d'accord avec ceux qui décrètent que l'art
est inutile, à rayer, totalement inexistant... Mais si l'on
admet l'art, dès lors...

Valéry :

— Du point de vue moral il y avait un abîme entre nous.
On s'abstenait de communiquer sur ce point. Mais nous
avions mille autres choses à apprendre l'un de l'autre : Gide
avait été à Paris, et moi, je ne connaissais pas encore la capitale. C'était là sa grande supériorité. J'avais un certain respect, j'en conviens, pour la vie littéraire de Paris. C'est par
« Paris » que Gide m'a fait connaître Rimbaud et Mallarmé ; il me les a fait connaître, je crois que je les lui ai
fait comprendre et admirer.

Nous avons alors formé, Gide, Pierre Louys et moi, une
sorte d'extraordinaire trio. Entre Louys et Gide, pour d'ini-
maginables motifs, des brouilles intervenaient souvent. Je
suis parvenu à les raccommoder une première fois, mais
ensuite j'ai failli être la victime de ma bonne volonté amicale.

Nous subissions de surprenantes influences. Moi, celle d'*A
Rebours* que je considère aujourd'hui comme les raffine-
ments d'un concierge qui rêve. Il ne faut pas oublier non
plus, l'influence de Laforgue.

Dès que nous fûmes davantage liés, Gide et moi, nous
lisions ensemble avec une grande admiration, Ephraïm
Mikhael, sans établir de sensible différence entre ce dernier
et *Les Illuminations* et *l'Hérodiade,* remarque qui amuse
visiblement Valéry.

Valéry :

— Pour moi, Rimbaud et Mallarmé furent la révélation
de ma vie. A quelque temps de là, je partis seul, pour le
bord de la mer, lire les proses de Rimbaud, emporté vers
« l'azur noir ». Mais découragé, je cessai d'écrire. Il est vrai
qu'à cette époque, au contraire de Gide déjà homme de
lettres, je n'avais pas l'intention de faire une carrière littéraire. Cette pensée ne m'est venue qu'en 1917, imposée, par
les circonstances. (La publication de *La Jeune Parque* et l'accueil qui lui fut fait.) Dans ma jeunesse, je songeais plutôt à
devenir ingénieur...

Valéry :

— Je crois que Rimbaud n'a jamais été dépassé. Les
poètes surréalistes d'aujourd'hui, qui se sont inspirés de
lui, sont peut-être parvenus, par des images, à faire des
choses équivalentes. Mais pour quelqu'un qui ignorerait les
noms de ces divers poètes, il est probable qu'il pourrait passer du livre de l'un au livre de l'autre, sans savoir qu'il a
changé d'auteur. Tout est égal : rien n'est plus haut que
Rimbaud.

Je demande comment Gide a lui-même découvert Rimbaud à Paris.

Valéry :

— C'est Verlaine le premier qui l'a ressuscité. — Puis
il y eut un groupe épris de bizarrerie... il y avait Huysmans,
Paul Adam parfois, Gustave Kahn, Maeterlinck qui ont
maintenu Rimbaud vivant jusqu'au symbolisme. Les symbolistes, eux, l'ont admiré comme poète, mais seulement
comme poète, je veux dire comme l'auteur de poésies. — Les
dix premières années du XXe siècle éclipsèrent presque complètement Rimbaud. C'était l'époque où, avec madame de
Noailles et Edmond Rostand, triomphait une sorte de néo-
romantisme. — Rimbaud réapparaît aujourd'hui...

Valéry :

— Tout ce que j'ai écrit d'important, je ne l'ai pas publié. Ce que je publie, c'est du travail fait sur commande, pour gagner de l'argent.

J'ai tenu pendant toute ma vie des cahiers de notes, qui sont l'histoire de mon esprit, l'histoire d'un esprit, l'histoire de l'intelligence. Jamais de contexte à mes pensées qui sont exposées, nues et sans suite logique. Parfois, quelques vagues rapports avec un événement de ma vie, mais cela même est assez rare. Peut-être ces cahiers paraîtront-ils, posthumes... Il y a des milliers de pages. C'est mon journal. En voici quelques lignes :

« On parle énormément de morale. Mais je défie chacun de connaître vraiment la sienne propre. » — « ... Toute idée partagée me dégoûte. Je sens qu'elle n'est plus vraie. Je m'emploie à l'*exécuter* au sens pénal du mot... » — « Rien n'est plus facile que de créer. Seulement pas comme on veut, ni quand on veut. » — « L'homme n'a été libre que là où il y eut des esclaves. » — « Je les fais mourir, dit Tibère, pour être comme dans un rêve, où les êtres disparaissent facilement. »

Goût de Valéry, — dans la conversation — d'exposer à tout propos ses connaissances techniques. Je l'ai entendu, un jour, parler en termes savants de la question des glandes et des sécrétions interstitielles des glandes de Voronof. Une autre fois, de la reproduction des dessins et des planches du xviiie siècle. Hier, il s'est étendu longuement sur la question des cigarettes anglaises, fabriquées avec différentes mélasses et d'autres produits dont il a donné les noms.

Plaintes de Valéry au sujet de l'argent : sur une lettre de sa secrétaire au directeur d'une revue, il a biffé le prix convenu : 20 francs la page, et ajouté de sa main : 40 francs.

Plaintes d'argent au sujet de ses éditeurs d'occasion, qui ne le payent pas et qui trompent sur la marchandise.

Extraits du *Journal*.
de Gide sur Valéry.

21 *janvier* 1902 : — « J'ai pour lui l'affection la plus vive :
il faut tout ce qu'il dit pour la diminuer. »

9 *février* 1907 : — Sa conversation. « J'en sors meurtri.
Hier... plus rien, ensuite, ne restait debout dans mon esprit.

« ... S'il supprimait *en réalité* tout ce qu'il supprime en
conversation, je n'aurais plus raison d'être. Du reste, je ne
discute jamais avec lui ; simplement il m'étrangle et je me
débats. »

28 *juillet* 1929 : — Valéry « plus charmant, plus affectueux que jamais. Je sors pourtant de cet entretien assez
déprimé, comme du reste de presque tous les autres avec
Valéry. Mais cette fois ce n'est point tant de sentir une intelligence si incomparablement supérieure à la mienne... ; non,
ce n'était pas cet affreux sentiment de carence (qui me déses-
pérait naguère), mais un sentiment beaucoup plus subtil...
Valéry, lui, colle étroitement à la vie... Il... a si bien mené
[sa vie] que la mienne, auprès, ne me paraît plus qu'une
triste suite d'impairs. »

8 *mars* 1931 : — Valéry n'a « jamais fait effort pour
mieux me comprendre... La représentation qu'il se fait de
moi reste... celle même que pouvait se faire Pierre Louÿs.

« Pourtant... nos divergences sont, après tout, moins
essentielles... qu'il ne s'obstine à croire ; de sorte que, par
des chemins tout différents il est vrai, je le rejoins sans
cesse. »

25 *octobre* 1938 : — « Je me sens beaucoup plus à mon
aise avec Paul, depuis que je sais limiter les dégâts de sa
conversation. »

AVEC JEAN SCHLUMBERGER

1930.

Schlumberger, marié très jeune comme Gide et la plupart des amis de Gide.

En face du Luxembourg, étage élevé sans ascenseur : un appartement bourgeois, meublé avec indifférence.

Une ancienne timidité rend parfois sa voix presque susurrante. Ce n'est pas seulement le visage tendu par un sourire, ni les oreilles, qui écoutent ; c'est l'homme qui est attentif. A chaque moment, il cherche à modeler son expression sur sa pensée, à ne surestimer ni sous-estimer, à trouver le mot qui paraît juste ou à le recréer.

Schlumberger :

— Depuis que je connais Gide, c'est la stabilité, une grande stabilité qui me paraît dominante à travers ses évolutions. Lisez ses *Morceaux Choisis*. Sans doute les a-t-il choisis lui-même avec intention, laissant de côté ce qui, de lui, pouvait donner une image trop divisée...

Le fait de sa vie qui domine... (Schlumberger hésite un instant, mais il vient de trouver), c'est certainement la tardive arrivée de la gloire. Jusqu'à cinquante ans, c'était un auteur à peu près complètement inconnu.

Avec le succès, les choses ont changé autour de l'homme. S'adresser à tout un public ou parler à un mur, pour un écrivain, ce n'est pas du tout la même chose. (Schlumberger

29

cherche en lui des confirmations pour étayer chaque fait qu'il avance.) Le plus grand événement de la vie de Gide, tout au moins de sa vie *extérieure,* oui, je le répète, c'est son succès.

Une certaine timidité dans ses rapports avec ceux qui ne sont pas ses familiers s'est dissipée définitivement. Il n'a pas naturellement d'esprit de repartie, ou très rarement, sinon dans ses livres ou dans ses lettres. Sous des apparences de modestie, un puissant orgueil l'a toujours soutenu. Nous l'avons vu souvent éviter les gens dans la rue par peur d'importuner. Une crainte d'être en trop, de déranger. Parfois il ne reconnaît pas les visages, quoiqu'il retienne fortement l'image d'un être. Comment se rappeler la couleur des yeux ? On croit parfois qu'il « snobe ». Son amabilité peut paraître contrainte. On sent qu'il le sait, qu'il en a souffert, qu'il eût peut-être souhaité être doux et enveloppant. Il charme sans doute, mais il glace aussi. Il semble que des ancêtres lui font faire des gestes presque involontairement. Aujourd'hui, je ne dirai pas que sa timidité est vaincue, mais qu'il s'est adapté à elle. Peut-être cette timidité a-t-elle été en liaison avec la forme de son désir ?

— Notre propriété du Val-Richer (Blanc-Mesnil dans le *Journal* de Gide) était voisine de La Roque. Nos bois touchaient les siens. Nos familles se fréquentaient pendant l'été. Mon premier souvenir : j'avais neuf ans ; lui, dix-sept environ. Il jouait du piano avec talent, mais dès que quelqu'un entrait dans la pièce, il s'arrêtait, paralysé. C'est cette « inhibition » nerveuse, dont on parla autour de moi, que je me rappelle...

Moi :

— Timidité héritée de sa mère, dit Gide lui-même dans *Si le grain ne meurt.*

Schlumberger :

— J'ai peu connu sa mère. Elle avait un visage très marqué et un grain de beauté qui piquait quand elle voulait m'embrasser. J'étais alors un enfant et Gide m'apparaissait comme un grand personnage. Il parle de mes jeunes oncles et de mes tantes dans *Si le grain ne meurt*. Nous nous enfuyions quand approchait Mme Gide, comme nous faisions pour toutes les visites.

Schlumberger :

— Gide était le seul écrivain que je connaissais quand j'eus achevé mon premier roman, un mauvais roman d'ailleurs. Mais ce n'est que beaucoup plus tard, après un de ses retours d'Algérie, que lui marié, et moi marié, nous nous sommes vraiment liés, et davantage encore au début de la *N. R. F.* Remarquez que je suis entré directement dans ce groupe ; je veux dire que je n'ai pas connu, à cause de ma différence d'âge avec Gide, les milieux symbolistes : Gide les avait quittés. Déjà il ne voyait plus guère Henri de Régnier, ni Jammes. La facilité de Jammes était contraire à ses exigences littéraires. Il y avait aussi entre eux d'autres motifs d'opposition : Jammes n'a pour ainsi dire jamais collaboré régulièrement à la *N. R. F.*

Schlumberger :

— Il est impossible de comprendre Gide, sans comprendre ce qu'a été son mariage avec sa cousine, qu'il a appelée Emmanuèle (Em.), dans son *Journal*. Mais il faut revenir à *La Porte Etroite,* où le point de départ de cet amour est à peine transposé. La mère d'Em. a fui le domicile conjugal mais pas avec un officier de marine comme dans le roman. Et les enfants, les filles, avaient ressenti un coup terrible à la suite de cet événement, envisagé comme un opprobre familial, une injure faite à Dieu, et Emmanuèle a gardé une horreur de tout ce qui est amour irrégulier, sensualité louche, sentiments troubles, obscurité de la vie privée.

Moi :

— N'y a-t-il pas quelque chose de tragiquement paradoxal, dès le départ, dans cette situation ?

Schlumberger :

— Oui, mais aussi une grandeur exceptionnelle dans l'attitude de ces deux êtres si profondément différents, essayant de faire leur vie ensemble, cherchant par un effort continuel, à assurer leur communauté spirituelle.

Il y a des cas où, quoi qu'on fasse, quelle que soit la droiture que l'on s'impose, l'hypocrisie est, pour ainsi dire, de nécessité. Il y a des femmes qui ne veulent pas savoir, qui ne veulent pas comprendre.

En l'épousant, madame Gide était ignorante de la vie en général et de la vie de son mari. C'est très progressivement qu'elle est arrivée à voir plus clair. Et c'est vers la fin de la guerre que, par suite d' « événements », ses yeux se sont vraiment ouverts.

Pendant que Schlumberger parle, je pense à celui qu'on appelle le pasteur X., un ami d'enfance de Gide, plein d'admiration pour lui, de confiance en sa personnalité morale.

La publication de *Si le grain ne meurt* le troubla profondément. Un entretien eut lieu entre eux ; une explication. Gide n'avait-il pas publié précisément *Si le grain ne meurt* pour avouer ce qui ne lui paraissait pas avouable de vive voix ?

Cependant depuis cet entretien, le pasteur X. refuse de voir en Gide un « immoraliste ». Il ne veut pas comprendre ; il ne veut pas connaître cet aspect de la vie de Gide ; il le supprime.

Schlumberger :

— Remarquez que l'amour de Gide pour sa femme est le lien auquel il est le plus attaché. A cet amour, il sacrifierait tout le reste. Il y a entre eux, par delà ce qui les sépare et toutes les incompréhensions, une affection, si pure et profonde, qui explique la vie en partie en commun qu'ils continuent de mener aujourd'hui. Oui, je crois que Gide ne

pourrait pas vivre sans elle, et que ce sentiment est sans
doute réciproque.

Moi :
— Quels sont les points de communion ?... Que peut-il
rester ?

Schlumberger :
— Il reste l'affection en soi, une sorte de vénération qui
survit, et, de son côté à elle, une admiration pour l'auteur
des premiers livres : *La Porte Etroite, l'Immoraliste.*
Cette première image qu'elle s'est faite de lui, elle la
garde en se réfugiant davantage dans la religion. Elle s'est
complètement isolée. Après les « événements », elle a certainement eu la tentation de se rapprocher du catholicisme.
Si elle n'était pas protestante, peut-être serait-elle entrée dans
un couvent. A présent, comme si elle y était entrée, elle
mène la vie la plus austère... De tout ce qu'écrit son mari,
elle ne lit plus que les morceaux qu'il lui donne à lire et
où elle est certaine de ne rien trouver qui la blesse.
Dans le roman que Gide projette d'écrire en ce moment,
il parle du désenchantement de l'épouse : l'image qu'elle
se serait faite de lui, l'image idéalisée, aurait été en elle peu
à peu détruite. Mais elle continuerait vis-à-vis du monde, de
sa famille, d'elle-même et peut-être aussi pour lui, à maintenir toujours la première ; elle garderait cette sorte de
culte initial, car en profondeur le même sentiment persiste.
A mon sens, Gide a procédé encore une fois ici à des transpositions, mais la déception de l'épouse qui, dans le roman,
est d'ordre intellectuel (il s'agit de la médiocrité du mari)
correspond, en réalité, à une déception d'ordre moral et
même d'ordre sentimental.
La postérité restera perplexe devant cet amour et doutera
de son humaine réalité. Ce sera une erreur. Après les « événements », ils n'ont pas rompu, ils n'y ont sans doute
jamais pensé. Elle est trop religieuse pour cela. Elle juge la

vie comme une épreuve, et la douleur comme devant être
supportée... Mais sans doute ne croit-elle plus aujourd'hui
à la possibilité d'une influence sur lui.

Schlumberger s'interrompt ; sa pensée cherche un chemin plus direct, pour se rapprocher davantage de la réalité :
— Peut-être que si... je veux dire : peut-être n'a-t-elle pas
renoncé à son influence, quoique retirée, seule, là-bas, à
Cuverville, dont elle ne sort plus. C'est ainsi que Cuverville
reste pour Gide le point d'attraction : quoiqu'il se déplace
constamment, il retourne sans cesse là-bas, et après chacun
de ses voyages, y passe quelques jours ou quelques semaines.

Je demande si Gide a eu sur Schlumberger cette influence
qu'il a exercée sur tant d'autres.
Schlumberger :
— Il y a eu un certain parallélisme entre les problèmes
qu'a posés l'éducation protestante pour nous deux. C'est lui
qui m'a aidé, alors que j'étais encore en plein puritanisme, à
en sortir. L'éducation puritaine n'est tout de même pas un
phénomène aussi terrifiant qu'il semble vu du dehors.

Je remarque que, pour Schlumberger, Gide est un personnage d'une grandeur universelle. Il s'attache à parler de Gide
avec une vivante admiration, avec une ferveur qui ne se
dément jamais. Je pense même que Schlumberger est enclin,
au cours de notre entretien, — par amitié, par délicatesse de
sentiment, par goût de la vérité en un moment où Gide est
encore si vivement attaqué — sinon à idéaliser sa figure,
peut-être à la sublimer. Mais il reconnaît dans le même
temps que Gide n'est pas encore parvenu à s'exprimer totalement dans une œuvre.

Schlumberger :
— On le travestit souvent parce qu'il cache ce qu'il a de
meilleur en lui. Ainsi la modestie de son train de vie fait

souvent douter de sa générosité. C'est à ses frais, par exemple, qu'il a fait imprimer une des premières plaquettes de Jammes. René Crevel et bien d'autres ont reçu son appui, quelques-uns sans avoir jamais su sa provenance.

— Est-ce là le « retors » dont a parlé Rouveyre ? Dans son attitude d'aujourd'hui se maintiennent de forts éléments chrétiens, ou plus exactement évangéliques. Je ne crois pas que Gide se convertisse jamais au catholicisme. Il aboutira peut-être à une sorte de tolstoïsme, à la libre application du Nouveau-Testament. Peut-être s'en expliquera-t-il dans ses prochains livres ? Mais je ne pense pas que d'autres romans de lui apporteront une clef nouvelle de sa pensée.

Je doute que sa personnalité soit jamais proprement gœthéenne ; il y a un certain détachement à l'égard des êtres auquel il ne parviendra jamais.

AVEC JACQUES-ÉMILE BLANCHE

192...

Il m'a semblé nécessaire d'introduire, avant les propos qui suivent, une importante réserve qui s'applique à toute conversation avec Jacques-Emile Blanche ; dans un récent entretien avec Gide, parlant de l'ouvrage de Blanche : Mes Modèles, *Gide m'a dit :*

— Ses portraits sont pleins de petites erreurs. Blanche déforme sans le faire exprès ; ce n'est pas qu'il soit méchant : il est inexact.

Il est cependant curieux de remarquer que, lorsque Blanche (dans le Journal *de Gide) parle des Goncourt : « ... Telles conversations auxquelles j'assistais,* [dit Jacques-Emile Blanche], *dont je me souvenais à merveille, j'étais sûr, dans leur* Journal, *de n'en retrouver que les phrases les moins marquantes... » ; dans tel épisode, ajoute Blanche, « Goncourt n'... a rien vu, rien senti, rien compris », Gide répond à Blanche : — « Mais les paroles qu'il prête aux uns et aux autres, si fausses qu'elles soient d'après vous, ne sont presque jamais inintéressantes. »*

Jacques-Emile Blanche :
— L'attitude de Gide pendant la guerre... Oh !... Oh !... d'une intransigeance nationaliste...

Vous savez qu'il a travaillé au Foyer franco-belge, qui était patronné par madame Langweil, formidablement riche. Gide y venait tous les jours ; j'y suis venu quelquefois en visiteur. Madame Van Rysselberghe s'en occupait également avec toute son attention.

Ces propos me rappellent, par association d'idées, ceux de Schlumberger :

— Il fallait voir avec quel désintéressement Gide s'est occupé de ces réfugiés qui ne pouvaient éveiller en lui ni attrait, ni curiosité. Il a témoigné là d'un esprit de sacrifice, d'une sorte de charité chrétienne, dans le sens véritable du mot, dont on retrouverait d'ailleurs d'autres exemples dans sa vie, Et ce qu'il y a de remarquable, c'est que ce dévouement, il l'a prolongé régulièrement pendant dix-huit mois.

Blanche ·
— L'attitude de Gide à ce Foyer était bien étrange. Madame Van Rysselberghe y venait. Vous la connaissez ?... Non ? C'était une dame à peine plus âgée que Gide, au parler franc, qui jasait perpétuellement. De petite taille, et quoiqu'un peu alourdie, d'une étonnante vivacité de mouvements. Avec un visage ridé, mais des rides courtes, des lèvres minces, un nez comme coupé : tout est aménagé dans le visage pour la parole brève, pour la repartie.

Mademoiselle Langweil, elle, travaillait continuellement pour le Foyer ; elle y a consacré plusieurs centaines de mille francs. La majeure partie des fonds venaient d'Amérique. Et à un moment donné il y a eu une sorte de scandale étouffé ; le Foyer s'est dissous. Gide l'a quitté du jour au lendemain.

Il y avait alors, chaque dimanche soir, des dîners chez mademoiselle Langweil, où Gide venait presque régulièrement. Il fallait l'entendre parler des intérêts du pays ! Il représentait la grande figure du patriote.

Blanche hésitait sur la nature de son activité. Devait-il continuer à peindre, continuer à écrire ses *Cahiers d'un artiste* ? Ou au contraire se donner au Foyer ? Madame Blanche, les belles-sœurs de Blanche et toute sa belle-famille désiraient voir « Jacques » dans les hôpitaux ou dans les œuvres. Barrès, consulté, Barrès, le nationaliste professionnel, conseilla à Blanche de continuer ses travaux personnels. Gide protesta, considérant que ce n'était pas le moment.

Et voici qu'à nouveau je pense à ce que m'a rapporté Schlumberger :

— J'étais mobilisé pendant la guerre, et c'est l'époque où j'ai vu Gide le moins souvent. Cependant, connaissant Gide je n'imagine pas que lui, comme non-combattant, ait pu avoir le sentiment qu'il fallait continuer de sacrifier des vies humaines, si... Mais, d'autre part, tout ce qui pouvait ressembler à un manque de persévérance, à un « lâchage » par fatigue et par manque de vertu, était certainement contraire à son caractère.

— Ce qui veut dire, reprend Blanche, qu'il n'y avait personne qui flétrissait plus violemment le défaitisme, qui était plus aveuglément « jusqu'au-boutiste »... Il allait jusqu'à critiquer Barrès parce qu'il avait songé en 14 à quitter Paris. Madame de Noailles avait incité Barrès à partir et déjà une auto l'aurait attendu devant sa porte. Au dernier moment il aurait renoncé. C'est précisément cette hésitation que Gide n'admettait pas.

Blanche :
— Vers 1917, Gide était devenu, somme toute, le précepteur des enfants Allégret et j'allais souvent le voir chez eux, avenue Mozart, tout près d'ici. C'était l'époque des alertes de gothas et, comme ma propriété est en carton, je me

rendais dans des caves voisines, où je rencontrais parfois
Gide accompagnant Marc Allegret et quelquefois les autres
enfants.

L'année suivante, en 1918, je me proposais, dès les premiers jours de Pâques, de retourner comme chaque année
à Offranville. J'étais prêt à partir lorsque je reçus, envoyé
par Bidou qui était alors au front, un soldat anglais qui me
pressa de ne pas me rendre en Normandie : les Anglais ne
tiendraient plus que deux ou trois jours devant Rouen et,
Rouen prise, toute la Normandie serait envahie. Je décide
donc de rester à Paris. Ce n'est qu'un peu plus tard que
je me rendis dans ce couvent dont j'ai parlé dans *Les Cloches de Saint-Amarain*.

Cependant chez les Allegret, Gide m'apprend que lui, il ira
quand même à Cuverville rejoindre sa femme.

A quelques jours de là, par une nuit magnifiquement
étoilée et traversée de temps à autre d'avions français, Gide
et moi, nous nous sommes promenés autour du lac du Bois
de Boulogne. Gide ne me parle que de son départ pour
Cuverville et fait ses adieux...

J'écris alors à Cuverville pour avoir de ses nouvelles. Pas
de réponse. Le temps passe. Vous comprendrez quel a été
mon étonnement lorsque peu après, j'ai appris que Gide
était à Cambridge avec Marc. Il paraîtrait qu'il n'a jamais
passé par Cuverville et qu'il s'est rendu directement en
Angleterre, quoiqu'il ait souvent déclaré qu'il était indécent
de quitter la France en temps de guerre [1].

Ces « histoires » de Blanche sur Gide me rappellent cette
page du *Journal* de Gide sur Blanche, écrite quelques jours
avant la déclaration de guerre :

29 *juillet* 1914. — « Le pauvre Blanche m'avoue que ces
« nouvelles le démolissent et que, dans la matinée, il a dû
« aller par cinq fois « au bout du couloir ». Il a ce qu'on

---

[1]. Voir plus haut extraits du *Journal* de Gide, page 53.

« appelle « la frousse »... ... Puis inlassablement il exagère
« les calamités...

« Depuis déjà plus de deux ans, du reste, il... se refuse
« à placer quoi que ce soit de ce que lui rapportent ses
« portraits...

« Il s'inquiète beaucoup de savoir, en cas de guerre, où
« il devra habiter. A Offranville il redoute l'isolement ; mais
« à Paris, il craint l'émeute. »

Blanche :
— J'ai discuté avec Gide des Compagnies fermières du
Congo. Quand je lui ai dit que cette question était indisso-
lublement liée à celle de la colonisation, j'ai entendu ses protestations. Il veut maintenir la colonisation comme un bien,
mais reste disposé à en critiquer les modalités. C'est toujours
sa même attitude, également en religion. Il refuse de discuter le principe, il ne veut pas tout chambarder : révolu-
tionner le moins possible. Pendant la guerre, c'était la
même chose : il ne voulait jamais soulever la question de
l'agresseur.

Nous sommes amenés à parler de la position de Gide pendant l'Affaire Dreyfus :
— Oh ! moi, dit Blanche, j'ai fait tous mes efforts pour
me désintéresser de cette question, et je n'en ai jamais parlé
à Gide.
Moi :
— Schlumberger m'a dépeint Gide comme un ardent
dreyfusard.   •

Et je pense alors à Schlumberger, qui a hasardé un jour
cette hypothèse devant moi :
— Gide n'a jamais mené de vie politique active. Il pensait en chrétien que le citoyen est le citoyen et que l'artiste

n'a pas à intervenir, qu'il faut rendre à César ce qui est à César. Si je devais préciser la position politique de Gide, je dirais : la république le laisse indifférent, la théocratie n'est pas son fait non plus, car elle suppose un clergé. Il n'est pas assez intellectuel comme Valéry pour désirer une oligarchie de sages. Le bon despote, tel serait sans doute son désir, d'ailleurs nulle part exprimé.

Blanche :

— Oui, c'est vers 1900, à l'époque de l'Exposition que j'ai fait le portrait de Gide et de Ghéon. Avec eux figure un petit garçon arabe qui appartenait aux souks de l'Exposition. Ce garçon tournoyait continuellement autour d'eux, dans ces lieux de plaisir, dont la police surveillait les abords. Je l'ai fait figurer au premier plan, à gauche, coupé par le cadre ; il entre, portant un plateau, dans un clair-obscur, qui en fait un personnage de peu d'importance. C'est au contraire au milieu du groupe des écrivains, grave et sérieux, avec un regard fixe, qu'apparaît Athman, debout.

Vous savez que ce malheureux garçon, après avoir été amené d'Algérie en France, fut abandonné sans argent, sans travail. Je l'ai recueilli, logé, nourri pendant quelque temps chez moi... Ils en étaient complètement écœurés. — J'ai d'ailleurs ici la photographie de ce tableau.

Blanche me la tend.

J'y retrouve Ghéon, avec sa tête à la fois joviale et satanique, moustache et barbe en pointe, — assis le buste retourné vers le spectateur, il rit.

Gide, l'air sombre et mystérieux, avec son grand chapeau à très larges bords et toujours sa vaste cape. Il est habillé un peu comme un gentilhomme-fermier ; il a de gros vêtements solides.

Deux autres poètes barbus posent derrière eux dans un vague musical, qui peut rappeler l'atmosphère du symbolisme.

— J'ai eu la plus grande difficulté, m'explique Blanche,
à travailler cette toile ; je l'ai même détruite, elle devait
passer dans un poêle quand mon chauffeur l'a sauvée. En
souvenir de Gide, je l'ai reprise et achevée.

Blanche :
— A cette époque, Ghéon et Gide, liés comme deux
complices, menaient une vie de plaisir. Quand Ghéon se promenait à Paris avec moi et que je saluais gravement tel
magistrat, juge à la Cour de Cassation, ou tel notaire qui
était un de mes parents, il arrivait que Ghéon se mît à
sourire : — Oh, je le connais bien ! Et quand je m'éton-
nais qu'il connût ainsi des amis ou des membres de ma
famille : — Oui, certains d'entre eux, je les connais, répé-
tait-il avec un sourire entendu...
Un jour Ghéon arriva chez moi. Il était ici, assis sur ce
canapé, et, me prenant à part, dans un extraordinaire état
d'exaltation, me fit des confessions entières et détaillées.
Je savais depuis longtemps ; j'étais au courant et je protes-
tai : — Croyez-vous, Ghéon, qu'il soit nécessaire d'en
parler ? — Mais c'est une question d'honnêteté, me répondit
Ghéon, une question de sincérité. Et croyez bien que non
seulement moi, mais aussi Gide...
— Ce n'était pas un besoin de sincérité, reprend Blanche, mais plutôt une sorte d'irrépressible nécessité de se
confesser, qui de temps à autre éclatait : il lui fallait prendre
des amis à témoin et en faire, malgré eux, ses complices.

Blanche :
— Quand Gide apprit les révélations de Ghéon, il en fut
consterné. Peu de temps après, je l'avais invité à Offranville. Je le cherche à la gare. Il descend de son wagon de
troisième, sa valise à la main. Troisième classe : avarice ?
Non, je pense que Gide a plus de liberté pour s'asseoir
auprès de qui il veut.

Puisque je savais tout, Gide jugeait-il sa situation intenable en France ? Craignait-il un scandale ? Avait-il peur que je l'ébruite ? Voulait-il partir ? Autant qu'il me souvienne, il ne m'a rien dit précisément. Toujours est-il qu'il n'avait pas la moindre intention de faire quoi que ce soit. Il donnait le change apparemment.

Blanche :

— Pour moi, le mariage de Gide est incompréhensible. Oui, c'est pendant la guerre, à l'époque de sa conversion, que Ghéon a écrit à Gide pour faire son mea culpa en évoquant leurs sorties de jadis. Gide habitait Cuverville. Il y avait longtemps qu'on manquait des nouvelles de Ghéon alors au front. Vous savez que Ghéon était autant l'ami de madame Gide que de Gide. Bien souvent à Paris il avait passé des soirées avec elle, à veiller en attendant l'absent. Elle pouvait en tout cas considérer que les lettres de Ghéon étaient adressées à eux deux. Elle ouvrit celle-ci. Sans doute, m'a dit Ghéon, elle avait pu avoir des soupçons bien avant cette lettre. Mais ce fut alors pour elle la certitude devant laquelle il est impossible de fermer les yeux. Le fait m'a été directement et personnellement raconté par Ghéon. Gide m'a déclaré que ce fut là son drame le plus poignant, ajoutant que ce n'était pas une simple coïncidence, cette intrusion même involontaire d'un converti dans sa vie privée, cette intrusion indirecte de l'Eglise. L'année suivante, madame Gide fut appelée à mieux comprendre encore...

Blanche :

— Je vous ai dit tout à l'heure que Gide donnait souvent le change. Voulez-vous un autre exemple de son côté jeu et mystificateur ?

Je venais de terminer *Les Cloches de Saint-Amarain* qu'il avait revu, page par page, avec moi. Comme j'avais remis le manuscrit à ma grande amie madame Mühlfeld qui m'avait déclaré que sa publication serait un scandale, je m'adressai à Gide pour un conseil. Alors Gide demanda à madame Mühlfeld communication du manuscrit comme s'il ne le connaissait pas. Un jour où je vins le voir à la « Villa », il me parla de tout, sauf de la publication des *Cloches*. Quelque temps après, comme je faisais le portrait de Valéry, il entre, puis, me prenant dans un coin, me dit affectueusement qu'il désire me revoir seul pour m'entretenir de mon livre. Sur ce, j'apprends qu'il avait passé chez moi quand j'étais seul, sans monter, et que ce jour-là, comme j'avais du monde, il était venu. Pourquoi éludait-il cette conversation ? Etait-ce un jeu de sa part ?

Ici, Blanche, auteur naïf, n'a pas voulu comprendre. Gide jugeait son style plein « d'extraordinaires défaillances » et son manuscrit difficilement publiable par la N. R. F. L'ouvrage parut chez un autre éditeur sous le pseudonyme de J. de Beslou.

Blanche :
— J'explique certains détours de Gide par son caractère provincial. A Paris, il a été déconcerté par le monde de Paul Bourget, le Jockey, le Faubourg, les salons.

Blanche, lui, aime et continue à vivre dans ce monde. Je regarde devant moi le portrait encore inachevé d'une femme élégante, connue pour sa grande fortune, de l'aristocratie anglaise.

Si Gide a été attiré, très jeune, par quelques salons, il les a fuis rapidement. S'il y retourne, il constate à nouveau qu'on y dénigre tout ; il ne supporte pas les « mots », les propos mal rapportés, faits pour briller ; il se tait, l'esprit maussade : — Je devrais tout démentir, dit-il.

Je quitte l'atelier du premier et, dans un petit vestiaire attenant, Blanche m'aide à enfiler mon pardessus, et d'autant plus résolument que je crois devoir m'y dérober, la politesse lui paraissant au contraire de m'imposer le devoir de l'aider à m'aider. Dans le vaste salon du rez-de-chaussée que traversent tant de personnalités célèbres, je rencontre ce garçon sans âge et qui me semble muet, que j'entrevois parfois dans la maison. Même à ses plus brillantes réunions, Blanche ne présente presque jamais.

AVEC ANDRÉ GIDE

18 *février* 1929.

Rue Vaneau. Un magnifique nègre, en provenance
directe du Congo, ouvre la porte. Il a été envoyé par un
ami, d'Afrique. Va au bal nègre la nuit, dort le jour. N'a
rien à faire, dit savoir tout faire.

Je traverse à nouveau l'appartement compliqué, par un
long couloir où donnent des portes ouvertes, pour arriver
au studio.

Nous parlons depuis plusieurs heures déjà. Il est près de
minuit, lorsque, soudain, le nom de Claudel est évoqué.
Le ton de l'entretien change. J'allais partir, Gide me retient,
hésite un moment, me parle de la correspondance qu'il a
entretenue avec Claudel depuis des années, puis va chercher une grande enveloppe grise, qui contient quelques-unes
de ces lettres :

— Je croyais les avoir égarées, me dit-il ; je viens de
les retrouver. Peut-être pourrai-je tout à l'heure vous en lire
certains fragments...

De Jammes aussi j'ai d'anciennes lettres, mais la plupart
bien insignifiantes. Elles sont pleines d'histoires, qui déno-
tent la complication de son caractère. Il désirait se séparer
d'une amie (c'était au début de nos relations) ; alors il avait
trouvé ceci : demander à ma femme de lui écrire une lettre

à lui, Jammes, pour la communiquer sans doute à son amie et lui prouver qu'il avait une autre liaison qui l'obligeait à rompre. (Gide sourit comme s'il parlait de quelque enfant décevant.)

Plus tard, après sa conversion, il m'exhortait à quitter « ma néfaste doctrine nietzschéenne » ! Il m'écrivait : « La France a besoin de toi... ! », ou d'autres sottises de ce genre...

Mes échanges avec Claudel, reprend Gide, c'est autre chose. Il est l'homme le plus saisissant que j'aie rencontré et contre lequel j'ai eu peut-être le plus à me défendre...

Notre amitié est d'ancienne date ; je l'ai connu par Marcel Schwob et retrouvé chez Mallarmé, où il se tenait dans un coin, à l'écart, le plus souvent silencieux...

Après avoir perdu la foi de son enfance, Claudel est resté, jusqu'à 18 ans, sous le joug des doctrines scientistes et matérialistes de Le Dantec et de Renan, qui deviendra subitement « l'ignoble Renan » : Claudel s'était converti. Se convertir, dira-t-il plus tard, « c'est une petite mort ».

Quand Gide le revoit vers 1905, il est frappé par son nouvel aspect et note dans son *Journal* :

« Jeune, il avait l'air d'un clou ; il a l'air maintenant « d'un marteau pilon... [Visage carré], cou de taureau « continué tout droit par la tête. » « ... Pour causer avec « lui... on est obligé de l'interrompre. Il attend poliment que « l'on ait achevé la phrase, puis reprend où il en était resté, « au mot même, comme si l'autre n'avait rien dit. »

Jammes, accompagné de Gide, lui a rendu visite quelques années auparavant et dans ses *Mémoires* a écrit :

Dans la pièce, « un lit, trois chaises dépenaillées, une « mauvaise commode où sont posés un chapelet de deux

« sous, un paroissien de cuisinière et l'*Appel au Soldat* de
« Maurice Barrès. » « On ressentait que pour un empire, cet
« échappé du monde civilisé n'eût renoncé... à cette jaquette,
« à ce col qui devait lui servir de discipline... à ces bottines
« à boutons... » Claudel revient des Affaires étrangères. Il
offre à ses visiteurs deux exemplaires de *Connaissance de
l'Est* : « — J'aurais dû sans doute, dit-il, obtenir au préalable du ministre, l'autorisation de publier ce livre. »

Converti, Claudel avait pris l'âme d'un missionnaire, si
empli d'une totale certitude, si autoritaire qu'il se croyait
chargé de foncer sur les faibles ou les hésitants, de les écraser
pour les amener à Dieu par la force ou la douceur, la
persuasion ou la violence. Le jeune L. L., rapporte Rivière,
ayant rencontré Claudel chez Jammes, Claudel l'entreprit
sur la religion : il l'enferma avec lui dans une chambre pendant une heure et l'invectiva terriblement. L. L. sortit
pleurant, brisé, malade, et quitta la maison aussitôt, disant
à Jammes qu'il l'aimait beaucoup, mais que son ami était
trop cruel. Puis L. L. s'est converti.

« Je voudrais n'avoir jamais connu Claudel, écrira Gide
plus tard, ... son amitié pèse sur ma pensée... et la gêne. »
Gide a une immense admiration pour la force de ce talent,
pourtant si contraire au sien ; mais ce n'est pas seulement
une admiration littéraire, c'est en même temps une sorte de
considération pour la puissance de l'homme, fait tout d'une
pièce, qui frappe par coups massifs — si bien qu'à certains
moments, quand Gide se reprend, il ne laisse pas de remarquer l'incommensurable orgueil des croyants.
Depuis une dizaine d'années Claudel a entrepris d'amener
Gide au catholicisme. Atteindre Gide ce serait atteindre non
seulement un grand écrivain, mais aussi l'animateur de tout
un milieu, et plus encore une forme d'esprit que Claudel
sent fuyante, difficile à cerner et qu'il désire plus que toute
autre réduire. Alors, de son immense poids, il s'efforce

d'emporter ce « point stratégique », afin de hisser cette
valeur de « parabole » dans l'Eglise.

Gide est pris par cet homme qui a les pieds bien sur la
terre et qui sent Dieu en lui, qui présente le catholicisme
comme un déchirement sublime, comme un principe de
contradiction à la mesure de notre raison, comme une lutte
inconfortable et un combat contre la paresse (« Pas la paix,
l'épée »), comme une menace pour la sécurité spirituelle de
ceux qui n'ont pas la foi, comme un scandale, car quoi
de plus audacieux, de plus aventuré que « l'acceptation
poétique, écrit Claudel, d'un monde surnaturel et invisible » ? Le catholicisme de Claudel s'exprime souvent dans
les termes mêmes des incroyants. Il est irrépressible jaillis-
sement lyrique, la force de « faire », la force d'étreindre,
la force de vivre : « Oui ! quelle chose c'est que de vivre... »
Vivre comme l'Arbre, qui est « le tirement assidu de [son]
corps hors de la matière inanimée » ; s'étendre sur le sein
de la Terre : « Oh nuit ! Terre, terre ! »
Mais Gide comprend que Claudel a besoin de soutien,
qu'il se sent seul, que l'Arbre est pour lui un père et que
lorsqu'il évoque la nuit, c'est la « Nuit maternelle ». Bien
qu'il admire la magnificence des images de Claudel, le
catholicisme apparaît à Gide comme une doctrine qui se
découvre dogmatique à l'épreuve des réalités. Claudel est
obligé de réduire sa pensée : il perdrait sa foi, dit-il, s'il
croyait à la « pluralité des mondes », et surtout de mondes
habités. Si la terre n'est qu'un grain de poussière, pourquoi
ce grain mériterait-il que Dieu lui sacrifiât son Fils ? L'athée
au contraire parle des autres mondes : « O, fabricateur de
cette mauvaise petite boule ronde, écrit un Sade, toi qui
d'un souffle en as peut-être placé des milliards comme la
nôtre dans l'immensité de l'espace... » Claudel est obligé
de rejeter tous les penseurs qui ne s'accordent pas à sa doctrine ; il les rejette avec rage, parlant d'eux comme des
ravages des Turcs, des Anabaptistes ou des Luthériens.

Si Claudel déclare que Rimbaud avec sa « voix de femme,
ou d'enfant, ou d'ange » [1], lui a ouvert une fissure dans
son bagne matérialiste, lui a révélé qu'il a retrouvé l'éternité et qu'il n'avait « rien autre chose à révéler, sinon que
nous ne sommes pas au monde » [1], Claudel ne veut pas
connaître la vie réelle de Rimbaud et, quand Gide l'entretient des rapports de Rimbaud avec Verlaine, « Claudel, le
un regard absent, touche un chapelet sur la cheminée dans
une coupe » [2]. A Claudel, toute liaison amoureuse apparaît
criminelle et c'est sans doute pour se délivrer d'une liaison
qu'il s'est si brusquement marié, la veille de son départ
pour la Chine.

Quoiqu'attiré par Claudel, remué « comme un poteau »
jusqu'à sa base, Gide ne cesse de résister. D'où le puissant
combat entre eux.

Cependant quand Claudel lui écrivait : « Je m'intéresse
à votre âme », Gide se sentait tout à coup bouleversé par
la puissance de cet homme penché presque paternellement
sur lui. Claudel n'hésitait pas à entrer dans la vie intérieure de ses amis — chacun a bien quelque douleur, quelque misère, quelque secret qui le hante et dont il rêve
parfois d'être soulagé. C'est ce moment qu'attendait Claudel
— pour frapper fort, frapper cruellement, ou consoler.

Depuis longtemps Gide projetait une explication avec
Claudel qui déclarait être prêt à tout comprendre, mais
leur correspondance n'aboutissait pas, et les séjours presque
ininterrompus de Claudel à l'étranger ne facilitaient pas non
plus leur rencontre. — « Je m'impatiente... » déclarait
Claudel.

Et Gide accepte que Claudel lui donne le nom d'un
prêtre, mais il n'alla jamais le voir.

Voici qu'en 1914, Gide au lieu d'être amené à une sorte

1. Rimbaud, par Claudel.
2. Journal de Gide.

d'affectueuse confession, fut brutalement sommé par Claudel de s'expliquer d'un passage des *Caves du Vatican* paru dans la N. R. F. Il s'agissait de quelques remarques de Lafcadio (qui nous semblent aujourd'hui anodines)[1]. Sans doute c'est tout le livre qui heurtait Claudel, qui lui paraissait, quoique présenté sous la forme d'une sotie, une satire de l'Eglise, mais c'est à quelques lignes seulement qu'il s'attachait pour demander à Gide s'il était un « participant de ces mœurs affreuses », pour le forcer à l'aveu : « Répondez-moi, vous le devez. »

Gide s'était toujours promis, mais au moment qu'il choisirait, de lever le masque. Le ferait-il sous cette menace, venue même d'un ami ? Il savait que s'il répondait maintenant, il devait non seulement avouer, mais s'affirmer.

La nuit s'est avancée encore et la rue est devenue complètement silencieuse. Gide relit deux ou trois des lettres, à haute voix, sur un ton solennel, pénétré, profondément ému. Il s'assied près de moi et sort au fur et à mesure les lettres de leurs enveloppes conservées précieusement. Les brouillons également sont gardés, et comme les lettres de Gide comportent quelquefois deux projets de réponse, et certaines lui ayant été retournées par Claudel, il arrive que le texte se présente en trois exemplaires.

Gide commence à me lire la première lettre (datée de mars 1914), puis s'arrête soudain, non sur un passage difficile, mais probablement parce que le souvenir ressurgi de cette époque l'étreint ; puis il me tend la lettre : — Lisez vous-même. Il prend pendant ce temps un livre qu'il fait

---

1. « Le curé de Covigliajo, si débonnaire, ne se montrait pas d'humeur à dépraver beaucoup l'enfant avec lequel il causait. Assurément, il en avait la garde. Volontiers, j'en aurais fait mon camarade ; non du curé, parbleu ! mais du petit... » *Les Caves du Vatican.*

semblant de feuilleter, puis revient s'asseoir auprès de moi ;
reprend la réponse de Claudel et la relit de nouveau à haute
voix ; puis les radiateurs se refroidissant, nous allons vers
une autre pièce de l'appartement ; madame Van Rysselberghe rentrant de voyage, nous retournons dans le studio
de Gide.

Après un premier mouvement de protestation, Gide s'est
ouvert à Claudel :
« C'est à présent à l'ami que je parle, comme je parlerais
devant Dieu. Je n'ai jamais éprouvé de désirs devant la
femme ; et la grande tristesse de ma vie, c'est que le plus
constant amour, le plus prolongé, le plus vif, n'ait pu s'accompagner de rien de ce qui d'ordinaire le précède. Il semblait, au contraire, que l'amour empêchât en moi le désir... »
« Sur cet aveu, si vous préférez rompre avec moi... Mais
l'hypocrisie m'est odieuse... Je ne puis croire que la religion
laisse ceux-là qui sont pareils à moi de côté... Par quelle
lâcheté, puisque Dieu m'appelle à parler, escamoterai-je
cette question dans mes livres ?... »
Claudel fit une très longue réponse en affirmant que chacun est responsable de son âme et peut la diriger :
« ... En dépit de tous les médecins, je me refuse absolument à croire au déterminisme physiologique. » Suivent
quelques citations latines tirées de différents chapitres de la
Bible.

Gide :
— Dans ces citations, il me semble qu'il est plutôt question de fornication que d'autre chose.

Puis Gide reprend la lettre de Claudel :
— « Vous me parlez d'hypocrisie, mais il y a une chose
infiniment plus odieuse que l'hypocrisie, c'est le cynisme. »
Et Gide relit la phrase et la répète pour mieux s'en pénétrer.

J'ose interrompre pour la première fois ces lectures, me souvenant de deux vers de Claudel :

« Cet art de vivre honorablement avec tous ses péchés,
« Qui sont comme s'ils n'étaient pas, du moment où nous
« les tenons cachés. »

Gide :

— Ecoutez-le, dans sa lettre : « Dans ces graves matières charnelles, nous péchons tous plus ou moins et je vous avoue très sincèrement que, de vous à moi, si je faisais une comparaison, elle serait à mon détriment. »

Ici Gide s'arrête : suit une ligne et demie barrée par Claudel. Gide fait un geste d'ignorance.

Puis revient plusieurs fois sur la chose qui paraît la plus importante à Claudel, cette abjuration :

« A tout le moins, promettez-moi que ce passage [des Caves] ne figurera plus dans le volume. Peu à peu on oubliera... »

Gide me lit sa réponse :

— « ... Je vous remercie du sentiment qui vous fait me demander, ainsi que le ferait également la prudence, de supprimer une phrase de mon livre ; mais je ne puis y consentir. Vous avouerai-je même que votre phrase rassurante : « Peu à peu on oubliera », me semble honteuse... »

Les dernières et brèves réponses de Claudel sont tantôt affectueuses, tantôt autoritaires, selon l'espoir qu'il garde d'obtenir quand même la suppression du passage qu'il a incriminé, et de ramener par cette marque d'obéissance, à lui et à Dieu, la brebis récalcitrante.

Moi :

— Ce qui me frappe, c'est le ton douloureux de ces lettres, où Claudel vous appelle : — Mon pauvre Gide ! Votre réponse à Claudel, où vous craignez qu'il vous trahisse, me paraît refléter l'inquiétude de l'homme traqué tel que Proust le dépeint dans son évocation de Sodome. Tout cela est si loin de la lumière et de l'équilibre qui apparaissent dans *Corydon,* — ou du bonheur de certaines pages de *Si le Grain ne meurt.* Vous m'avez dit souvent avoir voulu peindre Corydon libre, assuré, assumant la responsabilité de ce qu'il est, alors qu'il apparaît ici livré au profond désarroi.

Gide :

— Je n'avais écrit encore qu'un fragment de *Corydon.* Les événements m'ont devancé. Mon livre n'était pas achevé. J'ai été pris de court. S'il avait paru complet et au grand jour, que de pénibles malentendus eussent été évités. De là est venu le drame.

L'homme traqué ne l'est qu'autant qu'il n'a pas avoué publiquement. Croyez bien qu'avouer publiquement ce qui paraît inavouable, c'est autre chose que de livrer un secret. Livrer un secret, c'est *se livrer,* c'est en quelque sorte faire de quelqu'un son complice. On est « à sa merci ».

Mais quelles résistances j'ai eues à vaincre au moment de parler ! Proust me confiait : — Vous pouvez tout dire, mais ne dites jamais « je », vous vous compromettez et tout le monde vous tournera le dos. Wilde aussi m'a dit : — N'employez jamais « je ». Qui sait, s'il avait revendiqué de son banc d'accusé, la liberté, quel eût été le dénouement de son procès ? Mais il cherchait à se protéger par des feintes, tandis que chaque voyou qui passait à la barre l'accablait davantage... Ils préfèrent tous le camouflage. Et Claudel m'écrit comme eux (Gide reprend la lettre) : « Vous vous perdez. Vous vous déclassez... Vous ne comp-terez plus. » (Intonation de Gide.)

Gide :

— Comment mon cas n'eut-il pas inspiré de l'horreur à Claudel ? Et quelle vie devait m'attendre ! C'est sa vision à lui. Claudel, qui donne à la chose son aspect douloureux.

Je dois dire, il est vrai, qu'il y a trois ou quatre ans, quand je lui ai envoyé mon Dostoïevski, j'ai été ému de lire, dans une belle lettre qu'il m'écrivait, que ce Russe n'était pas un malade, ni un barbare, mais un possédé à l'état de recherche. Aussi longtemps que Claudel a cru que la grâce était, comme il dit, en gestation en moi, il n'a pas complètement cessé de m'écrire.

Gide reprend :

— Claudel est peut-être l'homme le moins fait pour me comprendre. Il y a en lui un mâle furieux qui veut la « possession ». Que peut-il imaginer des rapports avec les jeunes gens ? Comment je les incite à mieux se connaître, à se détacher de moi, à prendre plus tard une maîtresse... Quand la sensualité fait place à la tendresse, il reste un jeune homme « avec qui on peut parler », la joie de le voir agir, de lui laisser l'initiative, de se reposer sur sa jeune force... Sans doute il y a une certaine abnégation dans cette sorte d'amour. Mais Claudel ne peut voir là qu'une monstruosité diabolique, qu'un horrible *accouplement*. Entre l'amant et l'aimé, il n'y a pour moi que beauté, que caresse et je pense même que l'aimé n'a parfois pas à y répondre...

Moi :

— Proust déclarait qu'un sodomite qui ferait l'amour avec une femme se sentirait devenir anormal.

Gide :

— Les croyants nient le déterminisme physiologique. Allons donc ! On peut peut-être sublimer ses désirs, on ne les change pas.

Un silence. Puis Gide, d'une voix basse, presque souterraine :

— Je puis vous le dire : eh bien oui, l'aspect même d'un sexe féminin me fait horreur. (Et Gide appuie gravement sur les *r* de la dernière syllabe, avec une sorte de frémissement intérieur et le sentiment d'une délivrance.)

Gide :

— Claudel me disait de lui : — Il faut me prendre comme je suis. Pourquoi ne fait-il pas de même avec moi ? Au lieu, ils m'envoient le nom de leur confesseur !

Gide replace les lettres dans leur grande enveloppe et la pose sur la table. Dans le studio, l'heure avancée crée une sorte de vide silencieux.

Moi :

— Ils se sont également tournés vers votre femme. Jammes lui écrit (sans lui dire grand'chose) et Claudel plus tard je crois, pendant votre voyage au Congo. On sent qu'elle est aussi l'objet d'un siège, prudent sans doute. Et quand ils ne s'adressent pas à elle, ils vous rappellent qu'elle est là. Claudel vous dit : — « Consultez madame Gide ». Qu'est-ce que cela signifie, sinon : — Pouvez-vous lui avouer ? Je pense à Proust qui affirme que le sodomite mentira à sa mère jusque sur son lit de mort...

Gide :

— Vous touchez là au sujet qui m'est le plus pénible. Je crois qu'il y a un moment où la sincérité atteint des bornes. Ici je ne suis plus seul en cause.

C'est une autre question : un drame de la vie privée. Il y a des choses qui crèvent les yeux et qu'on ne voit pas ; l'être qui est le plus près de vous les soupçonne peut-être, mais les supprime. Alors il se trouve toujours quelqu'un pour éclairer... Ou plutôt non ; dans ma vie ce sont les événements qui ont été les plus forts, qui ont été la source d'une sorte de libération.

Je reviens encore aux légendes grecques. Il y a tant à apprendre d'elles. En ce moment, c'est Œdipe que je vou-

drais interpréter. Son drame, c'est qu'il ait pu vivre, je ne
sais combien d'années, heureux avec sa femme. Individu
supérieur, il était parvenu à créer en lui son propre bonheur et cependant ce bonheur ne reposait que sur un malentendu.

Oui, j'ai beaucoup creusé ce sujet et je projette d'en tirer
une pièce, du genre injouable sur la scène — Œdipe a
vaincu le Sphinx. Il a remplacé Laïus sur son trône. Il est
de la race de ces héros puissants, tyranniques, comme Thésée. Et il est parfaitement heureux. Mais ici intervient le
prêtre... Le prêtre c'est Tirésias. Et il ne peut pas admettre
la quiétude et le bonheur d'Œdipe.

Eclate la peste. Tirésias doit la justifier, donner à ce fléau
une explication divine : c'est l'abominable présence d'Œdipe
dans la cité.

Tous les éléments du drame sont donnés. Il en tire les
conséquences. Il révèle à Œdipe que son bonheur repose
sur une erreur. Jocaste apprend *qui est* Œdipe et Œdipe se
sent traqué pour un crime qu'il ne saurait nommer, c'est-
à-dire pour lui inclassable. C'est alors qu'il se crève les yeux.

La position d'Œdipe peut paraître inadmissible pour le
public ignorant ; d'où ce dénouement ; mais on pourrait en
envisager un autre...

Le sujet s'est développé, élargi en moi : je vois de nouveaux personnages : les enfants d'Œdipe. Magnifiques, les
enfants. Eteocle et Polynice. C'est à partir du jour où,
Œdipe, leur père, apprend l'horrible vérité, que les drames
succèdent aux drames et que le malheur s'abat sur eux.
Antigone et le malheur...

Avez-vous pensé à la question du Sphinx ? Telle qu'elle
est rapportée, elle paraît idiote. Œdipe confie à son fils
qu'il avait la réponse avant de connaître la question. De
toutes façons et quelle qu'elle ait pu être, il aurait répondu :
— *C'est l'homme*. C'est l'homme, c'est bien la réponse à
tous les problèmes.

Œdipe est le surhomme. Il a pris conscience de sa gran-

deur par sa victoire sur le Sphinx. Il est admiré par ses
enfants. Et toute cette noblesse, toute cette haute construction qu'est Œdipe va s'écrouler en quelques instants.
— Quoi ! s'écrieront ses enfants, tout cela n'était élevé que
sur un mensonge, que sur un crime.

Mais n'oubliez pas que celui qui déclenche la tragédie,
c'est Tirésias, c'est le représentant de la religion établie.

Gide :
— Mes rapports avec Claudel sont de plus en plus espa-
cés. Après la publication de *Numquid et tu...?* il a repris
espoir, car je priais. Et j'ai encore deux ou trois lettres
magnifiques de lui. A la veille de mon départ pour le
Congo, nous avons eu un long entretien solennel. — Ah,
si tous les catholiques étaient comme vous, lui ai-je dit !
— Et il m'a répondu que les catholiques pensaient à moi,
priaient pour moi, que je leur manquais et que malgré
« mes mœurs affreuses », ils espéraient toujours en moi.

C'est bien la manière des catholiques ; ils déclarent volontiers que ceux qui blasphèment, qui s'insurgent contre
l'Eglise, ceux qui sont livrés aux passions, les plus déver-
gondés au regard de leur morale, restent cependant le plus
près d'eux ; ils voient dans les excès même de l'homme,
l'expression du travail intérieur de la grâce. A ce compte,
les catholiques pourraient annexer tous les violents et les
révoltés, Rimbaud tout aussi bien que Sade, mais non pas
les sages : Vinci, Spinoza ou Gœthe. Quand j'ai expliqué à
Claudel que plus aucun « travail intérieur », comme il dit,
ne se faisait en moi, il a compris que j'étais complètement
perdu pour le catholicisme ; à présent il me laisse de côté ;
Jammes également.

Remarquez que, de leur point de vue, les catholiques
sont logiques avec eux-mêmes ; ils ont bien raison de prendre position contre moi, de déclarer que mon enseignement
va à l'encontre du leur, tous faits que je ne peux pas considérer comme insignifiants. Je reconnais l'importance de

l'Eglise à ceci, qu'il faut s'opposer à elle, être rejeté par elle...

Il est possible que dans cinquante ans, le problème se présente autrement et que l'offensive catholique à laquelle nous assistons ne soit plus rien. Mais je pense que l'esprit dogmatique et l'esprit mystique sont de tous les temps. Opposer la pensée libre à leur système, la pensée ouverte à la pensée fermée, cela reste une chose qui ne laisse pas encore de me préoccuper aujourd'hui...

Les extraits suivants du *Journal* de Gide montrent qu'il a toujours maintenu ses distances avec Claudel, pour le juger, même au moment où il paraissait le plus saisi par lui.

5 *décembre* 1905 : — « Le grand avantage de la foi religieuse pour l'artiste, c'est qu'elle lui permet un orgueil *incommensurable.* »

Même date : — Il exécute. Il abat... « à coups d'ostensoir il dévaste notre littérature ».

6 *février* 1907 : — « Lettre de Claudel... pleine d'une colère sacrée, contre l'époque, contre Gourmont, Rousseau, Kant, Renan. Colère... douloureuse à mon esprit autant que l'aboiement d'un chien à mon oreille. »

Vingt ans plus tard : — « Achevé le *Soulier de Satin.* Consternant. »

6 *décembre* 1931 : — Claudel fulmine contre Jouvet qui joue le *Taciturne,* pièce « d'un écrivain immonde, dont il ne veut même pas se rappeler le nom » ; Gide écrit : « Claudel peut bien s'indigner contre *le Taciturne,* mais au fond, c'est à *Jean Barois* qu'il en a. »

AVEC JEAN COCTEAU

Fin février 1927.

Il m'accueille presque affectueusement comme un vieil ami ; il me reçoit en manches de chemise. On la croirait portée par un mannequin vivant de Chirico. Dès qu'il a enfilé son veston, il en retourne le bas des manches découvrant les poignets serrés de sa chemise. Des lèvres de fil et des bras proportionnellement aussi minces que les lèvres, — qui semblent tisser l'air comme l'araignée. Il est tout en lignes droites et coupées. Des mains remarquables, osseuses, — articulées ; des mains qui parlent. Je considère ce corps fin et frileux, qui hume les choses avec la pointe du nez ; jamais d'idées générales, mais un flair constamment en éveil ; un regard horizontal, qui, par-dessus moi, paraît s'adresser à d'autres et d'une extême mobilité.

Après quelques phrases en moulinet, il a touché dans le mille ; alors il se tient en suspens, comme sur une patte, avec un sourire gentil, qui interroge, qui attend... pour cueillir. Il faut jouer avec lui, être complice. Aussitôt il échappe : je suis le mur ; il est la balle.

Cocteau :

— J'ai pour Gide beaucoup de gratitude. J'avais vingt ans et j'en étais à madame de Noailles, aux grandes portes ; il m'a fait connaître la porte étroite. Mais je crois qu'avec des hauts et des bas, il y a une rivalité aigüe entre nous

— une rivalité masquée — car, dans la vie, nous conservons, en apparence, des rapports supportables.

Cocteau :

— Gide, quel merveilleux professeur ! Quand je lui remis *Thomas l'Imposteur,* il me rendit l'ouvrage avec des indications précieuses de sa main, surtout des suppressions de mots décoratifs, sauf les *malgré que,* qu'il a gardés et dont il m'a remercié.

Cocteau :

— J'ai aussi vécu aux environs d'Offranville où habitait Jacques-Emile Blanche. Gide y venait souvent. Il y avait non loin, la propriété des Mallet. Je vis autour de Gide, un groupe d'Hindous et beaucoup d'enfants qui faisaient sa joie. L'un d'eux est devenu le messie d'Annie Besant. Ce fut là pour moi le point de départ du *Potomak*...

— Et peu à peu, reprend Cocteau, j'ai rejoint Gide ; je l'ai dépassé ; j'ai couru plus vite. A mon tour, j'entrais dans le monde actif : j'aimais Reverdy, Picasso, Braque, d'autres ; Gide s'en tenait toujours à Maurice Denis. Je me liais avec Max Jacob. Il y avait des matinées et des récitations chez Paul Rosenberg. C'est après une de ces séances que j'ai mené André Breton et Soupault chez Picasso, rue de La Boëtie. Aujourd'hui nous sommes en lutte. Je me demande pourquoi... puisque nous défendons les mêmes choses. Gide, lui, comme les encyclopédistes, a une sorte de jalousie profonde des poètes. La jalousie de Gide est presque féminine. C'est d'elle que sont parties nos brouilles.

Il y en eut une où Marc joua un rôle. Vous le connaissez ? Je l'appelle : un coupe-papier... un coupe-papier pour édition de luxe. N'est-ce pas ? Gide l'a desséché en l'aidant, il a perdu l'émotion humaine. Il la retrouvera. Le méandre de Gide lui est propre. D'autres s'y perdent.

Lettre ouverte de Gide à
Cocteau (N. R. F. ; juin 1919) :
« Chaque fois que je parle avec vous, je songe au dialogue entre l'ours et l'écureuil. Où je me traîne, vous bon-
disez. Certes je ne vous reproche pas de bondir ;... Je vous
reproche de sacrifier vos qualités les plus charmantes et les
plus brillantes au profit d'autres plus pesantes que, peut-
être vous n'avez point... »

Extraits du *Journal*
de Gide sur Cocteau :
20 *août* 1914 : « ... Tout cet extraordinaire brio de son
parler habituel me choquait... Il s'est vêtu presque en
soldat... tourne au martial sa pétulance... Il imite le son du
clairon, le sifflement des shrapnells... L'étrange, c'est que je
crois qu'il ferait un bon soldat... »
1ᵉʳ *janvier* 1921 : « Eté voir *Parade*... [Cocteau] sait bien
que les décors, les costumes sont de Picasso, que la musique
est de Satie, mais il doute si Picasso et Satie ne sont pas
de lui. »
10 *septembre* 1922 : « Je relis... *Le Secret Profesisonnel*...
Comment avais-je pu trouver cela bon ? La vanité blessée
ne réussit jamais que des grimaces. »
18 *mai* 1923 : « Lu en wagon *Le Grand Ecart*... Amusé...
par l'extrême ingéniosité des images et la brusquerie clownesque de certaines présentations... Si Cocteau se laissait
aller, il écrirait des vaudevilles. »
11 *octobre* 1929 : « Lu le *Livre Blanc*... Que d'apprêt dans
son style ! de souci de la galerie dans ses attitudes !... Pourtant certaines obscénités sont racontées d'une manière charmante. »

Après « quinze années de guerre froide avec les surréalistes » et avec Gide :

Extraits d'un journal de Cocteau
intitulé *Maalesh* (1949) :

6 *mars* 1949 : « Gide auquel, hier,... j'ai été rendre visite...
Nous vidons notre sac... Nous finissons par débrouiller ce
qui nous avait brouillés, embrouillés, ce qui me vaut les
attaques de son Journal.

Il m'avoue : « J'ai voulu vous tuer. » Voilà l'exemple
type des dangereuses visites de ces jeunes... Le jeune homme
oisif qui va de l'un à l'autre, véhicule des histoires qu'il
forge...

Victimes de mythomanes, il nous a fallu des années pour
nous rejoindre et retrouver notre vieille tendresse. Gide
voudrait bien ravaler sa langue. Il est trop tard. Mais
qu'importe ? Ce qui n'est pas du cœur n'est rien. Et peut-
être ne nous en aimons-nous que davantage. »

En 1950, Gide me parle de Cocteau :
— Oh ! Son extrême gentillesse, ses soins attentifs...
Vous ne savez pas comme il s'est montré dévoué encore ces
temps derniers.

AVEC PHILIPPE SOUPAULT

1927.

Avec une extrême vivacité, Soupault raconte :

— On se réunissait au *Café de Flore,* avec Breton et Aragon. Notre groupe, ce n'était pas encore Dada ; c'était plutôt le groupe cubiste, si l'on peut parler de cubisme littéraire. Il avait Apollinaire pour chef. On lisait des poèmes cubistes.

Nous avions avec nous Max Jacob, André Salmon et aussi Reverdy. Les deux revues principales, vous les avez connues, étaient *Sic* et *Nord-Sud ;* elles furent les toutes premières manifestations révolutionnaires de notre mouvement : devant ces formules neuves, — les *Calligrammes* par exemple, — le lecteur butait contre un mur. Les peintres nous accompagnaient. Cela avait lieu encore pendant la guerre, vers 1916 et 17.

J'avais publié *Aquarium.* Breton faisait encore des poèmes mallarméens, en vers réguliers ; je trouvais cela scandaleux et je le lui ai dit. Aragon déclarait que les deux auteurs qu'il préférait étaient Villon et Rimbaud.

Nous formions déjà « le groupe des trois ». J'avais connu Breton aux mardis d'Apollinaire ; — Breton et Aragon se sont rencontrés au Val-de-Grâce, où ils étaient tous deux étudiants en médecine.

Soupault :

— Gide avait entendu parler de nous et devait nous rencontrer chez madame Mühlfeld. André Germain nous avait introduits dans ce salon, Breton et moi, Breton en uniforme, comme Aragon d'ailleurs. On voyait là Léon-Paul Fargue, Valery Larbaud, la princesse Soutzo (la future madame Paul Morand), madame Fabre-Luce, la mère d'Albert Fabre-Luce qui devait bientôt écrire *La Victoire*... Le jour où j'y entrai avec Breton, madame de Noailles — la bacchante — était présente, très entourée, et discutait de poésie. Breton n'avait guère plus de vingt ans, parlait de brûler le Louvre. Gide n'a jamais pu venir quand nous y étions.

C'est alors qu'il nous fit connaître une seconde fois, par l'intermédiaire de Marc, lié aux Godebski, eux-mêmes des amis de Gide, son désir de nous voir. Et quelque temps après, à une exposition de cubistes chez Rosenberg, Cocteau se précipite sur Breton et sur moi et nous présente à Gide qui vient d'arriver. Gide me demande de venir lui rendre visite à Auteuil, chez les Allégret.

Soupault :

— C'est en 1919 que nous avons fondé la revue *Littérature*, qui n'était pas encore Dada, puisque Valéry, qui depuis sa « rentrée » n'avait publié que *La Jeune Parque*, Blaise Cendrars, Paulhan, parfois Morand ou Drieu, y collaboraient. J'ai demandé, pour notre n° 1, un texte à Gide, qui m'a proposé un fragment du 1er et du 5e livre des *Nouvelles Nourritures*. Plus tard, il n'en parut que quatre. C'est au cours de cet entretien que Gide m'a parlé de trois ouvrages qu'il aimait : *Faust, Le Portrait de Dorian Gray* et *La Peau de Chagrin,* mais je pense qu'il a dû dire : que j'aime dans tel ordre d'idées.

Or soudain il refuse de me donner son texte. Voici ce qui s'était passé : à cette époque, Marc voyait souvent Cocteau, ne jurait que par lui. Gide, je crois, aurait voulu nous

opposer, nous, le « groupe des trois », à Cocteau pour prouver à Marc qu'il y avait d'autres jeunes dans l'avant-garde
que l'auteur du *Cap de Bonne-Espérance*. Il s'exprima un
jour très librement à ce sujet, chez les Godebski et devant
moi : — Marc est complètement subjugué par cet esprit
clownesque ! J'étais ravi de ce propos, car je détestais alors
l'esprit de Cocteau. Et le propos parvint, de Marcel Herrand
à qui je le répétai, par plusieurs autres bouches, à Cocteau
qui s'en plaignit à Gide : — Mon cher Soupault, me dit
Gide, vous êtes trop léger. Je ne pourrai pas collaborer à
Littérature.

Cependant, sur mon insistance, Gide m'envoie chez ma
mère, rue de Rivoli où j'habitais encore, sous une grande
enveloppe orange, un fragment des *Nouvelles Nourritures,*
mais accompagné d'une lettre un peu réticente. Il m'envoya
pourtant l'année suivante des *Pages du Journal de Lafcadio* (*extraites des* «*Faux-Monnayeurs* »). Il pensait alors
donner un rôle très important à Lafcadio dans son roman
(il s'en explique dans le *Journal des Faux-Monnayeurs*),
mais à Lafcadio s'est substitué un autre personnage, Bernard.

Les pages originales parues dans *Littérature* figurent néanmoins dans les *Morceaux choisis*. Gide ne laisse rien perdre.
C'est dans ce texte qu'il écrivait : « Lafcadio, faites attention, mon ami, ce que j'attends de vous, c'est le cynisme,
ce n'est pas l'insensibilité. »

Il n'en reste pas moins qu'après ce premier incident et
malgré notre réconciliation, Gide garda toujours une expli-
cable méfiance pour moi, une méfiance qu'il a toujours eue
pour le groupe.

Soupault :
— Gide était alors un auteur relativement peu connu, mais
plein de prestige pour nous. Un auteur indépendant et
probe. Réciproquement il a connu par nous des formes nouvelles de la peinture, de la poésie. Il y a eu plutôt échanges
qu'influences.

J'avais alors l'impression d'une renaissance dans sa vie. Tout ce qui était en puissance et qu'il avait retenu jusqu'alors s'épanouissait spontanément ; il prenait contact avec une nouvelle génération de jeunes gens, avec mes amis aussi, Emmanuel Fay, Marcel Herrand... Quoiqu'il ne se livrât pas avec nous, il s'amusait. Je me suis demandé si sa nouvelle jeunesse n'était pas liée, en partie, à celle du groupe. Cette période, chez Gide, a duré un ou deux ans et elle a coïncidé en tout cas avec les débuts du mouvement Dada.

Soupault :
— Pour comprendre à la fois l'attirance et les appréhensions de Gide, il faut se représenter quel orgueil, quelle violence animaient des personnalités comme Breton ou Aragon, Picabia ou Tzara, Ribemont-Dessaignes, Théodore Fraenkel.

Aragon était l'esprit le plus ouvert, qui s'adaptait le mieux, qui intéressait le groupe aux questions politiques et sociales. Il était très attaché à Breton ; il trouvait en Dada un défi qui s'accordait au sien. Tzara, délirant d'orgueil, faisait une réclame extraordinaire à toutes nos manifestations, annonçait la présence de Charlot en personne et faisait courir mille autres faux bruits. Ribemont-Dessaignes, sarcastique, en était à son vingtième métier : médecin, architecte, peintre..., prenait des notes et regardait. Revenu d'Amérique, Picabia, plus âgé que nous, ironique et dur, nous a lâchés le premier. Vous avez connu vous-même ces rivalités extraordinaires au milieu desquelles vivait le groupe et qui a été une des raisons de son succès. Les faibles étaient écrasés. C'est à ce moment-là que *Littérature* a représenté Dada et que parurent nos manifestes : « Plus de peintres, plus de littérateurs... rien, rien, rien » ; je pouvais fournir les fonds nécessaires. Directeurs : Breton-Soupault. Breton déclara qu'il fallait ajouter le nom d'Aragon, quoiqu'il fût encore mobilisé, absent.

Trois manifestations principales : au *Salon des Indépen-*

dants ; à *l'Œuvre,* salle comble ; et salle *Gaveau,* la plus scandaleuse. Benjamin Péret monta sur la scène, tellement intimidé qu'il ne put pas parler. Puis il y eut la célèbre provocation des illusionnistes. Deux malles furent apportées et Théodore Fraenkel, maquillé en nègre, en costume de bain, avec une cagoule, ouvrit l'une d'elles : il en sortait des petits ballons, coupait la ficelle, les laissait échapper, et à chaque envol, selon leur couleur et leur grosseur, criait :
— Clemenceau ! — Rachilde !... Puis crevait le dernier, piétinait la peau morte et lançait : — Cocteau ! De la deuxième malle, je sortis « en Joffre » ; Eluard « en Foch » ; il y avait aussi « un Pétain ». Les journaux poussèrent des cris. Quand Picabia connut le projet de cette scène, il déclara :
— Je veux me faire une robe en peau de ballons. Naturellement nous avons protesté.

Gide parla de nous dans la N. R. F. sur un ton, sinon approbateur, au moins attentif, et convertit Rivière, qui écrivit peu après : *Reconnaissance à Dada.*

Soupault se reprend et repart :
— Surgirent les brouilles successives à l'intérieur du mouvement, — des disputes véhémentes entre nous, des insultes format de grands maîtres, des luttes jusqu'aux coups de poing, je vous ai dit pourquoi leur violence. Elles commencèrent à l'exposition Klee rue Boissière, puis au Théâtre des Champs-Elysées. Dada mourut au Congrès de Paris, qui s'appela, je crois : « Congrès international pour la détermination des directives et la défense de l'esprit moderne ». Le Comité Directeur devait comprendre, en plus d'André Breton, directeur de *Littérature,* des gens qui ne marchaient pas avec nous : Robert Delaunay, Fernand Léger, artistes-peintres, Georges Auric, compositeur, Amédée Ozenfant, presque futuriste, Jean Paulhan, directeur de la *N. R. F.,* Roger Vitrac, directeur de l'*Aventure* et ce fut le plus grand fiasco imaginable. Tzara s'était retiré ; Gide avait refusé de s'intéresser à ce congrès qui avait pour

but, disait-il, d'apprendre à faire des œuvres d'art en série ;
— rien ne se réalisa. Breton tira la conclusion : « Lâchez
tout. — Lâchez Dada... Partez sur les routes. »

C'est à ce moment-là qu'eut lieu la brouille la plus grave
des « trois » avec Gide. Breton qui fréquentait la N. R. F.
l'y rencontre. Gide lui prend le bras et l'amène rue de
Grenelle chez un pâtissier voisin où il lui offre le thé. La
conversation est libre et détendue. Breton, avec son extraordinaire mémoire du mot à mot, la reproduit textuellement, dans un numéro de *Littérature* de 1922 [1]. On peut
répéter les mêmes propos avec sympathie et avec ironie.
Breton avait fait figurer également ses questions, posées un
peu comme des collets, et ses remarques impertinentes. Gide
apparut dans ce texte tout occupé de sa stratégie littéraire
projetée dans l'avenir ; plaire à ceux-ci, déplaire, durer. Il
est furieux et rompt. Mais tout était exact, il ne pouvait pas
dire : — Ce n'est pas ça. Breton avait déjà répété des
conversations du même genre, avec Moro-Giafferi sur l'affaire Landru, avec Derain ; il notera aussi le mot à mot
d'un entretien avec Freud. Il n'y avait donc pas vraiment
traîtrise de sa part.

Soupault :
— L'été suivant, nous partons en automobile, André
Germain et moi, pour rendre visite à Gide, en Normandie.
Au début de l'après-midi, Germain invite dans sa voiture
Gide à une promenade. De mon côté, je me rends à Ecrain-
ville rejoindre Marie-Louise, ma fiancée. Il est entendu que
Germain me reprendra en auto le soir à six heures, devant la
porte de la propriété de Gide. A six heures, je fais le va-
et-vient devant l'entrée, près de la hêtraie, sous les regards
lointains et un peu inquiets de madame Gide, qui scrute
de loin ce rôdeur inconnu. — Sept heures. Je pénètre dans la
cuisine, pose quelques questions ; on ne sait rien, et je
recommence à attendre. La pluie vient à tomber : je me

1. Voir page 525 un extrait de cette conversation.

dirige à nouveau vers la maison, avec l'intention de demander à madame Gide comment prendre une voiture à Criquetot pour rentrer ; mais c'est dans le jardin que je rencontre madame Gide, faisant elle aussi le va-et-vient, une
lampe à la main ; il fait nuit noire, et je l'entends appeler
avec une inquiète tendresse : — C'est toi, André ? Je me
fais reconnaître, je m'explique ; aussitôt elle m'oblige à
rentrer avec elle, me présente à sa sœur, madame Gilbert
et à ses deux filles, qui sont des amies de Marie-Louise et
curieuses de connaître le jeune homme dont on leur a
parlé.

C'est alors que Gide revient seul, sans Germain, et avec
un retard considérable. Je m'apprête à partir. Aussitôt
madame Gide proteste de toutes ses forces : c'est impossible, pas dans la nuit, ni dans la pluie ; il faut au contraire
rester pour le dîner, et même, s'il n'y a pas de voiture, coucher ici. Mais Gide, effrayé à cette perspective, me prend
par le bras, me conduit dans le jardin et m'explique qu'il a
beaucoup de sympathie et même d'affection pour moi, mais
qu'après le coup de Breton dans *Littérature,* il ne peut pas
me loger chez lui ; il y aurait là quelque chose de gênant,
d'inconvenant même... Cependant, de la maison, madame
Gide continue à protester avec insistance. — Il fallait bien
que je défende mon foyer, m'expliqua Gide quand je fus
marié et qu'il vint me voir un peu plus tard, après la publication d'*Histoire d'un Blanc.* La réconciliation eut lieu
encore une fois. Aujourd'hui nous avons des relations cor-
diales.

Et Soupault continue :
— Connaissez-vous madame Gide ? Une demoiselle Rondeaux, petite et sèche, jolie dans sa jeunesse, — racée, —
province, intelligente, très puritaine, élevée dans ce milieu.
Elle a cru qu'il avait un exemple à donner. Le scrupule
d'Alissa, c'est sa crainte d'entraver Jérôme, de peser sur sa
destinée.

Aujourd'hui, elle est éclairée ; avant la guerre, elle pouvait soupçonner. Entre jadis et aujourd'hui se place le départ avec Marc, et sur un tout autre plan, la confession de Ghéon : Ghéon avait la manie de se confesser.

Cependant, avant comme après, ils ont gardé l'un pour l'autre un profond attachement. Mais elle se ratatine de plus en plus dans la vie religieuse.

Gide n'a plus à se cacher ; il se sent libre. Et c'est de ce moment sans doute que date sa nouvelle éclosion, son épanouissement, sa jeunesse renaissante, dont je vous ai parlé. S'il est resté si longtemps embarrassé par les scrupules religieux, je crois que les libertés qu'il prend aujourd'hui n'ont pas beaucoup changé la forme de ses désirs : lisez bien ou relisez ses livres, des *Cahiers d'André Walter* à *Si le Grain ne meurt*...

C'est presque d'un trait que Soupault a parlé, tantôt assis, les jambes entrelacées, tantôt entreprenant un va-et-vient rapide dans la pièce, les mains réunies dans le dos, le veston ouvert, s'arrêtant parfois devant moi pour mieux me convaincre.

A présent, il évoque encore quelques noms. Eugène Rouart : — Un homme très riche, qui n'écrit pas, ou jadis, et si peu. C'est rare autour de Gide. — Marcel Drouin : — Le beau-frère de Gide, avec qui il se dispute souvent. — Emmanuel Fay :

— Emmanuel Fay et moi nous sommes connus au lycée. Gide aurait désiré qu'il devînt un ami pour Marc. Il est mort peu après à New-York. Ce fut le premier suicide dans le groupe. Il a dit : — On n'a pas le cœur à jouer dans un monde où tout le monde triche.

AVEC EDMOND JALOUX

1929.

Edmond Jaloux :
— L'influence de Gide... ? Savez-vous qu'il faut placer
son point de départ très loin dans le passé ? Cette influence
remonte... à la troisième génération des symbolistes.

La première génération était composée d'Edouard Dujar-
din, Charles Maurice, Moréas, Gustave Kahn et de Théodore
de Wyzewa qui était sans doute un journaliste, mais aussi
le grand inspirateur des théories du groupe. Ceux-ci sont
nés entre 1854 et 56.

La seconde génération se composerait, à mon sens, de
grands noms tels que Mallarmé, Maeterlinck, Verhaeren,
Barrès, Viélé-Griffin, Henri de Régnier, nés entre 1860
et 67.

La troisième génération : c'est Valéry, c'est Louys, c'est
Gide. N'oublions pas Jammes et Mauclair. Ils naissent entre
1868 et 74.

Dès ses premiers livres, l'influence de Gide a été considérable sur ces milieux. Je lui reproche justement d'avoir,
plus tard, renié ses origines, d'avoir méprisé tout le symbolisme.

Je suis né un peu plus tard, en 1878. J'habitais Marseille
et comme Gide se rendait presque chaque année en Algérie,
il ne manquait pas, avant de s'embarquer, de venir me

voir : nous passions une ou deux longues journées ensemble.
Je reconnais que je dois beaucoup à Gide.

Son goût de la libération morale ne m'a pas touché ; je
n'ai pas eu à me débattre, étant issu d'une famille catholique où la liberté était de règle. On rencontre encore à
Marseille des milieux où règne un esprit qui rappelle celui
du xviii° siècle. Cela tient sans doute à l'atmosphère étrange
et libre de ce grand port, avec ses quartiers louches, ses races
mêlées, ses gros commerçants.

Gide m'a influencé d'une autre façon. Il y avait une morale
qui était dans l'air et qu'il a rendue concrète. Ce qu'on
appelait alors le goût de la vie et qu'on appelle aujourd'hui
le goût de l'aventure, il me l'a donné. Goût de l'aventure,
expression qu'on peut discuter : prendre un bateau, est-
ce une aventure ? Le goût de la vie, c'était, somme toute,
la faculté de profiter de chaque événement, de tirer parti de
chaque petit fait.

Les *Nourritures Terrestres* enseignent ce goût de la vie
sous une forme passive : faire le vide en soi, brûler tous les
livres, oublier ses souvenirs, afin de pouvoir accueillir toute
émotion nouvelle. Cela aboutit à une sorte de mysticisme.
Mais le mysticisme d'ordinaire est une passion active, même
chez les Hindous : pour se perdre dans un tout, il faut
encore que la personnalité se manifeste. Chez Gide les attitudes éperdues restent négatives. Par là, je me séparais de
lui.

Mais Gide a exercé sur moi une seconde influence, d'ordre
littéraire par son goût de l'analyse et du roman d'analyse.
Il semble que jusqu'à lui on n'ait connu qu'une seule sorte
d'analyse : l'analyse française classique, statique, celle des
idées claires, je dirai même des idées fixes. Gide m'a fait
aimer Dostoïevski, les romanciers anglais, les romanciers
scandinaves, les romantiques allemands. Cette recherche
d'une sorte de clair-obscur m'a toujours étonné de lui. Les
romans de Gide paraissent se rattacher à la pure tradition
psychologique française et si quelqu'un semble avoir réalisé

ce qu'il a recherché, c'est Marcel Proust. D'où, peut-être, sinon sa jalousie, l'importance qu'il a attachée à Proust. Mais le goût que j'ai des littératures étrangères me vient de Gide.

Jaloux me dit avoir été un des premiers à faire dans un petit journal de Marseille, aujourd'hui complètement oublié, l'*Indépendance Républicaïne,* une note critique sur les *Cahiers d'André Walter,* une des rares qui ait paru (avec celle de Mauclair dans *La Revue Indépendante*) :
— Je comparais alors ce livre à *Werther* et à *René !*

— Je pense, reprend Jaloux, que Gide se plaint injuste-ment de l'accueil du public. Peut-être ses plaquettes à tirage limité ont-elles mis du temps à s'épuiser. Mais dans les milieux symbolistes d'esthètes, il a été, très jeune, considéré comme un maître : lisez les grandes enquêtes sur l'*Evolu-tion Littéraire* de Jules Huret et vous trouvez déjà son nom cité.

Jaloux, pour se recueillir, caresse doucement sa joue avec le pommeau d'onyx de sa canne, puis :
— Il me semble qu'il manque cependant à cette œuvre un pilier central. Aucun des livres de Gide n'est peut-être complètement réussi, même pas *Les Faux-Monnayeurs...*

Jaloux :
— J'ai habité pendant une quinzaine de jours chez les Gide à Paris. C'est à cette époque que je l'ai vu le moins souvent ; il était toujours dehors, pris d'une sorte de bou-geotte.
Et Jaloux qui aime ramener la psychologie à des cas de psychiatrie ajoute : — J'appelle ça de la dromomanie. Aujourd'hui encore, Gide n'est-il pas continuellement en mouvement entre Cuverville, Paris, le Midi, la Tunisie, l'Al-lemagne ?
Je restai souvent en tête à tête avec madame Gide quand

Gide était absent. Nous l'attendions. Elle était toute douceur et presque maternelle envers lui.

Son mariage ? Un amour d'enfant, un pacte conclu depuis toujours et pour toujours. Mais entre les sentiments de l'enfant et ceux de l'homme il n'y a pas seulement passage, mais opposition. Les projets de l'enfant ont été établis pour un monde imaginaire. Une fois marié et mûri, il se trouve devant des réalités imprévues. C'est la nécessité d'assurer la vie du ménage ou la découverte des lois de la concurrence vitale. L'enfant a rêvé d'un amour dans une égalité absolue, semblable à la superposition de deux triangles égaux. Mais voici qu'arrivé à l'âge d'homme, Gide, après ses expériences d'Algérie, se découvre tout différent.

Jaloux ajoute :

— Sans doute Gide raconte dans *Si le Grain ne meurt* que c'est avant son mariage qu'ont eu lieu ses rencontres d'Algérie. Il insiste sur le fait que c'est avant son mariage qu'il aurait eu la vraie révélation de sa propre nature. Si l'on doit s'en tenir exactement à *Si le Grain ne meurt,* son mariage deviendrait inexplicable. Mais je ne crois pas que *Si le Grain ne meurt* soit un récit authentique de la vie de Gide. Sincère... ? Certes. Mais on reconstruit le passé selon un idéal qui, sans défigurer les faits, en modifie l'interprétation...

Moi :

— Je crois pourtant que c'est avant son mariage que se placent les premières rencontres algériennes de Gide. Mais elles ont pu — là-bas et dans le moment, — lui paraître presque naturelles, le laisser ignorant de lui-même, ingénu, en tout cas ne pas l'éclairer complètement.

Jaloux est amené à parler de Ghéon et de son irrépressible besoin de tout raconter qu'il attribue à un « refoulement » :

— Je me rappelle que Ghéon a déblatéré pendant des heures contre une certaine forme d'homosexualité, l'homo-sexualité « socratique ». Il faisait au contraire l'éloge de l'amour pour les adolescents... Je me souviens très précisément que Ducoté assistait à notre conversation.

... Entre Ghéon et Gide, il ne devait y avoir rien d'autre que la solidarité de deux compagnons d'un même groupe, qui, lorsqu'ils sortaient ensemble, se communiquaient des impressions, échangeaient des remarques sur leurs rencontres.

Jaloux évoque, lui aussi, la lettre de Ghéon arrivée du front pendant la guerre à Cuverville. Ghéon n'avait pas écrit depuis longtemps ; on s'inquiétait de lui :

— C'était une lettre pleine de remords, me dit Jaloux, écrite par Ghéon à l'époque de sa conversion, où il faisait le bilan de tout son passé et demandait à Gide de s'en détacher comme lui.

Jaloux :

— Gide s'est toujours trompé sur la valeur de Ghéon. Il l'a considérablement surfaite ; il abandonnait pour Ghéon son sens critique.

Jaloux ajoute, comme Valéry :

— Remarquez que je n'avais rien deviné alors. Je m'étonne aujourd'hui de ma naïveté. Il est vrai qu'on n'y pensait pas à cette époque, ou plutôt on n'en parlait pas. Je vois à présent que Gide ne se cachait guère. Quand je me promenais avec lui dans les rues de Marseille, il s'arrêtait, parlait à un jeune garçon du port et paraissait convenir par lui d'un rendez-vous avec un autre. Moi, je pensais aux *Nourritures Terrestres* et je croyais que c'était de la littérature. Peut-être étais-je, plus que Gide lui-même, obsédé par les questions du roman. J'imaginais qu'il faisait des expériences (mais au fond quelles expériences ?) avec tous les personnages possibles et que c'était en surmontant les différences de classes qu'il s'ingéniait à tenter l'aventure.

Moi :

— Gide se documentait.

Protestations de Jaloux :

— Il vivait ses personnages.

Puis : — Ce n'est que beaucoup plus tard que j'ai connu la vie privée de Gide.

Jaloux :

— Dès nos premières rencontres, Gide m'a paru attaché à Gœthe, à l'idéal gœthéen. Son goût olympien d'aujourd'hui a donc pris racine dans sa jeunesse et il n'a cessé de progresser en lui au fur et à mesure que Gide se dépouillait du puritain.

Pour moi l'équilibre de Gœthe est le résultat d'un effort. Gœthe était, contrairement à ce qu'on croit, un grand nerveux. Il raconte être entré en convulsions lorsqu'il apercevait un chien. C'est par un effort continuel qu'il a atteint à la sincérité. Eckermann déclare qu'il disparaissait parfois quelques jours pour ne pas montrer au public le spectacle des passions qui l'affectaient trop vivement.

En cet instant, la femme d'Edmond Jaloux, très grande et très belle, prête à sortir, traverse vivement la pièce du fond sans venir à lui. Les portes repliées et ouvertes du salon nous permettent de l'entrevoir. Jaloux se lève aussitôt, anxieux, s'excuse, la rejoint pour lui poser à voix basse quelques questions, avant qu'elle ne disparaisse. Puis revient, de son pas lent et un peu mou, s'asseoir dans sa bergère, dans son cadre gris perle, discrètement XVIIIe siècle, enté de quelques jades et laques.

Voici que, surmontant un complexe d'infériorité, il me parle de ses romans, qu'il pressent périmés pour les jeunes qui ne lisent guère que sa critique, mais auxquels il est silencieusement attaché de tout son être. Sa voix prend un ton assourdi :

— Il y a dans tous mes romans un besoin d'évasion, une sorte d'opposition entre le rêve et l'action. Comment, après la vie imaginaire, revenir à la vie quotidienne, trop lourde depuis la guerre, surtout trop âpre ? Cette opposition, je la retrouve chez les premiers romantiques : Vigny s'évadait par la solitude, Musset dans l'alcool. Il buvait au café d'horribles mélanges qui l'étourdissaient, et le mélange bu, prenait aussitôt une voiture et rentrait. Relisez la *Confession d'un Enfant du Siècle*... On peut dire aussi que les romantiques allemands ont échappé à l'emprise du quotidien par le mysticisme.

... Pour fuir le monde et m'enfoncer dans mon monde intérieur, il m'arrive de « fumer »... de cet opium sur lequel les médecins écrivent tant de bêtises. Les médecins qui n'ont jamais fumé ne connaissent que les cas limites, pathologiques.

Rien de semblable chez Gide. Il a peut-être plusieurs vies, mais toutes profondément ancrées dans le réel.

AVEC ÉDOUARD DUCOTÉ

1927.

Figure d'un pauvre monsieur, qui a abandonné la partie et qui ne vit plus que sur un souvenir. Ce souvenir, c'est sa revue.

Tout jeune, il avait des ambitions littéraires et de l'argent. Il acheta à Mazel un petit organe symboliste, l'*Ermitage,* et prit aussitôt l'initiative, (ce qui impliquait quand même un certain flair), de demander à André Gide sa collaboration pour le premier numéro de sa nouvelle série.

« Je ne crois pas que rien, dans ma carrière, m'ait jamais « flatté davantage », écrit, dans son *Journal,* Gide, qui, dès *André Walter,* désirait « passionnément la gloire ».

Gide amena son groupe à l'*Ermitage* et la rencontre de Gide fut, pour Ducoté et pour sa revue, la chance de sa vie. L'*Ermitage,* au lieu de rester une éphémère publication d'avant-garde, dura quinze ans : de 1896 à 1908.

Dans un petit rez-de-chaussée, meublé en style moderne et démodé, Ducoté, timide, avec un visage inexpressif, amaigri, une petite moustache coupée à l'américaine, fait vieux garçon, quoique marié et père d'un fils adulte. Un roman de lui, au *Mercure* il y a deux ans, a passé inaperçu. Quand j'arrive, il manipule son appareil de radio à cadre, qu'il ne parvient pas à mettre au point. Il a des gestes nerveux qui

font aller ses mains de son binocle, qu'il enferme dans un
étui, jusqu'aux exemplaires de sa revue, rangées dans sa
bibliothèque. Il est continuellement enclin à vouloir les
montrer, pour éviter de parler : — J'ai mauvaise mémoire,
dit-il.

Se plaint doucement, avec modestie, de l'ingratitude :

— Francis Jammes, dit-il, m'a donné ses œuvres principales, mais une fois converti, il a renié son passé et n'a
fait, dans ses *Mémoires,* qu'une allusion vague à une jeune
revue qui aurait facilité ses débuts. Gide lui-même m'a
abandonné quand il a créé la *N. R. F.;* il était habitué à
me donner régulièrement sa production ; il sentit un tel
manque quand mourut ma revue qu'à peine un an après,
il fit paraître la *N. R. F.,* — qui n'est en somme que la
suite de l'*Ermitage.* Et Claudel ! Il ne m'a donné qu'une
seule pièce, apportée par Gide. Giraudoux serait peut-être
resté, mais je n'ai eu sa collaboration que dans un dernier
numéro, — sous un pseudonyme d'ailleurs. Je ne parle pas
d'écrivains comme Boylesve, qui vous quittent, qui vont
au grand succès et à l'Académie française.

J'étais, il est vrai, un piètre administrateur ; je ne faisais
pas de publicité ; nous tirions à trois cents. La *N. R. F.*
aussi a commencé par être une revue avancée et ne s'occupait pas des événements du monde. Il faut peu de chose pour
qu'une revue réussisse ou aille à sa perte.

Ducoté :

— Evidemment nous étions indécrottablement symbolistes et, quoique j'aie amené à l'*Ermitage* Charles Guérin,
un poète classique, et Jaloux, recrue de moindre importance, que Gide, lui, ait introduit ses amis et même un vrai
romancier, Charles-Louis Philippe, nous le sommes toujours
restés un peu, symbolistes. Vous savez, ce symbolisme avec
son goût pour le château fort, et les chevaliers, et le néolo-

gisme. Ne confondez pas les symbolistes avec les décadents qu'a parodiés Adoré Floupette. Gide, dans ce milieu, a pris des tics qui ont influencé son style. On discutait sans fin le vers libre alors tout nouveau. Ghéon était farouchement « verslibriste » ; Guérin naturellement en avait horreur et aussi Signoret, en qui Gide voyait une sorte de prophète. Gide écoutait ; il s'en tirait par des poèmes en prose comme ceux qu'il a réunis dans les *Poésies d'André Walter* ; il a écrit aussi quelques vers classiques. Vous les trouverez dans l'*Ermitage*...

Et Ducoté tend le bras vers les exemplaires de sa revue que je l'engage à ne pas rechercher.

Ducoté :

— Notre modeste *Ermitage,* avec ses suppléments poétiques de qualité, était en opposition avec les grandes revues. La *Revue Blanche* possédait un bel immeuble, mais ses poètes, Franc-Nohain ou Coolus et la plupart de ses collaborateurs sont devenus hommes de théâtre ou hommes politiques : Pierre Veber, si vous voulez, ou Léon Blum, Paul Boncour. D'autres sont devenus des anarchistes, ou, si vous voulez, des anarchisants. Même opposition entre notre *Ermitage* et Rémy de Gourmont au *Mercure*. Gide haïssait l'esprit touche à tout de Gourmont. Le *Mercure* était pourtant symboliste. Jules Renard y collaborait.

Sans doute beaucoup de nos poètes sont devenus des romanciers, mais beaucoup plus tard. Le nom de Dostoïevski, je n'en ai presque pas entendu parler. Nous avions tous le plus grand mépris pour le roman. Quand Gide écrivit en 1913 *Les Caves du Vatican*, il ne pensait pas encore au roman et il n'a jamais dû considérer *l'Immoraliste* comme tel. Avec *Les Caves,* il restait confiné dans le roman d'idées.

Ducoté :

— Oui, je crois la pensée de Gide, dès cette époque, très

audacieuse. Il n'osait pas encore l'exprimer. Il se contentait de velléités d'affranchissement. Il parlait de Nietzsche.

J'ai assisté pourtant un jour chez Jaloux à une bien curieuse confession de Ghéon. Vous savez que Ghéon était son inséparable. Il faisait la réplique, dans l'*Ermitage,* aux *Billets à Angèle.*

AVEC HENRI DE RÉGNIER

1926.

... de l'Académie française. Le monocle tombe droit,
de lui-même, sur le gilet et se balance, suspendu par un
ruban noir. Le célèbre poète se lève derrière son bureau, où
j'aperçois, sur un *Figaro* déplié, son dernier article. Sa longue et maigre silhouette un peu voûtée, le long visage osseux
au crâne chauve, les longues moustaches blanches, les bras
qui pendent, le cou dans un col dur, le costume noir évoquent quelque galant du xviiie transformé en homme du
monde de notre époque, avec un air élégant et désabusé, un
sourire enjôleur, que traverse parfois une lueur de férocité
à cause des lèvres qui semblent s'accrocher aux canines.

Puis il y a le grand fils, Tigre, parce qu'il maugrée, dit-on,
toujours un peu, l'enfant gâté : un visage rond, au front bas,
d'où jaillissent d'épaisses touffes de cheveux noirs.

De la pièce voisine, j'entends la voix de Gérard d'Hou-
ville, poétesse et épouse, fille de José-Maria de Hérédia, et
d'autres voix féminines, qui discutent de l'attribution d'un
prix littéraire.

Après avoir été très amicalement liés pendant la période
symboliste, André Gide et Henri de Régnier se sont, vers
1900, éloignés l'un de l'autre. Plus tard, les ouvrages de
Régnier, ornés de magnifiques et élogieuses dédicaces, furent

de ceux que Gide mit en vente publique, avant de partir pour le Congo.

Inquiétude de Régnier au sujet de la publication de *Si le grain ne meurt*.

Régnier :
— Savez-vous quand doit venir au jour ce livre, annoncé et retenu depuis si longtemps ?... Ah ! Cette année même ! (Un silence.) On m'a rapporté qu'on y trouvera un portrait de moi, assez dur. De lui, un ancien ami... ! (Un silence.) Vous pensez bien que ça m'est égal.

Quoiqu'il fût mon contraire, je le voyais souvent à cette époque. Il était bien prétentieux et guindé. On avait envie constamment de lui demander : — Gide, qu'avez-vous ? Gide, que vous est-il arrivé ? Tout semblait aménagé en lui pour le comble de l'antinaturel. Il parlait d'une voix de fausset. Et paraissait faux malgré lui, à cause de son air rentré, sans jamais le moindre abandon.

Je le vois à Belle-Ile, avec Herold, la pipe à la bouche ; lui, avec Wilhem Meister ou la Bible. Je le plaisantais : — Gide, pourquoi lisez-vous ceci au bord de la mer ? Je pris l'exemplaire et l'envoyai à l'eau. Je crois qu'il le sauva en se jetant à l'eau lui-même. Dès qu'il se trouvait devant la mer, un lac, ou une petite rivière, il était toujours dis-posé, et devant tous, à se déshabiller et à se baigner.

Il apparaissait souvent avec sa mère, avec laquelle il s'em-bêtait beaucoup et qui l'embêtait autant. Elle était si éton-namment fagotée que, s'il n'avait été si petit garçon avec elle, il en eût été gêné.

Je l'ai rencontré aussi chez les Hérédia. Il rougissait comme une jeune fille. Il y avait le groupe des hommes et un groupe de dames. Chez les dames, il ne se risquait jamais, ou alors paraissait si embarrassé qu'il ne revenait pas de longtemps...

Comment vouliez-vous qu'on l'appelât, sinon « Gi-douille » ?

Régnier :

— C'est Pierre Louys, son meilleur ami d'alors, qui le secoua le plus par ses moqueries. Ils étaient si intimement liés que Louys avait fait imprimer un cent de cartes de visite avec ce texte : M. Gide est prié de donner de ses nouvelles —, et quand Gide gardait le silence, il recevait une de ces cartes. Vous connaissez les plaisanteries de Louys : après André Walter, il lui envoie un mot : « Je suis Emmanuèle, je ne puis vivre sans vous. » Gide ne s'y laissa pas prendre. Plus tard, Louys prétendait l'avoir convoqué chez lui et l'avoir laissé attendre, seul une heure, avec une femme complètement nue, à l'embarras croissant du malheureux puritain.

Gide s'est rapidement fâché avec Louys. Nous nous dispersions. Il faut dire qu'après son éclatant succès, Louys s'était éteint. Il restait une soirée, inerte devant sa bibliothèque à choisir, à sortir, à ranger les livres qu'il se proposait de lire la nuit, et la nuit s'écoulait peu à peu, sans qu'il eût rien fait, même pas pris une note. Il avait acheté chez un libraire le manuscrit d'un inconnu, écrit en langage chiffré, sur lequel il passa un an à trouver la clef : c'était l'histoire des expériences sexuelles d'un maniaque décrites dans tous leurs détails. Cet être si brillant entra dès lors dans la basse débauche : ce fut sa fin...

Henri de Régnier se lève. Il est vraiment de haute taille. Il reparle de Gide, et d'un ton négligent :

— Je ne vous ai pas dit qu'il a épousé une petite cousine, pauvre, par dévouement. Il m'a expliqué alors, dans une lettre, les mobiles nobles qui l'y poussaient. Tout cela, évidemment, était bien Gide.

Le poète, qui me domine d'une tête, en m'accompagnant à la porte, se courbe un peu, par amabilité, comme pour se mettre à ma hauteur.

AVEC ANDRÉ GIDE

Janvier 1930.

C'est parfois une autre, mais toujours une vieille femme de ménage qui ouvre la porte.

Gide est au piano ; j'entends quelques accords d'une fugue de Bach. Gide apparaît.

Nous allons dîner non loin de chez lui dans son petit restaurant habituel. Sa joie d'y retrouver ses biscottes.

Notre entretien se déroule à bâtons rompus, coupé de temps à autre par une remarque de Gide à la servante.

Gide :

— Est-ce que le succès aurait changé ma carrière ? Est-ce que je rêvais d'autre chose ?... Louys, lui, a connu tout jeune un succès inattendu, stupéfiant. (Une pause.) ... L'aurais-je envié ? Mais non, ma position était tout autre...

— ... Proust ? Je pense que sa gloire, si elle ne l'a pas grisé, l'a amené à « faire du Proust » ; il en rajoutait, et ses surcharges si révélatrices ne valent pas son texte primitif. Il avait trop bien compris ce qui faisait son originalité, sa valeur. Je préfère souvent la pureté de la première version...

Gide poursuit :

— ... Je suis resté longtemps, oui, longtemps inexistant

pour le public. Savez-vous qu'Octave Mirbeau, que j'avais
pourtant éreinté quelque part, fut un des premiers à parler
de moi dans la grande presse ? — à l'époque de la *Porte
Etroite,* je crois. J'ai eu souvent des soutiens inattendus...

— L'ouvrage de moi, reprend Gide, le plus méconnu,
c'est mon *Saül.* Je l'ai écrit l'année qui a suivi mes *Nourritures* et je l'ai longtemps gardé dans mes tiroirs. Antoine
l'avait refusé. Après la guerre, quand Copeau l'a monté, ce
fut l'insuccès total : un des démons était représenté par une
grosse femme, qui montait sur les genoux de Saül. Les effets
étaient tous ratés. Pour montrer Saül croulant sous ses désirs,
il aurait fallu des enfants agiles, l'enveloppant, grimpant sur
lui, — annihilé.

Je déclare à Gide que je viens de relire presque tous ses
livres, même ceux du début. Aussitôt je retrouve en lui son
inquiète préoccupation de durer.

Gide, avec une simplicité qui me touche :

— Vous pouvez me dire sans détour votre impression, si
vous ne les avez pas trouvés parfois écaillés, si vous ne les
avez pas jugés ridés.

Moi :

— Vos livres font partie de ma jeunesse. Votre héros
l'Immoraliste, pour éprouver son affranchissement, fait couper sa barbe, modifie sa coiffure ; il pense qu'à sa transformation intérieure doit correspondre un autre portrait physique de lui, plus neuf, plus jeune. A vingt ans, j'ai également complètement changé de coiffure et d'aspect ; j'ai
même porté le monocle, qui me paraissait une petite provocation...

Gide :

— Je crois que l'inquiétude est vertu dans la jeunesse.
Beaucoup, à quinze ans, ont tout rejeté de la tradition.
C'est un peu trop facile. Il y a une manière d'*esca*moter les
problèmes qui n'est pas les résoudre.

Nous retournons rue Vaneau. La conversation bifurque
et revient à Proust.

Moi :

— Proust a complètement ignoré cette inquiétude morale
et religieuse dont vous parlez ; elle ne lui paraissait qu'une
entrave à la création.

Gide est subitement intéressé, passionné même :

— C'est effectivement ainsi qu'il m'est apparu. Et je
puis vous raconter ce trait qui le confirme. Je ne vais presque
jamais dans les salons, mais j'étais ce jour-là chez madame
Mühlfeld. Il y avait Mauriac et Valéry. Il avait été question
du Christ. Valéry en parlait avec un tel sans-gêne, par
boutades si définitives qu'il faisait penser à un Paul Souday.

Moi :

— J'ai entendu Valéry déclarer du freudisme : — Ce
n'est là, pour les Allemands, qu'une manière de dire des
cochonneries ! Valéry est capable de tenir des propos ahuris-
sants.

Gide :

— C'est peut-être pourquoi j'ai été pris ce jour-là d'une
sorte de mouvement d'éloquence ; j'ai tracé de Jésus sa
figure merveilleuse. Proust, qui, sans presque jamais quitter
sa chambre, était néanmoins au courant de tous les « potins »
de Paris, connut le lendemain ma « sortie » de la veille, qui
avait dû frapper les assistants. Il m'écrivit pour me demander
de venir le voir, me parlant de sa maladie, du peu de temps
qui lui restait à vivre, mais m'appelant avant tout pour lui
parler des Evangiles. Malgré la difficulté d'un rendez-vous
avec lui, j'ai accepté, et j'avoue que j'avais même un peu
préparé ce que j'allais lui dire. Arrivé chez lui, il parle presque sans discontinuer, pendant trois heures, de sexualité et
uniquement de sexualité... Eh bien, je m'en suis retourné
sans avoir pu placer un mot sur les Evangiles. C'est ce que
j'appelle quand même un drôle d'*esca*motage.

Et Gide reprend :

— C'est en artiste que les questions morales m'intéressent.

Mais quand on élude ces questions comme Proust, j'en souffre ; cela me paraît un manque à gagner. Proust n'éludait
pourtant pas dans *Les Plaisirs et les Jours.* Que s'est-il passé
depuis ?

Moi :

— Je sais que vous préférez ce livre de jeunesse aux
autres. N'avez-vous pas écrit que trop de détails fastidieux,
de nomenclature, vous arrêtaient dans *A la Recherche du
Temps Perdu* ?

Gide reconnaît aussitôt et volontiers que le mot « détail »
s'applique mal à cette œuvre. Il ne veut pas la diminuer
mais il ajoute :

— Ce qui me gêne chez Proust...

Soudain Gide s'interrompt : — Je préfère vous lire quelques lignes d'une lettre que j'ai écrite à Mauriac à ce sujet,
il y a quelques années :

« ... Mon admiration pour Marcel Proust est certainement
des plus vives, — mon émerveillement souvent —, mais il
me faut bien reconnaître que tous les ressorts qui font agir
ses personnages et que toutes les ficelles à quoi leurs gestes
sont liés, on peut bien les remonter à fond ou tirer à l'intérieur de la marionnette sans obtenir de mon cœur ou de
mon corps le moindre mouvement, ou tout au plus « un
tic ».

« Ce qui m'a fait marcher, avancer dans la vie, c'est autre
chose... »

AVEC JEAN-RICHARD BLOCH

21 janvier 1928.

Jeune professeur inconnu, Jean-Richard Bloch a envoyé son premier manuscrit au *Mercure de France*. Sans réponse après trois mois, il écrit pour demander au *Mercure* que celui-ci fasse exception à sa règle qui est de ne pas retourner les manuscrits aux auteurs, expliquant que, pauvre, il n'a pas les moyens de refaire taper son texte. Le manuscrit lui est renvoyé sans un mot.

C'est alors que sur le conseil d'un ami commun à Gide et à Bloch, celui-ci remet son ouvrage à la N. R. F. Gide le lit et l'accepte.

Un nouveau venu dans la maison était presque toujours, avant la guerre, amené à rencontrer André Gide. Mais la rencontre ne donna rien : Bloch admirait *Jean-Christophe* ; il avait pleuré sur sa mort comme Wilde sur celle de Rubempré.

— A cette époque, déclare Bloch, j'étais politiquement « en avance » même sur Romain Rolland, qui mêlait encore des questions d'art à son socialisme humanitaire.

Certes, j'ignorais en quel dédain Gide le tenait alors et que toute la N. R. F. pouvait être considérée comme un mouvement en réaction contre le naturalisme, contre les descendants de Zola et de Huysmans.

Je le reconnais, je n'étais pas comme Gide un fervent du culte de la langue française et j'ignorais presque tout du mouvement moderne de Mallarmé à Valéry. J'appelais cela du dandysme. Aujourd'hui ça pourrait peut-être me séduire...

— Puis vint la guerre, cinq ans de guerre, dont je suis fier. Le plus étonnant voyage... deux blessures à la tête.

Bloch :
— En 1919, reprend Jean-Richard Bloch, la N. R. F. recommença à paraître. Gide me fait demander. Nous nous réunissons à trois, Gide, Rivière et moi. C'est que la Révolution était en marche ; on pouvait y croire alors, croire la classe ouvrière atteinte par la contagion des idées russes. Gide cherchait des moyens d'information et je lui paraissais l'homme bien placé. Il voulait de moi un appui étroit. Mais j'avais besoin de plusieurs années pour me remettre de la guerre ; je dus refuser, tout en accordant ma collaboration à la revue.

Bloch :
— En 1920 parut dans la N. R. F. un article de Gide sur Dada, que Gide considérait comme une force de démolition de la culture française, — et sur son chef, Tristan Tzara, dont il écrivait quelque chose comme ceci, si je me rapelle bien : « On me dit qu'il est étranger. — Je m'en persuade aisément. Et juif — j'allais le dire. » Je venais de recevoir la *Symphonie Pastorale* et de lire cet article, et j'écrivis à Gide une lettre franche. *La Symphonie* me plaît, lui disais-je, mais quant au Juif, il est ou plus compliqué ou plus simple, et je manifestai ma surprise qu'un homme comme Gide puisse soulever cette question aussi cavalièrement.

Pas de réponse. Somme toute ce fut la brouille qui a duré jusqu'à ces temps derniers.

Bloch :

— Depuis son retour du Congo, nous nous sommes revus
plusieurs fois, mais nous restons sur une prudente réserve.
Quand je le rencontre à la N. R. F., nous nous parlons
poliment ; cela ne va pas plus loin.

Je suis surpris que Gide n'ait découvert qu'à soixante ans, à
propos du Congo, la question sociale.

Moi, quand j'étais jeune homme, je voulais réformer le
monde ; j'avais des idées humanitaires. Elles sont moins
absolues aujourd'hui. Je me suis un peu éloigné de Romain
Rolland depuis qu'il est devenu presque un homme politique, qu'il a rejoint Barbusse dans le communisme. Je me
rapproche davantage à présent de l'homme de lettres. Je
pense au théâtre, quoique je sois très isolé. Je travaille beaucoup. Je rature. Je fais dactylographier dix fois un même
texte. En ce moment je prépare un livre dont le titre sera
probablement : *Quarante ans ou recommencer sa vie.*

Bloch :

— Mais voyez-vous je reste aussi ardent, aussi sérieux
devant les grands problèmes que dans ma jeunesse. Je ne
comprends pas le comique protestant de Gide dans ses
soties, cet humour négateur. J'ai besoin d'espérer.

Peut-être ma culture historique et documentaire m'a-t-elle
trop longtemps éloigné de la poésie ? J'ignore le besoin
d'évasion ; j'ai trop voyagé dans le réel. Je préfère la proche
campagne ; je m'y rends dans une vieille Ford où trouvent
place tous mes enfants.

— Ma fille a dix-huit ans, continue Jean-Richard Bloch.
Je m'étonne, quoique je ne lui aie donné que des auteurs
naturalistes à lire, qu'elle soit allée d'elle-même à Gide, que
les *Nourritures Terrestres* aient pu avoir sur elle une
influence. Si je l'avais élevée dans la religion, j'aurais pu
comprendre le rôle libérateur de ce livre.

AVEC ANDRÉ GIDE

1931.

Toujours les mitaines aux mains. Toujours, au début de l'entretien, un sourire accueillant.

Au moment où j'arrive, il lit le manuscrit d'un ancien collaborateur du *Navire d'Argent,* qui l'intéresse vivement. Il ira ensuite, l'après-midi, rendre visite à un malade, un des nombreux Allégret. Sa vie de tous les jours s'ouvre avec simplicité devant ses amis.

Gide :

— Je le reconnais, c'est par rapport à d'autres que je me suis souvent affirmé. Jadis par rapport à Mallarmé ; hier, en relisant Montaigne. J'ai besoin de confronter ce que je suis avec ce que j'aurais pu être...

Nous parlons de la morale.

Gide :

— Je sais ce que je ne crois pas ; je sais moins ce que je crois...

Sur les questions morales, je médite encore ; je ne cesserai peut-être jamais de me pencher sur elles. Je pars ces jours-ci en Algérie pour être seul. Je voudrais mettre au clair avec moi-même comment les conditions sociales sont liées au progrès intérieur de l'homme, le rapport des institutions et de la morale. Je voudrais faire entrer dans l'individualisme une morale sociale...

Moi :

— Envisagez-vous une morale sociologique ?

Gide :

— La morale sociologique, dites-vous ? Je dois l'avouer, je ne la connais pas bien. Et Gide ajoute : ... Vous voulez dire : la morale des Karamazov ?

Je réponds que, dans l'instant, je ne pensais pas à Dostoïevski.

Quoique Gide déclare être aujourd'hui occupé par des problèmes abstraits, je sais qu'il reste avant tout intéressé par la confession d'un homme, par la leçon des choses, sensible aux enfants, aux oiseaux, à l'histoire naturelle. C'est cela qui a orienté sa culture.

Cependant Gide revient à son présent souci :

— Croyez bien que je me retiens d'étudier les problèmes sociaux ; ils ne sont pas de ma partie. Mais il est des questions qui s'imposent à moi. Je me demande parfois : est-il véritablement nécessaire de se sacrifier pour une humanité si lamentable, pour *cette* humanité ?

Je viens de lire cet admirable chef-d'œuvre de Meredith, *Roger Beauchamp,* — Beauchamp, grand politique, carrière exceptionnelle, revêtu de tous les honneurs, capable de rendre encore d'immenses services à la société. Un enfant est prêt à se noyer devant lui ; il se jette à l'eau pour le sauver et, pris par le courant, se noie lui-même. Il se découvre que cet enfant est un idiot sans aucune valeur sociale, même pas un homme comme on en fait à la douzaine. Le roman s'achève par la description de l'avorton.

... A certains moments, je ne comprends guère pourquoi

on attache tant d'importance à la vie humaine, pourquoi pas davantage à l'œuvre d'art. Si le Louvre brûlait, on oserait écrire qu'il n'y a heureusement pas eu de victimes, ou seulement un gardien légèrement blessé.

— Cependant, reprend Gide, une morale où je n'aurais rien à donner, où je n'envisagerais que mon seul bonheur personnel ne saurait me satisfaire. Le : « Moi cela m'est égal, parce que j'écris Paludes » est le type de la phrase que je ne peux pas supporter. J'ai besoin de ne pas rester seul dès que je me sens heureux. Le bonheur pour moi seul me paraît insuffisant, — impie... Y a-t-il là contradiction avec ce que je vous disais ? Tant pis !

Combien le problème général du bonheur m'étreint aujourd'hui, combien les simples conditions matérielles nécessaires au bonheur des hommes me paraissent réduites, c'est ce que je crois n'avoir pas encore dit. Je suis pris d'une sorte de vertige quand je pense que ces conditions n'existent que sur des parties insignifiantes de la terre, et, même dans les pays dits heureux, dans quelques classes ou quelques milieux seulement. Si l'on dressait une carte du monde et si l'on coloriait en rose, par exemple, les régions où règne un bonheur relatif, sans doute n'apercevrait-on que des points. J'ai reçu il y a quelques jours la visite d'une femme qui revient d'Afghanistan et qui m'a dépeint la population de ce pays : la famine à l'état endémique, la lèpre, les maisons en pisé, une épouvantable misère. De combien d'autres régions ne pourrait-on pas dire cela ? Comment voulez-vous dès lors que l'individu reste enfermé en lui-même ?... Non, je ne le peux pas — dussé-je me rapprocher par là des systèmes socialistes, qui me sont par ailleurs si étrangers. Aujourd'hui, quand j'évoque la misère des autres, je me sens mal à l'aise ; si simple que soit la vie que je mène, je me sens un privilégié. Vous me direz peut-être que j'ai mis du temps à m'en aviser. Mais c'est un fait.

Gide :

— Evidemment la question morale est plus simple pour ceux qui ont une croyance religieuse. La misère leur paraît aussi naturelle que le mal ; elle est dans le dogme, ou du moins le dogme l'explique. Ils croient détenir la vérité ; et ce qu'ils appellent leur dévouement consiste avant tout à communiquer cette vérité aux autres, à faire des recrues. Et ils en font.

Paul-Albert Laurens vient de se convertir ; il est de formation catholique ; c'est cependant une conversion... Quand je vais chez Copeau, il me répète toujours les mêmes questions ; je lui réponds toujours par les mêmes arguments et je lui demande enfin de me laisser tranquille. Il a peine à admettre que je reste maintenant inébranlable.

Remarquez que mon influence même se retourne parfois contre moi. Un Annamite qui traduit un de mes livres me disait hier : — Massis n'a pas pu vous quitter sans réagir.

— C'est vrai ; j'ai bien connu Massis et c'est sans doute mon influence sur lui qui s'est retournée contre moi. Copeau le reconnaît également.

Ils cherchent tous à m'entreprendre, adversaires et amis. Ma famille aussi ; mon beau-frère, Marcel Drouin. Je voudrais parfois les éclairer. Il m'arrive d'être pris d'un prosélytisme qui va en sens contraire du leur. Mais ces discussions sont vaines. Nous ne parlons pas le même langage. *Je leur laisse le dernier mot.*

Une pause. Gide :

— Il y a surtout l'être qui m'est le plus cher, qui par sa seule présence, sans presque rien dire, voudrait m'amener à sa croyance religieuse, comme moi je souhaiterais lui faire saisir ma pensée.

Gide reste un moment silencieux, puis :

— La contradiction est dans les êtres religieux comme dans les autres. Je pense à ma femme, qui est toute modestie, qui va secourir un fermier en difficulté, aider à soigner son enfant malade. Elle voudrait *servir* l'humanité. Mais il y a sans doute plusieurs manières de servir. Elle ignore ce qu'est cette humanité ; de cette pauvre et misérable humanité, quand elle rencontre certains types et spécimens, ceux-ci la heurtent, la gênent, provoquent en elle un instinctif mouvement de répulsion, parce qu'elle ne sait pas et ne veut pas entrer en contact avec eux. Lorsque je voyageais avec elle, je n'osais pas prendre les 3° classes...

Gide :

— Remarquez qu'à l'opposé, je ne suis pas d'accord avec la position de Martin du Gard pour qui la morale et la religion ne sont que des affabulations nécessaires. Il est un matérialiste convaincu ; le matérialisme aussi peut devenir une croyance. Mais s'il rejette tout, pourquoi agit-il plutôt dans un sens que dans l'autre ? Pourquoi est-il cet ami à qui je fais confiance ?

J'évoque les écrivains d'avant guerre pour qui la perfection de l'art, la puissance de l'esprit sont le bien.

Gide :

— Vous voulez parler de « l'art pour l'art » de Théophile Gautier ?

Moi, un peu dérouté :

— Non, pas précisément...

Gide :

— Pour moi aussi, un acte n'est moral que s'il est beau. C'est ainsi que j'explique mon goût pour l'Immoraliste, pour des figures comme Lafcadio ou mon Bernard des *Faux-Monnayeurs*...

Moi :

— Je crois que vous vous êtes depuis longtemps intéressé à certaines grandes questions posées par la vie publique. A l'affaire Dreyfus, par exemple ?

Gide :

— Oh, nous étions fort éloignés alors des passions de

l'époque, Valéry plus encore que moi. Mais j'étais lié au groupe des *Cahiers de la Quinzaine* et je devais tout naturellement me trouver aux côtés de Péguy, dreyfusiste.

Moi :

— Valéry était de l'autre côté. N'a-t-il pas signé quelque pétition en faveur du colonel Henri en faisant suivre son nom de ces deux mots placés entre parenthèses : (Après réflexion) ?

Gide :

— J'étais un camarade de classe de Léon Blum. Le premier manifeste dreyfusiste porte ma signature ; je crois qu'on a un peu abusé d'elle, mais j'ajoute que je signerais encore aujourd'hui si c'était à refaire...

Avec Péguy, je n'ai rompu que plus tard et pour d'autres raisons. C'était à l'époque de la N. R. F. Il disait alors en parlant de nous : — « Nous aurons leur peau. » Nous avons tout de même continué notre chemin.

Moi :

— Somme toute, il s'agissait moins d'engagement que d'un cas particulier. Vous ne souleviez pas la question même de la justice. Pas davantage aujourd'hui le principe de la colonisation.

Gide :

— Il est certain qu'après mon voyage au Congo, j'ai cherché à atteindre un but déterminé : j'ai tâché d'améliorer la condition des nègres ; j'ai voulu obtenir la suppression de certaines tortures, qui sont peut-être, remarquez-le, moins le fait d'individus que d'un système, lutter contre les « grandes compagnies » qui imposent là-bas leur volonté, souvent sans que l'Etat puisse intervenir.

Mais j'ai été entraîné malgré moi plus loin... Dès que je suis entré dans le vif de ces problèmes (le portage, les prestations, la création d'une route ou d'un bout de chemin de fer dans les régions les plus malsaines), j'ai dû reconnaître leur complexité et qu'il n'est guère possible de les envisager sans mettre en question le principe de la colonisation. Colonise-t-on pour le bien des nègres ? Ce serait tout aussi bien de la philanthropie — ou pour favoriser l'expansion de la métropole ? Je voudrais : pour les deux raisons à la fois. Mais comment les accorder ? Quel doit être le dosage ?

J'ai rencontré à plusieurs reprises Léon Blum, l'homme politique et non plus le critique de la *Revue Blanche* ; nous nous sommes trouvés souvent d'accord. Mais il siège aujourd'hui trop près de l'extrême-gauche. Et pourtant, si je n'étais effrayé de la position où le mouvement de ma pensée devrait me conduire, je ne défendrais pas la colonisation telle qu'elle se présente actuellement.

Mais, dans le même moment, la voix de Gide change :

— On m'a parlé d'une révolte au Tchad : cela peut être très grave, quoique les nègres ne sachent pas s'organiser. Il paraîtrait que le Gouverneur serait rapidement rentré à Paris et qu'avant de partir, il a failli être écharpé.

Un silence. Gide ajoute, sur le ton catégorique et autoritaire qu'il prend parfois :

— Il faut bien que « nous » réprimions sévèrement cette révolte. C'est toute « notre » autorité qui est en jeu.

Voici la colonisation rétablie tout à coup sans compromission, comme en 1914 son patriotisme rigoureux. Mais, de même qu'en 1914 le principe de la défense nationale n'empêchait pas Gide, à l'encontre de la propagande, de chercher certaines vérités (y avait-il des atrocités allemandes ? des enfants aux mains coupées ? — de même aujourd'hui le principe de la colonisation, malgré les campagnes de presse, ne l'a pas empêché de parler de faits précis et révoltants.

Combien de temps pourra-t-il maintenir cette position ?

Gide me parle de Spinoza qu'il a beaucoup lu dans sa jeunesse. Il apporte un exemplaire de la Correspondance nouvellement paru et qu'il relit.

Gide :

— Si Spinoza est anticatholique, il ne semble pas s'opposer à l'esprit chrétien. Cependant...

Gide feuillette le livre pour y trouver cette lettre presque injurieuse qu'adresse au philosophe un de ses anciens disciples tout nouvellement converti à l'Eglise romaine et qui, avec le zèle du néophyte, se retourne contre son maître. Joie extraordinaire de Gide à me lire certains passages de la réponse de Spinoza :

« Vous exaltez la discipline de l'Eglise romaine ; j'avoue
« qu'elle est d'une profonde politique, et profitable à un
« grand nombre, et je dirais même que je n'en connais pas
« de mieux établie pour tromper le peuple et enchaîner
« l'esprit des hommes. »

L'assurance tranquille de Spinoza, le dédain avec lequel il rejette l'appareil religieux, et, tout en gardant le vocabulaire de la morale et de la religion de son temps, il interprète les mots dans un sens nouveau et révolutionnaire.

Gide :

— Spinoza interprète...

Comment Spinoza, avec le mot Dieu, fait de l'athéisme. Comment pour *être,* il faut s'aimer soi-même. Comment l'individu rejoint l'humanisme.

Et Gide reprend le livre :

— « Tout homme qui ne s'abstient du mal que par la
« crainte de la peine (...) n'agit assurément point par amour
« du bien et ne mérite nullement le nom d'homme ver-
« tueux. »

Et dans la même lettre :

« Le but où j'aspire dans cette vie, ce n'est point de la
« passer dans la douleur et les gémissements, mais dans la
« paix, la joie et la sérénité. Voilà le terme de mes désirs,
« et mon bonheur est d'en approcher peu à peu de quelques
« degrés. »

Du studio où nous parlons, Gide entend dans la pièce voisine tourner la clef de la porte du palier. C'est le bruit rassurant de Marc qui rentre chez lui. Il attendra que je sois parti pour entrer dans le studio. Après mon départ, Gide ne sera pas *seul*. Pas de bonheur pour soi seul.

AVEC ANDRÉ GIDE

Mes derniers entretiens : 1950. — *Notes.*

L'appartement n'étant pas chauffé — (un des rares à Paris qui ne le soit toujours pas), Gide me reçoit dans une étroite chambre à coucher, où brûle un petit radiateur à gaz. Au cours de notre entretien, il me fait visiter, parce que j'en parle à plusieurs reprises, son studio de travail — actuellement glacé, — que je ne revois pas sans curiosité...

A peine voûté... Visage toujours dur au repos ; voix qui, comme jadis, va du grave à l'aigu, détachant certaines syllabes ; la même vivacité d'esprit ; la même jeunesse, ou presque ; une faculté d'attention encore étonnante, quoiqu'elle se fatigue, mais après plusieurs heures seulement.

Peut-être plus de détachement envers les choses ; il est éloigné quand même de certains aspects de la vie ; ou plutôt il les considère du haut de ses quatre-vingts ans.

Ce n'est qu'au moment où il dédicace pour moi un exemplaire que je constate que sa main tremble, mais très légèrement. Surprise : l'âge a quand même atteint ce corps si résistant.

Il pose ses pieds sur une chaise, ce qui lui permet de s'allonger un peu dans le fauteuil où il vient de s'asseoir. Mais il s'excuse :

— Mon cœur, dit-il, en touchant du doigt sa poitrine.

Il sent qu'il parle désormais moins devant la vie que devant la mort... Mais il ne veut renoncer à rien, ni à l'esprit d'examen, ni aux erreurs ; ne rien manquer, ni un voyage, ni une rencontre, ni un spectacle, ni les répétitions de sa pièce au Français, *Les Caves*, qui l'amusent énormément. Il s'accommode de ses maux pour vivre avec tous les moyens qui lui restent.

En 1949, Gide, gravement malade, est resté immobilisé dans une clinique du Midi. Il y a un apprentissage de la vie ; il y en a un de la mort. Quelle histoire pour mourir ! Infirmières, souffrances physiques. Le mal, dit Gide, vient le plus souvent « de ce que l'on se cramponne à la vie ». L'homme « se tient mal ». Mais Gide : « J'ai fait le tour de moi depuis longtemps. Je me suis décidément assez vu. » Ni anxiété, ni regrets.

Cependant il s'accommode encore fort bien de lui « confortablement », jusqu'au dernier moment.

Ses proches ont voulu qu'il prenne quelques précautions, qu'il cesse de se rendre, pour chaque repas, au restaurant. C'est alors qu'on constata qu'il n'y avait chez lui ni couverts, ni vaisselle, presque rien pour faire la cuisine. Il fut difficile de lui imposer un domestique à demeure.

On parvint pourtant, en arguant de son prix Nobel, à

l'obliger à se déplacer en automobile. Un homme, un inconnu pour moi, venant du couloir, se présente dans l'entrée. Gide :

— Vous pouvez chercher la voiture...

Son chauffeur ! Ma surprise est si grande qu'il me semble que Gide a changé de milieu. Mais il parle à son chauffeur si également, si simplement, que c'est le chauffeur qui entre dans le monde habituel de Gide.

N. lui demande une dédicace — pour ce garçon de quinze ans...

— Oui, celui, fort sympathique, qui,... vous savez,...

Gide :

— Je vais mettre : « Cordiale poignée de main », n'est-ce pas ? Ça suffit ?

— Oui. Il sera content.

Il se plaint de ne plus dormir. Des nuits entièrement blanches, qui ne permettent ni de lire, ni de rien faire que d'attendre le sommeil, qui ne vient pas.

Gide :

— Alors je me lève à quatre ou cinq heures du matin. C'est surprenant : on peut vivre presque sans dormir. Si je pouvais dormir, je crois que je travaillerais : je ferais peut-être un autre *Thésée*...

Nous parlons de somnifères. Gide :

— Je connais ceux que vous me nommez, mais ils provoquent tous en moi une sorte d'excitation plus pénible encore que l'absence de sommeil... Oui, je veux bien essayer votre produit anglais. J'ai tout essayé pourtant... Ce que j'ai toujours sur moi à présent (contre les contractions du cœur), c'est de la *spas*-malgine... (Gide détache la première syllabe

du mot. Dans le même temps, il sort de sa poche une petite
boîte qu'il tient à me montrer.)

Il lui faut deux paires de lunettes à présent. Lui manque
toujours celle dont il a besoin. La fait chercher. Quand on
la retrouve, il remercie, avec de longues explications.

La première fois que je le revois, après la guerre, nous
parlons du communisme. Gide élude rapidement :

— Je crois que nous ne sommes pas faits pour ces questions...

Il ajoute :

— Ces questions sont devenues à présent plutôt des questions internationales que des questions sociales...

En 1830, à un voyageur français stupéfait, Gœthe demandait, non pas des nouvelles des Journées de Juin, mais de
la révolution, qui, à l'Académie des Sciences, opposait aux
partisans de Geoffroy Saint-Hilaire ceux de Cuvier, qui
défendait la fixité des espèces. Au même âge, Gide s'intéresse presque exclusivement à la question de Dieu.

Gide :

— Vous voulez savoir où j'en suis arrivé... Aujourd'hui,
quand je parle de Dieu, je dis : Non, ca-té-go-ri-que-ment.
Lisez ce texte, qui vient de paraître dans *la Table Ronde*.
Martin du Gard me dit que j'écris là des banalités. Peut-
être. Mais il est important pour moi de les dire...

Au début d'un après-midi... Il arrive en pantoufles, dans
une robe de chambre, le visage non rasé.

Gide :

— Je viens de faire ma sieste : c'est le moment où je
voudrais ne pas dormir, mais où, à présent, je dors le moins

mal... Excusez-moi (passant la main sur le front) ; j'ai la
tête encore toute *em*-brumée. Mais ça ne fait rien... Je suis
à vous.

Gide reprend :

— Oui, c'est vrai. On sait très mal ce qu'est le sommeil. Je viens de lire un livre sur ce sujet... Je n'en ai
rien tiré... Alors ?

Pendant que nous parlons, je renverse des livres et des
papiers qui débordent d'une table légère, placée entre le
lit et le mur, et auprès de laquelle nous sommes assis et
serrés. Avec une remarquable maladresse, cela m'arrive deux
fois, mais c'est lui qui tient à ramasser les objets tombés.

En cet instant, je me rappelle une visite qu'il me rendit
chez moi, il y a quinze ans : l'ascenseur s'était arrêté entre
deux étages. Moi : — Attendez, je vous en prie ; je vais
apporter un escabeau. Gide : — Pas du tout. Faites ce
que je vous dis : prenez simplement mon manteau. (Il me
le jette.) Et avec une surprenante agilité, il sort de la cabine,
placée dans le vide à trois mètres au-dessus de moi, s'ac-
croche aux montants grillagés, fait un saut et me rejoint
sur le palier. Hier comme aujourd'hui, il tient à prouver
sa jeunesse, ou plutôt il aime à se tirer seul d'une difficulté.

Gide :

— Hâtez-vous si vous désirez me revoir. Je vais partir
à la fin de la semaine. J'ai retenu ce matin une maison
sur la côte. J'irai ensuite à Taormina, si mon état me le
permet... Pas en ce moment, parbleu ! mais dès que cela
ira mieux... Mon cœur...

Quelque temps auparavant, à son retour du Midi, après
sa grave alerte, je lui avais parlé par téléphone.

Moi :

— Martin du Gard m'a dit que vous êtes complètement
guéri, que vous courrez maintenant comme un lapin.

Gide (riant et ravi) :
— Il exagère. Quand je cours, je m'essouffle encore un
peu.

Gide se rendit effectivement en Sicile, comme il l'avait
projeté, mais il ne put guère quitter la chambre. Le voyage
était devenu pour lui un symbole de voyage ; il eut tout
au long de sa vie le besoin de se sentir en voyage.

Au début de l'après-midi. Nombreux coups de sonnette.
Visiteurs de toutes sortes : on lui demande les droits pour
des films, pour son théâtre (parfois, par erreur, il cède la
même pièce à deux metteurs en scène à la fois). Il a de la
peine à se défendre. Il accueille les hommages, particulièrement des visiteurs étrangers. J'ai dit qu'il parlait devant
la mort, mais devant la gloire et la mort à la fois. Il connaît
à présent leur servitude.

Longue conversation au téléphone, au sujet de la traduction d'un de ses livres. Il commence comme jadis, avec plus
de naturel néanmoins :
— Bonjour, chère...
Puis, à la fin de l'entretien :
— Au-au-au revoir... (roulement prolongé sur le « au »,
qui est une forme de son amabilité).
— Ces questions de traduction, je dois vous dire, je ne
m'y intéresse plus... Je serais débordé... J'ai autre chose
à faire.
Il veut se tenir droit jusqu'au bout, mais ne juge pas
indigne de laisser *paraître* sa fatigue.

Je suis avec lui, dans la petite chambre à coucher, depuis

le milieu de la matinée. Vers 1 heure, on l'appelle pour
déjeuner.

Gide :

— Non, c'est trop intéressant tout cela... Je ne veux pas
que vous vous arrêtiez... (Se tournant vers la domestique.)
Dites qu'on ne m'attende pas...

Puis, il se ravise et se lève :

— Madame Van Rysselberghe n'aime pas qu'on ne
mange pas à l'heure. Je préfère l'avertir moi-même. Que
voulez-vous ? Elle a quatre-vingt-quatre ans...

En revenant vers moi, il est pris d'une quinte de toux.

— Excusez-moi, je vais chercher mes pastilles...

Rue Vaneau. Ce soir, il est tard quand je le quitte. Seule,
sa secrétaire l'attend avec patience. Dans le grand appartement, il n'y a en ce moment personne d'autre qu'elle,
je crois. Impression d'un lieu inhabité, d'un vide autour du
grand vieillard célèbre.

De ses anciens amis, d'ailleurs un peu plus jeunes que lui,
seuls restent Schlumberger et Martin du Gard. De sa famille,
des neveux et des nièces d'une autre génération, des petits-
enfants (Gide est grand-père : sa fille est mariée). Marc est
marié. Les dévouements sont nombreux ; les amitiés féminines fidèles. Si entouré qu'il soit, il vit à présent, avant
tout et quoi qu'il veuille, seul *avec* sa gloire.

MORCEAUX CHOISIS

Nous donnons ici quelques citations tirées d'ouvrages de Gide et d'ouvrages sur Gide, et qui peuvent par de brefs aperçus documentaires, compléter sa biographie [1].

Les citations qui suivent figurent *sans* guillemets. Tous les textes en italiques sont des commentaires de moi.

EN CLASSE

PIERRE LOUŸS :

... De tous nos camarades, ... c'est celui qui a le plus
d'avenir et de beaucoup. Je te parle de Gide tu le devines.
Si j'ai jamais connu un type épatant c'est bien lui [1].

APPARITION D'ANDRÉ WALTER

CAMILLE MAUCLAIR :

... Un jeune homme vint me remercier [des] premières
lignes qu'on eût publiées sur lui,... qui me parut ressembler
au Liszt dessiné en 1832 par Devéria et parler comme j'imaginais que Novalis dût parler. Il me donna son nom : André
Gide.

RÉMY DE GOURMONT :

... — Et tout cela n'est dit que pour signaler le groupe
d'êtres rares auquel appartient M. André Gide.

Le malheur de ces êtres quand ils se veulent réaliser, est
qu'ils le font avec des gestes si singuliers que les hommes

---

1. Les références qui n'accompagnent pas immédiatement les textes
cités ou qui ne figurent ici qu'incomplètement sont données à la fin de
ces Morceaux choisis.

ont peur de les approcher... quand la foule veut bien admettre de telles âmes, c'est comme curiosités et pièces de musée. (1896.)

MAURICE BARRÈS :
... Si vous [aviez] ouvert les *Cahiers d'André Walter,* ... vous connaîtriez les plus récentes poussées de l'évolution littéraire. Je voudrais qu'à chaque janvier on saluât un nouveau prince de la littérature. (1891.)

L'AMITIÉ MOUVEMENTÉE DE PIERRE LOUŸS

PIERRE LOUŸS, *dans ses lettres à Gide* :
Je suis pris d'une tendresse à larmes pour ton bouquin. (Mars 1890.) — Je n'ai rien lu de ton bouquin (sauf les fragments de Pierrefonds) mais je sais que c'est bien, j'en suis sûr... (Juin 1890.)

PIERRE LOUŸS, *dans son Journal Intime* :
Je suis retourné hier soir chez Gide pour entendre la seconde partie des « Cahiers » [d'André Walter]. C'est superbe. Je le dis sans faux enthousiasme,... c'est un chef-d'œuvre... Je suis bien heureux, heureux comme pour moi. (25 octobre 1890.)
Nous nous sommes revus. Et dès le premier jour, je crois, il a repris pour me parler le même ton d'hypocrisie dédaigneuse... Jamais de laisser-aller, jamais d'oubli, jamais d'amitié. Seul avec moi, il ne me parlait plus qu'avec [des] réserves et [des] poses... Quand il me demandait mon avis, c'était pour me prendre en faute... Une fois, pourtant, il fut aimable ;... il me lisait son *André Walter,* et comme au bout de dix pages je lui disais que c'était très bien, il s'est précipité sur moi et, avec effusion, me serrant les deux mains : « Ah !... Ce bon Louis !... brave type !... Ah !... »

... Dernièrement, il était venu me trouver à 10 heures du matin ; nous avions travaillé ensemble à la revision de son manuscrit, corrigé, annoté, paginé ; et quand, à quatre heures et demie du soir, après avoir parlé de lui pendant *six heures et demie* sans arrêt, j'avais voulu lui jouer six mesures au milieu d'un chœur du *Roi d'Ys* et lui demander ce qu'il en pensait : ah ! non. Il était pressé ; à un autre jour. (12 novembre 1890.)

Le lendemain, explication avec Gide. Louys lui lit cette page, lui offre de la déchirer, Gide refuse ; alors Louys, dans son Journal :

Le malentendu est dissipé. Nous sommes amis, plus amis qu'avant, plus amis que jamais...

Leur amitié dure encore cinq ans.

ANDRÉ GIDE :
... Il était capricieux, quinteux, fantasque, autoritaire ; il cherchait sans cesse à incliner autrui vers ses goûts à lui, et prétendait forcer l'ami à marcher dans sa dépendance ; mais il avait des générosités exquises et je ne sais quelle fougue, quels élans qui rachetaient d'un coup tout le détail. (*Si le grain ne meurt.*)

PIERRE LOUYS :
Puis tu m'attribues une influence particulière en des termes d'une ambiguïté fâcheuse. Tu dis que j'ai « culbuté ton Dieu » (expression irrévérencieuse, André) et renversé ta morale. Seigneur ! est-ce possible ?...

Note d'Ibsen relevée par Gide : Les amis sont un luxe coûteux ; et lorsqu'on place son capital sur une vocation et une mission dans la vie, on n'a pas les moyens de conserver des amis. Ce que cela coûte ne consiste pas en ce que l'on fait pour eux, mais en ce que, par égard pour eux, on néglige de faire.

AU CROISEMENT DES CHEMINS AVEC OSCAR WILDE

Biskra. A la sortie d'un café maure. WILDE *à Gide* :
— *Dear,* vous voulez le petit musicien ?

Oh ! que la ruelle était obscure ! Je crus que le cœur me manquait ; et quel raidissement de courage il fallut pour répondre : — « Oui », et de quelle voix étranglée !

Wilde aussitôt se retourna vers le guide, qui nous avait rejoints, et lui glissa à l'oreille quelques mots que je n'entendis pas. Le guide nous quitta et nous regagnâmes l'endroit où stationnait la voiture.

Nous n'y fûmes pas plus tôt assis que Wilde commença de rire, d'un rire éclatant, non tant joyeux que triomphant ; d'un rire interminable, immaîtrisable, insolent ; et plus il me voyait déconcerté par ce rire, plus il riait. Je dois dire que, si Wilde commençait à découvrir sa vie devant moi, par contre il ne connaissait encore rien de la mienne ; je veillais à ce que rien, dans mes propos ou dans mes gestes ne lui laissât rien soupçonner. La proposition qu'il venait de me faire était hardie ; ce qui l'amusait tant, c'est qu'elle eût été si tôt acceptée. Il s'amusait comme un enfant et comme un diable. Le grand plaisir du débauché, c'est d'entraîner à la débauche. Depuis mon aventure de Sousse, plus ne restait au Malin grande victoire à remporter sur moi sans doute ; mais ceci, Wilde ne le savait point, ni que j'étais vaincu d'avance... (*Si le Grain ne meurt.*)

LES NOURRITURES TERRESTRES

Premier tirage en 1897, au Mercure de France : 1.650 exemplaires. — Vente après deux ans : 215 exemplaires. — Après 18 ans (au 30 juin 1915), le premier tirage est épuisé. — En 1950 : 50° mille.

A l'apparition du livre, la critique fut presque nulle. Voici quel fut l'accueil de quelques amis qui écrivirent à Gide :

MALLARMÉ :
Vous, Cher Gide, seul... ... pouviez mener cela vraiment à fin et arriver, sans composition apparente, jusqu'au suspens d'intérêt, vital, spirituel, tant votre souffle est homogène et simple. La main ; j'espère que les eaux furent bienveillantes pour Madame, à qui mon hommage... (1897.)

PAUL VALÉRY :
Ce qui fait l'amusement de ton petit Baedeker, c'est qu'il y a un peu de tout. Il y a un d'Annunzio, des soukhs, des Donatelli, et les fruits qui sont à la mode... (1897.)

FRANCIS JAMMES, *après la lecture d'un extrait des Nourritures (Ménalque) paru dans l'Ermitage :*
Cet enfant qui était au village, que tu arraches à sa famille et que tu envoies par la plaine, a-t-il seulement des souliers ? Aura-t-il seulement, un jour comme toi, une femme exquise et simple pour le soigner lorsqu'il sera fatigué ?...
Je te dis tout cela parce que je sais que Ménalque n'est pas toi. (1896.)

FRANCIS JAMMES, *après la publication du livre* :
Jamais je n'avais rêvé une œuvre moins païenne. Jamais
on n'était arrivé à un pareil degré de presque religieuse
abnégation et je voudrais qu'un cilice et qu'une corde
reliassent ce livre...
... Et la seule *réelle* volupté dont tu m'aies donné envie
est celle de *boire de l'eau*... (1897.)

*Cependant, dès la sortie du livre, son influence commen-
çait à s'exercer ; des adolescents isolés et bouleversés écri-
vaient :*

HENRI GHÉON, 22 *ans* :
Je ne sache pas que la chair ait jamais poussé de tels cris
d'extase... (L'Ermitage, 1897.)

EDMOND JALOUX, 19 *ans* :
Au milieu de [ma] torpeur, *Ménalque* a éclaté comme
l'orage... (Lettre à Gide, 1897.)

L'influence ne cessait de se poursuivre :

JACQUES COPEAU, 22 *ans* :
Enfermé dans ma chambre, et dans une féroce oisiveté,
refusé à tout, dévoré de désirs, desséché par l'attente, ce
livre était venu m'abreuver. (1901.)

JACQUES RIVIÈRE, 20 *ans* :
André Gide : ... Etre adorable...
Volupté, force, amour, désir, ... C'est de vous que je vis,
c'est de vous que je meurs. Vous êtes ma vie, vous êtes ce
qui me soulève, vous êtes ma tendance vers Dieu... Désir !
Désir ! il n'importe de quoi... (Correspondance avec Alain-
Fournier, 1906.)

Vingt-cinq ans plus tard.
Roger Martin du Gard évoquait dans « Les Thibault »
l'influence de ce livre sur l'un de ses personnages, un jeune
homme de moins de vingt ans, Daniel de Fontanin. Daniel
vient d'achever à l'aube la dernière page des « Nourritures
Terrestres ».

. . . .

... Le mot « faute » [pour Daniel] avait changé de sens...
Les sentiments auxquels jusqu'alors il ne s'abandonnait
qu'à contre-volonté, se libérèrent soudain et prirent joyeusement la première place ; cette nuit-là, en quelques heures,
se trouva renversée l'échelle des valeurs que, depuis son
enfance, il croyait immuable. (La Belle Saison, 1923.)

Le cinquantenaire des « Nourritures ».
Des textes et des interviews furent réunis dans la Gazette
des Lettres. Voici, entre autres, un témoignage :

UN ÉTUDIANT :
... Pour nous autres, les *Nourritures* ne posaient pas de
problème moral. Nous étions bien décidés à assouvir tous
nos désirs... J'avais l'impression que Gide enfonçait une
porte ouverte, mais de l'autre côté de laquelle, à cause du
malheur des temps, il n'y avait rien. Des garçons de notre
âge sont forcés de faire un effort d'imagination pour comprendre que sans Gide la porte serait peut-être restée fermée. (1947.)

Gide au long de sa vie s'est maintes fois expliqué au sujet
des « Nourritures », a cru devoir maintes fois se justifier :

GIDE :
... Le danger même que présentait sa doctrine (si j'ose
ainsi dire) m'est si nettement apparu que, sitôt après, en
antidote, j'ai écrit *Saül*...

... Il n'est peut-être pas très équitable de présenter l'éthique des *Nourritures* comme la dominante de ma vie. S'il en était ainsi, je m'en serais tenu à ce livre... (Lettre au R. P. Poucel, 1927.)

Jef Last blâme l'éthique de Ménalque. Il a raison. Moi-même je la désapprouve... (Journal, 1935.)

... Et somme toute, [ce livre] est tel qu'il devait être, et réussi... (Journal, 1926.)

FRANCIS JAMMES : CORRESPONDANCE D'UNE AMITIE

JAMMES :
Je vous admire entièrement... Vous êtes davantage qu'un grand talent... (Janvier 1894.) Vous êtes plutôt des *Mille et une Nuits,* de Lamartine et de Mallarmé peut-être aussi de Virgile et de Coleridge — sans pourtant leur ressembler. (Décembre 1894.)

GIDE :
Monsieur, qui êtes à présent un peu mon ami... (Automne 1894.) ... Il m'eût peiné de vous aimer sans réciproque... (Fin 1894.)

Ton amitié me touche cher ami ; ... je pleure presque en y pensant, de ne point te connaître encore et pourtant déjà tant t'aimer. Merci donc de tes vers et que, si le tutoie-ment que je t'offre en échange, d'un presque irrésistible élan t'offense — pardonne et oublie... (Octobre 1895.)

Tel est le ton de ferveur des premières lettres échangées entre Gide et Jammes.

La correspondance se poursuit pendant des dizaines d'an-

nées, abondante et affectueuse jusqu'à la conversion de Jammes, puis avec des hauts et des bas.

Après la mort de Jammes en 1938, Gide publie dans la N. R. F. un article suivi de souvenirs et de lettres de Jammes.

GIDE :

Je suis trop près moi-même de la tombe... pour pouvoir me désoler beaucoup de sa mort. Cette réussite du Bon Dieu qu'était Jammes, a pleinement rempli sa tâche... Dirai-je même que ce deuil m'apporte une satisfaction : celle de pouvoir faire figurer dans l'anthologie des poètes français que je prépare (et où ne doivent point figurer les vivants) un abondant choix de son œuvre... (Décembre 1938.)

DEVANT LE GRAND PUBLIC, A L'ENTRÉE DU XXe SIECLE

JEAN DE PIERREFEU :
Écrivain cloîtré... Il méprise le succès. (*L'Opinion*, 1911.)

PAUL SOUDAY :
La littérature de M. André Gide est éminemment ésotérique et cénaculaire. Cet écrivain semble mettre autant de soins à fuir la publicité que d'autres à la rechercher... Il est l'homme du volume introuvable... (*Le Temps*, 1911.)

JULES BERTAUT :
Tout ce tarabiscotage de l'esprit et des sens... Le sombre casuiste vous a pris par la main et dès lors il ne vous lâchera plus. (*Les Romanciers du nouveau Siècle* ; 1912.)

LUCIEN MAURY :
La prétention quintessenciée... Sommes-nous sûrs de comprendre ?... (*Figures Littéraires : Ecrivains français et étrangers* ; 1911).

LA GUERRE DE 1914-1918

CHARLES DU BOS :

[Gide me disait :] « Le devoir d'un écrivain pendant la guerre, c'est de ne pas écrire » : aussi, seul peut-être parmi les écrivains, s'est-il retrouvé après les événements aussi pur, aussi intact, qu'avant.

Quelques-unes des positions de Gide pendant la guerre :

GIDE, *dans son Journal :*

Oui, je me souviens de ces conversations, avec elle et Ghéon, en Asie mineure (une à Smyrne, particulièrement), sur la lente décomposition de la France, sur ses vertus inemployées ou dilapidées, sur l'imminence de la guerre — à quoi madame Mayrisch se refusait de croire, et que, quelques mois avant la déclaration, Ghéon et moi prévoyions, prédisions, souhaitions presque, tant il nous paraissait que la guerre même était un moindre mal que l'abominable déchéance où reculait peu à peu notre pays — et d'où la guerre seule pouvait peut-être encore nous sauver...

15 *août* 1914 : Voici que s'établit un poncif nouveau, une psychologie conventionnelle du patriote... Le ton qu'ont pris les journalistes pour parler de l'Allemagne est à soulever le cœur.

13 *septembre* 1934 : ... durant la guerre... [je] ne sus opposer de résistance (je me le reproche suffisamment aujourd'hui) aux enthousiasmes irréfléchis des amitiés qui me circonvenaient alors... L'excès de notre chauvinisme (je dis : *notre,* car je m'y laissais entraîner)...

Feuillets 1918 : Le nationaliste a la haine large et l'amour étroit...

Le nationaliste croit volontiers que le Christ était catholique.

Gide s'est à certains moments rapproché de Maurras pendant la guerre pour s'en éloigner plus tard.

GIDE, *dans la* N. R. F. (1909) :
Je ne lis pas souvent l'*Action Française,* par crainte de redevenir républicain.

Pendant la guerre, Gide écrit à Maurras pour lui communiquer, en vue de leur reproduction, des lettres du lieutenant de vaisseau Dupouey.

GIDE :
... Le temps est venu, peut-être, de se compter, vivants ou morts... (Lettre publiée dans l'*Action Française* du 5 novembre 1916.)

HENRI MASSIS *cite le post-scriptum de cette lettre* :
Ci-joint un billet pour le meilleur usage sur lequel vous voudrez bien prélever le montant d'un abonnement à l'*A. F.*

En 1935, à une réunion de l' « Union pour la Vérité », Gide, devenu sympathisant communiste, explique sa position par rapport à l'Action Française pendant la guerre.

GIDE :
Je n'ai jamais eu de conviction royaliste. Mais, en 1916, j'avais l'impression que l'*A. F.* était le seul groupement sérieux et qu'il était nécessaire, à ce moment, de se serrer les coudes.

1914-1916 est l'époque d'une crise mystique de Gide, qui l'a amené à écrire « Numquid et tu...? » resté longtemps inédit. Gide note quelques-uns des motifs de cette crise :

GIDE, *dans son Journal* :

19 *janvier* 1916 : Ce contre quoi j'ai le plus mal à lutter c'est la curiosité sensuelle. Le verre d'absinthe de l'ivrogne n'est pas plus attrayant que, pour moi, certains visages de rencontre... Il y a là une propulsion si impérieuse, un conseil si insidieux, si secret, une habitude si invétérée, que souvent je doute si j'en puis échapper sans un secours venu d'ailleurs.

23 *janvier* : Hier soir j'ai cédé ; comme on cède à l'enfant obstiné — « pour avoir la paix »...

16 *février* : Avant-hier, rechute.

15 *octobre* : Hier, rechute abominable...

— ... Qu'importe que ce soit pour échapper à la soumission au péché que je me soumette à l'Eglise ! Je me soumets... Délivrez-moi du poids épouvantable de ce corps.

Charles du Bos, à qui « Num quid et tu » est dédié :

Parce que Gide a vécu le mystère de Numquid et tu... ? », il n'est que de le laisser aller — aller, évoluer, voler, partout et tant qu'il lui plaira...

ANDRÉ GIDE, OU L'ONCLE DADA

Gide suivait avec attention et curiosité la naissance et les manifestations de Dada. De leur côté, les dadaïstes voyaient avant tout en Gide l'auteur des « Caves du Vatican ».

ANDRÉ BRETON :

L'ouvrage, dès sa publication dans la « Nouvelle Revue Française », provoque deux mouvements d'opinion violemment contradictoires : alors que décontenancés la plupart des anciens admirateurs et amis de l'auteur s'empressent d'affirmer qu'il se fourvoie..., les jeunes gens s'exaltent à vrai dire moins pour l'intrigue du livre, dans sa légèreté fort supportable d'ailleurs, et pour le style, non débarrassé de tout esthétisme, que pour la création centrale du personnage de Lafcadio. Ce personnage, totalement inintelligible aux premiers, apparaît aux seconds plein de sens, voué à une descendance extraordinaire...

De lui part une sorte d' « objection d'inconscience » beaucoup plus grave que l'autre et qui est loin d'avoir dit son dernier mot...

... Sur le « front », Jacques Vaché, par divers côtés très hostile à Gide, rêve d'installer son chevalet entre les lignes françaises et les lignes allemandes pour faire le portrait de Lafcadio...

C'est en pleine effervescence dada que Gide publie le calme récit de la « Symphonie Pastorale », de forme toute classique. La presse et les grandes revues accueillirent cet ouvrage avec éloges. Mais les dadaïstes furent déçus du retour de Gide à son passé.

LOUIS ARAGON :
L'auteur de ce livre, comme je lui avais mandé sans plus n'en pas aimer le second cahier, me répondit : — « Votre phrase sur la Sym. Past. m'étonne. *Vous n'aimez pas la seconde partie...* Serait-ce que vous aimiez la première ?... J'espère bien que non ! Ça ne serait pas la peine d'avoir écrit les *Caves*... » (Littérature, 1920.)

Dans Littérature, en 1922, parut sous le titre de « André Gide nous parle de ses Morceaux choisis » un texte signé par André Breton. Breton reproduit mot à mot une conversation qu'il eut avec André Gide [1] :

. . . .

1. Voir dans *Entretien avec Philippe Soupault* (page 471) les circonstances de cette publication.

GIDE : — Si vous saviez quelle partie je joue. C'est que je ne suis pas un poète ! Les poètes ont trop beau jeu. Mais moi, de combien de réflexions ne fais-je pas précéder le déplacement d'un seul de mes pions ! J'ai encore beaucoup à écrire mais je connais mon but et le plan même de tous mes volumes est arrêté. Soyez certain que j'avance, avec lenteur, soit ; d'autant plus avec volupté.

BRETON [1] : Ne craignez-vous pas qu'on vous tienne faible compte de ces calculs ? Il s'agit de tout autre chose. Peut-être, en ne voulant vous priver d'aucune chance, perdrez-vous la partie de toute façon.

GIDE : — Je ne dois de comptes qu'après ma mort. Et que m'importe, puisque j'ai acquis la certitude que je suis l'homme qui aura le plus d'influence dans cinquante ans !

BRETON : — Alors pourquoi vous préoccuper de sauver les apparences ? On sait maintenant quelle légende il vous plaît qu'on accrédite autour de vous : votre inquiétude, votre horreur des dogmes, et ce côté décevant. Les plus maladroits s'y essayent.

GIDE : — Mais je suis au contraire plus calomnié que jamais. Dans *la Revue Universelle,* M. Henri Massis déverse des ordures sur moi. Croyez-moi, Breton, tout viendra à son heure : en lisant mes morceaux choisis, vous verrez que j'ai surtout pensé à vous et à vos amis.

BRETON : — Une préférence ne nous suffit pas. Il n'est pas un de nous qui ne donnerait tous vos volumes pour vous voir fixer cette petite lueur que vous avez seulement fait apparaître une fois ou deux, j'entends dans les regards de Lafcadio et d' « Un Allemand ». Est-il bien nécessaire que vous vous consacriez à autre chose ?

GIDE : — Ce que vous me dites est bien étrange, mais c'est de la faillite de l'humanité tout entière que vous avez le sentiment. Je vous comprends mieux que vous ne croyez et je vous plains. Comme nous le disions l'autre jour avec Paul

---

1. Pour éviter toute confusion, le nom *Breton* remplace ici le mot *Moi,* qui figure dans le texte.

Valéry : « Que peut un homme ? » et il ajoutait : « Vous souvenez-vous de l'admirable question de Cervantès : « Comment cacher un homme ? »

LES GRANDES OFFENSIVES

Polichinelle s'en va-t-en guerre contre Gide et la N. R. F.

HENRI BÉRAUD :

...Il faut réagir contre le snobisme de l'ennui qui se confond d'ailleurs avec le snobisme de la mévente... (Nouvelles Littéraires, 1922.)

Je suis un polémiste... En ce qui concerne l'affaire Gide, je prends parti, et je ne me cache plus, pour « la littérature rigolote ou tout au moins agréable ». (Paris-Journal.)

A ces mots toute la presse s'enflamme.
Prennent parti pour Béraud : l'Illustration, les Marges, les Annales (André Lang), la France Vivante (José Germain), etc... et notamment :

ROLAND DORGELÈS :

Il est des écrivains qui, très fiers, vous disent : « J'écris pour l'élite ! » Je suis bien plus fier, moi, d'écrire pour des milliers et des milliers d'êtres qui m'aiment. Minorité et élite n'ont jamais été synonymes... (1923.)

ÉDOUARD DULAC, *dans Pau-Pyrénées :*

Hardi mon gros ! Sus ! sus !... Assez de cet ésotérisme qui ne doit plus attirer que de pâles nigauds dans les cénacles étouffants ! (1922.)

Prennent parti pour Gide : le Temps (Paul Souday), le Figaro (Fernand Vandérem), les Nouvelles Littéraires, Paris-Journal (René Crevel), etc... et notamment :

LÉON DAUDET :

... [Le] jugement [de Béraud] porté sur des écrivains qui le dépassent de cent coudées — en hauteur et en profondeur — est ridicule. (1923.)

ABEL HERMANT :

... Ces querelles d'école m'ont tout l'air de querelles de boutique.

... Il est loisible à quiconque d'appeler chapelle cette famille spirituelle [qu'est la N. R. F.]. (1923.)

Au milieu de ces mêlées et de ces coups de sabre dans le vide :

GIDE, *dans son Journal :*

Ce n'est pas sur moi que l'on frappe ; c'est sur la bosse dont on m'a d'abord affublé. (1924.)

Mais voici que se lève l'Inquisiteur.

HENRI MASSIS :

Il n'y a qu'un mot pour définir un tel homme, mot réservé et dont l'usage est rare, car la conscience dans le mal, la volonté de perdition ne sont pas si communes : c'est celui de démoniaque. Et il ne s'agit pas ici de ce satanisme verbal, littéraire, de cette affectation de vice, qui fut de mode il y a quelque trente ans, mais d'une âme affreusement lucide dont tout l'art s'applique à corrompre... (1921.)

La litote classique est le manteau d'hypocrisie dont il sent le besoin de vêtir son personnage. (1921.)

Ce qui est mis en cause ici, c'est la notion même de *l'homme* sur laquelle nous vivons... (1923.)

C'est qu'il s'agit ici de l'entreprise la plus captieuse pour nous désoccidentaliser, nous décatholiciser. (1923.)

... l' « évangélisme » gidien ne tend à rien d'autre qu'à *sauver la chair*... (1923.)

CHARLES DU BOS :

...La terrible et radicale inversion spirituelle qui, dans *Si le Grain ne meurt,* lui dicta ces lignes...

GROETHUYSEN :

C'est ce sens si spécial du péché qui est propre à Gide — et qui n'a rien à voir avec le péché en général, avec la notion de péché originel. On dirait que le péché de Gide n'est pas un péché humain...

GEORGES BERNANOS :

Ce haut cas de perversité intellectuelle n'est pas agréable à regarder en face.

Mais les défenseurs prennent la parole :

PAUL SOUDAY :

C'est un procès de sorcellerie en règle que M. Henri Massis intente à M. André Gide. Ces jeunes catholiques d'aujourd'hui ont des âmes d'inquisiteurs. Le P. Garasse et Torquemada revivent en M. Henri Massis, qui ferait brûler sans hésitation les livres de M. André Gide et l'auteur lui-même, si M. Homais n'avait aboli ce mode de discussion...

ANDRÉ MALRAUX :

M. Massis se défend depuis des années contre une tentation constante et profonde, qu'il appela parfois Renan et parfois André Gide ; il lui a donné aussi un autre nom qui la désigne plus clairement : Satan.

ANDRÉ GIDE :

J'ai connu ce destin bizarre (peut-être unique) d'être magnifié par l'attaque avant de l'avoir été par l'éloge. (1924.)

On supporte plus volontiers d'être vilipendé, ou inconnu, que méconnu. (1924.)

CORYDON ET SI LE GRAIN NE MEURT

La période des équivoques.

GIDE, *dans son Journal* :

— Maintenant que nous voici seuls [me dit Paul Bourget], apprenez-moi, Monsieur Gide, si votre Immoraliste est ou n'est pas un pédéraste ?

Et, comme je reste un peu interloqué, il insiste :

— Je veux dire : un pédéraste pratiquant ?

— C'est sans doute plutôt un homosexuel qui s'ignore, répondis-je, comme si je n'en savais guère trop rien moi-même ; et j'ajoutai : je crois qu'ils sont nombreux. (1915.)

ANDRÉ ROUVEYRE :

Les femmes que Gide a créées se meuvent... dans leur immatérialité et dans leur nature, presque totalement dégagées de tenants physiologiques. C'est le contraire lorsqu'il traite des jeunes garçons africains ; alors, nous voyons de souples animaux élémentaires, séduisants, têtes vides d'aucune complication spirituelle...

On annonce la publication de « Corydon » et de « Si le Grain ne meurt ».

ROUVEYRE :

...La troupe, dans le temple s'affole, car des prophéties, venues d'on ne sait quelles mystérieuses imprimeries annoncent que Gide en secouera quelque jour les colonnes. Des ombres tristes s'empressent et implorent, on cherche des issues...

Amis et catholiques sont intervenus auprès de Gide ;

*Maritain, à son tour, tente une démarche. Gide l'a relatée
dans des pages de son Journal :*

. . . .

— Mais ne pensez-vous pas que cette vérité, que prétend
manifester votre livre, peut être dangereuse...

— Si je le pensais, je n'aurais pas écrit celui-ci, ou du
moins je ne le publierais pas. Pour dangereuse qu'elle
puisse être, cette vérité, j'estime que le mensonge qui la
couvre est plus dangereux encore.

— Et ne pensez-vous pas qu'il est dangereux pour vous
de la dire ?

— C'est une question que je me refuse à me poser.

Il me parla alors du salut de mon âme, et me dit qu'il
priait souvent pour elle, ainsi que plusieurs de ses amis
convaincus comme lui que j'étais désigné par Dieu pour
des fins supérieures, auxquelles, en vain, je cherchais à me
dérober.

— Je crois volontiers, lui dis-je en souriant, que vous vous
inquiétez du salut de mon âme beaucoup plus que je ne
m'en inquiète moi-même. (1923.)

*Gide a « passé outre ». Quoiqu'il n'ait fait aucun service
de presse, Paul Souday a rendu compte de « Si le Grain ne
meurt » dans son feuilleton du « Temps ».*

PAUL SOUDAY :

Jean-Jacques s'est trompé : il a un imitateur en M. André
Gide, qui entreprend de raconter sa vie avec une franchise
et un cynisme plus intrépides encore... Après un scabreux
souvenir d'enfance qui s'étale dès le seuil du premier volume,
comme une crotte sur un paillasson...

Que voici :

« Je revois aussi une assez grande table, celle de la salle
« à manger sans doute, recouverte d'un tapis bas-tombant ;

« au-dessous de quoi je me glissais avec le fils de la concierge,
« un bambin de mon âge qui venait parfois me retrouver.
« — Qu'est-ce que vous fabriquez là-dessous ? criait ma
« bonne. — Rien. Nous jouons. — Et l'on agitait bruyam-
« ment quelques jouets qu'on avait emportés pour la frime.
« En vérité nous nous amusions autrement : l'un près de
« l'autre, mais non l'un avec l'autre pourtant, nous avions
« ce que j'ai su plus plus tard qu'on appelait « de mau-
« vaises habitudes »...

« Je sais de reste le tort que je me fais en racontant ceci
« et ce qui va suivre. Je pressens le parti qu'on en pourra
« tirer contre moi. Mais mon récit n'a raison d'être, que
« véridique... » (Si le Grain ne meurt.)

*Deux ans plus tard paraissent « Les Faux-Monnayeurs »,
auxquels Souday consacre un nouvel article. C'est le troisième ouvrage de Gide qui touche au même sujet. D'où les
indignations du critique du Temps.*

PAUL SOUDAY :
Oh !... ici... Tout cela est discret, enveloppé, et un lecteur
très innocent pourrait à la rigueur ne pas comprendre de
quoi il s'agit. Cependant ce n'est que trop clair... Et puis
en voilà assez, et la mesure est comble.

GIDE :
... J'admire qu'ils crient, comme Souday : « la mesure est
comble », alors qu'elle commence seulement à se remplir
craintivement. (Journal, 1931.)

POUR L'U. R. S. S.

GIDE, *dans son Journal :*
27 juillet 1931 : Je voudrais crier très haut ma sympathie
pour la Russie ; et que mon cri soit entendu, ait de l'im-

portance. Je voudrais vivre assez pour voir la réussite de cet énorme effort ; son succès que je souhaite de toute mon âme, auquel je voudrais travailler. Voir ce que peut donner un état sans religion [1], une société sans famille. La religion et la famille sont les deux pires ennemis du progrès (texte paru dans la N. R. F. du 1er septembre 1932).

L'année suivante, Gide est amené à prendre la parole au cours d'une réunion de l'A. E. A. R. (Association des Ecrivains et Artistes Révolutionnaires.)

JULIEN GREEN, *dans son Journal :*
Je trouve Gide préoccupé... Il va d'un coin à l'autre de la bibliothèque, ouvre une porte, parle à quelqu'un, revient, m'offre une cigarette et me dit enfin qu'il est ennuyé parce qu'il a accepté de prendre la parole dans une réunion organisée par le *parti...*
Il me dit que Vaillant-Couturier lui a forcé la main, que lui, Gide, a essayé de rattraper sa promesse et qu'on lui a dit à ce moment qu'il était trop tard, que les affiches étaient prêtes. Cette manifestation aura lieu au Grand-Orient de France. Gide en est tellement ennuyé qu'il ne peut manger. Je crois ne l'avoir jamais vu ainsi. (1933.)

Entretien contradictoire tenu au siège de l' « Union pour la Vérité », le 26 janvier 1935, paru sous le titre de « André Gide et notre Temps » (N. R. F. 1935), dont voici quelques phrases significatives :

GABRIEL MARCEL :
Mais il est évident pour moi que le communisme dogmatique suppose au premier chef le type de certitude que M. Gide réprouve. Jusqu'à preuve du contraire, je ne pourrai m'empêcher de présumer, par conséquent, que pour un

1. Sans religion ? Non peut-être. Mais une religion sans mythologie. (Note de Gide.)

esprit tel que le sien, le communisme ne saurait être qu'une villégiature, plus ou moins prolongée... (page 33).

J. MARITAIN :

En définitive votre adhésion au communisme m'apparaît comme une suppléance pour vous de cette vie évangélique que vous avez toujours cherchée, — là où elle n'est pas... (page 44).

A. GIDE :

J'estime que, par suite de compromissions, le christianisme a fait banqueroute. J'ai écrit et je pense profondément que si le christianisme s'était imposé, si l'on avait accepté l'enseignement du Christ, tel quel, il ne serait pas question aujourd'hui de communisme. Il n'y aurait même pas de question sociale... (page 50).

— ... L'athéisme seul peut pacifier le monde aujourd'hui, (page 52).

Gide a apposé son nom sous quelques manifestes portant chacun un grand nombre de signatures :

Manifeste aux Travailleurs des intellectuels du Comité d'Action antifasciste et de Vigilance :

Unis, par-dessous toute divergence, devant le spectacle des émeutes fascistes de Paris [1] et de la résistance populaire qui seule leur a fait face, nous venons déclarer à tous les travailleurs, nos camarades, notre résolution de lutter avec eux...

... La colère que soulèvent les scandales de l'argent, nous ne la laisserons pas détourner par les banques, les trusts, les marchands de canons, contre la République... [2]

1. Journée du 6 février 1934.
2. Signé par : Alain, Albert Bayet, Julien Benda, Jean Blanzat, Jean-Richard Bloch, Jean Cassou, René Crevel, Eugène Dabit, Paul Eluard, Yves Farge, Léon-Paul Fargue, Ramon Fernandez, André Gide,

*Protestation du « Comité pour la libération de Thael-
mann », présidé par Langevin, Malraux et Gide (juin
1934) :*

Luttant pour la défense de toutes les victimes du fascisme, nous signalons à tous l'urgence du péril où se trouve
actuellement l'une d'elles, Ernst Thaelmann... Inculpé en
vertu d'une législation rétroactive pour les actes qui étaient
légaux à l'époque où ils furent commis, Thaelmann est
déféré sans défenseur devant le Tribunal d'exception dé-
nommé « Tribunal du Peuple »... Si une telle décision était
prise..., nous considérerions sa condamnation à mort comme
un assassinat...

*La « Maison de la Culture », en 1936, au nom de ses
45.000 adhérents, adresse au Président Companys et à la
« Maison du Peuple » de Madrid le télégramme suivant :*

Saluons fraternellement héroïques combattants pour la
liberté de l'Espagne. Espérons fermement victoire finale du
peuple espagnol contre criminelle tentative des aventu-
riers.

Vive l'Espagne populaire, gardienne de la culture et des
traditions auxquelles un indestructible attachement nous
lie [1].

M. et Mme Joliot-Curie, René Lalou, Paul Langevin (professeur au
Collège de France), Lévy-Bruhl (professeur à la Faculté de Droit), Jean
Lurçat, Roger Martin du Gard, Magdeleine Paz, Jean Perrin (membre
de l'Institut, professeur au Collège de France), André Philip, Léon
Pierre-Quint, Georges Pioch, Paul Rivet, Romain Rolland, Gustave
Roussy (professeur à la Faculté de Médecine), André Wurmser, etc., etc.
   1. Signé par quelques-uns des noms précédents et en outre par :
André Gide, Tristan Tzara, Pierre-Jean Jouve, Luc Durtain, Elie
Faure, Paul Nizan, Roger Désormières, Gromaire, André Lhote, Jean
Painlevé, Aragon, Picasso, Jacques Prévert, Marie Bell, Robert Des-
nos, Charles Vildrac, Ilya Ehrenbourg, Jacques Soustelle, Marcel Her-
rand, Jean Marchat, Fernand Léger, Jeanson, Jean Renoir, Valentine
Hugo, Henri Matisse, Moussinac, Georges Sadoul, Martin-Chauffier,
Jean-Richard Bloch, Jean Cassou, René Crevel, Eugène Dabit, Paul
Pitoëf, André Germain, Louis Guilloux, Jean Paulhan etc., etc.

Divers jugements :

ILYA EHRENBOURG, *dans « Vus par un Ecrivain d'U. R. S. S. :*

De la présence de cet homme, tous éprouvaient une juste fierté comme une armée est fière de la citadelle qu'elle a enlevée. Et, comme la langue humaine retarde toujours sur la vie, bon nombre d'entre eux répétaient un mot qui exhale une odeur d'encens et de mort — conversion. (1933.)

FRANÇOIS MAURIAC, *dans son Journal :*

Il n'a pas fallu moins d'un demi-siècle à Gide pour substituer, à cette vue claire qu'il avait du progrès intérieur, sa foi naïve dans le progrès matérialiste. (1934.)

MARTIN-CHAUFFIER :

... Gide a atteint la suprême grandeur le jour qu'il s'est donné. Tant de réticence passée n'était pas refus ni faiblesse, mais précaution attentive pour ne se donner qu'à coup sûr. (Vendredi, 1936.)

RETOUR DE L'U.R.S.S.

« La Pravda » du 3 décembre 1936 insère dans un très long article — que reproduit « l'Humanité » du 18 et du 19 décembre 1936 — un télégramme d'André Gide d'août 1936 :

Au terme de notre inoubliable voyage à travers la grande patrie du socialisme victorieux, j'envoie de la frontière un dernier et cordial salut aux magnifiques amis que je quitte

avec tristesse en leur disant, ainsi qu'à l'Union Soviétique
tout entière : « Au revoir ! »

PIERRE HERBART :
... Nous fûmes quelques-uns à demander à André Gide
de surseoir à [la] publication de [Retour d'U. R. S. S.]

*A la veille de la publication de « Retour de l'U. R. S. S. »,
Victor Serge obtient de Gide un rendez-vous.*

VICTOR SERGE, *dans son Journal :*
J'emporte l'impression d'un homme extrêmement scrupu-
leux, troublé jusqu'au fond de l'âme, qui voulait servir une
grande cause — et ne sait plus comment.

« Retour de l'U. R. S .S. » paraît en fin novembre 1936.

GIDE, *dans l'Avant-Propos de ce livre :*
Je ne me dissimule pas l'apparent avantage que les partis ennemis... vont prétendre tirer de mon livre. Et voici qui
m'eût retenu de le publier, de l'écrire même, si ma conviction ne restait intacte, inébranlée, que d'une part l'U. R. S. S.
finira bien par triompher des graves erreurs que je signale ;
d'autre part, et ceci est plus important, que les erreurs
particulières d'un pays ne peuvent suffire à compromettre
la vérité d'une cause internationale, universelle. Le mensonge, fût-ce celui du silence, peut paraître opportun, et
opportune la persévérance dans le mensonge, mais il fait à
l'ennemi trop beau jeu, et la vérité, fût-elle douloureuse, ne
peut blesser que pour guérir.

Positions communistes :

L'HUMANITÉ *du* 18 *et du* 19 *décembre (reproduisant
le très long article de* La Pravda *du* 3 *décembre* 1936) :

... C'est une trop lourde accusation que porte André Gide contre lui-même lorsqu'il se donne pour un homme qui a pénétré dans notre pays sous le masque d'un ami pour y mentir ensuite consciemment, pour y dissimuler son vrai visage comme les faux monnayeurs de l'un de ses romans...

ROMAIN ROLLAND :

... Ce mauvais livre est, d'ailleurs, un livre médiocre, étonnamment pauvre, superficiel, puéril, et contradictoire...

J'en veux à Gide, moins de ses critiques, qu'il aurait pu faire ouvertement, quand il était en U. R. S. S., s'il avait été franc, que du double jeu qu'il a joué, prodiguant en U. R. S. S. des protestations d'amour et d'admiration, et, aussitôt rentré en France, portant à l'U. R. S. S. un coup dans le dos, tout en protestant de sa « sincérité » !

... Ce n'est pas lui, ni qui que ce soit, ni quoi que ce soit, qui pourra jamais arrêter la marche de l'histoire et le développement de l'U. R. S. S. L'U. R. S. S. en a vu bien d'autres ! (Lettre reproduite dans l'*Humanité,* 18 janvier 1937.)

Certains articles d'écrivains communistes qui connaissent la formation de la pensée de Gide, marquent plus de nuances.

GEORGES FRIEDMANN :

Là encore nous nous trouvons en présence d'observations particulières, découpées de tout ce qui, dans le système économique et politique, dans l'histoire de l'U. R. S. S., devrait les entourer, les éclairer, permettre de les faire comprendre avant d'en juger. (*Europe,* 15 janvier 1937.)

ANDRÉ WURMSER :

« Retour de l'U. R. S. S. » ne nous apporte donc pas un jugement motivé par des faits économiques ou une organisation politique, mais par l'impression que produit à un moraliste français, à un romancier, l'état d'esprit *actuel* des citoyens soviétiques... (*Commune,* janvier 1937.)

Dans la presse non communiste :

EMMANUEL BERL :
Ce livre admirable de probité intellectuelle... (*Marianne,* 20 novembre 1936.)

DRIEU LA ROCHELLE :
Il faut dire que Gide, s'il est d'abord tombé dans le piège, a su en sortir... (*Dans une page de l'Emancipation Nationale, intitulée « Grandeur de Monsieur Gide et décadence de l'U. R. S. S. »*)

FRANÇOIS DE ROUX :
Ne retrouvons-nous pas une fois encore ici le Gide que nous connaissons et que nous admirons, toujours le même Gide — celui qui n'incline pas, fût-ce une minute, l'automate ? (*L'Intransigeant.*)

La vente de l'ouvrage : tiré à un petit nombre de mille, il fut aussitôt épuisé, réimprimé, épuisé, réimprimé. Pour la première fois, un livre de Gide atteignait un tirage de 100.000 exemplaires.

GIDE, *dans son dernier Journal paru en* 1950 :
15 *janvier* 1945 : L'U. R. S. S... J'étonnerais bien des gens, à leur dire qu'il n'est sans doute pas de pays au monde où je désirerais plus retourner...
Certains pensent que j'ai gardé mauvais souvenir de ce voyage que je fis (en 1936, je crois) et que les deux pamphlets que je publiai par la suite sont le produit d'une déception ; ce qui est absurde...
... En dehors de ces « manques » tout me plaisait là-bas...

LA GUERRE DE 1939-1945

GIDE, *dans son Journal, parlant de la N. R. F.*
La revue, somme toute, se maintient, en dépit des absences, aussi bien qu'il se peut. Certes, je me félicite de m'en être retiré... (8 juillet 1943.)

De chaque côté de la barricade, en France sous le régime de Pétain, un peu plus tard, à Alger sous le régime du général de Gaulle, Gide reste le symbole de l' « insoumis ».

A Nice, en 1941 :
A l'annonce d'une conférence de Gide sur Henri Michaux, la Légion lui adresse une lettre pour l'empêcher de la tenir :

LÉGION FRANÇAISE DES COMBATTANTS
Union Départementale des Alpes-Maritimes

Monsieur André Gide,
Hôtel Ruhl — Nice.

Monsieur,
L'annonce de votre conférence nous a beaucoup surpris. La qualité de votre talent nous autorisait à croire que vous ne manqueriez pas de tact à ce point.
... On parle beaucoup des responsables, en ce moment. C'est une mode imposée par les circonstances. Permettez-moi de vous en parler un peu.
... Il est difficilement admissible à l'heure où le Maréchal veut développer dans la Jeunesse française l'esprit de sacrifice, de voir monter à la tribune un des hommes qui s'est fait le champion triomphant de l'esprit de jouissance.
... On peut aussi « obliger » à comprendre les gens qui ne veulent pas comprendre. Et on peut faire cela avec beaucoup de fermeté, sans être non plus un Philistin...

A Alger, en 1944 :

Au cours des débats de l'Assemblée Consultative Provisoire du 7 juillet 1944, M. Giovoni après avoir cité quelques phrases tirées de pages du Journal *de Gide parues dans* l'Arche, *pose la question suivante :*

— Est-il possible qu'on puisse imprimer à Alger des phrases comme celles-ci... [1]

Puis les commentaires de M. Giovani s'achèvent par ces mots :

... André Gide s'est placé « au-dessus de la mêlée ».... Il a gravement insulté les cultivateurs et les paysans de France... Il a insulté la patriotisme des Français et a aussi mal jugé, aujourd'hui, les paysans de France, qu'il avait jugé autrefois, ceux d'U. R. S. S. En somme, cet écrivain frelaté qui a exercé une trouble influence sur les jeunes esprits, fait du défaitisme en pleine guerre. Sa manie de l'originalité et de l'exotique, son immoralisme et sa perversité en font un individu dangereux.

Aujourd'hui, la littérature est une arme de guerre. C'est pourquoi je réclame la prison pour André Gide et des poursuites contre le gérant de *l'Arche.*

---

1. Voici les phrases de Gide citées par M. Giovoni :
« C'est à travers les restrictions qu'elle entraîne et par cela seulement ou presque, que le grand nombre sera touché par la défaite. Moins de sucre dans le café et moins de café dans les tasses, c'est à cela qu'ils seront sensibles. »
« Lequel d'entre eux [il s'agit des cultivateurs] n'accepterait volontiers que Descartes ou Watteau fussent allemands, ou n'aient jamais été, si cela pouvait lui faire vendre son blé quelques sous plus cher ? »
« Le sentiment patriotique n'est du reste pas plus constant que nos autres amours. »

GIDE GARDE SA JEUNESSE

JULIEN GREEN, *dans son Journal :*
Pas une seconde je n'ai le sentiment d'une différence d'âge
entre Gide et nous et je n'en parlerais même pas si Gide
lui-même n'avait fait allusion à ses soixante ans. Jamais,
avec lui, je ne puis me défaire de cette impression que je
parle à un camarade... (1931.)

ROGER STÉPHANE, 22 *ans :*
21 *août* 1941 : Après le déjeuner, Gide nous entraîne dans
tous les hôtels de Nice afin de l'aider à trouver une chambre
où passer l'hiver. Nous courons tout Nice, Jean et moi avec
un peu de fatigue, Gide avec une parfaite aisance : et c'est
lui qui a soixante-douze ans... (*Chaque Homme est lié au
monde.*)

GIDE, *dans son Journal :*
17 *juillet* 1940 : Sans doute est-il un peu ridicule, à mon
âge, de chercher encore à s'instruire, et tout cet effort est
bien vain ; mais dès que je ne suis plus tendu vers quelque chose, je m'embête à mort et n'ai plus de plaisir à
vivre...
3 *août* 1942 : J'ai connu à Tunis, en juin dernier, deux
nuits de plaisir comme je ne pensais plus en pouvoir connaître de telles à mon âge... Il dit avoir quinze ans et n'en
paraît pas davantage...
25 *juin* 1944 : Depuis quelques jours, je me suis remis au
latin... Il me semble que je comprends tout beaucoup mieux
que je ne faisais alors. Et je tiens la clef des vers latins...
Que ne me l'enseignait-on au lycée... ?

A 75 ans, retenu à Alger au moment de la Libération de

Paris : « Ah ! qu'il me tarde » de revoir les amis et la capitale, « je crains de manquer de souffle au dernier moment... », — *Gide est pris de cette même impatience qu'il*
eut à 20 ans quand, près d'Annecy, il écrivait les « Cahiers
d'André Walter » et que le mouvement poétique, à Paris,
battait son plein : « J'arriverai trop tard, écrivait-il, et je
n'en serai plus ! »

LE STYLE

GIDE, *dans la N. R. F. en 1921, répond à une enquête*
sur le classicisme :
Il me semble que les qualités que nous nous plaisons à
appeler classiques sont surtout des qualités morales.

Dans un « Billet à Angèle » (même numéro de la
N. R. F.) :
Ayant fait résider le principal secret du classicisme dans
la modestie, je puis bien vous dire à présent que je me considère aujourd'hui comme le meilleur représentant du classicisme...

CLAUDEL :
...Quel excellent écrivain vous êtes, l'esprit prend les
grâces du corps le plus souple, quel bel usage de la syntaxe, je me rappelle une page avec deux imparfaits du sub-
jonctif qui ont fait mon admiration... (Lettre à Gide, 1906.)

VALÉRY LARBAUD :
Pour les subjonctifs, je ferai les corrections que vous m'in-
diquez ; mais certaines, un peu à contre-cœur. Les subjonctifs passés français sont de vilaines bêtes ululantes et sif-
flantes qu'il faudra détruire, tôt ou tard... Il y a deux points
de vue : celui des gens de nos générations pour lesquels

ces fautes d'accord font « mal écrit », et celui des jeunes
pour qui le respect des règles fait « trop bien écrit », et
paraît déjà un peu archaïque comme la redingote et le chapeau haut de forme. (Lettre à Gide, 1925.)

*Les réductions de mots, les inversions, les rythmes, les
acrobaties syntaxiques amusent Gide, parfois le ravissent.
Dans ses proses poétiques, il s'est épris de certains mots
qu'il a mis en valeur :*

« contrainte, dénuement — la soif, urgent, pertinent,
expédient — éperdument, éperdu, « Je m'éperds dans une
désordonnée poursuite des choses fuyantes » — le repli, le
retrait, le biais, le détour, la feinte... — « Ils chantaient,
ah ! plus fort qu'oiseaux, eussé-je cru, pussent chanter. »

*Dans ses phrases, les mots prennent souvent par eux-
mêmes, un sens moral :* « estime, mésestime — épris, désé-
pris » ; *psychologique :* « disponibilité, ferveur » ; *une nouvelle jeunesse :* « aria, vergogne »...

*Les plus simples phrases de Gide sont devenues des sortes
de maximes :*

« Je n'aime pas l'homme ; j'aime ce qui le dévore. »
— « J'aime mieux *faire agir* que d'agir. » — « Ils sont, ces
insoumis, le *sel de la terre* et les responsables de Dieu. »

QUELQUES JUGEMENTS

HENRI BATAILLE :
Une eau qui dit : « écoutez-moi, écoutez-moi ! » — Et
puis s'en va, — (Avec un petit frisson philosophique)...
(1901.)

JULIEN BENDA :

L'hypertrophie de l'esprit de finesse et la castration de l'esprit de système est une des causes évidentes du succès de Gide près de l'actuelle société...

CHARLES DU BOS :

En un roman Gide donne *sa* vie... il ne peut pas donner *la* vie.

JEAN PRÉVOST :

... Sincère à chaque instant, pour un instant.

VICTOR SERGE :

De l'ascétisme — mais accoutumé à du luxe. De l'ascétime au fond de l'âme et du velours sur la chair (1937.)

MAURICE SACHS :

C'était peut-être manque d'un être qui lui fut Tout, qu'il s'en attachait beaucoup qui lui étaient chacun à sa façon, et très différemment *presque* tout... Il aura tout voulu de la vie : être père, mari, amant, camarade, compagnon, ami...

Cette prudence constante dans toute l'œuvre de Gide, où rien n'est dit qu'à bon escient, où l'on ne sent jamais l'égarement de la passion, où l'auteur ne se trompe que si on le trompe (exemple l'U. R. S. S.), ce manque enfin d'un tempérament violent et déchaîné... je ne serais pas étonné qu'ils diminuent un jour l'œuvre... Gide a si prodigieusement, si totalement répondu aux besoins d'une époque qu'on est fondé à se demander si son œuvre trouvera semblable écho dans un temps différent. (1946.)

FRANÇOIS MAURIAC :

... Ce vieux Narcisse, dont la personnalité, enrichie de tous les apports d'une existence interminable, se mire encore dans un *Journal*..., après soixante-dix ans consacrés à se regarder jouir délicieusement et (diraient les Jansénistes) criminellement... (1946.)

ANDRÉ MALRAUX :

Je le crois... : *un directeur de conscience*. C'est une profession admirable et singulière... Par ses conseils, il n'est peut-être qu'un grand homme de « ce matin », — une date. Mais par cela, autant que par son talent d'écrivain qui le fait par bonheur le plus grand écrivain français vivant, il est un des hommes les plus importants d'aujourd'hui...

LES MANUELS

> *Heureux Gide, dont le professeur parlera en classe et dont on cachera encore les livres sous le traversin...*
>
> MAURICE SACHS.

HISTOIRE DE LA LITTÉRATURE FRANÇAISE :

... Poète ayant le don de l'analyse, critique lucide, et qui garde dans ses hardiesses quelques solides attaches à la meilleure tradition française. (Lanson, 1912.)

TABLEAU DE LA LITTÉRATURE FRANÇAISE AUX XIX⁰ ET XX⁰ SIÈCLES :

M. Gide écrit admirablement quand il veut, mais on sent qu'il lui faut vouloir. (Fortunat Strowski, 1924.)

HISTOIRE DE LA LITTÉRATURE FRANÇAISE DE 1789 A NOS JOURS :

Le roman de Gide ne fait que très modérément sa partie dans une histoire du roman français. Mais il la fait très puissamment... dans une histoire des influences. (Albert Thibaudet.)

HISTOIRE DE LA LITTÉRATURE FRANÇAISE DU SYMBOLISME
A NOS JOURS :

Il nous libère largement de beaucoup de sottises. Il est
grand, incontestablement comme Faust le fut dans les griffes
infernales. (Henri Clouard, 1947.)

L'ÉCOLE LIBÉRATRICE, *organe des instituteurs* :

« Le maître saura éviter d'appuyer sur ce qu'il peut y
« avoir de sensualité un peu trouble dans le passage, pour
« insister sur la métamorphose de cet organisme débilité
« en un corps déjà tonifié. » (Commentaire sur un fragment de *l'Immoraliste,* publié sous le titre « *Mon devoir
c'était ma santé* ». — 1948.)

LA GLOIRE

En 1947, *le Prix Nobel est décerné à André Gide.*

Gide meurt le 19 *février* 1951.

PAULHAN :

Gide n'a pas fait son temps. Il n'est pas du tout enterré
sous les hommages... qu'il a reçus. Il demeure actif, viru-
lent, d'ailleurs salubre : la curiosité à tous risques, le dédain
des opinions courantes, la confiance dans les paradoxes du
sens commun, l'impatience et l'espoir dans l'homme, la
liberté de chaque matin, ce ne sont pas là vertus si communes, ni passages si fréquentés. Gide, ou le sel et le poivre
de la terre.

CAMUS :

Le secret de Gide est qu'il n'a jamais perdu, au milieu
de ses doutes, la fierté d'être homme...

SARTRE :

... Toute la pensée française de ces trente dernières années, qu'elle le voulût ou non, quelles que fussent par ailleurs ses autres coordonnées, Marx, Hegel, Kierkegaard, devait se définir *aussi* par rapport à Gide.

. . . .

Ce que Gide nous offre de plus précieux, c'est sa décision de vivre jusqu'au bout l'agonie et la mort de Dieu.

. . . .

Il a vécu *pour nous* une vie que nous n'avons qu'à revivre en le lisant ; il nous permet d'éviter les pièges où il est tombé ou d'en sortir comme il en est sorti...

RÉFÉRENCES DES MORCEAUX CHOISIS [1]

EN CLASSE (page 513).

PIERRE LOUYS : Lettre à Jean Naville, dans *Les Débuts d'André Gide vus par Pierre Louys*, par Paul Iseler (Ed. du Sagittaire, 1937).

APPARITION D'ANDRÉ WALTER (page 513).

CAMILLE MAUCLAIR : dans *Une heure avec..*, 1re série, par Frédéric Lefèvre (N. R. F., 1924). — RÉMY DE GOURMONT : *Le Livre des Masques* (Mercure de France, 1896). — MAURICE BARRÈS : dans *Enquête sur l'évolution Littéraire*, par Jules Huret (Ed. Charpentier, 1891).

L'AMITIÉ MOUVEMENTÉE DE PIERRE LOUYS (page 514).

PIERRE LOUYS : Lettres à Gide, dans Paul Iseler, op. cit. — PIERRE LOUYS : *Journal Intime* (Ed. Montaigne, 1929). — PIERRE LOUYS : Lettres à Gide, dans Paul Iseler, op. cit. — NOTE D'IBSEN relevée par Gide : dans Paul Iseler, op. cit.

LES NOURRITURES TERRESTRES (page 517).

MALLARMÉ : dans *Autour des Nourritures Terrestres*, par Yvonne Davet (N. R. F., 1948). — PAUL VALÉRY : Id. — FRANCIS JAMMES : *Francis Jammes et André Gide — Correspondance 1893-1938* (N. R. F., 1948). — HENRI GHÉON : dans Yvonne Davet, op. cit. — EDMOND JALOUX : Id. — JACQUES COPEAU : dans le Numéro Spécial des Ed. du Capitole : *André Gide* (Coll. Les Contemporains, 1928). — JACQUES RIVIÈRE : *Jacques Rivière et Alain-Fournier — Correspondance 1905-1914*, t. II (N. R. F., 1926-28).

1. Les références complètes qui figurent dans les Morceaux Choisis ne sont pas reprises ici.

— Roger Martin du Gard : *Les Thibault,* 3e partie : *La Belle Saison,* vol. I. — Un étudiant : dans Yvonne Davet, op. cit. — Gide : Lettre au R. P. Poucel, dans *L'Esprit d'André Gide,* par Victor Poucel (A l'Art catholique, 1929).

FRANCIS JAMMES :
CORRESPONDANCE D'UNE AMITIÉ (page 520).

Toutes les citations sont prises dans la *Correspondance,* op. cit., sauf l'article de Gide, paru dans la *Nouvelle Revue Française* (1er décembre 1938).

LA GUERRE DE 1914-1918 (page 522).

Charles Du Bos : *Journal,* t. I (Ed. Corréa, 1946). — André Gide : Journal sans dates dans la *N. R. F.* (1er décembre 1909). — André Gide : Entretien à l' « Union pour la Vérité », dans *André Gide et notre Temps* (N. R. F., 1935). — Charles Du Bos : *Dialogue avec André Gide* (Ed. Corréa, 1927).

ANDRÉ GIDE OU L'ONCLE DADA (page 524).

André Breton : *Anthologie de l'Humour Noir* (Ed. du Sagittaire, 1940). — Louis Aragon : *Littérature* n° 16 (Septembre-Octobre 1920). — André Breton : « André Gide nous parle de ses morceaux choisis », dans *Littérature* n° 1, nouvelle série (1er mars 1922).

LES GRANDES OFFENSIVES (page 527).

Henri Béraud : *La Croisade des Longues Figures* (Ed. du Siècle, 1924). — Roland Dorgelès : dans *Une heure avec...,* 1re série, op. cit. — André Billy : *La Littérature Française contemporaine* (Armand Colin, 1927). — Léon Daudet : dans Béraud, op. cit. — Abel Hermant : dans *Une heure avec...,* 1re série, op. cit. — Henri Massis : *Jugements,* t. II (Plon, éd. 1924). — Charles du Bos : *Dialogue avec André Gide,* op. cit. — Groethuysen : dans *Journal* de Du Bos, t. III (Ed. Corréa, 1948). — Georges Bernanos : dans *Une heure avec...* 4e série, par Frédéric Lefèvre (N. R. F., 1927). — Paul Souday : *André Gide* (Ed. Kra, 1927). — André Malraux : dans la *Nouvelle Revue Française* (1er juin 1927). — André Gide : Lettre à André Rouveyre, dans *Le Reclus et le Retors,* par André Rouveyre (Ed. Crès et Cie, 1927).

CORYDON ET SI LE GRAIN NE MEURT (page 530).

André Rouveyre : *Le Reclus et le Retors,* op. cit. — Paul Souday : *André Gide,* op. cit.

POUR L'U. R. S. S. (page 532).

JULIEN GREEN : *Journal*, t. I (Plon, 1938). — MANIFESTE AUX TRAVAILLEURS : reproduit dans *Commune* (Nᵒˢ 7-8, mars-avril 1934). — COMITÉ THAELMANN (protestation) : reproduit dans *La Flèche* (23 juin 1934). — TÉLÉGRAMME DE LA « MAISON DE LA CULTURE » : reproduit dans *Europe* (15 juin 1936). — ILYA EHRENBOURG : *Vus par un Ecrivain d'U. R. S. S.* N. R. F., 1934). — FRANÇOIS MAURIAC : *Journal* (Grasset, éd., 1934). — LOUIS MARTIN-CHAUFFIER : dans *Vendredi* (7 août 1936).

RETOUR DE L'U. R. S. S. (page 536).

PIERRE HERBART : Lettre ouverte à André Gide (*Vendredi,* 20 novembre 1936), reprise dans *En U. R. S. S.,* 1936 (N. R. F., 1937). — VICTOR SERGE : dans *Les Temps Modernes* (juin 1949).

LA GUERRE DE 1939-1945 (page 540).

LETTRE DE LA LÉGION : dans *Chaque Homme est lié au Monde* (Appendice), par Roger Stéphane (Ed. du Sagittaire, 1946). — DÉBATS DE L'ASSEMBLÉE CONSULTATIVE PROVISOIRE : dans *Journal* 1939-1942, d'André Gide (N. R. F., 1946).

GIDE GARDE SA JEUNESSE (page 542).

ANDRÉ GIDE : Pages de Journal (Ed. Charlot, Alger, 1944) et *Journal* 1942-1949 (N. R. F., 1950).

LE STYLE (page 543).

ANDRÉ GIDE : Billet à Angèle, dans la *Nouvelle Revue Française* (1ᵉʳ mars 1921). — PAUL CLAUDEL : *Paul Claudel et André Gide — Correspondance* 1899-1926 (N. R. F., 1950). — VALERY LARBAUD : *Lettres à André Gide* (Stols, La Haye et Paris, 1948).

QUELQUES JUGEMENTS (page 544).

HENRI BATAILLE : *Têtes et Pensées* (Ed. Ollendorf, 1901). — JULIEN BENDA : *La France Byzantine* (N. R. F., 1945). — CHARLES DU BOS : *Dialogue avec André Gide,* op. cit. — JEAN PRÉVOST : *Les Caractères* (Ed. Albin Michel, 1948). — VICTOR SERGE : dans *Les Temps Modernes* (juin 1949). — MAURICE SACHS : *Le Sabbat* (Ed. Corréa, 1946). — FRANÇOIS MAURIAC : dans *Le Figaro* (25 juillet 1946). — ANDRÉ MALRAUX : cité par Henri Massis : *Jugements* (Plon éd., 1924).

LES MANUELS (page 546).

Histoire de la Littérature Française, par Lanson (Hachette, 1912). — *Tableau de la Littérature Française aux XIXᵉ et XXᵉ siècles,* par Fortunat Strowski (Ed. Paul Mellotée, 1924). — *Histoire de la Littérature Française de 1789 à nos jours,* par Albert Thibaudet (Ed. Stock, 1936). — *Histoire de la Littérature Française du Symbolisme à nos jours,* par Henri Clouard (Ed. Albin Michel, 1947).

LA GLOIRE (page 547).

Paulhan : *N. R. F.,* novembre 1951. — Camus : *N. R. F.,* novembre 1951. — Sartre : *Les Temps Modernes,* mars 1951.

BIBLIOGRAPHIE SOMMAIRE

Nous avons groupé les œuvres et les travaux de Gide en quatre parties :

1° Œuvres principales ;

2° Introductions et Préfaces de Gide à des ouvrages d'autres auteurs ;

3° Traductions par André Gide d'œuvres étrangères ;

4° Traductions des œuvres d'André Gide à l'étranger.

Dans la première partie : « Œuvres principales de Gide », nous avons fait surtout apparaître ces œuvres au moment où elles ont été *mises en vente.* Ainsi l'édition hors commerce d'un ouvrage, même lorsqu'elle a précédé de plusieurs années l'édition ordinaire, n'est signalée qu'au moment où l'édition ordinaire a paru. Dans le même but, les ouvrages courts, parus d'abord isolément et qui ont été réunis ensuite, quelquefois beaucoup plus tard, *en un volume,* ne sont signalés le plus souvent qu'au moment où ce volume collectif a paru.

Toute bibliographie des œuvres de Gide doit se référer aujourd'hui aux travaux qu'Arnold Naville a fait paraître successivement en 1930 et en 1949. Nous avons utilisé largement les précieux renseignements déjà réunis par lui.

Première Partie

ŒUVRES PRINCIPALES D'ANDRÉ GIDE

1891. LES CAHIERS D'ANDRÉ WALTER (Œuvre posthume. Anonyme). *Paris, à la Librairie Académique Didier-Perrin et Cie.* (Notice de P. C.,

Pierre Chrysis, pseudonyme de Pierre Louys, qui
n'a figuré que dans cette édition.) C'est cette
édition qui a été condamnée par l'auteur au pilon
et dont il ne reste que quelques exemplaires, qui
constituent proprement l'édition originale.

1891. LES CAHIERS D'ANDRÉ WALTER (Œuvre
posthume. Anonyme). *Paris, à la Librairie de
l'Art Indépendant.* (Edition tirée à 190 exemplaires). C'est cette édition de luxe qui aurait dû
paraître la première, mais qui a subi des retards
du fait de l'imprimeur.

1892. LES POÉSIES D'ANDRÉ WALTER (Œuvre
posthume. Anonyme). *Paris, à la Librairie de
l'Art Indépendant.*

1896. LE VOYAGE D'URIEN suivi de PALUDES. *Paris, au Mercure de France.*

> VOYAGE AU SPITZBERG, fragment du VOYAGE
> D'URIEN, a été publié précédemment en plaquette (*1892*).
> LE VOYAGE D'URIEN a paru séparément à *Paris, à la
> Librairie de l'Art Indépendant, en 1893.*
> PALUDES a paru séparément à *Paris, à la Librairie de
> l'Art Indépendant, en 1895.*

1897. LES NOURRITURES TERRESTRES. *Paris, au
Mercure de France.*

1899. PHILOCTÈTE. LE TRAITÉ DU NARCISSE.
LA TENTATIVE AMOUREUSE. EL HADJ.
Paris, au Mercure de France.

> LE TRAITE DU NARCISSE a paru séparément à *Paris, à
> la Librairie de l'Art Indépendant, en 1891.* (La couver-
> ture portait « Traité du », et au-dessous, un dessin de
> Pierre Louys représentant un narcisse. Puis, il parut ensuite
> chez le même éditeur en 1892.)
> LA TENTATIVE AMOUREUSE a paru séparément à *Paris,
> à la Librairie de l'Art Indépendant, en 1893.*

1899. LE PROMÉTHÉE MAL ENCHAINÉ. *Paris, au
Mercure de France.*

1902. L'IMMORALISTE. *Paris, au Mercure de France.*

1903. PRÉTEXTES. Réflexions sur quelques Points de
Littérature et de Morale. *Paris, au Mercure de
France.* (Le titre intérieur porte « Réflexions cri-
tiques sur... »).

> REFLEXIONS SUR QUELQUES POINTS DE LITTERA-
> TURE ET DE MORALE (Anonyme) a paru séparément
> à *Paris, au Mercure de France, en 1897.*

LETTRES A ANGELE 1898-1899 a paru séparément à *Paris, au Mercure de France, en 1900.*

DE L'INFLUENCE EN LITTERATURE (Conférence faite à la Libre Esthétique de Bruxelles le 29 mars 1900) a paru séparément à *Paris, dans la Petite Collection de l'Ermitage, en 1900.*

LES LIMITES DE L'ART (Conférence) ont paru à *Paris, dans la Petite Collection de l'Ermitage, en 1901.*

1904. SAUL. LE ROI CANDAULE. *Paris, au Mercure de France.*

LE ROI CANDAULE (Drame en trois actes), a paru séparément à *Paris, à la Revue Blanche, en 1901.*

SAUL (Drame en cinq actes), a paru séparément à *Paris, au Mercure de France, en 1903.* L'ouvrage a été écrit par l'auteur en 1896.

1906. AMYNTAS. Mopsus. Feuilles de route. De Biskra à Touggourt. Le Renoncement au Voyage. *Paris, au Mercure de France.*

FEUILLES DE ROUTE, 1895-1896 a paru séparément sans lieu, ni nom d'éditeur, ni date, à *Bruxelles, à l'Imprimerie N. Vandersypen, en 1899.*

1909. LA PORTE ÉTROITE. *Paris, au Mercure de France.*

1910. OSCAR WILDE. In Memoriam (*Souvenirs*). Le « De Profundis ». *Paris, au Mercure de France.*

1911. NOUVEAUX PRÉTEXTES. Réflexions sur quelques Points de Littérature et de Morale. *Paris, au Mercure de France.*

DE L'IMPORTANCE DU PUBLIC (Conférence prononcée à la Cour de Weimar le 5 août 1903) a paru séparément à *Paris, dans la Petite Collection de l'Ermitage en 1903.*

1911. ISABELLE. *Paris, à la N. R. F.*

1912. LE RETOUR DE L'ENFANT PRODIGUE, précédé de CINQ AUTRES TRAITES. *Paris, à la N. R. F.* Cette édition reprend les textes qui ont paru dans l'édition de 1899, mais elle est complétée par :

Le RETOUR DE L'ENFANT PRODIGUE qui a paru séparément à *Paris, édité par « Vers et Proses », en 1907.*

BETHSABE qui a paru séparément à *Paris, à la Bibliothèque de l'Occident, en 1912.*

1914. SOUVENIRS DE LA COUR D'ASSISES. *Paris, à la N. R. F.*

1914. LES CAVES DU VATICAN. *Paris, à la N. R. F.*

LES CAVES DU VATICAN ont paru précédemment (en

1914 également), à tirage limité : *Sotie par l'Auteur de Paludes*. Anonyme. *Paris, à la N.R.F.*

1919. LA SYMPHONIE PASTORALE. *Paris, à la N. R. F.*

1921. MORCEAUX CHOISIS [par André Gide]. *Paris, à la N. R. F.* (Edition en partie originale, contenant des fragments d'œuvres non publiées).

1921. PAGES CHOISIES [par André Gide]. La couverture, le faux-titre et le titre portent seulement : *André Gide* sans autre indication. *Paris, chez Georges Crès et Cie. Bibliothèque de l'adolescence.* (Edition en partie originale, contenant plusieurs morceaux inédits).

1922. CHARLES-LOUIS PHILIPPE. *Essai biographique. Paris, Editions Athéna.*

> CHARLES-LOUIS PHILIPPE (Conférence prononcée au Salon d'Automne le 5 novembre 1910) a paru précédemment à *Paris, chez Eugène Figuière et C*ie*, en 1911.*

1923. DOSTOIEVSKY. Articles et Causeries. *Paris, chez Plon-Nourrit et Cie.*

> DOSTOIEVSKY D'APRES SA CORRESPONDANCE a paru séparément, sous forme de tirage à part de la *Grande Revue*, à *Paris, chez Jean et Berger, en 1908 ;* puis en édition courante *chez Eugène Figuière et C*ie*, en 1911.*

1924. INCIDENCES. *Paris, à la N. R. F.*

1924. CORYDON. *Paris, à la R. N. F.*

> CORYDON a paru précédemment sous le titre : C. R. D. N. (Anonyme), sans lieu ni nom d'éditeur [*Bruges, Imprimerie Sainte-Catherine*] *en 1911.* Puis une nouvelle édition augmentée fut publiée sous le titre : CORYDON (Anonyme), sans lieu ni nom d'éditeur [*Bruges, Imprimerie Sainte-Catherine*] *en 1920.* Le titre intérieur porte « Corydon. Quatre dialogues socratiques ». Le dos de la couverture porte seulement « C. R. D. N. 1920 ».

1926. LES FAUX-MONNAYEURS. *Paris, à la N. R. F.*

1926. SI LE GRAIN NE MEURT. *Paris, à la N. R. F.* (Bien que les exemplaires portent la date de 1924, ils ne furent mis en vente qu'en octobre 1926).

> SI LE GRAIN NE MEURT a paru précédemment à *Paris* sans nom d'éditeur [*Bruges, Imprimerie Sainte-Catherine*], le premier volume en *1920,* le deuxième volume en *1921.* Certains noms propres cités sont différents de ceux qui figurent dans l'édition courante.
> SI LE GRAIN NE MEURT, en fragments, a paru séparément à *Oxford, chez Clarendon Press, en 1925.* Edition

classique anglaise, avec une Notice : « *André Gide and his work* », des Notes en anglais, un Vocabulaire : « *Phrases and idioms* », et deux cartes, du Calvados et du Gard.

SI LE GRAIN NE MEURT a été republié, avec coupures, dans une édition populaire (*Select Collection, Flammarion, 1927*), sous une couverture illustrée ; le titre intérieur porte en outre : *Souvenirs d'Enfance et de Jeunesse.*

1926. LE JOURNAL DES FAUX-MONNAYEURS. *Paris, aux Editions Eos.*

1926. NUMQUID ET TU... ? *Paris, aux Editions de la Pléiade. J. Schiffrin.*

NUMQUID ET TU... ? [Anonyme] a paru sans lieu ni nom d'éditeur. [*Bruges, Imprimerie Sainte-Catherine en 1922*].

1927. DINDIKI. *Liége, aux Editions de la Lampe d'Aladdin.*

1927. VOYAGE AU CONGO. *Carnets de route. Paris, à la N. R. F.*

1928. LE RETOUR DU TCHAD, suite du VOYAGE AU CONGO. *Carnets de route. Paris, à la N. R. F.*

1929. L'ÉCOLE DES FEMMES. *Paris, à la N. R. F.*

1929. ESSAI SUR MONTAIGNE. *Paris aux Editions de la Pléiade. J. Schiffrin.*

1929. ROBERT. Supplément à L'ÉCOLE DES FEMMES. *Paris, à la N. R. F.*

1930. L'AFFAIRE REDUREAU suivi de FAITS DIVERS. *Paris, à la N. R. F.* (Collection *Ne Jugez pas*).

FAITS-DIVERS et LETTRES SUR LES FAITS DIVERS ont paru en revue (dans la N. R. F.) en *1926, 1927* et *1928*. Aux mêmes dates, des tirages à part de la revue ont formé treize plaquettes successives.

1930. LA SÉQUESTRÉE DE POITIERS. *Paris, à la N. R. F.* (Collection *Ne Jugez pas*).

1931. ŒDIPE. *Paris, Editions de la Pléiade. J. Schiffrin.*

1931. DIVERS : Caractères, Un Esprit non prévenu, Dictées, Lettres. *Paris, à la N. R. F.* Ce volume groupe quatre ouvrages parus séparément à tirage limité :

CARACTERES. *Paris, à l'Enseigne de la Porte Etroite, en 1925.*

UN ESPRIT NON PREVENU. *Paris, aux Editions du Sagittaire, en 1929.*

DICTEES. *Paris, à la N.R.F., en 1929* (Tirage à part de
la revue N.R.F., hors commerce).

LETTRES, parues en *1928, 1929* dans la revue (*N. R. F.*)
et formant sept tirages à part, reparues en un volume à
Liége, aux Editions de la Lampe d'Aladdin, en 1930.

1934. PERSÉPHONE. *Paris, à la N. R. F.*

1935. LES NOUVELLES NOURRITURES. *Paris, à la
N. R. F.*

1936. GENEVIEVE. *Paris, à la N. R. F.* (Le faux-titre
porte : « Geneviève ou la Confidence inachevée ».)

1936. RETOUR DE L'U.R.S.S. *Paris, à la N. R. F.*

1937. RETOUCHES A MON RETOUR DE L'U. R.
S. S. *Paris, à la N. R. F.*

1939. JOURNAL (1889-1939). *Paris, à la R. N. F., dans
la Bibliothèque de la Pléiade.*

1889-1895, pages de journal [Anonyme] et **1927-1928,** pages
de journal [Anonyme], ont paru précédemment en 1931,
sans lieu ni nom d'éditeur.

1902-1905, pages de journal [Anonyme], a paru en 1932,
également sans lieu ni nom d'éditeur. Certains passages
n'ont jamais été repris dans le *Journal* ; d'autres sont
réapparus un peu modifiés, de même que certains noms
propres.

PAGES DE JOURNAL (1929-1932) a paru précédemment
à *Paris, à la N.R.F., en 1934.* (En appendice, figurent,
parmi d'autres documents, des lettres de Gide à Barbusse,
à l'A. E. A. R., à la mère de Dimitrov.)

NOUVELLES PAGES DE JOURNAL (1932-1935) a paru
précédemment à *Paris, à la N.R.F., en 1936.*

1941. DÉCOUVRONS HENRI MICHAUX. *Paris, à la
N. R. F.*

1942. LE TREIZIÈME ARBRE. « Plaisanterie en
1 acte », a paru dans THEATRE. *Paris, à la
N. R. F.*

1943. INTERVIEWS IMAGINAIRES. *Paris, à la N.R.F.*

INTERVIEWS IMAGINAIRES a paru, également *en 1943,
à Yverdon et Lausanne (aux Editions du Haut Pays).* La
composition du recueil est un peu différente.

INTERVIEWS IMAGINAIRES, suivi de la DELIVRANCE
DE TUNIS, « Pages de Journal, Mai 1943 », a paru,
également *en 1943, à New-York (aux Editions J. Schiffrin).*

ATTENDU QUE, qui reproduit presque intégralement
INTERVIEWS IMAGINAIRES, a paru, également *en 1943,
à Alger (chez Charlot).* Ce même ouvrage, *en 1944,* a
paru à *Tananarive, Imprimerie Officielle.*

1946. SOUVENIRS LITTÉRAIRES ET PROBLÈMES

ACTUELS, « Allocution et Conférence prononcées à Beyrouth en avril 1946 ». *Beyrouth, aux Lettres Françaises.*

ALLOCUTION PRONONCÉE A PERTISAU le 18 août 1946, tirée par l'*Imprimerie Nationale de France en Autriche,* reproduit la fin de l'allocution précédente.

1946. JOURNAL 1939-1942. *Paris, à la N. R. F.* Cette édition est retouchée et plus complète que les trois éditions suivantes :

PAGES DE JOURNAL 1939-1942, paru précédemment *en 1944, à New-York, aux Editions J. Schiffrin,* pages suivies de « Dieu, Fils de l'Homme » ;

PAGES DE JOURNAL, paru, également *en 1944, à Alger, chez Charlot ;*

PAGES DE JOURNAL, paru par ailleurs, *en 1945, à Yverdon et Lausanne, aux Editions du Haut-Pays.*

1946. THÉSÉE. *Paris, à la N. R. F.*

THÉSÉE a paru, également *en 1946, à New-York, aux Editions J. Schiffrin.*

1946. LE RETOUR. *Neuchâtel et Paris, aux Ides et Calendes.* In memoriam de Raymond Bonheur, composé de lettres et d'une pièce en 1 acte, dont Raymond Bonheur devait écrire la musique.

1947. LE PROCÈS, pièce tirée du roman de Kafka par
1948. CORRESPONDANCE ENTRE FRANCIS JAMMES ET ANDRÉ GIDE, 1893-1938. Préface et André Gide et J.-L. Barrault. *Paris, à la N.R.F.* notes par R. Mallet. *Paris, à la N.R.F.* Certaines lettres de 1914, relatives au passage des « Caves du Vatican » incriminé par Claudel, ne figurent pas dans cet ouvrage, mais ont été publiées ultérieurement dans la « Correspondance Paul Claudel-André Gide ».

1948. PROSERPINE. Cette pièce, annoncée dès 1893, dans « La Tentative Amoureuse », n'a paru que dans le *Théâtre complet IV, à Neuchâtel et Paris, aux Ides et Calendes.*

1948. PRÉFACES. *Neuchâtel et Paris, aux Ides et Calendes.*

1948. RENCONTRES. *Neuchâtel et Paris, aux Ides et Calendes. Recueil de courts récits.*

L'ART BITRAIRE (sous le titre de *L'Arbitraire*) *a paru séparément dans les tirages à part du Palimugre, à Paris, en 1947.*

37

1948. LES CAVES DU VATICAN. « Farce en 3 actes extraite du roman par l'auteur », a paru dans le *Théâtre complet V, à Neuchâtel et Paris, aux Ides et Calendes.*

1948. ÉLOGES. *Neuchâtel et Paris, aux Ides et Calendes.* Souvenirs sur 14 écrivains.

> EMILE VERHAEREN a paru séparément *à Liège, A la Lampe d'Aladdin, en 1927.*
>
> JACQUES RIVIERE a paru séparément *à Paris, aux Editions de La Belle Page, en 1931.*

1948. NOTES SUR CHOPIN. *Paris, aux Editions de l'Arche.*

> NOTES SUR CHOPIN, tirage à part de la *Revue Internationale de Musique*, a paru séparément, *à Bruxelles, en 1938.*

1949. FEUILLETS D'AUTOMNE. *Paris, au Mercure France.* Recueil de textes parus précédemment dans des ouvrages collectifs, revues, des journaux ou en plaquettes. Parmi les plaquettes non encore mentionnées :

> JOSEPH CONRAD. *Liège, A la Lampe d'Aladdin, en 1927.*
>
> DEUX RECITS : JEUNESSE ET ACQUASANTA, *Paris, chez J. Schiffrin, en 1938.*
>
> PAUL VALERY. *Paris, chez Domat, en 1947.*

1949. ANTHOLOGIE DE LA POÉSIE FRANÇAISE. *Paris, à la N. R. F., dans la Bibliothèque de la Pléiade.* Choix de poètes du XIIIᵉ siècle à nos jours réunis par André Gide. Les poètes contemporains, vivants en 1949, n'y figurent pas. Cet ouvrage est précédé d'une *Préface* qui a paru précédemment dans :

> POETIQUE, *Neuchâtel et Paris, aux Ides et Calendes, en 1947.*

1950. CORRESPONDANCE ENTRE PAUL CLAUDEL ET ANDRÉ GIDE, 1899-1926. Préface et notes par R. Mallet. *Paris, à la N. R. F.*

1950. JOURNAL 1942-1949. *Paris, à la N. R. F.*

1950. LITTÉRATURE ENGAGÉE. *Paris, à la N. R. F.* Recueil de discours, articles et lettres, parus de 1930 à 1938 dans des journaux ou des revues, et relatifs au communisme et aux questions politiques et sociales. L'ouvrage a été établi par Yvonne Davet. Il est suivi de :

> ROBERT OU L'INTERET GENERAL, pièce en 5 actes, parue précédemment *en 1949,* dans *Théâtre complet VI,*

Neuchâtel et Paris, aux Ides et Calendes. Cette pièce comporte une première version très différente écrite en 1936, version qui n'a jamais paru en français mais, traduite en russe par Elsa Triolet et qui devait être jouée à Moscou. La version actuelle a été remaniée par l'auteur, après son « Retour de l'U.R.S.S. ».

1951. ET NUNC MANET IN TE, suivi de JOURNAL INTIME, *Ides et Calendes, Neuchâtel et Paris.*

ET NUNC MANET IN TE a déjà été publié à 13 exemplaires chez *Richard Heyd, Neuchâtel.*

LES ŒUVRES COMPLÈTES d'André Gide ont paru, échelonnées de 1931 à 1939, en 15 tomes. La guerre a interrompu cette publication. Le tome XVI doit paraître prochainement ; d'autres doivent suivre. Les œuvres sont présentées généralement dans l'ordre de leur date de composition. Chacune d'elles est accompagnée le plus souvent d'articles, de préface, de lettres, d'importants extraits du *Journal,* écrits à la même époque. Les « Œuvres Complètes » contiennent des textes rares, comme par exemple la saisissante *Conversation avec un Allemand* qui n'a été publiée par ailleurs que dans les *Morceaux Choisis.* L'édition a été établie par L. Martin-Chauffier (*Paris, à la N. R. F.*)

LE THÉATRE COMPLET reprend des pièces déjà publiées ou des textes dialogués inédits, des adaptations par Gide de certains de ses récits, des traductions de pièces étrangères. Huit tomes ont paru jusqu'à présent, échelonnés de 1947 à 1949 (*Neuchâtel et Paris, Ides et Calendes*).

DEUXIÈME PARTIE

INTRODUCTIONS ET PRÉFACES DE GIDE

Elles accompagnent les livres suivants :

1904. CATALOGUE DE L'EXPOSITION MAURICE DENIS. *Paris, Galerie E. Druet.*

1907. CATALOGUE DE L'EXPOSITION W. WOJTKIEWICZ. *Paris, Galerie E. Druet.*

1908. EMMANUEL SIGNORET. Poésies complètes. *Paris, Mercure de France.*

1917. BAUDELAIRE. Les Fleurs du Mal. *Paris, Editions Pelletan, R. Helleu.*

1920. CATALOGUE DE L'EXPOSITION CORNILLEAU. *Paris, Maison des Amis des Livres.*

1922. LETTRES DU LIEUTENANT DE VAISSEAU DUPOUEY. *Paris, à la N.R.F.*

1925. STENDHAL. Armance. *Paris, Edouard Champion.*

1925. LE CAS LAUTREAMONT (Le Disque Vert.) *Paris, Bruxelles, R. van den Berg.*

1925. CATALOGUE DE LIVRES ET MANUSCRITS PROVENANT DE LA BIBLIOTHEQUE DE M. ANDRE GIDE. *Paris, Edouard Champion.*

1928. RENE LALOU. André Gide. *Strasbourg, Joseph Heissler.*

1931. A. DE SAINT-EXUPERY. Vol de Nuit. *Paris, à la N.R.F.*

1933. CATALOGUE DE L'EXPOSITION DE LA BIBLIOTHEQUE JACQUES DOUCET. *Paris, Bibliothèque Sainte-Geneviève.*

1934. EMILE GOUIRAN. André Gide, essai de psychologie littéraire. *Paris, Editions Jean Crès.*

1935. E. PELL. André Gide ; l'évolution de sa pensée religieuse. *Grenoble, Imprimerie Saint-Bruno.*

1935. HENRY MONNIER. Morceaux Choisis. *Paris, à la N.R.F.*

1936. HENRI LAMBERT. Souffles dans les Ténèbres. *Nice, Imprimerie Nouvelle.*

1937. P. ISELER. Les Débuts d'André Gide vus par Pierre Louys. *Paris, Editions du Sagittaire.*

1937. THOMAS MANN. Avertissement à l'Europe. *Paris, à la N.R.F..*

1938. YVON. L'U.R.S.S. telle qu'elle est. *Paris, à la N.R.F.*

1938. JEF LAST. Zuydersee. *Paris, à la N.R.F.*

1938. H. FIELDING. Tom Jones. *Paris, à la N.R.F.*

1938. SHAKESPEARE. Théâtre complet. *Paris, à la N.R.F., dans la Bibliothèque de la Pléiade.*

1939. PIERRE HERBART. Le Chancre du Niger. *Paris, à la N.R.F.*

1939. FRANCIS JAMMES. Vers et Prose. *Lausanne, la Guilde du Livre.*

1939. LES PAGES IMMORTELLES DE MONTAIGNE. *Paris, Editions Corréa.* (Les extraits de Montaigne ont été choisis par Gide.)

1939. TABLEAU DE LA LITTERATURE FRANÇAISE, XVIIe-XVIIIe SIECLES. Ouvrage collectif. *Paris, à la N.R.F.*

1942. GOETHE. Théâtre. *Paris, à la N.R.F., dans la Bibliothèque de la Pléiade.*

1944. ECRIVAINS AMERICAINS D'AUJOURD'HUI. *Genève, Editions du Continent.*

1945. TERRE DES HOMMES. Hebdomadaire paru le 29 septembre 1945.

1945. POUSSIN. *Paris, Au Divan.* (La préface de Gide est intitulée : L'Enseignement de Poussin.)

1946. CATALOGUE DE L'EXPOSITION PAUL VALERY, contenant un témoignage d'André Gide. *Paris, Editions Steff.*

1946. R. LEPOUTRE. André Gide. *Paris, Richard-Masse.*

1946. JEAN SCHLUMBERGER. Saint-Saturnin. *Zurich, Oprecht.*

1947. WILLIAM BLAKE. *Paris, British Council et Galerie René Drouin.*

1947. FRANCIS JAMMES. Clara d'Ellébeuse. *Lausanne, Ed. Mermod.*

1947. STENDHAL. Lamiel. *Paris, Elf, les Classiques du XIX*e. (L'introduction de Gide est intitulée : En relisant Lamiel.)

1947. TAHA HUSSEIN. Le Livre des jours. *Paris, à la N.R.F.*

1947. JEAN LACAZE. Chants de Départ. *Finhan, Editions Chantal.*

1948. HERMANN HESSE. Le Voyage en Orient. *Paris, Calmann-Lévy.*

1948. CATALOGUE DE L'EXPOSITION SIMON BUSSY. *Paris, Galerie Charpentier.*

1948. J. DE LAUNAY ET C. MURAT. Jeunesses d'Europe. *Paris, France-Empire.*

1949. MARCEL DROUIN. La Sagesse de Gœthe. *Paris, à la N.R.F.* Cette liste ne prétend pas être complète. D'autres préfaces de Gide figurent dans les traductions qu'il a faites d'ouvrages étrangers (voir plus loin, III*e* partie).

Parmi les préfaces ci-dessus mentionnées, certaines ont été reprises dans *Morceaux Choisis, Interviews Imaginaires, Souvenirs Littéraires et Problèmes Actuels, Préfaces, Feuillets d'Automne.*

Troisième Partie

TRADUCTIONS D'ŒUVRES ÉTRANGÈRES PAR ANDRÉ GIDE

1914. R. TAGORE. L'Offrande lyrique (Gitanjali), *précédé d'une préface de Gide. Paris, à la N.R.F.*

1918. J. CONRAD. Typhon. *Paris, à la N.R.F.*

1918. W. WHITMAN. Œuvres choisies, *traduites par plusieurs écrivains dont André Gide. Paris, à la N.R.F.*

1921. SHAKESPEARE. Antoine et Cléopâtre, *accompagné d'une notice de Gide. Paris, Lucien Vogel.*

1922. R. TAGORE. Amal et la Lettre du Roi. *Paris, Lucien Vogel.*

1923. W. BLAKE. Le Mariage du Ciel et de l'Enfer, *précédé d'une introduction de Gide. Paris, Claude Aveline.*

1923. A. POUCHKINE. La Dame de Pique, *en collaboration avec J. Schiffrin et B. de Schloezer, précédé d'un avant-propos de Gide. Paris, La Pléiade, J. Schiffrin.*

1928. A. POUCHKINE. Nouvelles, *en collaboration avec J. Schiffrin. Paris, La Pléiade, J. Schiffrin.*

1935. A. POUCHKINE. Récits, *en collaboration avec J. Schiffrin. Paris, à la N.R.F.*

1946. SHAKESPEARE. Hamlet. *Paris, à la N.R.F. Dans l'édition de 1944, New-York, J. Schiffrin, cet ouvrage est précédé d'une « Lettre-préface ».*

Traductions parues dans des revues

1911. R.-M. RILKE. Les Cahiers de Malte Laurids Brigge, *fragments.*
Nouvelle Revue Française, 1ᵉʳ juillet.

1931. ARNOLD BENNET. Préface à son livre : *Un Conte de Bonnes
femmes. N. R. F., 1ᵉʳ mars.*

1932. GŒTHE. Le Second Faust, *fragments.* (Dans le *numéro spécial de
la Nouvelle Revue Française sur Gœthe, 1ᵉʳ mars.*)

1933. Arden de Feversham. (Dans le *numéro spécial des Cahiers du Sud
sur le Théâtre Elizabéthain.*)

1934. L. TURECK. La Vie et la Mort de mon frère Rudolph. *Commune
Janvier-Février.*

1935. POUCHKINE. Le Marchand de Cercueils, *en collaboration avec
J. Schiffrin. Nouvelle Revue Française, 1ᵉʳ janvier.*

QUATRIÈME PARTIE

TRADUCTIONS DES ŒUVRES DE GIDE
A L'ÉTRANGER

Nous avons donné en 1933 une liste assez développée des traductions
des œuvres de Gide dans seize pays étrangers. Ce travail prendrait aujour-
d'hui un développement trop important pour qu'il puisse figurer dans
cette bibliographie sommaire.

Nous nous contenterons donc de signaler, à la date de 1947, les ouvrages
de Gide les plus traduits :

Les Faux-Monnayeurs et *La Symphonie Pastorale,* dans 17 pays ;
Les Caves du Vatican, dans 16 pays ;
La Porte Etroite et *Retour de l'U.R.S.S.,* dans 15 pays ;
L'Ecole des Femmes et *L'Immoraliste,* dans 13 pays.

Le Retour de l'Enfant Prodigue, — *Geneviève,* — *Le Prométhée mal
enchaîné,* — *Si le Grain ne meurt,* — *Paludes,* — *Voyage au Congo,*
— *Le Retour du Tchad,* — *Isabelle,* — *Robert,* ont paru dans 7, 8 ou
9 pays étrangers.

Les Nourritures Terrestres et le *Journal* n'ont paru que dans 4 et
5 pays étrangers.

Les Nourritures Terrestres : en Italie, en Allemagne, en Chine et
en Turquie.

Le *Journal* : en Italie, aux Etats-Unis, en Tchécoslovaquie, au Japon
et en Russie.

TABLE DES MATIÈRES

LIVRE II
L'HOMME

LIVRE III

ENTRETIENS
AVEC GIDE ET SES CONTEMPORAINS

MORCEAUX CHOISIS